I MITI

Martin Cruz Smith

volumi già pubblicati
in edizione Mondadori

Red Square
La rosa nera
Stella polare

Martin Cruz Smith

GORKY PARK

Traduzione di
Pier Francesco Paolini

Arnoldo
Mondadori
Editore

Il nostro indirizzo Internet è:
http://www.mondadori.com/libri

ISBN 88-04-43207-1

Questo volume è stato stampato
presso Arnoldo Mondadori Editore S.p.A.
Stabilimento Nuova Stampa – Cles (TN)
Stampato in Italia – Printed in Italy

Gorky Park

per Em

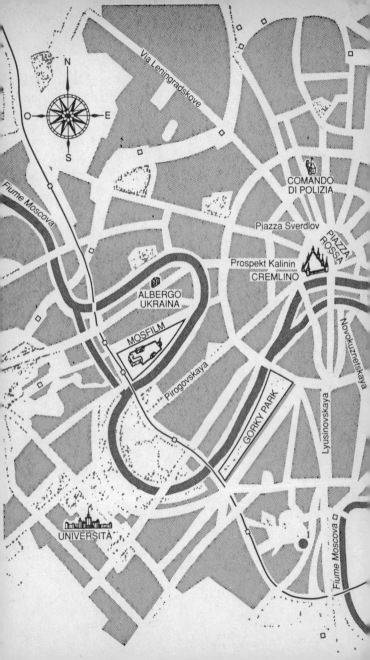

L'Autore ringrazia

Anthony Astrachan, il dottor Michael Baden, Anthony Bouza, Knox Burger, William Caunitz, Nancy Forbes, il dottor Paul Kagansky, Anatol Milstein, John Romano, Katherine Sprague e Richard Woodley per il generoso aiuto e gli incoraggiamenti ricevuti mentre scriveva questo romanzo.

Uno speciale riconoscimento va a Alex Levin, a Yuri e Ala Gendler e a Anatoly Davydov, senza i quali il Gorky Park sarebbe stato un luogo privo di persone.

Mosca

I

Ogni notte dovrebbe essere così buia, ogni inverno così mite, tutti i fari così abbaglianti.

Il furgone slittò, rallentando, e andò a fermarsi contro un banco di neve. Ne scese la Squadra Omicidi: agenti ricavati da uno stesso stampino – braccia corte e fronte bassa – in pastrano foderato di pecora. L'unico in borghese era un uomo alto e pallido: l'Investigatore-capo. Questi ascoltò con attenzione il racconto della guardia che aveva trovato i cadaveri fra la neve, allorché si era un po' allontanato dal sentiero – nel cuore della notte – per un'urgenza corporale. Li aveva visti, allora, e a momenti gli prendeva un accidente. Era mezzo gelato dal freddo, dopo. Gli agenti si fecero avanti, alla luce del faro del furgone.

L'Investigatore pensò, lì per lì, che quei tre disgraziati non fossero altro che un terzetto di compagni di sbronze, allegramente morti assiderati. La vodka era una tassa; il suo prezzo non faceva che aumentare; tre è il numero perfetto: quindi ci si metteva in tre (una *vodka-troika*) per risparmiare e divertirsi meglio. Ecco un esempio eccellente di primordiale comunismo.

Delle luci brillarono sull'altro lato della radura; si stagliarono sulla neve lunghe ombre di alberi; poi comparvero due auto: due Volga nere. Ne scese un drappello di agenti in borghese, del KGB. Li guidava un uomo tozzo e vigoroso, il Maggiore Pribluda. Tutt'insieme, gli uomini della Milizia e del KGB battevano i piedi per scaldarli. Il fiato si condensava in nuvolette. Su baveri e berretti scintillavano cristalli di ghiaccio.

La Polizia, o Milizia, dipendente dall'MVD – il Ministero degli Affari Interni – dirigeva il traffico, dava la caccia agli ubriachi molesti e raccattava i cadaveri d'ordinaria amministrazione. Il KGB – Comitato per la Sicurezza dello Stato – aveva invece incarichi più importanti e responsabilità più misteriose: se la vedevano con spioni e intriganti, nostrani e forestieri, con contrabbandieri, dissidenti e malcontenti. I poliziotti andavano in giro in divisa, quelli del KGB invece preferivano l'anonimato degli abiti borghesi. Il Maggiore Pribluda era pieno di rude buonumore mattutino, disposto ad attenuare, per l'occasione, quella rivalità professionale che rendeva difficili e tesi i rapporti fra Milizia e KGB. Insomma, era tutto sorrisi... finché non riconobbe l'Investigatore.

«Renko!» esclamò.

«Per l'appunto.» E Arkady Renko gli voltò le spalle, dirigendosi verso le tre salme. A Pribluda non restò che seguirlo.

Le orme della guardia che aveva scoperto i cadaveri portavano al centro della radura; e qui, sotto la neve, si profilavano delle sagome. Un Investigatore-capo avrebbe dovuto fumare sigarette di gran marca: invece Arkady Renko si accese una scadente Prima e si riempì la bocca del suo acre sapore. Il bisogno di fumo si faceva più acuto, quando aveva a che fare coi morti. Lì i morti erano tre, come aveva detto la guardia. Giacevano pacificamente, persino aggraziati, sotto la coltre di ghiaccio in disgelo. Quello al centro, supino, teneva le mani congiunte sul petto, come se l'avessero composto per il funerale; gli altri due, bocconi, con le braccia allargate, sembravano le figure laterali di uno stemma. Ai piedi avevano, tutti e tre, pattini da ghiaccio.

Pribluda spinse da parte Arkady.

«Una volta accertato che non c'è di mezzo la şicurezza dello Stato, solo allora potrà occuparsene lei.»

«Spionaggio? Maggiore, si tratta di tre ubriaconi in un parco pubblico...»

Il Maggiore stava già facendo segno a uno dei suoi agenti, munito di macchina fotografica. A ogni flash la neve si tingeva d'azzurrastro e le salme sembravano lievitare. La macchina, straniera, era di quelle che sviluppano e stampano all'istante. Orgogliosamente, il fotografo mostrò una foto a Arkady. Si vedevano soltanto i riflessi del flash sulla neve; dei tre morti, neanche l'ombra.

«Che gliene pare?»

«Molto rapida.» E Arkady gli restituì la foto. La neve, intorno ai cadaveri, era ormai tutta calpestata. Lui seguitò a fumare, esasperato. Si passò le lunghe dita fra i capelli neri, lisci. Notò che né il Maggiore né il fotografo calzavano scarponi da neve. Magari, con i piedi bagnati, il KGB se n'andrà prima. Quanto ai morti, s'aspettava di trovare un paio di bottiglie vuote, nei paraggi, sotto la neve. La notte volgeva al termine e, dietro il Monastero Donskoy, baluginava un primo albore. Arkady vide Levin, il patologo della Polizia, che stava a guardare – con aria di disprezzo – dal bordo della radura.

«Sembra che i cadaveri si trovino qui da tempo» disse Arkady. «Fra una mezz'ora, i nostri specialisti potranno metterli a nudo e esaminarli alla luce.»

«Un giorno o l'altro, toccherà a lei» disse Pribluda, indicando uno dei morti.

Arkady non era sicuro di aver udito bene. Il ghiaccio sfavillava ai fari. No – decise – non può aver detto una cosa del genere. Pribluda volse intorno lo sguardo, nel bagliore. I suoi occhi erano piccoli e neri come semi di mela. D'un tratto, si sfilò i guanti.

«Non siamo mica qui per imparare da voialtri» disse. E, a gambe larghe, chinatosi sui morti, cominciò a raspare la neve, come un cane, per denudarne i volti.

Uno crede di averci fatto il callo, alla morte; è un esperto, in materia; gli è capitato di vedere stanze imbrattate di sangue dappertutto, fin sul soffitto; sa che, specie d'estate, il sangue schizza e sgorga a profusione; sicché, quasi quasi, preferisce cadaveri invernali. Poi, ecco una nuova maschera di morte affiorare da sotto la neve. Arkady non aveva mai visto niente di simile. Pensò che non l'avrebbe mai dimenticata, quella faccia. E non sapeva, allora, che quello era il momento cruciale di tutta la sua vita.

«Omicidio» disse Arkady.

Pribluda restò impassibile. Si diede a raspare via la neve anche dalle altre due teste. Erano nello stesse condizioni della prima. Poi si mise a cavalcioni sul cadavere di mezzo, dando strapponi al cappotto gelato, finché non riuscì a aprirlo; quindi lacerò e aprì anche il vestito.

«Non importa.» Rise. «Si capisce lo stesso ch'è una donna.»

«Le hanno sparato» disse Arkady. Fra i seni, marmorei nella morte, c'era il foro d'entrata d'un proiettile, un buco nero. «Maggiore, lei sta distruggendo delle prove.»

Pribluda squarciò gli indumenti degli altri due cadaveri. «Hanno sparato a tutti.» Esultò, come un profanatore di tombe.

Il fotografo, intanto, era venuto documentando la sua opera, un flash dietro l'altro: Pribluda che solleva una testa per i capelli irrigiditi, Pribluda che estrae una pallottola dalla bocca di uno dei tre... Arkady notò che non solo erano state sfigurate le tre facce, ma alle vittime avevano anche amputato i polpastrelli: niente impronte digitali.

«Ai due uomini, hanno sparato anche al cranio.» Pribluda si lavò le mani con una manciata di neve.

«Tre cadaveri... tre è il numero perfetto, caro Investigatore. Ora che ho fatto il lavoro sporco io, per lei, siamo pari. Basta così» ordinò al fotografo. «Andiamo via.»

«Lei lo fa sempre, il lavoro sporco, Maggiore» disse Arkady, quando il fotografo si fu allontanato.

«Come sarebbe a dire?»

«Tre persone uccise e sfigurate, fra la neve. È lavoro per lei, questo, Maggiore. Mica vorrà che indaghi io. Chissà dove si potrebbe arrivare!»

«Dove si potrebbe arrivare?»

«Le cose, Maggiore, sfuggono di mano, a volte. Ricorda? Perché non se la prende lei, la briga di questa indagine, fin da ora, così noi ce n'andiamo a casa?»

«Non ci sono gli estremi di un crimine contro lo Stato, ch'io sappia. Si tratta di un caso, per lei, solo un po' più complicato del solito, ecco tutto.»

«Complicato da qualcuno che ha manomesso le prove.»

«Le farò avere un rapporto, corredato da foto, in ufficio» disse Pribluda, rinfilandosi i guanti, «quindi si godrà il frutto del mio lavoro.» Alzò la voce, perché udissero tutti all'intorno. «S'intende che, se scoprisse qualcosa relativo a un reato che potrebbe interessare il Comitato per la Sicurezza dello Stato, mi farà immediatamente informare, tramite il Procuratore. Intesi, compagno Investigatore Renko? Ci impiegasse anche un anno, o dieci anni, non appena appura qualcosa, avverta.»

«Perfettamente intesi» rispose Arkady, a voce altrettanto alta. «Conti sulla nostra piena collaborazione.»

Iene, corvi, avvoltoi, vermi... pensò l'Investigatore guardando le auto di Pribluda allontanarsi, a marcia indietro, dalla radura. Animali notturni. L'alba spuntava; e gli pareva quasi di sentire il moto della terra accelerarsi, all'imminente levar del sole. Si accese un'altra sigaretta per mandar via il sapore di Pribluda dalla bocca. Brutto vizio: come il bere – altra industria di

Stato. Tutto quanto era industria di Stato, lui compreso. Persino i fiori di neve cominciavano a mostrarsi, al primo accenno del mattino. Sul bordo della radura, i militi apparivano ancora inebetiti. Anche loro avevano visto quelle maschere sbucare dalla neve.

«Il caso spetta a noi» disse Arkady ai suoi uomini. «Non pensate che dovremmo far qualcosa?»

Perlomeno, cominciassero a isolare la zona. Al Sergente ordinò di chiedere, via radio, rinforzi alla Centrale – con badili e rilevatori di metalli. Un po' di messinscena d'efficienza non manca mai di rianimare la truppa.

«E così...»

«Così indaghiamo noi, Sergente. Fino a nuovo ordine.»

«Che bella mattina» commentò Levin con sarcasmo.

Il patologo era più anziano degli altri e sembrava la caricatura di un ebreo travestito da Capitano della Milizia. Non aveva alcuna simpatia, lui, per Tanya, la specialista *in situ* della squadra. Tanya non riusciva a staccare gli occhi da quei tre volti scarnificati. Arkady la tirò in disparte e le suggerì, per cominciare, di tracciare una piantina della radura, e poi di cercare di disegnare la posizione dei cadaveri.

«Prima o dopo l'assalto del Maggiore?» domandò Levin.

«Prima» rispose Arkady. «Come se qui il Maggiore non ci fosse mai venuto.»

Il biologo cominciò a cercare campioni di sangue, fra la neve intorno ai corpi. Sarà una gran bella giornata, pensò Arkady. Sulla riva opposta del fiume vide il primo chiarore del giorno stagliare i contorni del Ministero della Difesa: era l'unico momento in cui quelle tetre mura avevano un tocco di vita. Tutt'intorno alla radura, gli alberi sembravano, alla luce indecisa, guardinghi come daini. Apparivano i fiori di neve rossi e azzurri, lucenti come nastri. Un giorno in cui l'inverno sembra prossimo a disciogliersi.

«Al diavolo...» Arkady tornò a guardare i morti.

Il fotografo gli chiese se le foto non le avessero già fatte quelli del KGB.

«Sì, e andranno benissimo come ricordi, magari, ma non per il nostro lavoro.»

Il fotografo, lusingato, rise.

Bene – pensò Arkady – ridi più forte.

Un agente in borghese a nome Pasha Pavlovich arrivò, a bordo dell'auto in dotazione all'Investigatore: una Moskvich, vecchiotta, e non già una Volga ultimo modello come quella di Pribluda. Pasha era mezzo tartaro: muscoloso, romantico, con un ciuffo di capelli sulla fronte.

«Tre morti, due uomini, una donna.» Arkady salì in macchina. «Surgelati. Morti forse da una settimana, forse da un mese, magari da cinque. Nessun documento, nessun effetto personale, niente. Colpiti al cuore e, due, anche alla testa. Va' a dare un'occhiata alle facce.»

Arkady attese in macchina. Stentava a credere che l'inverno fosse già finito, a metà aprile; di solito, si prolungava fin verso giugno. Avrebbe potuto tenere celati quegli orrori, ancora per un po'. Non fosse per via del disgelo di ieri, d'una guardia che ha la vescica piena e del chiardiluna che rivela qualcosa fra la neve pensò Arkady a occhi chiusi – a quest'ora starei ancora a letto.

Pasha tornò, furente d'indignazione.

«È roba da matti, da mostri...»

Arkady gli fece cenno di salire. «Pribluda è stato qui» disse quando l'altro fu a bordo.

E osservò il leggero cambiamento provocato da quelle sue parole sul viso di Pasha: un'impercettibile contrazione, un'occhiata in tralice alla radura, quindi ad Arkady. Quei tre morti, là, non rappresentavano tanto un orrendo delitto quanto un atroce enigma. O l'una e l'altra cosa insieme. Pasha era un bravo ragazzo e aveva più scrupoli di coscienza di tanti altri.

«Non è roba per noi» disse Arkady. «Cominceremo a

indagare ma poi, sta' tranquillo, ci toglieranno il caso dalle mani.»

«Al Gorky Park però...» Pasha era sconvolto.

«Molto strano. Tu fa' come ti dico e siamo a posto. Va' al posto di polizia del parco, e procurati una mappa delle piste di pattinaggio. Compila un elenco dei militi che hanno prestato servizio e degli ambulanti che hanno battuto questa zona del parco, durante l'inverno, nonché di eventuali volontari dell'ordine pubblico che abbiano perlustrato il Gorky. L'importante è far scena.» Arkady scese dall'auto, poi si volse e si chinò verso il finestrino. «A proposito, oltre a te, mi hanno affiancato un altro agente?»

«Sì, Fet.»

«Non lo conosco.»

Pasha sputò sulla neve poi disse: «C'era una volta un uccellin sapiente, che ripeteva tutto fedelmente...».

«D'accordo.» Inevitabile, un informatore, in un caso del genere. Non solo Renko vi si rassegnò, ma ne fu addirittura contento. «Così ce la levano prima dalle mani, questa gatta da pelare.»

Partito che fu Pasha, arrivarono due camion carichi di allievi-poliziotti con badili. Tanya aveva provveduto a quadrettare la radura dimodoché, spalando la neve, si sarebbe contrassegnato il punto dove si fossero trovati eventuali indizi. Ma Arkady non sperava di trovarne, dato il tempo trascorso dal delitto. Però ci teneva a far scena. Se la farsa fosse stata in grande stile, poteva darsi che Pribluda si rifacesse vivo prima di notte. Comunque, l'attività diede euforia a quei militi. Più che poliziotti, erano vigili urbani; e un diversivo gli faceva bene. Di solito non erano felici. La Milizia reclutava campagnoli, appena finito il servizio di leva, seducendoli con il miraggio di Mosca: residenza negata persino agli scienziati nucleari. Fantastico! Quindi, i moscoviti consideravano la Milizia come una sorta d'esercito d'occupazione, di rompiballe e bruti. I militi consideravano gli abitanti della capitale un branco di decadenti, depravati e giudei. Tuttavia, nessuno di loro tornava in campagna.

Il sole era ormai sorto, un sole vivo, non il suo fantasma invernale. Gli allievi indugiavano, al tiepido soffio del vento, evitando di guardare verso il centro dello spiazzo.

Perché al Gorky Park? C'erano parchi più grandi, a Mosca, dove seminare cadaveri: Izmailovo, Dzerzhinsky, Sokolniki. Il Gorky era lungo solo un paio di chilometri, e largo sì e no uno. Però era il preferito, il primo parco della Rivoluzione. A sud, dove si restringeva, confinava quasi con l'Università. A nord, solo un'ansa del fiume impediva la vista del Cremlino. Era un posto dove venivano tutti: impiegati a fare colazione, nonne coi nipotini, coppiette. C'era una grande ruota panoramica, c'erano fontane, teatrini, vialetti solitari e bersò, da ogni parte. D'inverno c'erano quattro piste di pattinaggio.

Arrivò l'agente Fet. Era giovane quasi quanto gli allievi, con occhiali montati in acciaio e occhi azzurri, a palla.

«Tu ti occupi della neve» gli disse Arkady, indicando. «Falla squagliare e frugala.»

«In quale laboratorio si desidera che ciò venga effettuato?» domandò Fet.

«Oh, proprio qui: con un po' di acqua calda.» Siccome poteva sembrare banale, Arkady si affrettò a soggiungere: «Si setacci la neve a fiocco a fiocco!».

Prese l'auto con cui Fet era giunto, e partì. Imbucò il ponte Krimsky, diretto verso il quartiere nord della città. Il fiume gelato gemeva, sul punto di spaccarsi. Erano le nove. Era in piedi da due ore e non aveva fatto colazione, fumando come un turco. Superato il ponte, mostrò il tesserino rosso al milite che dirigeva il traffico, ed ebbe via libera. Privilegi del mestiere.

Si faceva ben poche illusioni, però, sul lavoro. La

sua qualifica era Investigatore-capo – specialista in omicidi in un Paese con poca malavita organizzata e dove i criminali non avevano *esprit de finesse*. La tipica vittima del tipico assassino russo era la donna con cui quello conviveva, e il fattaccio avveniva quand'era ubriaco fradicio, di solito, con un'ascia che lui dava giù magari dieci volte prima di colpirla alla testa. A dirla schietta, i criminali che Arkady arrestava erano ubriaconi in primo luogo e, secondariamente, assassini, e assai più bravi a bere che a ammazzare. Poche condizioni umane erano più pericolose (l'esperienza gli aveva insegnato) di quella del migliore amico o della moglie d'un ubriacone; e l'intero Paese era ubriaco, buona parte del tempo.

Dalle grondaie pendevano ghiaccioli. L'auto di Arkady volgeva in fuga i pedoni. Ma era meglio di due giorni prima, quando veicoli e persone erano ombre vaganti nella caligine. Girò intorno al Cremlino, lungo il Prospekt Marx poi infilò la via Petrovka dove aveva sede il comando di Polizia di Mosca. Parcheggiò nel garage sotterraneo e salì in ascensore al terzo piano.

La Sala Operativa veniva regolarmente descritta, sui giornali, come "il centro nevralgico di Mosca pronto a reagire fulmineamente a notizie di incidenti o di reati, nella città più sicura del mondo". Un'intera parete era occupata da una mappa di Mosca, divisa in trenta rioni, costellata di lucette che contrassegnavano i 135 commissariati di zona. C'erano centralini telefonici tutt'intorno a un tavolo, dove gli agenti comunicavano con le autopattuglie ("Volga chiama 5-9") o con i vari commissariati usando nomi in codice ("Volga chiama Omsk"). Non c'era, in tutta Mosca, un'altra sala così ordinata, così tranquilla e funzionale: era il frutto della scienza elettronica e di un elaborato sistema di cernita. Tutto era contingentato. Un milite di ronda era tenuto a denunciare ufficialmente un certo numero di reati e non di più; altrimenti avrebbe posto i suoi colleghi nella ridicola condizione di non avere nessun crimine da denunciare. Tutti riconoscevano che qualche reato doveva pur verificarsi. Quindi ogni commissariato ritoccava le proprie statistiche per presentare un adeguato quadro di omicidi, aggressioni e violenze: un tanto e non di più. Era un sistema efficientemente ottimistico, che chiedeva tranquillità e l'otteneva. Sulla grande mappa soltanto la luce di un commissariato lampeggiava, indicando che in una capitale di sette milioni di abitanti, nelle ultime ventiquattr'ore, un solo grave atto di violenza era stato denunciato. La luce indicava Gorky Park. A tener d'occhio quella luce, dal centro della Sala Operativa, c'era il Capo della Polizia, un uomo massiccio, dalla faccia piatta, in divisa da Generale con alamari d'oro e il petto ricoperto di nastrini. Con lui c'erano due Colonnelli. In abiti borghesi, Arkady aveva un aspetto sciatto.

«L'Investigatore-capo Renko a rapporto, compagno Generale» disse, usando la formula di rito. Mi son fatto la barba? si chiese. Resistette alla tentazione di passarsi una mano sul mento.

Il Generale annuì impercettibilmente. Un Colonnello disse: «Ci risulta che lei è specialista in omicidi. Il Generale crede nella specializzazione e nella modernizzazione».

«Il Generale vuole conoscere qual è la sua ipotesi iniziale riguardo a questa faccenda» disse l'altro Colonnello. «Che probabilità ci sono di sollecita soluzione?»

«Con la migliore Polizia del mondo e con il sostegno del popolo, nutro fiducia che riusciremo a identificare e arrestare i colpevoli» rispose Arkady, con impeto.

«Perché mai» domandò il primo Colonnello «non è stato inviato un fonogramma ai vari commissariati, con informazioni relative alle vittime?»

«Indosso ai cadaveri non c'erano documenti e, gelati come sono, è difficile dire a quando risale la morte.

Inoltre sono stati sfigurati. Non è possibile identificarli con i soliti procedimenti.»

Dopo aver lanciato un'occhiata al Generale, il secondo Colonnello domandò: «È venuto, sul luogo, un esponente dei Servizi di Sicurezza?».

«Sì.»

Finalmente il Generale parlò. «Un fattaccio al Gorky Park. Non capisco.»

Alla mensa, Arkady fece colazione con caffè e panini dolci, poi infilò una moneta da due copechi in un telefono pubblico.

«Pronto? C'è la compagna insegnante Zoya Renko?»

«È in riunione al Comitato distrettuale del Partito.»

«Dovevamo pranzare assieme. Dica alla compagna Renko... Le dica che ci vediamo stasera. Sono il marito.»

Arkady dedicò quindi un'ora a documentarsi in archivio sull'agente Fet, e constatò che, effettivamente, questi era sempre stato incaricato di seguire casi di particolare interesse per il KGB. Arkady lasciò la Sede centrale attraverso il cortile che dava sulla via Petrovka. Fra le auto parcheggiate, era un viavai di impiegati che si erano concessi una pausa per andare a far compere. A piedi, lui raggiunse il laboratorio di medicina legale.

Sulla soglia della sala-autopsie si soffermò, per accendersi una sigaretta.

«Ti viene da vomitare?» Levin alzò la fronte quando sentì accendere il fiammifero.

«Me ne guarderei bene, dall'intralciare il tuo lavoro. Tieni presente ch'io non ricevo extra, come voi.» Questo, per rammentare a Levin che i patologi riscuotevano un 25 per cento in più, rispetto agli altri medici. Era un'indennità di rischio, dato che i cadaveri brulicano di vita: una flora batterica altamente tossica.

«C'è sempre caso di buscarsi un'infezione» disse Levin. «Basta che ti slitti un bisturi...»

«Gelati come sono, quei tre là, al massimo possono

attaccarti un raffreddore. Eppoi, a te, non ti scivola niente. Con i morti ti ci ingrassi.» Arkady aspirò profondamente, fino a quando naso e polmoni furono completamente pieni di fumo.

Quindi entrò. L'aria era pregna di formaldeide. Le tre vittime avevano magari avuto personalità diversissime; ma, come cadaveri, si assomigliavano molto. D'un bianco gessoso, illividita appena alle spalle e alle natiche, avevano la pelle d'oca piena di rigonfiamenti; ognuno aveva un foro sopra il cuore, dita mozze dell'ultima falange e teste senza volto. Dalla fronte al mento, da un orecchio all'altro, le tre facce erano state spolpate: restavano solo maschere d'osso e sangue rappreso, nerastro. Anche gli occhi erano stati strappati. Così erano emersi dalla neve. L'assistente di Levin, un uzbeko dal naso sgocciolante, procedeva a smembrarli ulteriormente, con una sega circolare. Ogni tanto deponeva l'attrezzo per scaldarsi le mani. Erano freddi come tre blocchi di ghiaccio.

«Come fai a risolvere dei delitti, se non sopporti la vista dei morti?» domandò Levin, ad Arkady.

«Arresto gente viva, io.»

«C'è da andarne orgogliosi?»

Arkady raccattò un certificato, lì sul tavolo, e lesse:

N. 1. Maschio. Europoide. Capelli castani. Occhi mancanti. Età presunta: 20-25 anni. La morte può risalire da 2 settimane a 6 mesi fa. Congelato prima che iniziasse la putrefazione. Causa della morte: ferite d'arma da fuoco. Volto scarnificato e falangette di tutte le dita amputate. Le ferite mortali sono due. Ferita "A" alla bocca: il colpo, sparato a bruciapelo, ha fratturato la mascella superiore; la pallottola, dopo aver attraversato il cervello, in linea obliqua di 45 gradi, è fuoruscita dalla parte posteriore del cranio. Ferita "B" al cuore: il proiettile è penetrato 2 cm a sinistra dello sterno squarciando l'aorta. Pallottola contrassegnata "GP1-B" recuperata nella cavità toracica.

N. 2. Maschio. Europoide. Capelli castani. Occhi mancanti. Età presunta: 20-30 anni. La morte può risalire da 2 settimane a 6 mesi fa. Volto scarnificato e falangette di tutte le dita amputate. Le ferite mortali sono due. Ferita "A" alla bocca: il colpo sparato a bruciapelo ha fratturato la mascella superiore e spezzato gli incisivi; la pallottola deviata ha attraversato il cervello intaccando interno scatola cranica 5 cm sopra solco meningeo. Pallottola contrassegnata "GP2-A" recuperata nella cavità cranica. [Questa era la pallottola che Pribluda aveva estratto.]
Seconda ferita 3 cm a sinistra dello sterno, attraverso regione cardiaca. Pallottola contrassegnata "GP2-B" recuperata all'interno della scapola sinistra.

N. 3. Femmina. Europoide. Capelli castani. Occhi mancanti. Età presunta: 20-23 anni. La morte può risalire da 2 settimane a 6 mesi fa. Causa della morte: ferita da arma da fuoco 3 cm a sinistra dello sterno, al cuore, squarciando ventricolo destro e vena cava superiore; la pallottola è fuoruscita dalla schiena fra terza e quarta costola 2 cm a sinistra della colonna vertebrale. Testa e mani mutilate come a "GP1" e "GP2". Pallottola contrassegnata "GP3" trovata fra le vesti, presso foro d'uscita. Non risulta in stato di gravidanza.

Arkady si appoggiò alla parete, fumando avidamente, finché quasi gli girava la testa. Rilesse i referti.

«Come avete stabilito l'età?»

«Dentatura non usurata.»

«Avete anche eseguito un esame dei denti?»

«Sì, ma non servirà a molto. Il secondo dei maschi, GP2, ha un molare incapsulato in acciaio.» Levin si strinse nelle spalle.

L'uzbeko consegnò ad Arkady il referto odontologico assieme a una scatoletta di incisivi frantumati, contrassegnati, al pari delle pallottole, con le iniziali GP (Gorky Park).

Arkady contò i denti. «Ne manca uno.»

«Polverizzato. I frantumi si trovano in un'altra scatolina. Ma ci sono alcune cose interessanti, non incluse nel referto preliminare, se vuoi dargli un'occhiata.»

Pareti di cemento grigio-perla, chiazze intorno alle tubature, luci al fluoro sfarfallanti, carni bianche e peli pubici vennero a fuoco. Il trucco consisteva nel vedere e non vedere ma... Tre morti. Guardaci – dicevano le maschere –, guardaci. Chi ci ha uccisi?

«Come vedi» disse Levin «il primo dei maschi presenta una struttura ossea pesante con muscolatura ben sviluppata. Il secondo dei maschi presenta un fisico gracile e una vecchia frattura, rimarginata, allo stinco sinistro. Molto interessante.» Levin esibì una ciocca di capelli, fra le dita. «Il Numero 2 si tingeva i capelli. Il colore naturale è rosso. Lo metteremo nel referto definitivo.»

«Non vedo l'ora che sia pronto.» Arkady se n'andò.

Levin lo raggiunse all'ascensore e vi salì con lui. Era stato primario chirurgo, finché Stalin non aveva fatto un repulisti fra i medici ebrei. Non lasciava trasparire mai i suoi sentimenti. Un'espressione cordiale in lui era fuori luogo, qualcosa di estraneo.

«Dovrebbe occuparsene un altro Investigatore, di questa faccenda» disse ad Arkady. «Un altro qualsiasi. Chi ha sfigurato quelle facce e mozzato quelle dita lo sapeva, quel che faceva. L'ha già fatto un'altra volta. Questo è un bis del fiume Kliazma.»

«In tal caso, il Maggiore avocherà l'indagine a sé, entro domani. Non lascerà, stavolta, che la cosa gli sfugga di mano. Perché ti preoccupi tanto?».

«E tu, perché no?» Levin aprì le porte. Prima che si richiudessero, ripeté: «Questo è un bis del fiume Kliazma».

Nel laboratorio di balistica, gran parte dello spazio era occupata da una vasca d'acqua, lunga quattro metri. Arkady lasciò le pallottole su un tavolo, quindi si recò al laboratorio centrale di Medicina Legale: un salone dal pavimento a parquet, con tavoli di marmo, grandi lavagne e posacenere alti fino al ginocchio, sorretti da ninfe di bronzo. Gli indumenti di ciascuna vittima erano ammucchiati su un tavolo a parte, e diverse équipe erano al lavoro. Il comando era affidato a un Colonnello dai capelli impomatati, le mani paffute, a nome Lyudin.

«Non molto sangue, finora.» Lyudin era raggiante.

Altri tecnici alzarono la testa, all'ingresso di Arkady. Uno di essi stava esaminando l'interno delle tasche; un altro raschiava le incrostazioni dei pattini. Alla parete c'era una farmacopea dai vivaci colori: barattoli di vetro contenenti acidi, reagenti, cristalli di iodio, soluzioni al nitrato d'argento, gelatine.

«Cos'avete scoperto, riguardo alla provenienza dei vestiti?» domandò Arkady. Sperava che gli rispondessero che erano stoffe straniere, di ottima qualità, dal che si sarebbe dedotto che i tre erano criminali dediti al contrabbando e al mercato nero, tutte cose su cui indaga il KGB.

«Guardi.» Lyudin gli indicò un'etichetta, all'interno di una delle giacche. C'era scritto *jeans*. «Tessuti nostrani. Robaccia, che si trova in qualunque dei nostri negozi. Guardi il reggiseno.» Gli indicò un altro tavolo. «Mica francese, e neppure tedesco.»

Sotto il camice, Lyudin portava una cravatta larga, dipinta a mano. Arkady la notò perché cravatte di quel tipo non erano alla portata di tutti. Il Colonnello si compiacque della delusione di Arkady, riguardo agli abiti delle vittime; i tecnici della Scientifica si sentivano importanti in proporzione diretta alle delusioni degli investigatori.

«Certo, finora non abbiamo fatto uso di spettrometro, cromatografo a gas e neutron-attivazione, ma si tratta di analisi molto costose, per tre serie distinte di

26

vestiti.» Lyudin alzò le mani, desolato. «Per non contare il tempo del computer.»

Una grossa messinscena, rammentò a se stesso Arkady.

«La giustizia, Colonnello, non bada a spese» disse.

«Vero, vero, ma... se avessi qualcosa di scritto... l'autorizzazione a condurre una serie completa di analisi, allora...»

Arkady finì per firmargli un'autorizzazione in bianco. Il Colonnello l'avrebbe riempita a suo piacimento, includendovi analisi inutili, che non avrebbe condotto, per vendere poi, per suo conto, i prodotti chimici non adoprati. Era un tecnico esperto, però. Arkady non aveva motivo di lamentarsi.

Quando tornò al laboratorio di balistica, un tecnico stava esaminando le pallottole a un microscopio di comparazione.

«Vede?»

Arkady si chinò. Una pallottola si trovava sotto l'oculare di sinistra, l'altra sotto quello di destra; i due campi visivi si sovrapponevano: le due pallottole (sebbene una fosse danneggiata dall'impatto con l'osso) avevano la stessa zigrinatura. Mentre Arkady le faceva ruotare, il tecnico indicò diverse altre similarità.

«La stessa pistola.»

«Sì, tutte partite dalla stessa pistola» disse il tecnico. «Tutte e cinque. Una calibro 7,65. Per me insolita.»

Arkady aveva portato solo quattro pallottole, quelle che gli aveva consegnato Levin. Delle due che si trovavano ora sotto le lenti del microscopio, una era priva di etichetta. Arkady la prese fra le dita.

Il tecnico spiegò: «La quinta l'hanno portata poco fa, direttamente dal Gorky Park. L'hanno trovata fra la neve».

Tre persone uccise, in un luogo pubblico, frontalmente, sfigurate. Pribluda.

Il fiume Kliazma.

La Procura di Mosca si trovava a sud del fiume Moscova, in via Novokuznetskaya, in un quartiere di negozi ottocenteschi. L'edificio aveva un'ala a due piani, gialla, e un'ala grigia a tre piani. La parte gialla era prospiciente un giardinetto, malinconico, dove i cittadini convocati per un interrogatorio potevano sedersi e disperare. C'era un'aiuola simile a una tomba e c'erano vasi per fiori, che però erano vuoti. L'altro lato del palazzo guardava su un campo di giochi.

Arkady entrò dal lato uffici investigativi e salì i gradini a due a due. Nell'atrio del secondo piano incontrò l'Investigatore-capo Chuchin (Casi speciali) e il suo collega Belov (Industria).

«Iamskoy vuole vederti» l'avvertì Chuchin.

Arkady non gli badò e raggiunse il proprio ufficio, sul retro. Belov lo seguì. Belov era il più anziano, fra gli investigatori, e nutriva per Arkady un affetto – lui diceva – "infaticabile". L'ufficio misurava tre metri per quattro: pareti nocciola, mobili di pino, una finestra a due battenti, mappe e carte geografiche e una foto, insolita, di Lenin su una sdraio.

«Sei duro con Chuchin» gli disse Belov.

«È un porco.»

«Svolge un lavoro necessario.» Belov si grattò la testa. «Tutti ci si specializza.»

«Mai detto che i maiali non siano utili.»

«Appunto. Lui ha a che fare coi rifiuti umani.»

Vsevolod Belov, dagli abiti incredibilmente sformati; dalla mente crivellata di ricordi della Grande Guerra Patriottica come un muro sforacchiato da una raffica di mitragliatrice; dalle dita grinzose per l'età; dal gran cuore e dagli istinti reazionari. Quando Belov borbottava contro i "banditi cinesi", era segno che c'era mobilitazione alle frontiere con la Cina. Quando Belov parlava di "giudii", le sinagoghe venivano chiuse. Ogni volta che aveva qualche dubbio, circa il vento che tirava, Arkady poteva tranquillamente consultare Belov.

«Zio Seva, chi è che si tinge i capelli e porta una giacca sportiva con falsa etichetta straniera?»

«Andiamo male» lo commiserò Belov. «Direi che si tratta di uligani o musicisti. Punk rock, jazz, roba del genere. Non gli cavi fuori niente, a quei tipi là.»

«Sorprendente. Uligani, dici tu.»

«Dovresti saperla più lunga, con la tua intelligenza. Ma sì, quando ci si camuffa in questo modo – capelli tinti, etichetta falsa – o si è uligani oppure appassionati di musica forestiera.»

«Tre... uccisi con la stessa pistola. Sfigurati con un coltello. Nessun documento. Pribluda che si precipita ad annusarne i cadaveri. Non ti ricorda niente?»

Belov tirò in dentro il mento e il viso gli si raggrinzì. «Le divergenze di natura personale fra i tutori dell'ordine non dovrebbero intralciare l'opera della Giustizia» disse.

«Ricordi o no?»

«Mi pare» e Belov strascicò la voce «che allora ci fosse di mezzo una guerra fra bande rivali di uligani.»

«Ma che bande! Hai mai sentito parlare di guerra fra bande, qui a Mosca? In Siberia o in Armenia, magari. Ma qui?»

«Fatto sta» insistette Belov «che un Investigatore il quale evita congetture azzardate e si attiene ai fatti non sarà mai fuorviato.»

Arkady lasciò cadere le mani sulla scrivania e sorrise. «Grazie, zietto. Lo sai che apprezzo sempre il tuo parere.»

«Meglio così.» Belov, sollevato, si diresse verso la porta. «Hai parlato con tuo padre, ultimamente?»

«No.» Arkady spiegò sul tavolo il referto preliminare dell'autopsia e accostò la macchina per scrivere.

«Salutalo da parte mia, quando ci parli. Non dimenticarti.»

«Sta' tranquillo.»

Rimasto solo, Arkady buttò giù un rapporto preliminare:

Procura di Mosca, Polizia giudiziaria.

Reato: omicidio. Vittime: due uomini e una donna non identificati. Località: Parco Ricreativo e Culturale Gorky.

Alle ore 6 e 30, una guardia che sta compiendo il suo giro di ispezione nella zona sudovest di Gorky Park scopre tre cadaveri in una radura, circa 40 metri a nord del sentiero in corrispondenza di via Donskoy e del fiume. Alle 7 e 30, esponenti dei Servizi di Sicurezza e della Polizia, fra cui il sottoscritto, esaminano tre cadaveri congelati.

A causa del congelamento non si può stabilire a quando risalga la morte. Si può solo dire che è avvenuta durante l'inverno. Tutti e tre colpiti al cuore. I due uomini anche alla testa.

Recuperate 5 pallottole, tutte provenienti dalla stessa arma calibro 7,65 mm. Non sono stati ritrovati bossoli.

Tutte e tre le vittime avevano pattini da ghiaccio ai piedi. Nessun documento, né denaro né altro nelle tasche. L'identificazione è ostacolata dal fatto che i volti sono stati sfigurati e le punte delle dita mozzate. Si attendono altri referti: sierologico, odontologico, balistico, cromatografico; saranno effettuati ulteriori esami necroscopici e sopralluoghi; ed è iniziata la ricerca di persone che conoscessero le vittime o che abbiano comunque qualche notizia da fornire al riguardo.

Si può ipotizzare che il delitto sia stato premeditato. Tre persone sono state assassinate con un'unica arma, tutti i loro effetti personali sono stati eliminati – nel bel mezzo del più frequentato fra i parchi cittadini – e sono state adottate misure estreme per impedire la loro identificazione.

Nota: uno dei due uomini uccisi si tingeva i capelli e l'altro portava una giacca con falsa etichetta straniera. Ciò può indicare attività antisociali da parte loro.

A.V. Renko
Investigatore-capo

Mentre Arkady rileggeva il suo rapporto, entrarono gli agenti Pavlovich e Fet. Il primo portava una valigetta.

«Torno fra un minuto» disse Arkady, mettendosi la giacca. «Lo sai, Pasha, cosa devi fare intanto.»

Per recarsi nell'altra ala del palazzo bisognava scendere in strada. Il Procuratore di Mosca esercita una singolare autorità: presiede alle indagini penali e rappresenta sia lo Stato sia gli accusati; occorre il suo nulla osta per procedere a un arresto; le sentenze del tribunale vengono da lui rivedute e a lui spetta l'iniziativa dei ricorsi in appello. Un Procuratore si ingerisce a sua discrezione nelle cause civili, determina la legalità delle direttive dei Governi locali e, al tempo stesso, decide in merito a cause e controversie aziendali, nel caso che – mettiamo – una fabbrica consegni bullette anziché bulloni a un'altra fabbrica.

Per grandi o piccole che siano le cause, giudici e criminali, sindaci e dirigenti d'azienda rispondono a lui, tutti quanti. Lui risponde soltanto al Procuratore generale.

Il Procuratore Andrei Iamskoy sedeva alla sua scrivania. Aveva il cranio rasato, roseo, in fiero contrasto con la sua uniforme blu, su misura – data la mole – e sulla quale spiccava una stella d'oro da Generale. Aveva il naso e gli zigomi carnosi, le labbra tumide e scolorite.

«Aspetti.» Seguitò a leggere certe scartoffie.

Arkady rimase in piedi, su un tappeto verdognolo a tre metri dalla scrivania. Alle pareti pendevano foto di Iamskoy che guida una delegazione di magistrati a un'udienza con Brezhnev, che stringe la mano allo stesso, che parla a un convegno di pubblici accusatori a Parigi, che si gode il sole in Crimea... Eppoi c'era, incorniciata, la foto, apparsa sulla "Pravda", di lui che, davanti alla Corte Suprema, perora in favore di un operaio ingiustamente accusato di omicidio. Dietro il Procuratore in carne e ossa c'era una finestra protetta da pesanti cortine di velluto avana. Il cranio lustro di Iamskoy era maculato da efelidi. La luce del giorno andava già declinando.

31

«Sì?» Iamskoy alzò la fronte dalle scartoffie. Aveva gli occhi pallidi, come diamanti acquosi. Arkady sapeva, per esperienza, che con Iamskoy bisognava essere concisi.

Fece un passo avanti, depose il rapporto sulla scrivania, si ritrasse. Concisione: chi sei esattamente e cos'hai da dire? definisci in che modo operi per il bene della società.

«Qui non si fa menzione al sopralluogo effettuato dal Maggiore Pribluda.»

«Ha fatto di tutto tranne pisciare sui cadaveri e poi se n'è andato. Ha forse telefonato per farmi esautorare dall'indagine?»

Iamskoy posò lo sguardo su Arkady.

«È lei l'Investigatore-capo, in casi di omicidio, Arkady Vasilevich. Perché dovrebbe essere esautorato?»

«Abbiamo avuto un problema, col Maggiore, tempo fa.»

«Che problema? Il KGB reclamò la propria giurisdizione, e il caso fu concluso con successo.»

«Scusi, ma oggi sono stati trovati tre giovani assassinati – o giustiziati – da un abile tiratore con una pistola calibro 7,65 mm. Le pistole che i moscoviti possono procurarsi sono, eventualmente, da 7,62 o da 9 millimetri – quelle cioè in dotazione ai militari. Non si trovano armi come quella del delitto, qui da noi. Inoltre, le vittime sono state sfigurate. Questi i fatti: nel mio rapporto non si traggono deduzioni.»

«Che deduzioni dovrebbe trarre?» Iamskoy inarcò le sopracciglia.

«Deduzioni in genere» rispose Arkady, dopo un po'.

«Grazie» disse Iamskoy. Era un congedo.

Arkady era già sulla soglia, quando il Procuratore soggiunse: «Verrà rispettata la legalità, in tutto e per tutto. Non badi alle eccezioni, che servono solo a confermare la regola».

Arkady inchinò il capo e uscì.

Fet e Pasha avevano appeso al muro una mappa del Gorky Park, lo schizzo eseguito da Levin sul luogo del delitto, le foto dei cadaveri e i referti dell'autopsia.

Arkady si accasciò sulla sedia e aprì un nuovo pacchetto di sigarette. Sprecò due fiammiferi prima di riuscire a accenderne un terzo. Posò i due fiammiferi spezzati e quello bruciacchiato al centro dello scrittoio. Fet guardava, accigliato. Arkady si alzò, andò a staccare dal muro le foto dei cadaveri e le chiuse in un cassetto. Non gli andava di guardare quelle facce. Tornò a sedersi giocherellando con i fiammiferi.

«Sentito qualcuno?»

Pasha aprì un taccuino. «Dieci militi, che non sanno un bel niente. Quanto a questo, io stesso ci avrò pattinato chissà quante volte, quest'inverno, vicino a quella radura.»

«Bene, senti anche i venditori ambulanti. Quelle vecchiette notano un sacco di cose che sfuggono ai militi.»

Fet non era d'accordo. Arkady lo guardò. Senza cappello, vide che aveva orecchie a sventola. L'angolo architettonico ideale pensò – per sostenere quegli occhiali montati in acciaio.

«Eri là quando trovarono la quinta pallottola?» gli domandò Arkady.

«Sì. È stata rinvenuta in terra, proprio dove posava la testa del primo dei due uomini, GP-1.»

«Non vedo l'ora di dargli un nome» disse Pasha «a quei morti, invece di chiamarli GP-1, GP-2, GP-3 semplicemente.» Ciò detto si fece dare una sigaretta da Arkady.

«Che nomi gli potremmo mettere?» domandò Arkady.

«Un fiammifero, sì?» domandò Pasha.

«Gorky Park-1, Gorky Park-2...» cominciò Fet, che non aveva capito niente.

«Oh, smettila» gli disse Pasha. Poi ad Arkady, per il fiammifero: «Grazie». Accese, aspirò. «Gorky Park-1 è quello grande e grosso, no? Beh, chiamiamolo "Muscoli".»

«No, non è abbastanza letterario come nome» disse Arkady. «Chiamiamolo invece "la Bestia". Lei "la Bella", lui "la Bestia" e il terzo, quello magro, "Smilzino".»

«No, chiamiamolo "Rosso", perché aveva i capelli rossi, al naturale.»

«La Bella, la Bestia e il Rosso. È la prima decisione importante che abbiamo preso, agente Fet» disse Arkady. «Notizie dalla Scientifica su quei pattini?»

«Potrebbero essere un trucco, quei pattini» suggerì Fet. «Si stenta a credere che tre persone siano state uccise in pieno Gorky Park, senza che nessuno abbia sentito niente. Magari gli avranno sparato altrove, gli avranno messo su i pattini e li avranno portati, nottetempo, ai giardini pubblici.»

«Incredibile, d'accordo, che tre persone siano state uccise, in quel parco, senza che nessuno abbia sentito niente» disse Arkady. «Ma è impossibile infilare i pattini a un morto. Provaci, una volta o l'altra. Inoltre, un luogo dove non andresti certo a portar di soppiatto tre cadaveri è proprio il Gorky Park.»

«Ho fatto un'ipotesi, ecco tutto» disse Fet.

«Bravo, bravo» lo rassicurò Arkady. «Ora vediamo cos'ha trovato Lyudin.»

Si attaccò al telefono. Al tredicesimo squillo, il centralino rispose e gli passò Lyudin.

«Colonnello, io...» riuscì a dire prima che la linea cadesse. Rifece il numero. Nessuno gli rispose da via Kiselny. Guardò l'orologio. Le 4 e 20: a quest'ora avranno già chiuso il centralino, per essere pronti a staccare alle cinque. Fra poco anche i miei agenti vorranno andarsene. Pasha in palestra a sollevare pesi. E Fet? A casa dalla mamma. Magari, passando prima da Pribluda.

«Forse li hanno uccisi da un'altra parte e portati nel parco nottetempo.» Arkady spazzò via i fiammiferi.

Fet si raddrizzò sulla schiena. «Poco fa l'hai scartata, questa ipotesi. Eppoi, ora ricordo: la quinta pallottola è stata trovata conficcata nel terreno, segno che gli hanno sparato lì, sul posto.»

«Ma potrebbero avergli sparato alla testa anche dopo che era morto.» Arkady rimise un fiammifero al centro del tavolo. «Bossoli, non se ne sono trovati. Se fosse stata usata una pistola automatica, si sarebbero trovati dei bossoli, lì in terra.»

«L'assassino può averli raccolti» azzardò Fet.

«A che scopo? Bastano le pallottole, per identificare un'arma.»

«Potrebbe aver sparato da lontano.»

«Invece no» disse Arkady.

«Forse li ha raccattati per evitare che qualcuno, trovandoli, scoprisse anche i cadaveri.»

«La pistola ce l'ha in tasca, non in pugno.» Arkady distolse lo sguardo. «Quindi l'arma e le cartucce contenute nel caricatore sono tiepide, in primo luogo. I bossoli vengono surriscaldati dagli spari. Quindi si sarebbero fusi, nella neve, molto prima che i cadaveri venissero sepolti. Sono curioso, però.» Guardò Fet. «Perché pensi a un unico sparatore?»

«È stata usata un'unica pistola.»

«Un'unica arma ha fatto fuoco, per quello che ne sappiamo. Ti rendi conto, quanto sarebbe difficile per un unico assassino far star ferme tre vittime, così, a poca distanza, mentre spara... ammenoché non avesse dei complici? Come mai le vittime non hanno invocato aiuto? Sapevano che la loro situazione era disperata? Beh... prenderemo l'assassino. Abbiamo appena cominciato, e di solito tante cose vengono fuori via via. Lo prenderemo, quel grasso figlio di puttana.»

Fet non domandò: perché grasso?

«Comunque» concluse Arkady «la giornata è stata lunga. Andate pure.»

Fet uscì per primo.

«E il nostro uccellino volò via» disse Pasha.

«Spero proprio che sia un pappagallo» replicò Arkady.

Poi, rimasto solo, telefonò al Comando perché inviassero un fonogramma a tutti i posti di Polizia, a ovest degli Urali, con i dati relativi a quel triplice delitto – tanto per far contento il Capo della Milizia. Quindi telefonò di nuovo alla scuola dove insegnava sua moglie. Gli risposero che la compagna Renko stava presiedendo un'assemblea di genitori e non poteva venire al telefono.

Gli altri investigatori se ne stavano andando. Avevano la tipica espressione del lavoratore-che-rincasa, nell'infilarsi i cappotti. Il loro cappotto buono, pensò Arkady guardandoli da in cima alle scale. Di stoffa migliore di quella del lavoratore medio. Non aveva fame, ma mangiare sarebbe stato un passatempo. Gli andava anche di fare due passi. S'infilò il cappotto e uscì.

Arrivò a piedi fino alla stazione ferroviaria Paveletsky. Le gambe lo portarono, quindi, da sole, a una tavola calda, dove del baccalà con patate faceva bella mostra di sé. Andò verso il bancone e ordinò una birra. Altri sgabelli erano occupati da ferrovieri e giovani soldati, tranquillamente ubriachi di champagne: facce meste e accese fra bottiglie di malachite.

Con la birra gli servirono una fetta di pane spalmata di burro e grigio, appiccicoso caviale.

«Cos'è questo?»

«Un dono del cielo» disse il gestore.

«Il cielo non c'è. Non c'è il paradiso.»

«Ma se ci abitiamo noi!» E l'uomo sorrise, con la bocca piena di denti d'acciaio, spingendo il caviale più vicino.

«Bah, non ho letto il giornale di oggi» concesse Arkady.

La moglie del gestore, una nana in uniforme bianca, uscì dalla cucina. Appena vide Arkady, un sorriso le illuminò il volto, che sembrò quasi bello, grazie al risalto che assunsero gli occhi vivaci. Il marito si impettì, accanto a lei.

Erano F.N. Viskov e I.L. Viskova. Nel 1946 costituivano un "centro di attività antisovietica" poiché gestivano una libreria in cui si potevano trovare opere di Montaigne, Apollinaire e Hemingway. Un "interrogatorio pregiudiziale" lasciò lui storpio e lei muta (tentativo di suicidio con lisciva) e ricevettero quello che allora si chiamava per scherzo un biglietto da 25 rubli: 25 anni di lavori forzati (umorismo nero, all'epoca in cui Servizi di Sicurezza e Milizia formavano un unico corpo). Furono liberati nel 1956 e fu loro persino offerto di gestire un'altra libreria; ma i Viskov rifiutarono.

«Pensavo che voi dirigeste una mensa nei paraggi del circo» disse Arkady.

«Hanno scoperto che mia moglie e io non eravamo in regola, là. Qui lei viene a dare una mano, così, spontaneamente.» Viskov ammiccò. «Qualche volta viene anche nostro figlio, a dare una mano.»

«Grazie a lei» dissero le labbra della Viskova.

Dio mio, pensò Arkady: l'apparato accusa due innocenti, li sbatte in un gulag, li tortura, li priva dei migliori anni della loro vita e poi quando un membro di quell'apparato li tratta con un minimo di umanità, sprizzano gioia da tutti i pori. Che diritto aveva, lui, alla loro gratitudine?

Mangiò il pane e caviale, bevve la birra e poi se n'andò, non appena poté farlo senza mostrarsi sgarbato.

La gratitudine era un cane che gli correva appresso. Dopo qualche centinaio di passi rallentò, poiché l'ora del giorno era quella che lui preferiva: il buio aveva qualcosa di materno, le finestre erano illuminate, le facce per strada sembravano allegre. A quell'ora avrebbe potuto trovarsi in una Mosca qualsiasi degli ultimi cinque secoli, e non l'avrebbe sorpreso sentire dei cavalli scalpitare fra il fango. In una vetrina erano esposte misere bambole esotiche; uno sputnik a batteria girava intorno a una lampada a forma di luna che invitava a "puntare sul futuro".

Tornato in ufficio, Arkady si mise a consultare l'archivio. Cominciò dai delitti con arma da fuoco.

Omicidio. Un operaio fresatore rincasa e trova la moglie che scopa con un ufficiale di Marina. Nella zuffa che ne segue, l'operaio usa la pistola dell'ufficiale contro quest'ultimo. La Corte tiene conto del fatto che l'ufficiale non avrebbe dovuto andare in giro con una pistola, che in fabbrica l'operaio era considerato un lavoratore diligente, e che poi si era pentito del suo atto. Sentenza: dieci anni.

Omicidio aggravato. Due borsari neri litigano per la divisione dei profitti ed entrambi rimangono stupiti – uno mortalmente – quando una vecchia rivoltella Nagurin funziona. Il lucro illecito è un'aggravante. Condanna a morte.

Rapina a mano armata. (Che rapina!) Un ragazzo con una pistola finta, di legno, rapina due rubli a un ubriaco. Condanna a cinque anni.

Arkady seguitò a spulciare gli archivi alla ricerca di delitti eventualmente dimenticati, omicidi contraddistinti da accurata premeditazione e sangue freddo. Scarsa era certo la premeditazione, scarso anche il sangue freddo, nei delitti commessi con un pugnale, con una scure o un randello, oppure a mani nude. In cinque anni, tre da Investigatore semplice e due da Investigatore-capo, aveva avuto a che fare sì e no con una mezza dozzina di omicidi che non fossero infantilmente stupidi o il cui autore non si presentasse spontaneamente alla Polizia, pieno di vanteria o di rimorsi fra i fumi della vodka. L'assassino russo ha una fede incrollabile nell'inevitabilità della sua cattura; tutto ciò che vuole è un quarto d'ora alla ribalta. I russi vincono le guerre perché si gettano a corpo morto contro i carri armati. E non è certo questa la mentalità di un criminale di genio.

Arkady lasciò perdere.

«Salve.» Nikitin aveva aperto la porta senza bussare. Venne avanti e si sedette alla scrivania di Arkady. Era quello che curava i rapporti fra Procura e Governo. Aveva la faccia rotonda, pochi capelli e, quand'era ubriaco, sorrideva in modo che gli occhi gli diventavano fessure, come quelli d'un kirghiso. «Lavori fino a tardi, eh?»

Voleva dire, con questo, che era encomiabile o che era inutile, che era in gamba o che era un idiota? Dal tono, le ipotesi erano entrambe valide.

«Anche tu» disse Arkady.

«Io mica lavoro. Ti controllo. Certe volte, penso che tu da me non hai imparato niente.»

Ilya Nikitin era Investigatore-capo fin da prima di Arkady: il migliore che questi avesse mai conosciuto, quando non era sbronzo. Non fosse per la vodka, sarebbe stato Procuratore già da un pezzo. Ma non considerare la vodka era, nel caso di Nikitin, come non considerare il cibo e l'acqua per uno qualsiasi. Una volta l'anno, giallo di itterizia, lo mandavano a passare le acque in Crimea.

«Sai, Vasilevich, io vi tengo d'occhio, te e Zoya. Te, ti leggo come un libro stampato.»

Una domenica, mentre Arkady era via, Nikitin aveva cercato di fregargli la moglie. Allora l'avevano spedito a Sochi, sul Mar Nero, da dove aveva scritto a Arkady lunghe lettere di pentimento, ogni giorno.

«Vuoi un caffè, Ilya?»

«Qualcuno ti deve proteggere da te stesso. Scusa, Vasilevich» (usava il patronimico, con aria di condiscendenza) «ma io 'o sono... lo so che non sei d'accordo... ma io sono un tantino, appena appena, più intelligente di te, comunque più esperto, o almeno più vicino di te a certe alte sfere. Non è mica una critica, questa. Tu sei a posto e la tua pagella non potrebbe esser migliore.» Nikitin inclinò la testa, sorridendo. Una ciocca gli calava sulla guancia; trasudava ipocrisia come un animale puzza. «È solo che tu non vedi il quadro complessivo.»

«Buonanotte, Ilya.» Arkady si mise il cappotto.

«Voglio dire soltanto che ci sono quelli più furbi di te. Il nostro scopo è mediare, conciliare. Ogni giorno io concilio politica governativa e legalità socialista. Dall'alto si emana la direttiva di radere al suolo vecchie case operaie per costruire nuovi alloggi che gli operai non possono permettersi. Si violano anzi i diritti dei lavoratori. Iamskoy si consulta con me; il Partito si consulta con me; il Sindaco Promislov si consulta con me... poiché io so conciliare certe apparenti contraddizioni.»

«Apparenti o reali?» Arkady si avviò.

Nikitin lo seguì nel corridoio. «Le contraddizioni fra Stato e lavoratori sono sempre apparenti, per definizione. Il nostro è un Paese di lavoratori. Quello che va a beneficio dello Stato, va anche a beneficio dei lavoratori. Demolendo le loro case, proteggiamo i loro diritti. Capisci? Tutto si concilia.»

«Non capisco proprio.» Arkady chiuse a chiave la porta.

«Da un corretto punto di vista, non esistono contraddizioni» bisbigliò rauco Nikitin, scendendo le scale. «Questo non lo capirai mai, tu.»

In auto, Arkady prese la circonvallazione interna dirigendosi verso nord. La sua Moskvich era una macchina pesante, pigra, dalla ripresa lenta. Tuttavia, non gli sarebbe dispiaciuto possederne una. A quell'ora il traffico era quasi soltanto di taxi. Lui pensava al Maggiore Pribluda, che non gli aveva ancora tolto di mano le indagini. Il ghiaccio schizzava nel riverbero dei fari.

I taxi giravano per la stazione ferroviaria di piazza Komsomol. Arkady invece proseguì per via Kalanchevskaja. Qui, al n. 43, aveva sede il Tribunale di Mosca: un vecchio edificio che, alla luce dei lampioni, sembrava

ammuffire a vista d'occhio. C'erano diciassette Trib
li del Popolo, in città, ma i processi più importanti si (
lebravano lì, al Palazzo di Giustizia, che era sorvegliato
dall'Armata Rossa. Arkady mostrò il tesserino ai due soldati, giovanissimi, sull'ingresso. Nel seminterrato svegliò un Caporale che dormiva sulla sedia.

«Devo andare nella gabbia.»

«Adesso?» Il Caporale saltò su e si abbottonò la
giubba.

«A comodo tuo.» Arkady gli porse il cinturone e il
mazzo di chiavi che erano posati sul tavolo.

La "gabbia" era un locale recintato, negli scantinati,
dove si trovava l'archivio giudiziario. Arkady tirò fuori i
cassetti relativi a dicembre e gennaio ultimi scorsi. Il Caporale era rimasto sull'attenti, accanto al cancello. Il
grado di un Investigatore-capo è equivalente a Capitano.

«Perché non fai il tè per tutt'e due?» suggerì Arkady.

Stava cercando qualche elemento per fregare Pribluda. Un conto era disporre di tre cadaveri e dubitare
del Maggiore; un altro conto era trovare tre condannati che il Tribunale avesse deferito al KGB. Passò in rassegna le schede, scartando subito chi risultasse troppo
vecchio o troppo giovane, controllando precedenti e
stato civile. Nessuno, per mesi, aveva denunciato la
scomparsa di quei tre: né il sindacato, né la fabbrica,
né la famiglia.

Sorseggiando tè caldo, cominciò a controllare febbraio. A complicare le cose, c'era il fatto che – sebbene
i processi più gravi, per omicidio, per rapina, per atti
di violenza, si celebrassero al Palazzo di Giustizia – alcuni casi, di particolare interesse per il KGB, riguardanti il dissenso politico e il parassitismo sociale, venivano trasferiti, a volte, a un Tribunale del Popolo,
dov'era più facile controllare il pubblico, durante le
udienze. Le pareti dello scantinato trasudavano umi-
dità. Mosca è tutta intersecata da fiumi: Moscova, Se-

e prima, due cadaveri erano stati trovati ...ei Kliazma, nei pressi di Bogolubovo, un paesotto agricolo (patate) a est di Mosca. Il capoluogo più vicino era Vladimir ma, qui, nessuno volle impicciarsene: si diedero tutti malati. La Procura aveva quindi affidato l'indagine alla Polizia giudiziaria di Mosca. Cioè all'Investigatore Renko.

Faceva freddo. Le vittime erano due giovani uomini dalla faccia coperta di brina. Le loro bocche erano stranamente contorte, avevano orrende ferite al torace che avevano scarsamente sanguinato. Dall'autopsia, condotta da Levin, risultò che l'assassino aveva estratto le pallottole con le quali i due erano stati uccisi. Levin trovò anche tracce di gomma e pittura rossa sui denti delle vittime, e amminato di sodio nel loro sangue. A questo punto Arkady capì perché gli Investigatori di Vladimir si erano dati malati. Presso il paesotto di Bogolubovo – non segnato sulle carte nonostante contenesse più abitanti del paese stesso – si trovava un carcere d'isolamento per detenuti politici, le cui idee erano troppo contagiose per un campo di lavoro; e l'amminato di sodio era il narcotico usato, nel supercarcere di Vladimir, per calmare i facinorosi.

Arkady ne aveva dedotto che le vittime dovevano essere detenuti che, appena rilasciati, erano stati uccisi da loro compagni di banda. Allorché i dirigenti del carcere rifiutarono di rispondere alle sue telefonate, Arkady avrebbe potuto benissimo accantonare il caso. Era sotto la giurisdizione di Vladimir. La sua carriera non ne avrebbe sofferto. E chi s'era visto s'era visto. Invece, indossata la divisa, si presentò alla prigione, chiese di esaminare i registri e riscontrò, da essi, che nessuno era stato rilasciato negli ultimi tempi ma, il giorno prima del ritrovamento dei cadaveri, due detenuti erano stati deferiti al KGB, per essere interrogati. Arkady telefonò allora a Pribluda, il quale negò – seccamente – di aver ricevuto in custodia i due prigionieri.

A questo punto l'indagine poteva, di nuovo, arrestarsi. Sennonché Arkady, rientrato a Mosca, si recò nell'ufficio di Pribluda, alla sede di via Petrovka del KGB, e sul tavolo del Maggiore trovò due palle di gomma rossa con alcune scalfitture. Spiccata una ricevuta, sequestrò quelle due palle e le portò al laboratorio di medicina legale, dove fu riscontrato che le scalfitture corrispondevano esattamente ai denti delle due vittime.

Pribluda, quindi, doveva aver condotto i due prigionieri in riva al fiume, dove, dopo aver ficcato loro in bocca le palle di gomma per soffocarne le grida, li aveva uccisi, raccogliendo quindi i bossoli e estraendo, con un lungo coltello, le pallottole. Forse pensava di far credere che erano stati uccisi a coltellate. Morti, versarono poco sangue. I corpi squarciati congelarono rapidamente.

Per gli arresti occorreva il nulla osta della Procura. Arkady si recò quindi da Iamskoy e, accusando Pribluda di omicidio, richiese un mandato di perquisizione del suo ufficio e del suo domicilio. Si trovava ancora lì quando giunse al Procuratore una telefonata: per motivi di sicurezza, le indagini sul duplice assassinio del Kliazma sarebbero state svolte dal KGB. Rapporti e prove andavano inoltrati al Maggiore Pribluda.

Le pareti piangevano. Oltre ai fiumi in superficie, antichi corsi d'acqua sotterranei scorrevano nelle viscere della città, cieche correnti che andavano a perdersi chissà dove. A volte, d'inverno, le cantine moscovite trasudavano lacrime.

Arkady rimise a posto i cassetti.

«Ha trovato quello che cercava?» domandò il Caporale.

«No.»

Il Caporale fece il saluto, con aria incoraggiante. «Mah! Di mattina le cose si presentano meglio però, almeno dicono.»

Di regola, Arkady avrebbe dovuto riportare la macchina in sede. Invece andò a casa. Era mezzanotte suonata quando imbucò un cortile, sulla Taganskaya, nel quartiere est della città. Al secondo piano c'erano rozzi balconi di legno. La casa era buia. Arkady salì le scale e aprì il portoncino, più piano che poté.

Si spogliò in bagno, si lavò i denti poi andò in camera da letto, coi vestiti sottobraccio. La camera da letto era la più grande dell'appartamento. Sul tavolo c'era un grammofono. Prese il disco ch'era rimasto sul piatto e, al bagliore che entrava dalla finestra ne lesse il titolo, *Aznavour à l'Olympia*. Vicino al grammofono c'erano due bicchieri e una bottiglia di vino vuota.

Zoya dormiva, i lunghi capelli biondi raccolti in una treccia. Le lenzuola profumavano di "Notti di Mosca". Quando Arkady s'infilò sotto le coperte, la donna aprì gli occhi.

«È tardi.»

«Mi dispiace. C'è stato un omicidio. Tre omicidi.»

Lei impiegò un certo tempo a capire. «Uligani» disse poi. «Ecco perché dico sempre, ai ragazzi, di non masticare gomma americana. Prima la gomma, poi la musica rock, poi la marijuana, poi...»

«Poi?» S'aspettava che lei dicesse: il sesso.

«Poi il delitto.» La sua voce era assonnata. Chiuse gli occhi. Il cervello, risvegliato il tanto che occorreva per enunciare quel suo principio fondamentale, tornò tranquillamente ad assopirsi. La sfinge con cui lui dormiva.

Di lì a un minuto, vinto dalla stanchezza, anche Arkady s'addormentò. Sognò di nuotare in acque cupe, verso il fondo più nero che mai, a potenti bracciate. Mentre stava per tornare verso la superficie, lo raggiunse una donna bellissima dai lunghi capelli bruni e il viso pallido. In abito bianco sembrava volare all'ingiù. Come al solito, lo prese per mano. La sfinge di cui lui sognava.

II

Nuda, Zoya sbucciava un'arancia. Aveva una faccia larga, da ragazzina, innocenti occhi azzurri, vita stretta e seni piccoli, dal capezzoli minuscoli come segni di vaccinazione. Il pube era rasato tranne una striscia bionda: per la ginnastica. Aveva gambe muscolose e la sua voce era alta e forte.

«Gli esperti ci dicono che individualità e originalità saranno il contrassegno della scienza sovietica del futuro. I genitori devono accettare il nuovo curriculum e la nuova matematica che sono, entrambi, grandi passi progressivi verso l'edificazione di una ancor più perfetta società.» Tacque e guardò Arkady che, bevendo il caffè al davanzale, la guardava. «Potresti perlomeno far ginnastica.»

Benché lui fosse alto e magro, quando stava piegato rivelava sotto la maglietta qualche rotolo di ciccia. I capelli gli pendevano arruffati. Mosci come il padrone, pensò.

«Mi preservo per servire da paragone con ancor più perfette società» disse.

Lei si sporse sul tavolo per leggere un brano, sottolineato, sulla "Gazzetta dell'insegnante". Sputava i semi dell'arancia nel pugno, dove aveva raccolto le bucce. Le sue labbra intanto si muovevano.

«Ma l'individualità non deve condurre all'egoismo e

al carrierismo.» S'interruppe e lo guardò. «Ti suona bene, a te?»

«Lascia fuori i carrieristi. Ce ne sono troppi, fra il pubblico, a Mosca.»

Zoya si accigliò e distolse lo sguardo. Arkady le passò una mano lungo la schiena, fino al solco fra le natiche.

«No. Devo preparare questo discorso.»

«Per quando?» domandò lui.

«Per stasera. Al Comitato di quartiere si sceglie chi parlerà alla riunione interrionale della settimana prossima. Comunque, non spetta a te criticare i carrieristi.»

«Come Schmidt?»

«Sì» rispose lei, dopo una breve esitazione. «Come Schmidt.»

Poi andò in bagno. Dalla porta socchiusa lui la vide lavarsi i denti, accarezzarsi la pancia, passarsi il rossetto. Parlava allo specchio.

«Genitori! Le vostre responsabilità non finiscono al termine della giornata lavorativa. L'egoismo minaccia gli studenti, quindi anche quello che avete in casa. Avete letto le ultime statistiche su "egoismo e figli unici"?»

Arkady si allontanò dal davanzale, per dare un'occhiata all'articolo che Zoya aveva sottolineato. S'intitolava: "C'è bisogno di famiglie numerose". Nel bagno, Zoya estrasse dal contenitore una pillola anticoncezionale. Di marca polacca. Si rifiutava di usare il diaframma.

Russi, procreate! invocava l'articolo. Mettete al mondo tanti piccoli "grandi russi", altrimenti c'è il rischio che gli altri, gli appartenenti a gruppi etnici inferiori – i turchi e gli armeni di pelle bruna, gli astuti georgiani ed ebrei, gli infidi lettoni ed estoni, gli ignoranti musi-gialli, tartari, kazaki e mongoli, gli ingrati e retrogradi uzbeki, circassi, calmucchi e compagnia bella – prendano il sopravvento sui russi e sovvertano, grazie ai loro focosi genitali, il necessario equilibrio etnico a scapito dei bianchi più civili, più colti... "Quindi è dimostrato che coniugi senza prole o con un solo figlio, anche se possono superficialmente sembrare unità familiari più adatte alle esigenze lavorative dei centri urbani della Russia europea, in realtà non giovano alla collettività in quanto il futuro ha fame di russi." Un futuro affamato di russi! Incredibile, pensò Arkady. Zoya, alla sbarra, faceva i suoi esercizi ginnici.

«... lo studente che ha doti di originalità dovrà essere addottrinato ideologicamente con maggior rigore.» Lei sollevò la gamba destra a livello della barra. "Con rigore. Con vigore."

Lui pensò a una turba di kirghisi e circassi e siberiani che s'aggirano per le strade di Mosca a braccia tese, gridando: "Abbiamo fame di russi!". Ma dal Palazzo dei Pionieri gli rispondono: "Spiacenti! Non ne abbiamo. I russi sono esauriti".

«... quattro, uno, due, tre, quattro.» La fronte di Zoya toccò il ginocchio.

Alla parete, in capo al letto, era appeso un manifesto più volte raggiustato, con tre bambini – uno africano, uno russo e uno cinese – e lo slogan: "Un Pioniere è amico dei bambini d'ogni nazione!". Il bambino russo, o meglio la bambina, era Zoya da piccola. Quel manifesto era divenuto celebre, e così pure il suo visetto graziosamente camuso. Arkady ne aveva sentito parlare, la prima volta, all'università, come della "ragazza del manifesto dei Pionieri". Zoya assomigliava ancora a quella bambina.

«Dal conflitto scaturisce la sintesi.» Respirava profondo. «Originalità, ma combinata con l'ideologia.»

«Perché vuoi esser tu a tenere il discorso?»

«Bisogna pur pensare alla carriera.»

«Non ti va bene, così com'è?» Arkady le si avvicinò.

«Tu prendi 180 rubli al mese, io 120. Un caposquadra, in fabbrica, guadagna due volte tanto. Un idraulico, tre volte tanto, con gli incerti. Non abbiamo il televisore, né la lavatrice... Io ho bisogno di un vestito nuovo. Avremmo potuto procurarci un'auto usata del KGB... Si poteva combinare la faccenda.»

«Non mi piaceva il modello.»

«Tu potresti essere Investigatore presso il Comitato Centrale, a quest'ora, se ti dessi più da fare al Partito.»

Quando la toccò su un'anca, la pelle di lei divenne tesa come il marmo. I suoi seni erano candidi e sodi, con le rosee punte inturgidite. Un misto di sesso e Partito: ecco cos'era. Quanto al loro matrimonio...

«Perché prendi quelle pillole? Non scopiamo da mesi.»

Zoya gli afferrò il polso e lo allontanò. «In caso di stupro» gli disse.

Nel cortile, dei bambini in tuta da neve e passamontagna facevano girotondo intorno a una giraffa di legno. Rimasero a guardare Arkady e Zoya che salivano in auto. Al terzo tentativo, la macchina partì. A marcia indietro, Arkady si immise sulla Taganskaya.

«Natasha ci ha invitati in campagna, domani.» Zoya fissava il parabrezza. «Le ho detto di sì.»

«Te ne parlai una settimana fa, di quest'invito, e tu allora dicesti di no, che non t'andava.»

Zoya portò il manicotto alla bocca. Faceva più freddo in macchina che fuori. Ma lei odiava i finestrini aperti. Stava là corazzata nel cappotto pesante, colbacco, manicotto, stivali e silenzio. A un semaforo rosso, lui deterse il cristallo appannato. «Mi dispiace per ieri» le disse. «Pranziamo assieme oggi?»

Gli lanciò un'occhiata di traverso. Una volta, ricordò lui, passavano ore abbracciati sotto le lenzuola, mentre fuori nevicava. Di che cosa parlassero, non riusciva a ricordarlo. Era cambiato lui? Era cambiata lei? A chi credere?

«Abbiamo una riunione» rispose Zoya, alla fine.

«Plenaria, tutto il giorno?»

«Il dottor Schmidt e io ci riuniamo per buttar giù il programma del saggio di ginnastica.»

Ah, Schmidt. Avevano un mucchio di cose in comune, lui e Zoya. Dopotutto, lui era il segretario del Comitato Rionale del Partito. Consulente del Komsomol. Ginnasta. Dal lavoro in comune nasce affetto reciproco. Arkady resisté all'impulso di accendersi una sigaretta per non rendere troppo perfetta l'immagine del marito geloso.

Gli studenti arrivavano a frotte, alla Scuola 457. Avrebbero dovuto essere in uniforme, ma molti di loro portavano solo il fazzoletto rosso dei Pionieri, e lindi abiti di seconda mano.

«Torno tardi» disse Zoya, scendendo dalla macchina.

«Va bene.»

Lei indugiò. «Schmidt dice che dovrei divorziare, finché posso.» E sbatté lo sportello.

Sull'ingresso della scuola alcuni studenti la salutarono a gran voce. Zoya si volse a guardare Arkady, che si stava accendendo una sigaretta.

Chiaramente l'inverso di quella teoria sovietica, lui pensò. Dalla sintesi al conflitto.

L'Investigatore rivolse la mente al triplice omicidio di Gorky Park. Affrontò il problema dal punto di vista della giustizia sovietica. La giustizia, non meno della scuola, serve a educare.

Per esempio. Di solito, gli ubriachi venivano trattenuti una notte in guardina, a smaltire la sbornia, e rispediti a casa l'indomani. Quando il numero degli ubriachi molesti aumentava troppo – nonostante il rincaro della vodka – si lanciava una campagna "educativa" sugli orrori dell'alcol; vale a dire: gli ubriachi erano tenuti al fresco. Il saccheggio, nelle fabbriche, era enorme e costante: costituiva l'aspetto privato, imprenditoriale dell'industria di Stato sovietica. Di norma, un dirigente d'azienda tanto maldestro da lasciarsi beccare si prendeva cinque anni; ma, quando era in corso una campagna contro i saccheggi, la pena era assai più clamorosa: fucilazione.

Il KGB si regolava in modo analogo. Il carcere d'isolamento, presso Vladimir, svolgeva una funzione "educativa" per i dissidenti incalliti; ma, come dice il proverbio, "soltanto la fossa può correggere il gobbo"; quindi per i peggiori nemici dello Stato la lezione era più drastica. Arkady aveva appreso, finalmente, che i due morti trovati sul greto del Kliazma erano due agitatori recidivi, fanatici della peggior sorta: Testimoni di Geova.

C'era qualcosa, nella religione, che faceva schiumare lo Stato come un cane idrofobo. Dio pianse. Dio pianse... disse Arkady fra sé, pur non sapendo dove avesse appreso quell'espressione. Il riflusso religioso, il commercio di sacre icone, la restaurazione liturgica... tutto ciò gli faceva dar fuori da matto, al Governo. Incarcerare i missionari serviva solo a offrir loro dei proseliti. Molto meglio una lezione severa: una palla di gomma rossa per soffocarli, quella sorta di anonima fine che dà più adito a sinistre dicerie. Persino il greto d'un fiume ghiacciato assume una funzione "educativa".

Ma il Gorky Park! Non si tratta d'un greto solitario, bensì del cuore stesso di Mosca. Persino Pribluda l'avrà frequentato, quel parco, per scorrazzarci quando era un bambino grasso, per farci merenda sull'erba, per passeggiarci con la fidanzata. Persino Pribluda doveva saperlo che il Gorky Park ha una funzione ricreativa, non già "educativa". Eppoi, quei morti erano morti da mesi, non da giorni. La lezione era fredda, troppo fredda per servire a qualcosa. Non poteva quindi trattarsi di quel tipo di "giustizia" che Arkady conosceva e detestava.

Lyudin attendeva, presso un tavolo coperto di reperti, vetrini e fotografie, come un mago circondato da cilindri e foulard.

«La Scientifica ha fatto prodigi, per lei, Investigatore-capo. I dettagli sono affascinanti.»

E lucrativi pure, pensò Arkady. Lyudin si era fatto

assegnare tanti di quei prodotti chimici da rifornire una farmacopea privata, e magari l'aveva rifornita.

«Non vedo l'ora.»

«Conoscete il principio della cromatografia: l'effetto di un gas nobile e di un solvente statico...»

«Sul serio» disse Arkady. Non vedo l'ora.»

«E va bene.» Il Direttore del laboratorio sospirò. «Per dirla in due parole: mediante la cromatografia, si sono trovate, negli abiti di tutt'e tre le vittime, minuscole particelle di gesso e segatura, e, nei calzoni di GP-2, anche tracce di oro. Abbiamo cosparso gli indumenti di luminol e, in una camera oscura, ne abbiamo osservato la fluorescenza, indicante sangue. Buona parte di esso era, come previsto, quello delle vittime stesse. C'erano anche, però, delle chiazze di sangue non umano, bensì di pollo e pesce. Abbiamo poi riscontrato qualcos'altro di molto interessante, su quegli abiti.» Lyudin esibì un disegno raffigurante i tre cadaveri, vestiti, nella posizione in cui erano stati trovati. Un fitto tratteggio ricopriva il petto della donna supina e le braccia e le gambe dei due uomini. «Nelle zone tratteggiate, e soltanto in esse, abbiamo trovato tracce di carbonio, grassi animali e acido tannico. Insomma, dopo che la neve li aveva parzialmente ricoperti – probabilmente entro 48 ore – sui cadaveri sono piovute anche delle ceneri, da un incendio non lontano.»

«L'incendio della Conceria Gorky» disse Arkady.

«È ovvio.» Lyudin non poté reprimere un sorriso. «Il 4 febbraio, un incendio divampò alla Conceria Gorky e ricoprì di ceneri una vasta zona all'intorno. Dal primo al 3 febbraio caddero 30 centimetri di neve. Dal 4 al 6 ne caddero altri 20. Se la neve, nella radura, fosse rimasta intatta, si sarebbe osservato uno strato di ceneri fra due strati di neve. Comunque, ciò permette di stabilire la data del delitto.»

«Ottimo lavoro» disse Arkady. «Non credo che occorra analizzare la neve, ormai.»

«Abbiamo anche analizzato le pallottole. Tutte reca- no tracce dei tessuti e degli abiti delle vittime. Quella contrassegnata GP-1-B reca anche tracce di cuoio con- ciato, non appartenente agli abiti della vittima.»

«Tracce di polvere da sparo?»

«Nessuna, negli indumenti di GP-1; lievissime in quelli di GP-2 e GP-3: segno che, a questi ultimi, si è sparato da più vicino» spiegò Lyudin.

«No: segno che gli hanno sparato dopo che a GP-1» disse Arkady. «E sui pattini, niente?»

«Né sangue, né gesso, né segatura. I pattini non so- no di gran qualità.»

«Volevo dire, segni di riconoscimento. Certa gente ci segna su il nome, Colonnello, sui pattini. Ha con- trollato?»

Nel suo ufficio, sulla Novokuznetskaya, Arkady dis- se: «Questa qui è la radura. Tu» rivolto a Pasha «sei la Bestia. Tu, Fet, sei il Rosso. Questa» e piazzò una sedia in mezzo a loro, «è la Bella. Io sono l'assassino».

«Gli assassini potrebbero essere più di uno» disse Fet.

«Sì, ma per ora lasciamo aperta ogni ipotesi, senza cercare di adattare i fatti a una data teoria.»

«Bene. Io non sono tanto forte in teoria» disse Pasha.

«È inverno. Noi siamo stati a pattinare insieme. Sia- mo amici, o perlomeno conoscenti. Abbiamo lasciato la pista di pattinaggio e siamo venuti qui, nella radura. La radura è vicina al sentiero, ma ben riparata dagli al- beri. Perché siamo qui?»

«Per parlare» suggerì Fet.

«Per mangiare!» esclamò Pasha. «È per questo che si pattina, per poi smettere e mangiarsi una focaccia, pane e formaggio, pane e marmellata, e bere della vodka o del cognac.»

«Offro io» continuò Arkady. «Ho scelto io questo po- sto. Ho portato le cibarie. Ci rilassiamo, siamo un po' bevuti, stiamo benone.»

«A questo punto ci ammazzi? Ci spari, da dentro la tasca del cappotto?» domandò Fet.

«Sì, e magari così si frega un piede» disse Pasha. «Tu, Arkady, stai pensando a quelle tracce di cuoio sulla pallottola. Senti qua: tu ci hai portato le cibarie. Mica potevi portarle in tasca. Hai con te una sacca, di cuoio.»

«Dalla sacca tiro fuori la roba da mangiare.»

«E io non sospetto nulla, quando tu sollevi la sacca, e la avvicini al mio petto. Per primo spari a me perché sono il più grosso, il più ben piazzato.» Pasha annuì, com'era sua abitudine quand'era costretto a pensare. «Bang!»

«Esatto. Ecco perché c'è cuoio nella prima pallottola, ma non c'è polvere da sparo sul cappotto della Bestia. La polvere, invece, esce dal foro nella sacca, ai colpi successivi.»

«Il rumore» obiettò Fet. Gli fecero cenno di stare zitto.

«Il Rosso e la Bella non hanno visto la pistola.» Pasha era eccitato, annuiva, annuiva furiosamente. «Non si rendono conto di quello che succede.»

«Dal momento che sono tutti amici. Io punto la sacca sul Rosso.» Arkady puntò il dito su Fet. «Bang!» Quindi mirò alla sedia. «A questo punto, la Bella avrebbe tempo di gridare. Ma io so che non griderà, e so che neanche tenterà di scappare. Lo so, in qualche modo.» Ricordò che la ragazza giaceva fra i due uomini. «La uccido. Poi sparo di nuovo a voi due, sulla testa.»

«Colpo di grazia. Bene» approvò Pasha.

«Altri spari.» Fet avvampò. «Di' quello che ti pare, ma fai un bel po' di rumore, così. Eppoi, il colpo di grazia non si spara mica in bocca.»

«Agente Fet, hai ragione.» Arkady puntò il dito su di lui, nuovamente. «Dunque ti sparo per qualche altro motivo. Devo aver una buona ragione, per correre il rischio di far esplodere altri due colpi.»

53

«E quale?» chiese Pasha.

«Vorrei tanto saperlo. Poi, tiro fuori il coltello e vi scarnifico la faccia. Per le dita, uso magari una tronchese. Ficco tutto nella sacca, o valigetta.»

«Hai usato una pistola automatica.» Pasha era ispirato. «Meno rumore di una rivoltella. E i bossoli, espulsi nella sacca. Ecco perché non se ne sono trovati, fra la neve.»

«A che ora tutto questo?» incalzò Arkady.

«Sul tardi» disse Pasha. «Meno probabilità che altri pattinatori si soffermino nella radura. Magari sta nevicando. Questo serve a attutire meglio i colpi. Ha nevicato spesso, di gennaio. Dunque: è già scuro e nevica, quando tu esci dal parco.»

«E nessuno mi vede gettare la sacca nel fiume.»

«Esatto.» Pasha batté le mani.

Fet sedette sulla sedia. «Il fiume era ghiacciato» disse.

«Merda!» A Pasha ricaddero le braccia.

«Andiamo a mangiare» disse Arkady. Per la prima volta, in due giorni, aveva appetito.

Alla trattoria dirimpetto riservavano un tavolo agli Investigatori. Arkady ordinò baccalà, cetrioli alla panna acida, patate lesse, birra. Il vecchio Belov li raggiunse e attaccò a raccontare aneddoti di guerra sul padre di Arkady.

«Eravamo agli inizi della guerra...» Belov ammiccò, cisposo. «Io guidavo la BA-20 del Generale.»

Arkady ricordava quella storia. La BA-20 era un'antiquata autoblindo, con torretta a moschea e telaio Ford. Suo padre comandava un reparto di BA-20. Tre di queste autoblindo eran rimaste intrappolate un centinaio di chilometri dietro le linee tedesche, durante il primo mese di guerra. Riuscirono a rientrare, portandosi – come trofeo – le spalline e le orecchie di un ufficiale delle SS.

Buffo, il fatto delle orecchie. I russi accettavano stupri e vendette come attività secondarie della guerra.

Convinti che gli americani scotennassero e i tedeschi divorassero i bambini. Quello che faceva inorridire una nazione di rivoluzionari era l'idea di un trofeo umano riportato da un russo. Era più che spaventoso; all'invincibile, ancorché un tantino ansioso, proletariato rivelava una macchia più scura di tutte le altre: mancanza di cultura. Dopo la guerra le voci relative a quelle orecchie danneggiarono la carriera del Generale.

«Sono false, quelle voci» assicurò Belov.

Arkady ricordava quelle orecchie. Stavano appese nello studio di suo padre, come pasticcini ammuffiti.

«Vuoi davvero che interroghi tutti quei venditori ambulanti?» domandò Pasha, a bocca piena. «Mi faranno una testa così – che dobbiamo cacciare via gli zingari dal parco.»

«Interroga anche gli zingari. Ora sappiamo più o meno la data: ai primi di febbraio» disse Arkady. «E senti un po' che genere di musica trasmettono, per i pattinatori, dagli altoparlanti.»

«Lo vedi spesso il Generale tuo padre?» domandò Fet, interrompendolo.

«No, non spesso.»

«Penso ai poveri militi di servizio al Gorky Park» disse Pasha. «La stazione è carina: una baracca di tronchi, con stufa e tutto. Sfido io, che non s'accorgono di niente, anche se il parco è pieno di cadaveri. Poveretti! Li sbatteranno in Siberia, adesso.»

Belov e Fet frattanto si erano messi a discutere fra loro. Arkady si stupì che stessero aspramente criticando il culto della personalità.

«Alludete a Stalin?» chiese.

Fet cadde dalle nuvole. «Alludiamo a Olga Korbut.»

Arrivò Chuchin, l'Investigatore-capo addetto ai casi speciali. Aveva una di quelle facce così comuni che sembravano fatte con uno stampino. Disse a Arkady che Lyudin aveva telefonato, avvertendo che avevano trovato un nome, segnato su un paio di quei pattini.

Al di sopra del grigiore di Mosca, sui Colli Lenin, si trovano gli studi della Mosfilm. Ve ne sono anche altri, nel Paese: la Lenfilm, la Tadzifilm, l'Uzbekfilm. Ma non sono altrettanto prestigiosi. I dignitari in visita vengono immancabilmente accompagnati a fare un giro degli stabilimenti della Mosfilm si rasenta per un tratto il muro di cinta arancione, si varcano i cancelli, si piega a sinistra, si attraversa un giardino e si giunge al teatro di posa principale; qui, dirigenti amministrativi, famosi registi sempre con grossi occhiali e docili attrici (con fiori) stanno in riga ad attendere l'ospite. Questi poi compie il giro di altri teatri di posa e annessi e connessi – uffici amministrativi, sale di proiezione, atelier di scenografi e costumisti, sale di riunione, laboratori di sviluppo e stampa, di missaggio, di doppiaggio, magazzini dove stanno ammucchiati carri tartari, panzer e astronavi. È una vera e propria città, con la sua popolazione di tecnici, artisti, censori e comparse: un numero straordinario di comparse data la passione dei sovietici per le scene di massa, dato altresì che le comparse sono a buon mercato, e anzi tanti giovani si prestano gratis, pur di entrare nel mitico mondo della Mosfilm.

Arkady, che non era un dignitario, né era stato invitato, si fece strada da solo, fra i mucchi di neve sullo spiazzo antistante il padiglione centrale e l'edificio amministrativo. Vide una ragazza che, lanciando occhiatacce da ogni parte, reggeva un cartello con su scritto: SILENZIO. Era giunto a un set in esterni: un giardino con alberi di melo, sul quale pioveva una tiepida luce di dolce tramonto autunnale, da riflettori dotati di filtri. Un uomo in costume da vagheggino ottocentesco stava leggendo un libro, presso un tavolo di ferro battuto, laccato di bianco; alle sue spalle, una quinta di parete con finestra aperta, oltre la quale si scorgeva un pianoforte e una lampada a gas. Un secondo uomo, in abiti dimessi, avanzava in punta di piedi lungo quel muro, estraeva una pistola a canna lunga e prendeva la mira.

«Mio dio!» Quello che leggeva balzava su...

Qualcosa non andava, c'era sempre qualcosa che non andava, e toccava ripetere la scena daccapo. Il regista e l'operatore, di pessimo umore e in giubbotto di renna alla moda, sbraitarono con le segretarie di produzione: due graziose ragazze con abbigliamenti afgani. Sui volti di tutti c'era un misto di noia e tensione. I presenti erano divertiti. Tutti quelli che, nei paraggi, non avevano niente da fare – elettricisti, autisti, mongoli tatuati, ballerinette timide come cagnetti ammaestrati – stavano lì a guardare, in estatico silenzio, il dramma delle riprese, certo assai più interessante del dramma che veniva filmato.

«Mio dio! Mi hai spaventato!» Poi, di nuovo, daccapo.

Cercando di farsi notare il meno possibile, Arkady ebbe tutto il tempo per individuare la persona che cercava: un'assistente costumista. Costei era una ragazza alta, dagli occhi scuri, la pelle chiara, i capelli castani raccolti sulla nuca. Portava una giacca afgana, più andante di quelle delle altre ragazze, e troppo corta di maniche. Stava immobile come una statua, con in mano un copione. Poi, quasi avvertisse su di sé lo sguardo di Arkady, si riscosse e si voltò a guardarlo. Quello sguardo gli diede la sensazione di venire d'un tratto illuminato. Lei tornò quindi a girarsi verso la scena. Frattanto lui aveva avuto modo di notare una macchia sulla guancia destra. Nella foto segnaletica, quella specie di voglia era grigia. In realtà era azzurrastra e, per quanto piccola, faceva spicco, dal momento che la ragazza era molto bella.

«Mio dio! Mi hai spaventato.» Il vagheggino sbatté gli occhi, davanti alla pistola spianata. «Già sono abbastanza nervoso, e tu vieni a farmi uno scherzo del genere!»

«Pausa pranzo!» annunciò il regista; e si allontanò.

Anche questa scena si era certo ripetuta tante volte, a giudicare dalla velocità con cui gli addetti sgombrarono il campo mentre i curiosi si disperdevano con calma. Arkady guardò l'assistente costumista rassettare il tavolo e le sedie, togliere un fiore appassito e spegnere la lampada a gas sopra il pianoforte. La sua giacca era peggio che lisa: era piena di toppe e rammendi, che avevano trasformato i ricami in una pazzesca trapunta. Al collo portava un foulard arancione, ordinario. Aveva stivaletti di plastica rossi. Piuttosto malmessa, però aveva un tal portamento che un'altra donna, vedendola, avrebbe detto: ecco, dovrei vestirmi anch'io così, con quattro stracci da rigattiere. Senza i riflettori, il giardino era cupo. Lei sorrise.

«Irina Asanova?» chiese Arkady.

«E lei?» Aveva la voce un po' cupa, con un leggero accento siberiano. «Conosco tutti i miei amici, ma lei sono sicura di non conoscerla.»

«Pare che lo sapesse, chè sono qui per lei.»

«Non è il primo, a seccarmi sul lavoro.» Lo disse con quel suo sorriso, che escludeva ogni offesa. «Salterò il pasto...» Sospirò. «Tanto meglio per la linea. Ha una sigaretta?»

Qualche ciocca era sfuggita alla disciplina dello chignon. Irina Asanova aveva ventun anni. Questo gli risultava dallo schedario della polizia. Quando le porse da accendere, lei mise le mani a coppa intorno alle sue. Aveva lunghe, esili dita fredde. Una civetteria così scopertamente tattica che Arkady ne fu deluso; finché non scorse, nello sguardo di lei, che lo stava prendendo in giro. Aveva occhi estremamente espressivi. Avrebbero reso interessante anche la donna più bruttina.

«Quelli della "Speciale" hanno sigarette migliori» disse lei e espirò avidamente. «È in corso una campagna per farmi licenziare? Se mi cacciate via da qui, mi trovo un altro posto, ecco tutto.»

«Non sono dei "Casi Speciali" né del KGB, io. Ecco qua.» Le mostrò il tesserino.

«Diverso, ma non tanto.» Glielo restituì. «Cosa desidera, da me, l'Investigatore-capo Renko?»

«Abbiamo ritrovato i suoi pattini.»

Le ci volle un po' a capire. «I miei pattini!» Rise. «Davvero li avete trovati? Li ho persi da mesi.»

«Li aveva ai piedi una persona morta.»

«Bene. Gli sta bene. C'è giustizia, dopotutto. Spero che sia morta assiderata. Prego, non si scandalizzi. Lo sa quanto tempo m'è toccato di tirar la cinghia per comprarmi quei pattini? Guardi le mie scarpe. Su, guardi.»

Arkady vide che gli stivaletti rossi erano laceri intorno alla lampo. Ed ecco, Irina Asanova gli s'appoggiò a una spalla e se ne sfilò uno dal piede. Aveva lunghe gambe ben tornite.

«Neanche c'è la suola interna.» Si strofinò l'alluce. «Il regista di questo film. L'ha visto?... Mi ha promesso un paio di stivali italiani, foderati di pelo, se vado a letto con lui. Pensa che dovrei andarci?»

Sembrava una domanda non retorica. «L'inverno è bell'e finito» rispose lui.

«Appunto.» Si rimise lo stivaletto.

A parte le gambe, quel che fece effetto, su Arkady, fu la disinvoltura con cui si comportava la ragazza, come se tutto le fosse indifferente.

«Morta, eh?» disse. «Mi sento già meglio. Sa, il furto l'ho denunciato. A suo tempo.»

«Veramente, lei denunciò il fatto il 4 febbraio, benché la scomparsa risalisse al 31 gennaio. Non se n'era accorta, per quattro giorni?»

«Di solito uno si accorge di aver perso qualcosa quando vuole usarlo di nuovo, no? Succederà anche a lei, Investigatore. Mi c'è voluto un po' di tempo, a me, per ricordare dove li avevo smarriti... Allora sono corsa alla pista di pattinaggio. Troppo tardi.»

«Magari, nel frattempo, si è ricordata di qualcuno, o di qualcosa, di cui non aveva fatto cenno, allora, nella denuncia. Ha idea di chi può averglieli presi?»

«Sospetto» (una pausa a effetto comico) «di chiunque.»

«Anch'io» disse Arkady, seriamente.

«Abbiamo qualcosa in comune.» Rise divertita. «Figurarsi!»

Ma mentre lui stava per mettersi a ridere con lei, la ragazza tagliò corto.

«Un Investigatore-capo non viene da me per un paio di pattini» disse. «Ho detto tutto quello che sapevo, a suo tempo, alla Polizia. Ora, cosa vuole?»

«La ragazza che calzava quei pattini è morta ammazzata. E due altri, insieme a lei.»

«E questo, cos'avrebbe a che fare con me?»

«Magari potrebbe aiutarci.»

«Se sono morti, non posso farci nulla. Punto e basta. Sono stata iscritta a Legge, per un po'. Per arrestarmi, deve esserci un milite con lei. Vuole arrestarmi?»

«No...»

«Allora, se non vuole farmi perdere il posto, se ne vada. La gente ha paura di lei, non gli va di vederla d'intorno. Non tornerà, vero?»

Arkady si stupì con se stesso, per come dava corda a quella ridicola ragazza. D'altro canto, sapeva cosa provano gli studenti cacciati via dall'università. Si adattano a qualsiasi lavoro, pur di non perdere il permesso di soggiorno a Mosca e venire rispediti ai patri lidi. Per costei, la Siberia.

«No» le disse.

«Grazie.» Lo sguardo, da solenne, tornò pratico. «Prima di dirci addio, mi offre un'altra sigaretta?»

«Tenga pure il pacchetto.»

La troupe stava tornando sul set. L'attore con la pistola era ubriaco. La puntò su Arkady. Irina gli gridò dietro: «A proposito, cosa gliene pare di questa scena?».

«Alla Chekhov» rispose lui «però in brutto.»

E lei: «È Chekhov infatti, e fa schifo. A lei non sfugge proprio niente».

Levin stava studiando una mossa alla scacchiera quando Arkady entrò.

«Eccoti una concisa storia della nostra Rivoluzione.» Il patologo non alzò neppure gli occhi dai pezzi bianchi e neri. «Prima uno commette un omicidio poi, col tempo, si dà ai furti, ai furtarelli, poi, come niente, passa al turpiloquio e finisce che entra in una stanza senza bussare. Tocca ai neri.»

«Ti dispiace?» fece Arkady.

«Fa' pure.»

L'altro sgombrò allora la scacchiera e vi pose al centro tre pedoni neri, coricati. «La Bella, la Bestia e il Rosso.»

«Ma che ti salta in mente?» Levin contemplò lo sfacelo della sua solitaria partita.

«Secondo me, t'è sfuggito qualcosa.»

«Come fai a saperlo?»

«Sta' a sentire. Tre vittime, tutt'e tre uccise con un colpo al cuore.»

«Due colpiti anche alla testa. Quindi, come sai quali colpi sono stati sparati per primi?»

«L'assassino ha studiato ogni mossa con cura» continuò Arkady. «Sottrae tutti i documenti alle sue vittime, gli svuota le tasche, le sfigura in faccia e amputa loro le punte delle dita per eliminare le impronte digitali. Però corre il rischio di sparare altri due colpi alla testa dei due maschi.»

«Per accertarsi che siano morti.»

«Lo sa, che sono morti. No: su uno dei due c'è un segno caratteristico da eliminare.»

«Può anche darsi che gli abbia sparato prima alla testa, poi al cuore.»

«E alla ragazza, allora, perché no? No: spara in faccia a uno dei morti, poi s'accorge che rischia di tradirsi, così spara anche al secondo.»

«Ti chiedo a mia volta» Levin si alzò «perché non anche alla ragazza?»

«Non lo so.»

«Eppoi ti dico, da esperto, cosa che tu non sei affatto, che una palla di quel calibro non sfigura un uomo al punto di impedirne l'identificazione. Inoltre, quel macellaio li aveva già scarnificati in faccia.»

«Dimmi, da esperto: cosa si è ottenuto, con quelle due pallottole?»

«Se i due erano già morti» Levin incrociò le braccia «distruzione locale, soprattutto. I denti, che già abbiamo esaminato.»

Arkady tacque. Levin aprì un cassetto e ne estrasse due scatoline, contrassegnate GP-1 e GP-2. Dalla prima estrasse due incisivi, quasi intatti.

«Denti robusti» disse. «Da schiacciarci le noci.»

Quelli nella seconda scatolina erano invece in frantumi; uno, ridotto a poche schegge e polvere.

«Buona parte di questo incisivo è andata perduta. Dai resti, che abbiamo analizzato, risulta quanto segue: smalto, dentina, cemento, polpa disidratata, macchie di tabacco e tracce di piombo.»

«Una piombatura?» domandò Arkady.

«No: il piombo della "nove grammi".» (In gergo: pallottola.) «Contento?»

«Si tratta del Rosso, vero? Quello coi capelli tinti.»

«Di GP-2, perbacco!»

Il Rosso era giù da basso, in un "fornetto" dell'obitorio. Lo prelevarono per portarlo all'esame necroscopico. Arkady seguì la lettiga, fumando.

«Fammi accendere.» Levin lo trattenne col gomito. «Credevo che l'odiassi, questo lavoro.»

Il centro della mascella superiore era un buco incorniciato da incisivi secondari, scuri. Con un ferro appuntito, Levin prelevò dei pezzetti di mascella e li depose su un vetrino umido. Quindi andò a un microscopio.

«Sai quel che cerchi, o tiri a indovinare?» domandò.

Arkady gli rispose: «Faccio ipotesi. Sai, nessuno scassina una cassaforte vuota».

«Qualsiasi cosa ciò significhi.» Il patologo guardò al microscopio, muovendo i frantumi d'osso. Fece ruotare le lenti dell'obiettivo, a partire da 10X. Arkady accostò una sedia e si sedette, voltando la schiena al cadavere, mentre Levin toglieva dal vetrino un frammento di osso alla volta.

«Ho mandato al tuo ufficio un rapporto, che magari non hai neanche visto» disse Levin. «I polpastrelli sono stati mozzati con una tronchese. Lo si capisce dai solchi sulle ferite. Per scarnificare la faccia non è stato usato un bisturi, perché i tagli non sono tanto netti; anzi, è stato raschiato l'osso qua e là. Un grosso coltello direi, o un pugnale da caccia. Affilatissimo comunque.» Una polvere finissima era rimasta sul vetrino. «Ecco, guarda.»

Ingrandita duecento volte, quella polvere sembrava schegge d'avorio miste a schegge di legno rosaceo.

«Che roba è?»

«Guttaperca. Il dente si è frantumato a quel modo perché era morto, friabile. Con guttaperca inserita nel canale della radice.»

«Non sapevo che si usasse così.»

«Non si usa difatti, da noi. I dentisti, in Europa, non adoperano guttaperca. Gli americani, sì.» Levin storse la bocca al sorrisetto di Arkady. «La fortuna non è cosa di cui essere orgogliosi.»

«Io non sono orgoglioso.»

Tornato nel suo ufficio, senza togliersi il cappotto, Arkady si mise a battere a macchina.

Rapporto sugli omicidi di Gorky Park.
    Da un esame necroscopico condotto sulla vittima

GP-2 si è accertata la presenza di un perno di guttaperca alla radice dell'incisivo mediano superiore destro. Il
patologo attesta che trattasi di una tecnica in uso negli
Stati Uniti, e non abituale nel nostro Paese e in Europa.
   GP-2 è quello dai capelli rossi tinti di color castano.

   Dopo avervi apposto la firma e l'ora e messo via la
sua copia portò l'originale nell'ufficio del Procuratore,
tenendo il foglio delicatamente, come fosse una richiesta di grazia. Iamsky non c'era. Glielo lasciò sul tavolo,
ben in vista.
   Quando Pasha rientrò, nel pomeriggio, Arkady, in
maniche di camicia, stava sfogliando una rivista. Pasha depose il registratore e si accasciò su una sedia.
   «Che c'è, ti sei messo in pensione?»
   «Macché in pensione, Pasha. Vedi uno che vola nel
cielo, leggero come una bolla di sapone, libero come
un'aquila... insomma, come uno che s'è scaricato
d'ogni pesante responsabilità.»
   «Ma che stai dicendo? L'indagine è appena agli inizi. Ho trovato qualcosa oggi...»
   «Noi non indaghiamo più.» E Arkady gli disse del
dente.
   «Una spia americana?»
   «Chi se ne frega, Pasha? Spia o non spia, basta e
avanza che quel morto sia americano. Adesso subentra
Pribluda.»
   «E si prende anche il merito, però.»
   «Glielo lascio volentieri. Il caso doveva essere suo
fin dal principio. Una tripla esecuzione non è roba per
noi.»
   «Li conosco, quelli del KGB. Ora si faranno belli,
quei torcicoglioni. Dopo che tutto il lavoro l'abbiamo
fatto noi.»
   «Ma quale lavoro? Non sappiamo neanche chi sono
le vittime, e tanto meno chi le ha uccise.»
   «Il loro stipendio è il doppio del nostro, hanno spac-

ci speciali, bei circoli sportivi.» Pasha ormai era lanciato. «Mi sai dire in che cosa sono meglio di me? Perché a me non m'hanno preso? Che colpa ne ho io, se mio nonno era un Principe? Eh, già! bisogna avere un *pedigree* da cui risulta che sei un contadino da almeno dieci generazioni. O sennò, che parli dieci lingue.»

«Pribluda, certo, come contadino ti frega. Quanto alle lingue, mi sa che non ne parla più d'una.»

«Potrei parlare anche cinese, io, se avessi avuto modo di studiarlo» seguitò Pasha.

«Parli tedesco, no?»

«Tutti parlano tedesco. No, è tipica, la storia della mia vita. Adesso si prendono il merito loro, quando siamo stati noi a scoprire...»

«Un dente.»

«Ma va' a fottere tua madre!» Non era un insulto, bensì un'invettiva nazionale, per esprimere l'esasperazione.

Arkady lasciò Pasha lì a schiumare e andò nell'ufficio di Nikitin. L'Investigatore-capo per gli Affari Riservati non c'era. Arkady pescò fuori una chiave, da un cassetto della sua scrivania, e aprì un armadietto di legno massiccio: conteneva un elenco del telefono e quattro bottiglie di vodka. Lui ne prese solo una.

«Quindi, preferiresti essere un torcicoglioni, piuttosto che un bravo agente investigativo» disse a Pasha, rientrando. Pasha, inconsolabile, fissava il pavimento. Arkady riempì due bicchieri di vodka. «Bevi.»

«A che cosa?» borbottò Pasha.

«Al Principe tuo nonno» propose Arkady.

Pasha avvampò, pieno d'imbarazzo. Sbirciò fuori dalla porta, lungo il corridoio.

«Allo Zar» rincarò Arkady.

«Per favore!» Pasha chiuse la porta.

«Allora bevi!»

Dopo alcuni cicchetti, Pasha non era più tanto desolato. Brindarono all'enigma scientificamente risolto da

Levin, all'inevitabile trionfo della giustizia sovietica, all'apertura delle rotte marittime per Vladivostok.

Poi Pasha brindò: «All'unica persona onesta di Mosca».

«A chi?» domandò Arkady, aspettandosi una freddura.

«Tu» disse Pasha, e bevve.

«Veramente» Arkady scrutò nel suo bicchiere «quello che abbiamo fatto nei due giorni scorsi non è mica troppo onesto.» Rialzò gli occhi e vide che Pasha si stava ammosciando di nuovo. «Comunque, poco fa mi dicevi che oggi hai trovato qualcosa. Racconta.»

Pasha si strinse nelle spalle, ma Arkady insistette, per fargli piacere. Una giornata trascorsa a discorrere con vecchie babushke meritava una ricompensa.

«M'è venuto di pensare» disse Pasha, cercando di mostrarsi disinvolto, «che forse qualcos'altro oltre alla neve ha attutito quegli spari. Dopo aver sprecato gran parte della giornata coi venditori ambulanti, sono andato a parlare con la donnetta che mette su i dischi per i pattinatori. La musica viene diffusa dagli altoparlanti. Lei ha una stanzetta, nell'edificio accanto all'ingresso di Krimsky Val. Le domando: "Mettete su dischi molto rumorosi?". E lei: "No, musica tranquilla, per pattinare". Le domando: "Seguite lo stesso programma ogni giorno? Mettete i dischi secondo un certo ordine?". E lei: "I programmi li fa la televisione, io metto i dischi per chi pattina, tutti dischi tranquilli, messi su da una semplice lavoratrice, io son una che ha fatto la guerra, sa, oh, sì in artiglieria. Sono invalida" mi dice "ed è ben per questo che m'hanno dato questo posto, qui." "Lasciamo stare" dico io. "A me importa soltanto sapere in che ordine li mette su, i dischi." "Macché ordine" fa lei. "Incomincio da in cima alla pila, giù giù, e quando si arriva alla fine vuol dire ch'è ora di staccare e andare a casa." "Faccia vedere" dico. La vecchia mi mostra una catasta di quindici dischi. Sono persino numerati: da 1 a 15. La sparatoria – penso – sarà avv-

nuta verso la fine della giornata. Quindi incomincio da
in fondo. Il n. 15 è una scelta di brani dal *Lago dei cigni*. Il n. 14... indovina!... l'*Ouverture 1812*: cannoni,
campane e compagnia bella. A questo punto mi chiedo: ma perché sono numerati, questi dischi? Un lampo
di genio; tenendo quel disco davanti alla bocca, le domando: "Quanto alto tenete il volume?". Niente: mi
guarda e basta. Non ha sentito un tubo. Insomma, la
vecchia è sorda. Legge i movimenti delle labbra, ma è
sorda come una campana. Invalida di guerra. Una sorda, ci hanno messo, a mettere su i dischi al Gorky
Park!»

III

Un fine settimana in campagna con l'ultima neve dell'inverno. I tergicristalli che spazzano fiocchi grossi come piume d'oca. Una bottiglia di vodka aromatica per compensare l'inadeguato riscaldamento dell'auto. L'entusiasmante stridio degli pneumatici. Pifferi, tamburi, trombe, le galoppanti campanelle d'una slitta. Avanti!

Zoya sedeva dietro, con Natalya Mikoyan; Arkady davanti, assieme al suo più vecchio amico, Mikhail Mikoyan, il marito di Natalya. I due uomini erano stati colleghi, nel Komsomol, nell'Armata Russa e all'Università di Mosca, dove avevano studiato Giurisprudenza. Avevano nutrito le stesse ambizioni, partecipato alle stesse baldorie, amato gli stessi poeti e condiviso, persino, alcune ragazze. Magro, con una faccia da bambino sotto la massa di ricci neri, Misha era entrato a far parte, subito dopo la laurea, del Collegio degli Avvocati di Mosca. Ufficialmente, un avvocato difensore non guadagnava più di un Giudice: diciamo, 200 rubli al mese. Sottobanco però riceveva compensi dai clienti; per questo Mikoyan si poteva permettere bei vestiti, un anello con rubino al dito mignolo, pellicce per Natasha, una casa in campagna e una Zhiguli a due porte, per andarci.

Natasha, bruna e delicata, tanto che poteva indossa

re vestiti da bambina, contribuiva con il suo stipendio di giornalista d'agenzia (alla Novosti) e con un aborto all'anno. Non poteva usare la pillola, benché ne rifornisse le amiche. Non troppi bagagli, su questa slitta. Avanti!

La dacia distava da Mosca una trentina di chilometri. Al solito, Misha vi aveva invitato otto o nove amici. Quando arrivarono i padroni di casa, alcuni degli amici erano già là. Entrarono sbattendo le scarpe per scrollarne la neve, con le braccia cariche di bottiglie e pagnotte e barattoli d'aringhe affumicate e furono salutati da due giovani coniugi che davano la cera agli sci e da un uomo grasso che cercava di accendere il caminetto. Poi giunsero altri invitati: un regista di film didattici e la sua amante; un ballerino con la moglie a rimorchio. Gli sci, ammucchiati sul divano, continuavano a cadere. I nuovi arrivati andarono a cambiarsi, gli uomini in una stanza e le donne in un'altra.

«Giornata bianca.» Misha gesticolò espansivo. «La neve è più preziosa dei rubli.»

Zoya disse che lei restava in casa, con Natasha, ancora convalescente dopo l'ultimo aborto. La neve aveva smesso di cadere. Era soffice e alta.

Misha si coprì di gloria, facendo da battistrada nel bosco. Arkady s'accontentò di seguirlo, soffermandosi ogni tanto ad ammirare il paesaggio. Aveva il passo lungo e facile e non avrebbe stentato a superare Misha, che procedeva a scatti. Dopo un'oretta, si riposarono. Misha si mise a togliere il ghiaccio incrostatosi intorno agli attacchi. Arkady si sfilò gli sci e sedette.

Fiati bianchi, alberi bianchi, neve bianca, cielo bianco. "Snelle come fanciulle" erano chiamate, invariabilmente, le betulle. Grucce per i poeti, pensò Arkady.

Misha puliva gli sci con la stessa lena furiosa, teatrale, con cui perorava in tribunale. Da ragazzino aveva già un vocione: come una barchetta dall'enorme vela. Li martellava, i suoi sci.

«Arkasha, ho un problema.» Mollò gli sci.

«Chi è lei, stavolta?»

«Una nuova impiegata. Sui diciannove anni. Penso che Natasha sospetti qualcosa. Beh, io non gioco a scacchi, né faccio dello sport... che altro mi resta? La cosa più ridicola è che questa ragazzina è la persona più ignorante che io abbia mai conosciuto... eppure non vivo che per lei e *ci tengo* ai suoi giudizi. L'amore è un assurdo, se ci pensi un po'. E costa pure caro. Bah!» Si sbottonò la giacca a vento e tirò fuori una bottiglia di vino. «Un vinello francese. Sauterne. L'ha portato, di contrabbando, il ballerino. Quello che hai visto volteggiare per casa. Il miglior vino da dessert del mondo. Il dessert non l'abbiamo. Ne vuoi un goccio?»

Misha stappò la bottiglia e la porse all'amico. Arkady vi s'attaccò a garganella. Il vino era ambrato e dolciastro.

«Dolce?» fece Misha, alla smorfia di Arkady.

«Non tanto quanto certi vini russi» disse questi, patriotticamente.

Bevvero a turno. La neve cadeva dai rami, a volte con un tonfo pesante, a volte leggera e rapida come i passi d'una lepre. Arkady era contento di essere con Misha; soprattutto quando Misha stava zitto.

«Zoya ti tampina sempre col Partito?» chiese Misha.

«Sono iscritto al Partito, ho la tessera.»

«La tessera e basta. Dico, cosa ti ci vorrebbe a mostrarti un po' più attivo? Basterebbe partecipare a una riunione una volta al mese – magari leggendo il giornale – e votare una volta all'anno, e, ogni tanto, proporre una petizione contro la Cina o il Cile. Ma tu no, neppure questo. Hai la tessera solo perché, senza, non potresti essere Investigatore-capo. Lo sanno tutti, come stanno le cose. Tanto varrebbe che ne traessi qualche beneficio. Datti da fare, con il Comitato Distrettuale... cerca aderenze.»

«Ho sempre un buon motivo per disertare quelle riunioni.»

«Certo. Sfido che Zoya è furiosa. Dovresti pensare un po' a lei. Coi tuoi trascorsi, come niente diventeresti Ispettore presso il Comitato Centrale. Allora viaggeresti in lungo e in largo, a controllare l'ordine pubblico, a organizzare campagne, a far venire la strizza ai funzionari di polizia...»

«Non mi pare una gran bella prospettiva.»

«Che importa? Conta il fatto che avresti accesso agli spacci speciali, rimedieresti ogni tanto un viaggetto all'estero, e potresti avvicinare gli uomini del Comitato Centrale, quelli che distribuiscono tutte le cariche importanti. E potresti arrivare in alto.»

Il cielo aveva un che di porcellana. A passarci il dito sopra, striderebbe, pensò Arkady.

«Spreco il fiato» disse Misha. «Dovresti arruffianarti con Iamskoy. Gli vai a genio.»

«Dici?»

«Cosa lo ha reso celebre, eh, Arkasha? Il processo Viskov. In sede d'appello, Iamskoy attacca i magistrati che, in prima istanza, condannarono l'operaio Viskov a quindici anni, per omicidio. Il Procuratore Iamskoy, nientemeno, che si erge a paladino dei diritti individuali! Praticamente un Gandhi, a sentire "La Pravda". A chi era stato affidato il supplemento d'indagini? A te. Chi aveva quindi spinto Iamskoy ad agire, minacciando proteste sulle riviste di giurisprudenza? Tu. Quindi Iamskoy, vedendo che non c'è verso di farti desistere, cambia rotta e diventa l'ardimentoso eroe della vicenda. Ti deve un bel po'. Può anche darsi che desideri sbarazzarsi di te.»

«Da quando in qua frequenti Iamskoy?» Arkady era interessato.

«Beh, da un po'. C'è stata la grana piantata da un cliente che diceva d'avermi pagato troppo. Non era vero... e me lo sono tolto dai piedi. Comunque, il Procuratore si è mostrato molto comprensivo. Abbiamo anche parlato di te. Quanto a quella grana, fu una faccenda molto delicata... Lasciamo stare.»

Misha aveva tanto calcato la mano da indurre un cliente a reclamare? Arkady non aveva mai considerato venale il suo amico, finora. Misha appariva depresso, dopo quella sua confessione.

«Insomma, alla fine, mi liberai di quel figlio di puttana. Bah... succede di rado, una grana del genere. Lo sai, tu, che vuol dire assumere un difensore? Vuol dire pagare uno perché si presenti in tribunale e si dissoci da te. Sul serio! Questo è quanto succede quasi sempre. Dopotutto, non saresti sotto processo, se non fossi colpevole. E io non voglio essere scambiato per tuo complice. Ho il mio buon nome da salvaguardare. Prima ancora che il Pubblico Ministero punti il dito accusatore, io già deploro i crimini dell'imputato. Non solo mi mostro nauseato, ma addirittura offeso. Tutt'al più, se il mio cliente è fortunato, posso dire che non ha mai scorreggiato alla festa dell'Armata Rossa.»

«Non è vero.»

«Un po' è vero. Tranne che in questo caso – non so perché io feci invece di tutto per farlo assolvere. Il mio cliente non è un ladro – dissi, – è padre di una famiglia numerosa, è il figlio e il sostegno della povera donna che singhiozza, là, in prima fila, è un modesto veterano di gloriose battaglie, è un amico fedele e un lavoratore indefesso, insomma non è un ladro ma soltanto un *debole*. La Giustizia sovietica – rappresentata da quel Giudice sonnacchioso e da due ignoranti *a latere* – è aspra, sì, aspra come un signorotto feudale, ma umana al tempo stesso. Cerca di fare il furbo e ci rimetti la testa. Ma gettati ai loro piedi, di' ch'è colpa della vodka, di' ch'è colpa d'una donna, di' ch'è stato un momento di follia... e chissà che non ti salvi. Naturalmente, tutti ci provano quindi bisogna essere un vero artista, per librarsi al di sopra del pathos generale. Io ci riuscii, Arkasha. Mi misi addirittura a piangere.» Misha fece una pausa. «Ecco perché poi ho preteso tanti soldi.»

Arkady cercò qualcosa da dire. «Ho incontrato i genitori di Viskov, due giorni fa» disse. «Il padre gestisce una tavola calda presso la stazione Paveletsky. Quante ne hanno passate!»

«Sono veramente disperato» sbotta Misha. «Non si sa chi coltivare. Due giorni fa, ero a pranzo all'Unione scrittori con l'illustre storico Tomashevsky.» La barchetta dall'enorme vela volava ora sulle onde, con nuovo vento in poppa. «Ecco uno che dovresti conoscere. Rispettato, affascinante... non pubblica niente da più di dieci anni. Ha un sistema, e me l'ha spiegato. Prima cosa, presenta all'Accademia la scaletta di una data biografia che intende scrivere, per essere sicuro che il soggetto e il metodo siano in regola con i dettami del Partito. Questo è essenziale, come primo passo. Il soggetto, di regola, è un importante moscovita, dato che Tomashevsky preferisce condurre le ricerche non lontano da casa, per un paio di anni. Senonché il soggetto ha anche viaggiato, sì, è stato a Parigi, ha soggiornato a Londra. Quindi è d'uopo che anche il biografo vi si rechi. Gli si concede il permesso di risiedere all'estero, per un certo periodo. Intanto sono passati quattro anni. L'Accademia e il Partito si fregano le mani, pregustando la dotta biografia del famoso personaggio, studiato, in ogni suo aspetto, dal Tomashevsky. Questi adesso può pure ritirarsi nella solitudine della sua dacia, fuori Mosca, a coltivare il giardinetto e a ponzare su tutto il materiale raccolto. Passano altri due anni, così, di riflessione. Quando infine Tomashevsky si accinge a scrivere l'attesa biografia viene a sapere che il Partito ha cambiato idea: l'Eroe di un tempo è adesso un traditore. Spiacentissimi tutti, ma Tomashevsky deve sacrificare anni e anni di fatica per il bene comune. S'intende, lo sollecitano a intraprendere un'altra opera... a smaltire la delusione con la cura di un nuovo lavoro. Tomashevsky attualmente sta studiando un importante personaggio storico che soggiornò, per un certo tempo, nel sud della Francia. C'è un brillante futuro – dice lui – per gli storiografi sovietici. E io gli credo.»

Di colpo Misha cambiò di nuovo argomento, e abbassò la voce.

«Ho sentito di quei morti ammazzati al Gorky Park... e che tu hai avuto un altro scontro con Pribluda. Ma sei pazzo?»

Quando rientrarono, erano usciti tutti tranne Natasha.

«Zoya è andata con un tale della dacia qui vicino» disse ad Arkady. «Un tale dal nome tedesco.»

«Un certo Schmidt» disse Misha, sedendo accanto al caminetto. «Lo conosci, no, Arkasha? Ha preso da poco una dacia, nei paraggi. Magari è il nuovo amante di Zoya.»

Sul volto di Arkady, Misha lesse la verità. Rimase a bocca aperta, rosso in faccia, con in mano lo scarpone sgocciolante.

«Va' a pulirle in cucina, le scarpe» gli disse la moglie. Spinse Arkady verso il divano, versò della vodka per entrambi, mentre Misha usciva camminando su una gamba sola.

«È uno scemo» disse Natasha, alludendo al marito.

«Non sapeva quel che diceva.» Arkady bevve la vodka in due sorsi.

«È il suo metodo, appunto: non sa mai quel che dice. Dice tutto, così qualcosa l'imbrocca per forza.»

«Tu lo sai quel che dici, però?» domandò Arkady.

Natasha aveva un suo malizioso, tranquillo umorismo. L'ombretto, attorno agli occhi, li faceva apparire più lucenti per contrasto. Il suo collo era tanto sottile da far pensare a una bambina affamata, cosa buffa da pensare di una donna oltre i trent'anni.

«Sono amica di Zoya. E amica tua. Veramente, più di Zoya. In effetti, sono anni che le consiglio di lasciarti.»

«Perché?»

«Tu non l'ami. Fatto sta che, se l'amassi, la faresti felice. Se l'amassi, ti comporteresti come Schmidt. Sono fatti l'uno per l'altra, quei due.» Riempì un altro bicchiere per sé e uno per Arkady. «Se le vuoi bene, lascia che sia felice. Lascia che sia felice, finalmente.» Le veniva da ridere. Cerca di restar seria, ma le labbra le si increspavano di continuo. Era una burlona anche lei, al pari di Misha, quando andavano tutti a scuola insieme. «Fatto sta che la trovi noiosa, noiosissima. Non era così un tempo, quando tu la rendevi interessante, di riflesso. È durato due o tre anni. Adesso anch'io la trovo noiosa. Tu invece non lo sei.» Gli passò un dito sul dorso della mano. «Sei l'unico uomo che non trovo noioso, di tutti quelli che conosco.»

Natasha si versò un'altra vodka prima di andare di là in cucina. Era già brilla. Arkady restò solo in soggiorno. La stanza era calda, e così pure la vodka. Misha e Natasha avevano completato l'arredamento con alcune icone e strane statuette di legno. Le fiamme si riflettevano nella doratura delle icone. Comportarsi con Zoya come Schmidt? Arkady estrasse dal portafogli una tessera rossa, con l'effigie di Lenin sulla copertina. All'interno: a sinistra la sua foto, il nome e la sezione del Partito; a destra, i bollini delle quote versate – notò ch'era in arretrato di due mesi. Sull'ultima pagina una scelta di massime e precetti. La famosa tessera del Partito. «C'è solo un modo per aver successo, c'è soltanto una strada» gli aveva detto Zoya, una volta. Era nuda; e il contrasto fra la tessera e la pelle gli era rimasto impresso. Guardò una delle icone. Rappresentava la Madonna. Una Vergine dal viso bizantino. Quegli occhi scrutatori gli rammentarono, non Zoya, e neanche Natasha, bensì la ragazza incontrata alla Mosfilm.

«A Irina» brindò, levando il bicchiere.

Prima di mezzanotte, erano già rientrati tutti; e erano tutti ubriachi. Per cena c'erano maiale freddo, salsicce, pesce, blini, formaggio, sottaceti, funghetti e persino del caviale in scatola. Qualcuno declamava dei versi. All'altro capo della stanza si ballava, al suono di una versione ungherese dei Bee Gees. Misha si sentiva in colpa e non riusciva a distogliere lo sguardo da Zoya, che sedeva accanto a Schmidt.

«Pensavo che avremmo passato la domenica insieme» disse Arkady a sua moglie, quando furono soli un momento in cucina. «Che c'entra Schmidt?»

«L'ho invitato io.» E tornò di là, con una terrina di panna acida.

«A Zoya Renko» brindò Schmidt, al suo ritorno, «che è stata prescelta dal Comitato di Quartiere per parlare sul tema "I nuovi compiti dell'istruzione pubblica" di fronte al Comitato Cittadino, il che ci riempie d'orgoglio, tutti quanti, e in particolare – ne sono certo – suo marito.»

Arkady, appena rientrato dalla cucina, si trovò tutti gli occhi addosso. Solo Schmidt guardava Zoya, ammiccando. Natasha venne in suo soccorso, offrendogli un bicchiere. Il grammofono adesso trasmetteva una canzone georgiana, molto sentimentale. Schmidt e Zoya si misero a ballare.

Erano bene affiatati, notò Arkady. Schmidt perdeva i capelli ma si conservava snello. Era agile. Aveva la mascella prominente di chi è uso comandare, il collo muscoloso da ginnasta e gli occhiali cerchiati in nero del pensatore di Partito. La sua mano quasi copriva tutta la schiena di Zoya, e lei si appoggiava a lui.

«Al compagno Schmidt!» Quando il disco finì, Misha levò una bottiglia. «Brindiamo tutti al compagno Schmidt non già perché è riuscito a procacciarsi una sinecura al Comitato di Quartiere, dove risolve parole crociate e vende sottobanco articoli di cancelleria... dal momento ch'io stesso, ricordo, una volta portai a casa una matita... Brindiamo a lui» (Misha si stava riscaldando, annuiva allegramente, e versò in terra qualche goccia di vodka) «non perché prende parte a conferenze di Partito in località balneari sul Mar Nero... dal momento che anch'io, l'anno scorso, rimediai un viaggio a Murmansk... Brindiamo a lui, non già perché ha i cassetti pieni di mutande di raso e camicie di seta... dal momento che noi tutti abbiamo un paio di calzini non ancora rammendati... Né beviamo alla sua perché lui concupisce le nostre mogli... dal momento che tutti noi ci possiamo masturbare, volendo... Né perché lui può investire dei pedoni con la sua Chaika berlina... dal momento che noi tutti possiamo usufruire della metropolitana più grande del mondo... E neppure perché le sue abitudini sessuali includono necrofilia, sadismo e omosessualità.. dal momento che (compagni, per favore!) non è più il Medio Evo... No» concluse Misha «noi brindiamo al compagno dottor Schmidt semplicemente perché, a parte tutto questo, egli è un buon comunista.»

Schmidt ostentò un sorriso duro come una grata di ferro.

Tutti stavano diventando sempre più ubriachi. Arkady era già da cinque minuti in cucina, a fare un caffè, quando s'accorse che, in un angolo, il regista si stava scopando la moglie del ballerino. Si ritirò in buon ordine. Nel soggiorno, Misha ballava mezz'addormentato con la testa sulla spalla di Natasha. Arkady salì al piano di sopra. Stava per entrare in camera sua quando la porta si aprì e ne uscì Schmidt.

«Brindo alla tua salute» disse questi, sottovoce, «perché tua moglie scopa divinamente.»

Arkady gli sferrò un pugno allo stomaco, mandandolo a sbattere, stupefatto, contro la porta; poi gliene diede un altro sulla bocca. Schmidt cadde di schianto in ginocchio e quindi rotolò giù per le scale. Gli occhiali gli schizzarono via. E vomitò.

«Che succede?» Zoya apparve sulla soglia.

«Lo sai» disse Arkady.

Lesse odio e paura sul volto di lei. Ma vi lesse anche – e non se l'aspettava – sollievo.

«Carogna!» E corse giù, da Schmidt.

«L'ho solo salutato.» Tastoni, Schmidt cercò gli occhiali. Zoya glieli trovò, li pulì sul suo maglione e aiutò il dirigente rionale di Partito a rialzarsi in piedi. «E quello sarebbe un investigatore?» disse Schmidt con il labbro spaccato. «Quello è un pazzo! L'ho solo salutato.»

«Bugiardo!» gli gridò Arkady, dalle scale.

Nessuno udì. Arkady si rese poi conto, con il cuore in tumulto, che prima Schmidt aveva mentito. No, non si erano spinti fino alla scopata: non in casa di amici, non con il marito lì. Lui ci aveva creduto, a quella bugia, perché era più vera del suo matrimonio; e non c'era modo di spiegarlo, questo. Tutto andava all'incontrario: Zoya era offesa; Arkady, il cornuto, provava vergogna.

Dal portone della dacia guardò Zoya e Schmidt andarsene via, in auto. Non era una berlina, bensì una vecchia Zaporozhets a due posti. Sulle betulle splendeva la luna piena.

«Mi dispiace» disse Misha, mentre Natasha puliva il tappeto, in soggiorno.

IV

Iamskoy disse: «Il suo operato è, come sempre, esemplare. La scoperta di quella piombatura a un dente, così tempestiva, è stata una bomba. Ho immediatamente ordinato ai Servizi di Sicurezza di aprire un'inchiesta. Tale inchiesta è proseguita anche domenica – mentre lei era via – e sono stati passati al vaglio, mediante computer, migliaia di stranieri residenti in Russia negli ultimi cinque anni, nonché tutti gli agenti stranieri a noi noti. Risultato: nessun individuo che corrisponda, neppure lontanamente, ai connotati della vittima. È opinione dei nostri analisti che si tratti di un cittadino sovietico curato da un dentista americano, durante un suo soggiorno negli Stati Uniti, oppure da un dentista europeo che ha studiato colà. Dato che tutti gli stranieri sono stati passati al setaccio, anch'io propendo per questa seconda ipotesi».

Il Procuratore parlava con gran fervore, e il suo tono era sincero. Anche Brezhnev aveva quel dono. E il suo stile aveva fatto scuola: uno stile dimesso, diretto e ragionevole, in cui l'autorità era presupposta e, quindi, discutere era inutile. Mettersi a discutere, anzi, sarebbe equivalso a tradire quell'aria di ragionevolezza così generosamente instaurata.

«Spetta a me ora, Arkady Vasilevich, in quanto Procuratore, decidere se affidare l'inchiesta al KGB oppure consentire a lei di portarla avanti. L'eventualità, anche remota, che vi siano coinvolti stranieri è fastidiosa. Sussiste, è chiaro, la possibilità che la sua indagine venga interrotta. Stando così le cose, perché non lasciare che avviino, fin d'ora, una loro istruttoria?»

Iamskoy fece una pausa, come se stesse esaminando la questione. Poi proseguì. «C'è di mezzo dell'altro, però. Una volta, non ci sarebbero stati dubbi: la Polizia avrebbe indagato su russi e stranieri, ugualmente, gettando tutti nello stesso calderone, indiscriminatamente, senza pubblici processi, procedendo ad arresti e condanne senza il minimo riguardo per la legalità socialista. Lei sa a chi alludo: a Beria e alla sua cricca. Si trattava di abusi, perpetrati da un pugno di uomini; ma oggi è diverso. Il 20° Congresso ha fatto luce su cotali abusi e avviato le riforme in base alle quali noi, oggi, operiamo. La Polizia, alle dipendenze del Ministero degli Interni, si occupa di criminalità comune. Al KGB compete invece tutto ciò che riguarda la sicurezza dello Stato. Il compito dei magistrati a salvaguardia dei diritti dei cittadini è stato rafforzato, e l'indipendenza degli inquirenti è sancita in modo chiaro. La legalità socialista si fonda su questa divisione dei poteri, affinché nessun cittadino sovietico possa essere privato dei propri diritti e sottratto a una pubblica corte. Quindi, cosa accadrebbe se io togliessi il caso a un Investigatore per affidarlo al KGB? Sarebbe un passo indietro. La vittima in questione era, probabilmente, un russo. L'altra protesi, in acciaio, al molare, è chiaramente russa. Gli autori del crimine e le varie persone sfiorate dall'inchiesta sono russi. Quindi, senza vere e proprie prove, verrei a intorbidare le acque della riforma e a creare confusione fra i distinti poteri dei due bracci della Legge, ove affidassi l'inchiesta al KGB; eppoi verrei meno al mio dovere di salvaguardare i diritti civili. Eppoi ancora: che senso avrebbe la sua indipendenza di inquirente se, alla prima incertezza, lei abdicasse al suo compito? Evitare le nostre responsabilità sarebbe facile ma – ne sono convinto – sbagliato.»

«Cosa ci vorrebbe per convincerla del contrario?» domandò Arkady.

«La dimostrazione che vittime o assassini non sono russi.»

«Non posso provarlo, ma ho la sensazione che una delle vittime non sia russa» disse Arkady.

«Non basta.» Il Procuratore sospirò, come davanti a un bambino.

«Ho fatto un'ipotesi» disse Arkady, alla svelta, prima di essere congedato «circa l'attività delle vittime.»

«E cioè?»

«Nei loro abiti si sono trovate tracce di gesso, segatura e oro. Si tratta di materiali usati dai restauratori di icone. Le icone hanno molto successo sul mercato nero. Se ne vendono più ai turisti stranieri che ai russi.»

«Continui.»

«C'è la possibilità che una delle vittime fosse uno straniero e che facesse del mercato nero, attività questa in cui molti stranieri sono coinvolti. Per essere assolutamente certi che non si abbia a che fare con uno straniero – e che quindi si resti entro i limiti della nostra giurisdizione – chiedo che il Maggiore Pribluda ci consegni tutti i nastri delle intercettazioni telefoniche effettuate a gennaio e febbraio, relative a stranieri che soggiornavano a Mosca. Il KGB non ce li consegnerà mai, ma voglio che questa richiesta e la loro risposta in proposito siano messe a verbale.»

Iamskoy sorrise. Era chiaro che una tale richiesta avrebbe esercitato, su Pribluda, una forte pressione, inducendolo ad assumersi l'inchiesta subito, anziché più in là.

«Dice sul serio? È una mossa provocatoria. Qualcuno la direbbe offensiva.»

«Appunto» replicò Arkady.

Iamskoy indugiava a congedarlo, più di quanto

Arkady s'aspettasse. Qualcosa sembrava incuriosire il magistrato.

«Devo dire che le sue intuizioni non cessano mai di stupirmi. L'intuito non l'ha mai ingannato, eh, finora? Oh, lei è il più solerte inquirente di Mosca. In base a questa sua ipotesi, prenderebbe in esame tutti gli stranieri non diplomatici?»

Lì per lì Arkady restò troppo sbigottito per rispondere. Poi: «Sì».

«Si può pure provare...» Iamskoy prese un appunto. «Nient'altro?»

«Anche i nastri di questi ultimi giorni» si affrettò ad aggiungere Arkady. Chissà quando il Procuratore sarebbe stato di nuovo così disponibile. «L'indagine verrà inoltre estesa anche ad altri settori.»

«Lo so, lei è pieno di risorse e di zelo. Ma ci vada piano.»

La Bella giaceva sul tavolo anatomico.

«Andreev vorrà anche il collo» disse Levin.

E collocò un blocco di legno sotto il collo della morta, facendolo inarcare; le tirò indietro i capelli. Con una sega circolare cominciò a decapitarla. Quando la lama attaccò l'osso si diffuse un odore di calcio bruciato. Arkady non aveva sigarette; trattenne il fiato.

Levin fece una resezione sotto la settima vertebra cervicale. La testa mozza ruzzolò in terra. D'impulso, Arkady la raccolse e la depose sul tavolo. Levin spense la sega.

«Tienila pure, è tutta tua.»

Arkady si pulì le mani. La testa era umida, per lo scongelamento. «Mi occorre una scatola» disse.

Che cosa erano i morti dopotutto, se non testimoni dell'evoluzione umana, dall'indolenza primitiva all'industriosità civile? E ciascun testimone, ogni mucchio d'ossa dissepolte da tundra o torbiera, è una nuova tessera che va ad aggiungersi al mosaico chiamato preistoria. Un femore qua, una scatola cranica là, magari una collana di denti d'alce, tutti vengono estratti dalle loro antiche tombe, avvolti in carta di giornale e spediti all'Istituto di Etnologia dell'Accademia Sovietica, prospiciente il Gorky Park, per essere ripuliti, rabberciati e scientificamente resuscitati.

Non tutti gli enigmi che questo Istituto risolve sono però preistorici. Per esempio: un reduce ritorna a Leningrado, alla fine della guerra, e nota una macchia sul soffitto della sua camera nella pensione dove alloggia; si fruga in soffitta e si trova un cadavere smembrato, semimummificato; non essendo riuscita a identificare il morto, la Polizia invia un calco del suo cranio all'Istituto di Etnologia, perché lo si ricostruisca. Senonché gli antropologi, da quel cranio, ricostruiscono una faccia di donna, non di uomo. La Polizia, convinta che doveva trattarsi di un uomo, chiude il caso. Ma poi dalla pensione salta fuori la foto di una ragazza: identica alla faccia ricostruita dagli antropologi. La vittima viene così identificata e il suo assassino scoperto.

Da allora, l'Istituto ha ricostruito, da teschi o parti di teschio, più d'un centinaio di facce, a scopo d'identificazione. Nessun'altra Polizia al mondo dispone di un simile metodo. Alcune, fra le ricostruzioni effettuate dall'Istituto, sono semplicemente rozze sculture in gesso; altre – le creazioni di Andreev – sono invece sorprendenti, non solo per la ricchezza dei dettagli ma anche per l'espressione che anima quelle maschere: di ansia o paura o terrore. Quando una delle teste di Andreev veniva esibita in tribunale non mancava mai di produrre sensazione – e procurare un momento di trionfo alla Pubblica Accusa.

«Avanti. Entri pure.»

Arkady seguì quella voce e si inoltrò per una galleria di teste. Nella prima vetrinetta erano esposti diversi tipi etnici: l'uzbeko, il calmucco, il kirghiso e così via, con quegli sguardi vacui che caratterizzano le foto di gruppo. La seconda vetrinetta conteneva teste di monaci, la terza di africani... e così via. Più oltre, sotto un lucernario, c'era un tavolo pieno di busti d'astronauti, immortalati recentemente, la pittura ancora fresca. Nessuna di quelle "opere" denotava la mano di Andreev; ma, quand'ebbe superato il lucernario, Arkady rimase di stucco. Nella penombra, in fondo alla sala, c'era un gruppo di umanoidi, che sembravano colti di sorpresa e guardavano l'intruso – a sua volta stupito – con aria di muto sospetto. C'era l'Uomo di Pechino, con le labbra dischiuse su zanne giallognole. C'era l'Uomo Rhodesiano che cercava di concentrarsi, pur non avendo fronte. C'era un orangutan dall'aria mesta, un Neandertal dall'aria furba... C'era un nano dai capelli ricciuti, la testa oblunga, le sopracciglia a cespuglio, le mani imbrattate di gesso. Il nano scivolò giù da un trespolo.

«Lei è l'Investigatore che ha telefonato?»

«Sì» disse Arkady, e cercava un posto dove posare la scatola.

«Non si preoccupi» disse Andreev. «Non gliela posso fare, quella testa. Non lavoro più per la Polizia, se non si tratta di un caso irrisolto da almeno un anno. Non è per cattiveria, è che spesso entro un anno riescono a risolvere da soli tanti casi. E sarebbe lavoro sprecato. Avrebbero dovuto avvertirla.»

«Infatti lo sapevo.»

Dopo un lungo silenzio, Andreev annuì e si avvicinò. Aveva le gambe arcuate. Fece un gesto circolare con il braccio molto corto. «Giacché è qui, le faccio da cicerone, prima che se ne vada. Questa che l'ha tanto colpita è la nostra collezione di umanoidi. Sì, sono piuttosto notevoli. Più robusti di noi quasi tutti, a volte dotati di capacità cerebrale superiore alla nostra, persino contemporanei a noi per certi versi... ma condannati dalla loro incapacità a scrivere testi sull'evoluzione... sicché passiamo oltre.» A passi ondeggianti si avvicinò a una bacheca dorata contenente il busto di un tartaro nomade. Arkady non l'aveva notata, e se ne stupì. La faccia era piatta e magra, e sembrava che le profonde rughe sugli zigomi le avesse scavate il vento, anziché il cesello. Portava un turbante di foggia araba. I baffi rossicci e la barba a pizzo erano lavorati molto finemente, radi come quelli d'un vecchio. «Homo Sapiens. Tamerlano, il più grande assassino della storia. Il teschio recava i segni di una paralisi dal lato sinistro. Avevamo anche alcuni capelli, in base ai quali lavorare, e un po' di muffa sul labbro dove crescevano i baffi.»

Arkady rimase a fissare il tartaro finché Andreev non accese la luce entro un'altra bacheca, che conteneva un'enorme testa d'uomo, col cappuccio da frate. La fronte era ampia, ma il resto della faccia – naso lungo, labbra violacee e barba – era cascante e denotava disprezzo di sé. Gli occhi di vetro non sembravano morti, ma spenti.

«Ivan il Terribile» disse Andreev. «Sepolto al Cremlino vestito da monaco. Un altro assassino. L'avvelenò il mercurio con cui si frizionava per alleviare i dolori artritici. Aveva anche una contrazione alla mascella, per cui il suo sorriso doveva essere un ghigno. Lo trova brutto?»

«Non lo è forse?»

«Niente d'eccezionale. Non volle pittori a corte, negli ultimi anni, come se intendesse seppellire con sé quella faccia.»

«Era semplicemente un assassino, non uno stupido» disse Arkady.

I due uomini erano arrivati vicino alla porta dalla quale Arkady era entrato; il giro turistico era finito. Ma Arkady non accennava ad andarsene. Andreev lo scrutò.

«Lei è il figlio di Renko, vero? Ho visto tante volte la sua foto. Lei non gli somiglia.»

«Ho avuto anche una madre.»

«Tante volte ciò è una distinzione.» Il volto di Andreev espresse una specie di simpatia; i suoi denti da cavallo sorrisero quasi ad Arkady. «Una persona disposta ad ammettere ciò merita, perlomeno, di essere ascoltata. Bene bene, vediamo cosa ha portato. Magari c'è ancora qualcuno che ha tempo da perdere.»

E Andreev si diresse in un angolo della sala, dove c'era una ruota da vasaio, sotto una lampada al fluoro. Si arrampicò su un trespolo, per tirare il cordone della lampada. Arkady aprì il suo scatolone e ne estrasse la testa, tenendola per i capelli. Andreev la prese, la depose sulla ruota e delicatamente ne ravviò i capelli.

«Giovane, sui vent'anni, femmina, europoide, dai tratti simmetrici» disse.

Arkady cominciò a ragguagliarlo sul triplice omicidio.

Andreev l'interruppe. «Non cerchi d'interessarmi al suo caso. Tre teste più, tre teste meno... Però questa è certamente fuori dell'ordinario.»

«L'assassino ha voluto cancellarne il volto. Lei può ridarglielo» disse Arkady.

Andreev spinse la ruota e delle ombre oscillarono nelle cavità orbitali della testa.

«Magari è passata qui davanti, quel giorno» disse Arkady. «Erano i primi di febbraio. Magari lei l'ha vista.»

«Non perdo tempo a guardare le donne, io.»

«È un uomo eccezionale, professore. Adesso potrebbe guardarla, però.»

«Ci sono altri, qui, che fanno ottime ricostruzioni. Io ho lavori più importanti.»

«Più importanti del fatto che due uomini e questa ragazza sono stati assassinati, praticamente, sotto le sue finestre?»

«Io potrei ricostruirle la faccia, ma non ridarle la vita.»

Arkady depose la scatola in terra. «La faccia basterà.»

Si parla molto della Lubyanka, la prigione del KGB in Piazza Dzerzhinsky, ma i moscoviti che infrangono la legge perloppiù finiscono al Lefortovo, un carcere situato nel quartiere est della città. Qui, una guardia accompagnò Arkady Renko nei sotterranei. L'ascensore era una gabbia dell'epoca precedente alla Rivoluzione.

Dove sarà Zoya, a quest'ora? si chiese Arkady. Gli aveva telefonato per dirgli che non sarebbe tornata a casa. Pensando a lei non riusciva a ricordare che il suo volto sulla soglia della camera da letto, nella dacia di Misha Mikoyan. C'era un'espressione di trionfo, sul suo viso. Come quando l'avversario, a bridge, gioca la sua carta migliore troppo presto. A parte questo, ricordava ben poco. Frattanto qualcos'altro si stava evolvendo. Iamskoy aveva richiesto quei nastri a Pribluda. Una testa era stata portata a ricostruire... Quasi per finta, e quasi suo malgrado, una vera e propria indagine era ormai in corso.

Nei sotterranei, Arkady percorse un corridoio in cui si aprivano porticine di ferro simili a bocche di fornace, superò un secondino che stava scrivendo qualcosa seduto a un tavolo, passò accanto a un ripostiglio pieno di materassi che puzzavano di muffa, e raggiunse la stanza cui era diretto. La porta era chiusa. L'aprì... E si trovò di fronte l'Investigatore-capo Chuchin, addetto ai Casi Speciali, l'uomo più insignificante di questo mondo, il quale sgranò tanto d'occhi. Si stava agganciando la fibbia della cintura.

Una donna, seduta accanto a lui, voltata dall'altra parte, stava sputando in un fazzoletto.

«Tu...» Chuchin gli sbarrò il passo, per coprire la donna.

Arkady ripassò la scena cui aveva assistito un attimo prima: la porta che si spalanca, la sorpresa di Chuchin, la mano che serra la fibbia, la ragazza rossa in viso – giovane ma non bella – che si volta dall'altra parte per sputare. Chuchin, uomo dai tratti vaghi con i baffi e la rada barbetta imperlati di sudore, s'abbottonò la giacca e lo spinse fuori nel corridoio.

«Un interrogatorio?» chiese Arkady.

«Non è che una prostituta» disse Chuchin, con voce melensa, come se avesse definito la razza di un cane.

Arkady era venuto per chiedere un favore. Adesso poteva pretendere, invece. «Dammi la chiave del tuo archivio.»

«Va' all'inferno.»

«Posso andare a raccontarlo al Procuratore come conduci un interrogatorio» e tese la mano, per ricevere la chiave.

«Non ne avresti il coraggio.»

La mano di Arkady afferrò Chuchin per il cavallo dei pantaloni, si strinse intorno all'uccello, ormai ammosciato – l'uccello dei Casi Speciali – e lo strizzò. Chuchin si sollevò sulle punte dei piedi. I due uomini si guardarono negli occhi.

«Io t'ammazzo, vedrai, Renko, vedrai!» Ma gli consegnò la chiave.

Arkady prelevò i fascicoli dall'archivio di Chuchin e cominciò a passarli in rassegna.

Nessun investigatore mostrava i suoi dossier a un collega. Ciascuno era uno specialista. Ciascuno aveva i suoi informatori, personalmente ammaestrati. Specialmente nei Casi Speciali. Cos'erano i Casi Speciali? Se il KGB dovesse arrestare tutti i dissidenti politici, il loro gran numero basterebbe a esagerarne l'importanza. Meglio quindi che qualche politico venisse trattato come delinquente comune. Per esempio: lo storico B., che teneva i contatti con scrittori in esilio, fu incriminato per bagarinaggio. Il poeta F., corriere del *samizdat*, fu accusato di furto di libri alla Biblioteca Lenin. Il tecnico M., un socialdemocratico, fu arrestato perché colto in flagrante a vendere icone all'informatore G. Tutte cose che non si addicevano a un vero inquirente. Quindi Arkady aveva sempre ignorato Chuchin, quasi

88

a negarne l'esistenza stessa. Non gli aveva rivolto quasi mai la parola, figurarsi se l'aveva mai toccato.

Ora, l'occhio di Arkady cadde più volte su annotazioni di questo tipo: "l'informatore G.", "il sollecito cittadino G.", "l'attendibile G." e così via. Una buona metà degli arresti per traffico di icone recava – come un marchio – quella "G.".

Arkady diede quindi una scorsa alla nota spese di Chuchin. Sull'elenco degli informatori, quel G. era capolista con 1.500 rubli. C'era anche un numero di telefono.

Tornato nel suo ufficio, non stentò molto ad appurare che quel numero apparteneva a un certo Feodor Golodkin. Applicò un registratore all'apparecchio telefonico, quindi formò il numero. Dopo cinque squilli, all'altro capo fu sollevato il ricevitore, senza dir nulla.

«Pronto? C'è Feodor?» domandò Arkady.

«Chi parla?»

«Un amico.»

«Mi dia il numero, la richiamo.»

«Parliamo adesso.»

Clic.

Quando arrivarono, dall'ufficio di Pribluda, i nastri delle intercettazioni, Arkady provò quell'euforia che un successo, anche illusorio, procura sempre. A Mosca ci sono 13 alberghi Intourist, con oltre ventimila stanze. Una metà di esse sono munite di spie telefoniche. Quantunque soltanto cinque telefonate su cento possano essere intercettate simultaneamente (e un numero anche minore di conversazioni possano essere registrate e trascritte) la quantità del materiale era, comunque, imponente.

«Magari incocciate in qualche ingenuo che parla apertamente di icone o dà appuntamenti nel parco, ma non ci contate» disse Arkady a Pasha e Fet. «Non perdete tempo con chi è accompagnato da una guida Intourist; né con i giornalisti, i preti e gli uomini politici: sono tenuti troppo d'occhio. Concentratevi invece su quei turisti e su quegli uomini d'affari stranieri che parlano russo, che hanno conoscenze e si destreggiano. Soprattutto, attenzione alle conversazioni brevi e enigmatiche. Io stesso ho registrato, qui, la voce del borsaro nero Golodkin, per eventuali confronti. Ma può darsi che lui non c'entri niente.»

«Icone?» chiese Fet. «Come ci siamo arrivati?»

«Dialettica marxista» rispose Arkady.

«Dialettica?»

«Oggi ci troviamo a uno stadio intermedio di comunismo in cui tendenze criminali, retaggio del capitalismo, indugiano ancora nell'animo di alcuni individui. Reliquie del passato. E le icone non sono forse delle reliquie anch'esse?» Arkady aprì un pacchetto di sigarette e ne offrì una a Pasha. «Inoltre, negli abiti delle vittime sono state trovate tracce di gesso e di oro. Il gesso viene passato sul legno prima di verniciarlo, e l'uso dell'oro è consentito quasi soltanto per il restauro delle icone, legalmente.»

«Cioè, gli omicidi potrebbero essere legati a un furto d'opere d'arte?» domandò Fet. «Come quel caso di due anni fa, all'Hermitage. Ricordate? Elettricisti che rubavano cristalli, dai lampadari. Ce n'è voluto, per scoprirli.»

«Falsari, non ladri di icone.» Pasha scroccò anche un fiammifero. «La segatura trovata nei vestiti proveniva dal... dal legno.» Sbatté gli occhi. «Mica avrò fatto della dialettica?»

Dopo aver ascoltato nastri per un giorno intero, senza la voglia né l'energia di rincasare, Arkady andò vagando per tutta la sera finché si ritrovò presso l'ingresso principale del Gorky Park. A un chiosco comprò un pezzo di torta di carne, che gli fece da cena. Bevve della limonata. Sulla pista, alcune muscolose ragazze in tutù pattinavano all'indietro e un ragazzo suonava per loro la fisarmonica. Gli altoparlanti tacevano. La sorda aveva smesso di mettere su dischi.

Il sole era già tramontato. Arkady andò al parco divertimenti. Al sabato sera, se il tempo era buono, ci potevi trovare un migliaio di bambini e ragazzi, sulle giostre o ai tirassegni o nei vari padiglioni delle meraviglie. Da piccolo, ci veniva spesso anche lui insieme all'allora sergente Belov, e con gli altri ragazzi del suo gruppo. Ricordò la prima mostra campionaria, tenutasi lì nel '56, e in particolare lo stand della Pilsen cecoslovacca. La birra era allora in gran voga. La si mescolava perfino alla vodka. Tutti allegri e contenti, tutti brilli. Ricordò quando al cinema avevano dato *I magnifici sette* e i ragazzi fra i dodici e i vent'anni avevano cominciato a imitare Yul Brynner. Il Gorky Park pullulava di cowboy dall'andatura dinoccolata. Tutti trasformati in cowboy. Sorprendente! E adesso cos'erano, quei ragazzi? Dirigenti d'azienda, urbanisti, funzionari del Partito, proprietari d'automobili, compratori di icone, lettori di "Krokodil", critici televisivi, frequentatori del Teatro d'Opera, padri di famiglia...

Non ce n'erano tanti, di ragazzini, quella sera. Due vecchi giocavano a domino, su una panchina. Venditori ambulanti, in grembiale e berretto bianco, parlottavano fra loro. Un marmocchio tentava i primi passi, sorretto dalla nonna.

Sulla ruota panoramica, una coppia di vecchietti era rimasta sospesa a mezz'altezza, mentre il manovratore – un giovanotto brufoloso – leggeva tranquillamente una rivista sportiva. Vigliacco se gli veniva in mente di rimettere in moto la ruota, solo per far scendere due pensionati. Il vento rinforzava, le navicelle oscillavano e la vecchia si stringeva al marito.

«Metti in moto.» Arkady porse un biglietto al manovratore e salì in cabina. «Spicciati.»

La ruota si scrollò e prese a girare. Arkady salì al di

sopra delle cime degli alberi. Un po' di luce indugiava ancora a occidente, oltre i Colli Lenin; in città si accendevano i lampioni; e lui distinse le circonvallazioni, come aloni concentrici: i boulevard alberati intorno al centro storico, la circonvallazione Sadovaya che lambiva il parco, la circonvallazione esterna, vaga come una Via Lattea.

Gorky Park aveva questa caratteristica: era l'unico posto in città dove potevi fantasticare. Per andare alla Mosfilm occorreva un lasciapassare, lì invece, al parco, chiunque poteva entrare liberamente. Una volta Arkady aveva sognato di fare l'astrologo. Di quel periodo, gli restava solo un bagaglio di inutili nozioni. Vent'anni prima, aveva guardato lo Sputnik sorvolare il Gorky Park. Ebbene, nessun rimpianto. Tutti quanti lasciavano qualche fantasma nel parco; era una vasta e amena tomba. Lui, al pari di Misha e Pasha, Pribluda e Fet, Zoya e Natasha. L'offendeva che qualcuno ci avesse lasciato dei cadaveri.

Un altro giro. I due vecchietti, alcuni sedili più in là, viaggiavano in silenzio, come erano soliti star zitti i visitatori di prima della Rivoluzione. Dopo la guerra, le folle si eran fatte più chiassose. E formavano file interminabili davanti ai santuari del Cremlino.

Arkady si dimenò, sullo scomodo sedile. Il parco, sotto di lui, formava alcune collinette ed era intersecato da romantici vialetti. Nei pressi d'uno di quei viali, all'altezza di via Donskoy e del fiume, erano state assassinate tre persone. Nonostante fosse ormai buio, riconobbe quella radura, poiché vide, al centro di essa, una persona munita di torcia elettrica.

Appena la ruota completò il giro, Arkady balzò a terra. La radura distava circa mezzo chilometro. Si mise a correre in quella direzione. Ogni tanto slittava sul ghiaccio e annaspava per riprendere l'equilibrio. Il sentiero era tortuoso e in salita.

Zoya aveva ragione: avrebbe dovuto fare ginnastica.

Accidenti alle sigarette! Raggiunse il posto di Polizia – pittoresca baracca di tronchi, come Pasha l'aveva descritta – ma non c'era nessuno, né dentro, né intorno. Seguitò a correre. La salita si fece più ripida. Deliberatamente cominciò a sollevare di più i ginocchi e a spingere i gomiti indietro, per cercare di ritmare meglio lo sforzo, ma aveva già il fiatone. Dopo trecento metri di volata, accorciò il passo. Gli pareva di aver corso per ore. Il sentiero tornò pianeggiante, quand'ormai era bell'e sfiatato. Magari – si disse – la persona che ho visto da lassù era soltanto l'agente Fet, venuto a far un po' di straordinario.

Là dove, quattro giorni prima, il furgone della Polizia era svoltato dal sentiero, lui rallentò e seguì i solchi delle ruote, verso la radura. Il ghiaccio scricchiolava sotto i piedi. Quella luce era sparita. L'uomo se n'era già andato, oppure aveva spento la torcia, o la teneva in modo da non essere visto dal sentiero. Non era facile orientarsi: la radura, senza più neve, era totalmente nera. Nessun rumore. Arkady si spostò d'albero in albero, tutt'intorno alla radura. Ogni tanto si fermava e, accovacciato, aguzzava lo sguardo. A un certo punto vide un raggio di luce guizzare nella cunetta dalla quale erano stati prelevati i tre cadaveri.

Si diresse verso quella luce, ma aveva fatto appena dieci metri quando questa si spense.

«Chi è là?» gridò.

Qualcuno scappò in direzione opposta.

Arkady l'inseguì. Oltre la radura, da quella parte, c'era un boschetto. Più oltre ancora, un ripido terrapieno, poi dei bersò con tavoli per giocare a scacchi – un altro sentiero, altri alberi e, quindi, uno scoscendimento che portava al lungofiume Pushkin e alla Moscova.

«Fermo! Polizia!» gridò Arkady.

Non ce la faceva a urlare e correre allo stesso tempo. Tuttavia stava guadagnando terreno. I passi del fuggitivo erano pesanti. Arkady non portava mai con sé la pistola d'ordinanza. Il boschetto era vicino, sembrava balzargli incontro come un'onda che si rompe. Il fuggitivo raggiunse gli alberi, si addentrò nel folto. Il sentiero più oltre è illuminato – pensò Arkady – eppoi ci sono le luci del lungofiume. Raggiunse il boschetto. Protese le braccia.

Avvertì il pugno in arrivo e lo schivò, ma un calcio lo raggiunse al basso ventre. Gli mozzò il fiato ma cercò di afferrare quel piede. Ricevette un pugno sul collo. Ne tirò uno a sua volta ma andò a vuoto. Un altro calcio lo gettò all'indietro. Si avventò di nuovo, e stavolta colpì una pancia, tonda e dura. Una spalla l'inchiodò contro un albero, delle dita gli straziarono i reni. La sua bocca incontrò un orecchio, lo morse.

«Figlio di puttana!» In inglese. La spalla si scostò da lui.

«Polizia...» Arkady cercò di gridare, ma gli uscì appena un filo di voce.

Un calcio lo gettò bocconi sulla neve. Idiota, si disse lui. La prima volta che tiri un pugno a qualcuno, ti giochi la moglie. La seconda, finisci a terra.

Si tirò su. Tese l'orecchio. Udì scricchiolare dei rami, nel sottobosco. Riprese l'inseguimento. Si trovò a scendere il pendio verso il fiume. Incespicò, quasi cadde di nuovo. Il sentiero sottostante era deserto. Intravide una sagoma imbucarsi fra gli alberi, oltre il sentiero.

Arkady spiccò un salto e gli fu addosso. I due uomini rotolarono avvinghiati, finché urtarono contro una panchina. Arkady cercò di torcere un braccio all'avversario, ma erano entrambi impacciati dagli abiti. Lo sconosciuto riuscì a divincolarsi. Arkady gli fece lo sgambetto e, sferrando pugni ciechi e furiosi, riuscì a buttarlo nuovamente a terra. Ma ben presto le sorti si invertirono. Arkady si buscò una gran manata sulla faccia e, prima che potesse reagire, un pugno lo raggiunse al petto, sotto il cuore. Rimase senza fiato, poi un secondo pugno lo colpì nello stesso punto. Cadendo, sentì il cuore fermarglisi.

Non si usano più, adesso, quei sistemi primitivi d'una volta, spiegò il direttore del mattatoio ad Arkady e suo padre e, ciò detto, sospinse la vacca col muso entro una gogna, sopra la quale c'era un grosso cilindro di metallo, da cui, allo scatto d'una leva, un pistone calò fulmineo sul cranio della bestia e, allora, le sue quattro zampe scalciarono assieme e si divaricarono in una comica postura. Cuoio di vacca – ricordò – per gli elmetti dei carristi. Lasci provare a me, disse il Generale Renko, e sospinse un'altra vacca verso quella specie di gogna. Pluf! Figurarsi, se uno avesse un pugno altrettanto potente!

Arkady si tirò fuori dal mucchio di neve e barcollò, comprimendosi il petto. Alberi e neve lo risucchiarono giù per la discesa, fino a un muro di cinta. Lo scavalcò e si trovò sul marciapiede del lungofiume Pushkin.

Sventagliate di fari. Camion. Nessun pedone in vista. Neppure un poliziotto. I lampioni erano ricci luminosi, pungenti come l'aria che inghiottiva a fatica. I camion passarono oltre. Era solo. Vacillando attraversò la strada.

Il fiume era una lastra di ghiaccio larga 300 metri. Gli alberi neri, sulla riva opposta, lo smerlavano fino allo Stadio Lenin da una parte e, dall'altra, sorgevano edifici ministeriali, bui. Il ponte Krimsky distava almeno un chilometro. Più vicino, sulla destra, c'era un ponte della metropolitana. Un treno vi passò, sferragliando, sprizzando scintille.

Sotto il ponte, sul fiume ghiacciato, una figura che correva.

Non c'erano scalette. Arkady si lasciò scivolare lungo la scarpata, e batté energicamente il sedere sul greto. Si rialzò e si mise a correre.

Mosca è una città bassa. Dal letto del fiume, quasi quasi scompare nel suo cielo sonnolento.

I passi echeggiavano poco lontani. Quell'uomo era certo robusto, non veloce. Benché zoppicante, Arkady guadagnava terreno. Non c'erano scalette, neanche sull'argine nord, in quel punto. Ma più oltre, verso lo Stadio Lenin, c'era un pontile per gitanti estivi.

L'uomo si fermò per riprendere fiato, si voltò a guardare Arkady, riprese a correre. Distavano una quarantina di metri, ora, l'uno dall'altro, nel mezzo del fiume. Arkady guadagnò ancora terreno. Lo sconosciuto si fermò di nuovo e alzò un braccio, con un gesto così autoritario che Arkady, suo malgrado, si fermò. Il ghiaccio creava uno strano effetto di luminescenza. Vedeva solo una sagoma corpulenta, in cappotto e colbacco. Il viso era nascosto.

«Vattene!» disse lo straniero, in russo.

Come Arkady si mosse, l'altro puntò su di lui una rivoltella. La reggeva con entrambe le mani, come s'insegna nei poligoni di tiro della Polizia. Arkady s'abbassò. Non udì sparo né vide lampo, ma qualcosa percosse il ghiaccio alle sue spalle e rimbalzò sulle pietre del greto.

L'uomo si rimise a scappare verso la parte opposta del fiume. Presso l'argine, Arkady lo raggiunse. In quel punto la lastra di ghiaccio era increspata e più che mai sdrucciolevole. I due uomini lottarono avvinghiati. Gli slittavano i piedi. Poi entrambi scivolarono in ginocchio. Ad Arkady sanguinava il naso, il suo avversario aveva perso il berretto. Un colpo al torace, non più forte di un buffetto, e Arkady si ritrovò a quattro zampe. L'altro si tirò su. Arkady ricevette due calci sul fianco e poi, come mazzata finale, un colpo col tacco alla nuca.

Quando si rigirò, l'uomo era scomparso. Si tirò su a sedere e s'accorse di aver fra le mani il suo berretto.

Sopra di lui, macchie luminose sfarfallavano nel cielo. Come fuochi di gioia per una piccola vittoria.

V

Il gotico staliniano non fu tanto uno stile architettonico quanto una forma di culto. Elementi di insigni edifici greci, francesi, cinesi e italiani furono caricati sui carri dei barbari e trasportati a Mosca dove il Grande Architetto in persona li accatastò l'uno sull'altro per farne monumenti alla Sua potenza, mostruosi grattacieli, misteriosi manieri merlati; vertiginose torri fino al cielo, e poi ancora guglie, pinnacoli, cupole, sormontate da stelle rosse che di notte baluginavano come i Suoi occhi. Morto Lui, le Sue creazioni costituirono più un imbarazzo che una minaccia, troppo grosse per venire sepolte con lui, e così rimasero in piedi, grandi tetri templi semiorientali, sconsacrati ma utilizzati. Uno di tali mausolei, nel quartiere Kievsky, era l'Albergo Ukraina.

«Magnifico, no?» Pasha allargò le braccia.

Dal quattordicesimo piano dell'Ukraina si dominava il Prospekt Kutuzovsky e, oltre questo ampio boulevard, il complesso di edifici che ospitavano diplomatici e giornalisti esteri, con al centro del cortile principale un chiosco della Polizia.

«Roba alla 007!» Pasha si guardò intorno: registratori a nastro, un proiettore, attrezzature varie, fra le tante scartoffie. Oltre ai tavoli c'erano due brandine da campo. «Sei un uomo influente tu, Arkady.»

In realtà era stata di Iamskoy l'idea di traslocare all'Ukraina la "base" dell'indagine, col pretesto della mancanza di spazio nell'ufficio di Arkady. Anche prima di loro, quella stessa stanza d'albergo era stata adibita a ufficio. C'era ancora, alla parete, un manifesto con bionde hostess delle Aviolinee della Germania Est. Persino l'agente Fet era rimasto impressionato dalla nuova sede.

«Pasha Pavlovich, dunque, si occupa dei turisti tedeschi e di Golodkin, l'uomo che tu sospetti di traffico di icone. Io, per me, conosco le lingue scandinave. Le ho studiate perché una volta intendevo entrare in Marina e pensavo che fossero utili» disse Fet.

«Ah sì?» Arkady si massaggiò il collo. Tutto il corpo gli doleva, dopo le botte della sera prima (non poteva chiamarla "scazzottata" onestamente). Gli doleva persino pescare una sigaretta in tasca e solo all'idea di infilarsi una cuffia gli veniva mal di testa. Il servizio militare, per lui, era consistito nell'intercettare le trasmissioni radio alleate, nel settore russo di Berlino. Un lavoro più monotono non potrebbe immaginarsi. Invece, i suoi due collaboratori erano al settimo cielo. Dopotutto, si trovavano in un albergo di lusso, con moquette sotto i piedi e non il selciato d'un marciapiede. «Allora, io mi prendo i francesi e gli inglesi» disse Arkady.

Squillò il telefono. Era Lyudin, con un rapporto sul berretto dell'uomo che aveva picchiato il compagno Renko.

«Il berretto è nuovo, di fabbricazione russa, di comunissima saia, e conteneva due capelli grigi. Dall'analisi di questi capelli risulta che l'uomo è europoide, che ha sangue di tipo 0, e che usa una pomata a base di lanolina, di produzione estera. Dalle orme lasciate sul terreno del parco, risulta che l'uomo portava scarpe di fabbricazione russa, dalle suole non consunte. Abbiamo anche le impronte delle sue suole, Ispettore.»

«Consunte?»

«Parecchio.»

Arkady riappese e si guardò le scarpe. Non solo erano logore, ma l'incerto colore originale traspariva dalla tintura nera.

Figlio di puttana, aveva esclamato l'uomo quando Arkady l'aveva colpito. Gli americani dicono così. Un figlio di puttana americano.

«Queste ragazze tedesche» disse Pasha, accennando al nastro che stava ascoltando attraverso la cuffia. «Impiegate alla Banca Export-Import, alloggiano all'Hotel Rossya e rimorchiano clienti nel dancing dell'albergo. Una prostituta russa verrebbe cacciata via a calci, dal Rossya.»

Anche i nastri passati in rassegna da Arkady erano pieni di peccati della carne. Gli toccò ascoltare le tirate d'un leader rivoluzionario del Ciad che, affamato di sesso, si lamentava in francese perché non riusciva a trovare compagnia. Le ragazze avevano paura che, dopo aver fornicato con un negro, potessero mettere al mondo, magari a distanza di anni, una scimmia. Viva la faccia dell'istruzione pubblica sovietica!

La richiesta di quei nastri e verbali doveva servire soprattutto a spaventare Pribluda. Certo, lui non aveva consegnato il materiale più "delicato", ma non importava. Bastava che qualcuno, al vertice del KGB, venisse a sapere che il frutto di intercettazioni (intimi segreti altrui, che solo gli iniziati potevano spiare) era nelle mani di un'organizzazione rivale. Era una trasgressione: quindi, il KGB non avrebbe tardato a pretendere la restituzione di quei nastri e, poi, ad avocare a sé l'inchiesta, togliendola ad Arkady. Questi non aveva però detto a nessuno che l'uomo che l'aveva malmenato era, probabilmente, americano; né di aver portato ad Andreev la testa della Bella. La prima cosa non poteva provarla; dalla seconda non era nato ancora niente.

Ascoltava un nastro e, contemporaneamente, leggeva la trascrizione di un altro colloquio. I microfonispia consentivano di ascoltare sia le telefonate, sia le conversazioni a viva voce, nelle camere d'albergo. I francesi si lagnavano tutti del cibo, gli americani e gli inglesi del servizio. Dura, la vita dei turisti.

All'ora di pranzo, da una tavola calda Arkady telefonò alla scuola di sua moglie. In via eccezionale, una volta tanto, Zoya venne all'apparecchio.

«Senti, devo parlarti. Vengo lì.»

«Ho un sacco da fare, per la festa del Primo Maggio» gli rispose Zoya.

«Ti aspetto all'uscita.»

«No.»

«Quando, allora?»

«Non lo so. Più in là, quando mi sarò chiarita le idee. Ora ti saluto.»

Prima che riattaccasse, Arkady udì nello sfondo la voce di Schmidt.

Il pomeriggio parve interminabile. Alla fine Pasha e Fet se n'andarono a casa. Arkady andò a prendere un caffè. Fece due passi per sgranchirsi. C'erano altri due mausolei staliniani nei paraggi: l'Università e il Ministero degli Esteri. Le loro stelle rosse sembravano guardarsi in cagnesco.

Arkady tornò al lavoro, tutto solo. Ed ecco, da uno dei nastri, captò per la prima volta una voce già nota. Quel nastro era stato registrato durante un party americano, il 12 gennaio, all'Albergo Rossya. La voce era quella di una donna, un'ospite russa piuttosto arrabbiata.

«Chekhov, naturalmente. Perché – dicono – Chekhov assume sempre un atteggiamento critico nei confronti della piccola borghesia, perché il suo sentire è profondamente democratico e la sua fede nel popolo assoluta. Balle! In realtà, si trae un film da Chekhov per dar modo alle attrici di mettersi un bel cappello in testa, anziché sciarpe e scialli. Ogni tanto le dive lo pretendono, un film con cappelli graziosi.»

La voce era quella di Irina Asanova, la ragazza incontrata alla Mosfilm.

A questa sua veemente dichiarazione segue una blanda protesta delle attrici presenti.

Arriva qualche ritardatario.

«*Yevgeny! Che cosa m'hai portato?*»

Una porta che si chiude.

«*Buon anno, sia pure in ritardo, John.*»

«*Guanti! Che pensiero gentile. Me li provo subito.*»

«*Mettili, sfoggiali. Vieni domani da me e te ne do centomila paia da vendere.*»

Quel "John" era un americano: John Osborne. Ospite del Rossya, poco distante dalla Piazza Rossa. Il Rossya era l'albergo più di lusso della capitale. In confronto, l'Ukraina era un dormitorio popolare. Quell'Osborne parlava russo benissimo, con accento stranamente garbato. Ma Arkady voleva udire ancora la ragazza.

Fece scorrere il nastro.

«*... magnifica ballerina.*»

«*Sì, diedi una festa in suo onore, quando la compagnia venne in tournée a New York. Ha una vera passione per la sua arte.*»

«*La compagnia di Moiseyev?*»

«*E quanta energia!*»

Arriva altra gente, si scambiano saluti, si brinda all'arte russa, si fanno domande sui Kennedy... Irina, non la si sente più. Ad Arkady pesavano le palpebre. Si sentiva un intruso... nascosto dietro una tenda o sepolto sotto una catasta di cappotti... ad ascoltare quel brusio... parole smozzicate, pronunciate quattro mesi prima da persone mai viste. Ma continuò ad ascoltare la registrazione di quell'interminabile party, sperando che Irina parlasse ancora. Altro nastro.

Stessa serata. Più tardi. Parla Osborne.

«*La Conceria Gorky mi fornisce guanti bell'e fatti. Dieci anni fa tentai di importare pellame di vitello... per far concorrenza a italiani e spagnoli. Per fortuna controllai la merce a Leningrado. Erano trippe, frattaglie. La spedizione veniva da un kolkoz di Alma Ata: avevano spedito, lo stesso giorno, le pelli a me, a Leningrado, e le frattaglie a Vogvozdino.*»

Vogvozdino? No – pensò Arkady – l'americano non poteva sapere del campo di prigionia di Vogvozdino.

«*Ci si mette in contatto con le autorità di Vogvozdino. Sì – dicono – il carico è arrivato... ed è già stato divorato, con gusto. Alla faccia del kolkoz! E con cosa li confeziono, io, i guanti? con le trippe? Morale della favola: ci ho rimesso ventimila dollari e non c'è pericolo che ordini trippa, qui in Russia.*»

A un silenzio imbarazzato seguirono nervose risate. Arkady si accese un'altra sigaretta.

«*Non capisco perché voi scappiate negli Stati Uniti. Per far soldi? Ma gli americani, per quanti ne abbiano, alla fine trovano sempre qualcosa che non riescono a comprare. Allora dicono: "Non possiamo permettercelo, siamo troppo poveri". Mica dicono mai: "Non siamo abbastanza ricchi". Che! invidiate i poveri americani? Qui, sarete sempre ricchi.*»

Arkady consultò il dossier su John Osborne, fornitogli anch'esso dal KGB. La scheda segnaletica diceva:

JOHN DUSEN OSBORNE, cittadino degli USA, nato il 16 maggio 1920 a Tarrytown (New York). Non iscritto al Partito. Scapolo. Residenza attuale: New York. Venne per la prima volta in Unione Sovietica nel 1942 come consulente, nel quadro del Programma *Lend-lease* (Affitti e Prestiti). Dal 1942 al 1944 risiedette a Murmansk e Arkhangelsk, come consulente ai trasporti, su incarico del Ministero degli Esteri americano. Durante questo periodo contribuì notevolmente allo sforzo bellico contro i nazi-fascisti. Nel 1948 si dimise dalla diplomazia (a quell'epoca era in pieno furore l'isterismo di destra dei maccartisti americani) e si diede al commercio di pelli e pellicce importate dalla Russia. Ha promosso varie missioni di buona volontà e scambi culturali fra USA e URSS. Compie visite periodiche nel nostro Paese.

Dal dossier risultava che Osborne era titolare della *Fur Imports Inc.*, Società per l'importazione di pellicce, a New York, e della *Osborne Fur Creations Inc.*, a Palm Springs. Erano quindi elencate le visite di Osborne in Russia negli ultimi cinque anni. L'ultima: dal 2 gennaio al 2 febbraio. C'era un'annotazione, cancellata a matita, ma leggibile: referenze personali: I.V. Mendel. Ministero del Commercio Estero.

Un'altra annotazione diceva: Vedi: *Annali della collaborazione sovietico-americana durante la Grande Guerra Patriottica*, "Pravda", 1967.

Un'altra ancora: Vedi: Dipartimento Uno.

Arkady aveva conosciuto Mendel. Era uno di quei rettili che cambiano pelle ogni stagione, e ingrassano sempre. Prima era stato supervisore alla "risistemazione" dei kulaki, poi, durante la guerra, commissario del popolo per la regione di Murmansk, poi direttore dell'ufficio "Disinformazione" del KGB e, infine, ormai con fauci enormi, Viceministro del Commercio Estero. Fino alla morte avvenuta l'anno precedente. Ma certo Osborne aveva altri amici della stessa risma.

«È l'umiltà a renderla affascinante. Un russo si sente inferiore a chiunque, tranne che a un arabo e a un altro russo.»

Risatine russe accolsero questa battuta di Osborne. Era il suo tono mondano a sedurli. Comunque, lui era uno straniero fidato.

«In Russia, l'uomo saggio sta alla larga da belle donne, intellettuali ed ebrei. Soprattutto dagli ebrei.»

Battuta sadica, ma non priva – concesse Arkady – di una sua punta di verità.

L'annotazione "Dipartimento Uno" stava a indicare l'Ufficio Nord-Americano del KGB (quindi sbagliava chi lo considerava "straniero fidato"). Tuttavia Osborne non era un agente: non avrebbero passato quei nastri ad Arkady, se lo fosse stato. Era semplicemente uno che "collaborava", questo stava a significare quella nota: patrono dell'arte russa e informatore sugli artisti russi. Manco a dirlo, qualche ballerino suo ospite a New York gli avrà fatto confidenze che saranno state riferite a Mosca. La voce di Irina non tornò a farsi sentire. Per Arkady fu un sollievo, in fin dei conti.

Misha l'aveva invitato a cena. Prima di andarci, Arkady diede una controllata al lavoro dei suoi assistenti. I nastri ascoltati da Fet erano in bell'ordine, accanto ai taccuini e a un paio di matite ben temperate. Il tavolo di Pasha invece era in disordine. Arkady diede una scorsa alla trascrizione delle telefonate di Golodkin. Una, fatta il giorno precedente, era curiosa. Golodkin parla inglese e il suo interlocutore, chiunque sia, parla russo:

G: *Buongiorno. Sono Feodor. Ricorda? L'altra volta dovevamo andare insieme al museo.*

X: Да.

G: *Come sta? L'accompagno oggi, al museo. Le va bene, oggi?*

X: Извините, очень занят. Может, в следующий раз.

G: *Sul serio?*

Il russo di "X" era molto fluente, almeno a giudicare dalla trascrizione. È articolo di fede per i russi, tuttavia, che solo i russi sanno parlare russo, quindi Golodkin, nonostante tutto, si ostinava a parlare inglese, benché l'altro gli rispondesse in buon russo. Chiaro: l'interlocutore di Golodkin era straniero.

Arkady trovò il nastro corrispondente a quella trascrizione e lo inserì nel mangianastri. E udì quel che aveva già letto:

«*Buongiorno. Sono Feodor. Ricorda? L'altra volta dovevamo andare insieme al museo.*»

«*Sì.*»

«*Come sta? L'accompagno oggi, al museo. Le va bene oggi?*»

«*Mi dispiace. Sono molto occupato. Magari la prossima volta.*»

«*Sul serio?*»

Clic.

Arkady la riconobbe subito, l'altra voce: era quella di Osborne. L'americano si trovava dunque di nuovo a Mosca.

I Mikoyan abitavano in un appartamento di cinque stanze. Nel salone c'erano due pianoforti, che Misha aveva ereditato, assieme alla casa, dai suoi genitori, i quali erano stati tutt'e due concertisti. La loro collezione di manifesti cinematografici rivoluzionari decorava le pareti, alternandosi alle sculture contadine in legno raccolte da Misha e Natasha.

Misha condusse subito Arkady in bagno, dove c'era una lavatrice nuova di zecca.

«Marca Siberia. La migliore. 155 rubli. Dieci mesi in lista d'attesa.»

La spina era inserita, il tubo di scarico finiva nella vasca da bagno. Proprio quello che Zoya sognava.

«Avremmo aspettato solo quattro mesi per una ZIV; o per una Riga. Ma volevamo una Siberia.» Misha prese il "Bollettino commerciale" che era appoggiato sul gabinetto. «La migliore.»

«E nient'affatto borghese.» Magari il furbo Schmidt ne aveva una anche lui.

Misha guardò torvo Arkady e la lavatrice. Entrambi avevano in mano un bicchiere di vodka pepata. Misha estrasse una manciata di biancheria dal cestello della lavatrice e la mise nell'essiccatore.

«Ti faccio vedere.»

Girò la manopola dell'essiccatore. La macchina prese a rombare e vibrare. Il rombo crebbe, come se un aereo stesse decollando nella stanza da bagno. L'acqua schizzò dal tubo di scarico nella vasca. Misha aveva un'aria sognante.

«Non è fantastica?» esclamò.

«Poesia» disse Arkady. «Poesia alla Mayakovsky ma pur sempre poesia.»

La macchina si fermò. Misha fece per girare la manopola, che però non si mosse.

«Che c'è?»

Misha guardò male sia lui sia la lavatrice. Diede una botta a quest'ultima, e la macchina cominciò a vibrare di nuovo.

«Decisamente, una lavatrice russa» disse Arkady, ricordando un vecchio verbo che significava "frustare il servo della gleba" e, sorseggiando, pensò: adesso ne conieranno uno nuovo? frustare la macchina.

Misha si raddrizzò, con le mani sui fianchi. «Tutte le macchine nuove hanno bisogno di rodaggio.»

«Sì, certo.»

«Adesso va.»

Si squassava, per dir meglio. Misha aveva ficcato quattro paia di mutande nell'essiccatore. Di questo passo – pensò Arkady – a fare il bucato settimanale e stenderlo ci vorrà... una settimana. Comunque, la lavatrice quasi si alzava da terra, nel suo fervore. Misha fece un passo indietro, tutto ansioso. Il rumore era assordante. Il tubo di scarico sussultò e l'acqua schizzò sul muro.

«Accidenti!» Misha tamponò con una mano e, con l'altra, girò una manopola. Questa gli rimase fra le dita. Allora lui cominciò a tirare calci alla lavatrice, che seguitò a squassarsi finché lui non ebbe sfilato la spina.

«Va' a farti fottere!» E le diede un altro calcio. «Dieci mesi!» Si rivolse ad Arkady. «Dieci mesi l'abbiamo aspettata!»

Afferrò il "Bollettino commerciale", per strapparlo. «Gliela farò vedere io, a quelle carogne! Chissà quanto si sono beccati!»

«Cosa intendi fare?»

«Gli scrivo!» Misha gettò il giornale nella vasca. Si chinò, subito dopo, a raccattarlo. «Marchio di qualità dell'Industria di Stato! Gli faccio vedere io la qualità!» Ne fece una palla, che lanciò nel cesso, e tirò la catena.

«Adesso a chi scrivi?»

«Sssst!» Misha portò un dito alle labbra. Prese il suo bicchiere. «Non farti sentire da Natasha. Ci teneva tanto! Fa' come se niente fosse.»

Per cena, Natasha servì polpette, sottaceti, salsicce. Non bevve quasi ma aveva l'aria felice.

«Alla tua bara, Arkasha» brindò Misha. «Che sarà foderata di seta ricamata, con il cuscino di raso, il tuo nome su una targa d'oro e le maniglie d'argento, in legno pregiatissimo di cedro ricavato da un albero centenario che io pianterò domattina.» Bevve, compiaciuto di sé. «O sennò» soggiunse, «potrei ordinarla al Ministero per l'Industria Leggera... E impiegherebbe quasi altrettanto.»

«La cena non è granché, mi dispiace» disse Natasha, ad Arkady. «Se avessimo avuto qualcuno che andava a far spesa... sai.»

«Pensa che tu, ora, le farai un sacco di domande su Zoya. Ma noi ci rifiutiamo di immischiarci.» Quindi, rivolto alla moglie: «Hai visto Zoya? Che dice di Arkady?».

«Se avessimo un frigo più grande» disse Natasha «oppure uno col surgelatore.»

«Hanno parlato di frigoriferi, fra loro, è chiaro.» Misha roteò le pupille. «A proposito, conosci qualche idraulico assassino, che abbia un debito con te?»

Natasha tagliuzzò una polpetta. «Conosco alcuni dottori, io.» Sorrise. Poi posò gli occhi sulla manopola accanto al piatto del marito.

«Un guasto da nulla, cara» disse questi. «Non funziona, ecco tutto.»

«Non fa niente. Possiamo sempre mostrarla a chi viene a trovarci.»

Sembrava contenta sul serio.

VI

L'uomo non nasce criminale ma è indotto in errore a causa dell'ambiente o per l'influenza di cattivi elementi. Tutti i crimini, grandi e piccoli, possono addebitarsi a vizi postcapitalistici: avidità, egoismo, pigrizia, parassitismo, pregiudizi religiosi o depravazione ereditaria.

L'assassino Tsypin, per esempio, era figlio di uno speculatore e di una ladra, fra i cui antenati figuravano assassini, briganti e monaci. Quindi Tsypin era stato allevato come un urka, un criminale di professione. Era coperto di tatuaggi da urka – serpenti, draghi, il nome di varie amanti – tanto che gli uscivano dal colletto e dai polsini. Una volta mostrò ad Arkady il gallo rosso che aveva tatuato sul pene. Per sua buona ventura, Tsypin aveva ucciso un complice in un periodo in cui solo i crimini contro lo Stato erano puniti con la pena capitale. Così Tsypin se la cavò con dieci anni. In prigione, aggiunse un altro tatuaggio alla sua collezione: "Fottuto dal Partito", sulla fronte. Gli andò bene anche stavolta. Tale propaganda "corporale" antisovietica aveva cessato di essere considerata un crimine contro lo Stato da appena una settimana; quindi Tsypin se la cavò con un trapianto di pelle, dal culo alla fronte, per coprire la scritta. E con altri cinque anni di prigione, che però gli vennero amnistiati per il centenario di Lenin.

«Ormai la so lunga» disse Tsypin ad Arkady. «La criminalità ora aumenta, ora cala. I Giudici ora sono di manica larga, ora no. È come la luna e le maree. Però adesso mi sono sistemato.»

Tsypin faceva il meccanico. Ma aveva altri proventi. Era d'accordo con certi camionisti, addetti al trasporto di merci da Mosca alla provincia. Dopo aver fatto il pieno, appena fuori città, quelli travasavano un po' di benzina e la vendevano a Tsypin a prezzo ridotto (poi trovavano sempre qualche scusa per il maggior consumo: deviazioni e così via). Tsypin a sua volta rivendeva quella benzina a privati. La Polizia era al corrente di tali suoi traffici, ma, siccome c'era poca benzina e molta richiesta da parte degli automobilisti, si chiudeva un occhio su profittatori come Tsypin. In fondo svolgeva un servizio sociale.

«Nessuno lo vuole, un giro di vite. E se lo sapessi, chi ha ucciso quei tre al Gorky Park, sarei il primo io a dirglielo. Anzi, chi è stato si meriterebbe il taglio delle palle. Sa, anche noi abbiamo dei principi.»

Molti urka furono interrogati da Arkady. E tutti ripetevano la stessa solfa: nessuno di loro poteva essere tanto pazzo da sparare a qualcuno, in pieno Gorky Park; eppoi, nell'ambiente, non era scomparso nessuno. Quindi neanche le vittime erano urka.

Per ultimo, Arkady sentì un certo Zharkov, ex militare, che commerciava in armi.

«Cos'è che si trova, sulla piazza? A parte la roba dell'Armata Rossa, qualche arrugginita rivoltella inglese, qualche pistola cecoslovacca. In Siberia, magari, ci sarà qualche banda coi mitra. Qui no. Niente di simile a quanto descritto da lei. Eppoi, chi la sa adoperare, quella roba? A parte me, non conosco dieci persone sotto i quarant'anni in tutta Mosca capaci di centrare la nonna a dieci passi di distanza. Hanno fatto il soldato, dice lei? Ma qui mica siamo in America. Da trent'anni non si spara più a nessuno, non c'è stata uno straccio di guerra, e l'addestramento fa schifo. Siamo seri. Mi parla di un'esecuzione in piena regola... Beh, lo sa quanto me che c'è una sola organizzazione attrezzata per questo.»

Nel pomeriggio, Arkady continuò a telefonare alla scuola di Zoya, finché gli dissero ch'era andata al circolo sportivo del Sindacato Insegnanti. Il circolo si trovava in un ex palazzo nobiliare, sulla Novokuznetskaya, dirimpetto al Cremlino. Cercando la palestra, Arkady si smarrì e si ritrovò su una balconata, che un tempo ospitava l'orchestra. Si affacciò sul salone da ballo sottostante. Sul soffitto erano dipinti putti e amorini. Il pavimento era coperto di materassini di vinil. C'era odore di sudore. Zoya stava esercitandosi alla sbarra. Aveva i capelli raccolti in uno chignon, polsini di cuoio e calzerotti di lana. Quando volteggiava intorno alla sbarra inferiore, le gambe le si aprivano come ali d'aeroplano, i muscoli della schiena e delle natiche scattavano sotto la calzamaglia. In tuta, a braccia conserte, Schmidt stava a guardare. Lei si protese verso la sbarra più alta, eseguì un volteggio per poi ritornare su quella più bassa, si impennò con i piedi rivolti al soffitto, eseguì un altro volteggio a gambe divaricate. Non era brava abbastanza per conferire grazia a questi movimenti; li eseguiva con un impeto quasi maniacale. Continuò ancora a pendolare da una sbarra all'altra, poi saltò giù dall'attrezzo. Schmidt l'accolse, prendendola alla vita. Lei gli cinse le braccia intorno al collo.

Romantico, pensò Arkady. Anziché un marito, lì ci voleva un quartetto d'archi e il chiardiluna. Natasha aveva ragione: erano fatti l'uno per l'altra.

Uscendo, Arkady sbatté così forte la porta che parve una revolverata.

Andò a casa a prendersi degli indumenti di ricambio poi uscì per tornare all'Ukraina. Strada facendo, passò alla Biblioteca di Storia per procurarsi gli *Annali della collaborazione sovietico-americana durante la Grande Guerra Patriottica.* Magari il KGB ha già mandato a riprendere quei nastri, pensò Arkady, magari ci trovo Pribluda che m'aspetta, all'Ukraina. Magari mi racconta una barzelletta, tanto per avviare un nuovo tipo di rapporto, più cordiale. Magari dirà che il malinteso è una faccenda "puramente istituzionale". Dopotutto, il KGB si regge sulla paura. Senza nemici, esterni e interni, reali o presunti, l'intero apparato non avrebbe motivo di esistere. La Polizia e la Magistratura hanno, invece, il compito istituzionale di dimostrare che tutto va bene. Fra tre anni – pensò Arkady – del triplice omicidio di Gorky Park si parlerà, sulle riviste di giurisprudenza, nel quadro del "conflitto fra i vari organi dello Stato e i loro fini istituzionali".

All'Ukraina trovò invece che avevano portato dell'altro materiale. Pasha e Fet se n'erano andati. Pasha aveva lasciato un biglietto, in cui diceva che la pista delle icone era inconsistente, ma ne aveva trovato un'altra che portava a certi tedeschi. Arkady gettò il biglietto nel cestino della carta straccia. Depose i vestiti puliti sulla branda.

Stava piovendo. Le gocce sferzavano il fiume ghiacciato, rimbalzavano sulle lamiere. Di là dal viale, nel villaggio degli stranieri, una donna in camicia da notte stava affacciata a una finestra.

Americana? Ad Arkady doleva il torace, in seguito ai colpi ricevuti durante la colluttazione di due sere prima. Schiacciò una cicca, accese un'altra sigaretta. Si sentiva stranamente leggero: alleggerito di Zoya, alleggerito della casa, stava uscendo da un'orbita di vecchie abitudini, stava sfuggendo alla legge di gravità.

Alla finestra della donna dirimpetto la luce si spense. Arkady si chiese come mai avesse voglia di dormire con una che non aveva mai visto prima e il cui viso era una macchia dietro un vetro appannato. Non era mai stato infedele a sua moglie. Non ci aveva neppure mai pensato. Adesso voleva una donna qualsiasi. O sennò, fare a pugni con qualcuno. Stabilire un contatto fisico, ecco tutto.

Facendo uno sforzo su se stesso, si mise ad ascoltare i nastri di gennaio relativi a John Osborne, commerciante e agente provocatore. Se riesco a stabilire un nesso – pensò – fra Gorky Park e questo beniamino del KGB, senza dubbio Pribluda interverrà. Non c'era però alcun motivo per sospettare Osborne, nonostante il suo rapporto con Irina Asanova e con Golodkin, il trafficante di icone. Era come se, camminando in un campo, avesse sentito all'improvviso un sibilo sotto una pietra e avesse pensato: c'è una serpe lì sotto! Osborne aveva trascorso gennaio e i primi di febbraio a far la spola fra Mosca e Leningrado, dove si teneva l'asta annuale di pellicce. In entrambe le città, lui aveva amici fra l'élite commerciale e artistica – coreografi e registi, attori e ballerine – e non già fra la gente della risma di quei morti trovati nel Parco.

Osborne: «Lei è un famoso regista di film di guerra. Lei la ama, la guerra. Anche gli americani l'amano. Fu un Generale americano a dire: "La guerra è un paradiso"».

Sugli *Annali della collaborazione sovietico-americana durante la Grande Guerra Patriottica* Osborne veniva citato due volte:

Durante l'assedio, quasi tutti gli stranieri furono evacuati da Leningrado. Uno invece che rimase al suo posto fu John Osborne, il quale lavorò indefessamente, a gomito a gomito con i colleghi sovietici, nella zona del porto. Anche sotto i bombardamenti, lui e il Generale Mendel dirigevano i lavori di riparazione delle attrezzature e dei mezzi di trasporto danneggiati. Lo scopo della politica rooseveltiana cosiddetta di "affitti e prestiti"

112

(*Lend-lease*) era quadruplice: prolungare la lotta fra invasori nazisti e difensori della patria sovietica finché entrambi i contendenti fossero dissanguati; rinviare l'apertura di un secondo fronte e intanto trattare con la cricca di Hitler; oberare di debiti il popolo sovietico; e ristabilire l'egemonia anglo-americana sul mondo intero. Solo alcuni americani si batterono, individualmente, per nuovi rapporti globali...

Poche pagine più oltre:

... durante uno di questi colpi di mano, il gruppo di autotrasporti guidato dal Generale Mendel e dall'americano John Osborne si trovò circondato dai nemici. Ma essi si aprirono un varco, con le armi in pugno.

Arkady ricordò le frecciate di suo padre contro la vigliaccheria di Mendel: "stivali lustri, mutande smerdate". Eppure, con Osborne, Mendel si era comportato da eroe. Poi nel 1947 Mendel era entrato al Ministero del Commercio Estero e, di lì a poco, Osborne aveva ricevuto una licenza per il commercio di pellicce.

Inaspettatamente, ecco Fet. «Ho pensato di venire a smaltire un altro po' di quei nastri...» disse.

«È tardi, Sergei» disse Arkady. «Piove ancora?»

«Sì». Fet si tolse l'impermeabile e sedette davanti a un mangianastri.

Neanche tanto furbo, pensò Arkady, guardando Fet che si aggiustava gli occhiali sul naso a patata e tirava fuori le sue matite sempre ben temperate. Magari c'è un microfono-spia in questa stanza – pensò Arkady – e si sono stufati di stare all'ascolto di uno che ascolta dei nastri e così hanno mandato Fet. Molto bene. Ciò denota interesse.

Fet sembrava esitare.

«Che c'è, Sergei?»

Tanta familiarità metteva Fet in imbarazzo. Si dimenò sulle chiappe. «Questo metodo, Investigatore...»

«Fuori orario, chiamami pure "compagno".»

«Grazie. Questo metodo che abbiamo adottato... mi domando se sia quello giusto.»

«Anch'io me lo domando. Siamo partiti da tre morti e eccoci qui a passare al setaccio persone che, dopo tutto, sono graditi ospiti. Magari abbiamo sbagliato completamente, e stiamo solo perdendo del tempo. È questo che pensi tu, Sergei?»

Fet era rimasto senza fiato. «Sì, Investigatore-capo.»

«Solo compagno, prego. Dopo tutto però, come possiamo stabilire un nesso fra elementi stranieri e questo delitto, se neanche sappiamo chi sono le vittime né perché sono state uccise?»

«Ecco, appunto, quello che pensavo anch'io.»

«Perché allora non puntare, anziché sui forestieri, sul personale dei giardini pubblici oppure raccogliere i nomi di tutti quelli che hanno visitato il Gorky Park quest'inverno? Sarebbe meglio, secondo te?»

«No. Forse.»

«Sei titubante, Sergei. Parla pure, perché le critiche sono costruttive. Definiscono meglio il nostro scopo e rendono omogenei gli sforzi.»

Il concetto di ambiguità mise ancora più a disagio Fet. Quindi Arkady gli venne in aiuto. «No, non sei titubante circa i fini. Ma soltanto circa il metodo. Va meglio così, Sergei?»

«Sì.» Fet ripartì daccapo. «Mi domando se tu non conosci qualche aspetto dell'inchiesta che io ignoro, e che ti ha indotto a chiedere tutto questo materiale ai Servizi di Sicurezza.»

«Sergei, ho piena fiducia in te. Ho anche piena fiducia nell'assassino russo. Questi uccide per passione e, se possibile, in privato. È vero, c'è crisi di alloggi, ma, via via che la situazione edilizia migliorerà, i delitti avverranno sempre più fra quattro mura. Comunque, te l'immagini tu un russo, un figlio della Rivoluzione, che adesca tre persone e le giustizia, a sangue freddo, nel parco più famoso di Mosca? Ci riesci tu, Sergei?»

«Non capisco veramente.»

«Non vedi, Sergei, che ci sono gli elementi di uno scherzo in questo delitto?»

«Di uno scherzo?» Fet si raddrizzò, orripilato.

«Pensaci su, Sergei. Riflettici.»

Con una scusa, di lì a poco Fet se n'andò.

Arkady tornò ai nastri di Osborne, deciso a passare in rassegna tutti quelli di gennaio, prima di buttarsi a dormire. Nell'alone della lampada, sul tavolo, depose tre fiammiferi sopra un foglio di carta. Intorno vi disegna i bordi della radura.

Osborne:

«Ma non si può adattare Lo straniero *di Camus per lo schermo o il teatro sovietico. Un uomo uccide un estraneo per nessun altro motivo se non la noia. Eccessi puramente occidentali. Il benessere borghese conduce inevitabilmente alla noia e al delitto gratuito. La polizia – da noi – ci ha fatto il callo; ma qui, in una società progressista, socialista, nessuno soffre di noia.»*

«E Delitto e castigo *allora? E Raskolnikov?»*

«Appunto! Nonostante il suo delirio esistenziale, Raskolnikov voleva solo mettere le mani su un bel gruzzolo di rubli. Qui, hai tante probabilità di imbatterti in un "atto gratuito" quante di vedere un uccello tropicale dalla tua finestra. T'immagini, che confusione? L'assassino di Camus qui non verrebbe mai scoperto.»

Verso mezzanotte Arkady si ricordò del biglietto di Pasha. Sul tavolo di quest'ultimo c'era un rapporto spillato al dossier relativo a un tedesco a nome Unmann. Arkady gli diede una scorsa, con gli occhi rossi di stanchezza.

Hans Frederick Unmann era nato nel 1932 a Dresda; si era sposato a 18 anni, divorziato a 19; radiato dalla Gioventù Comunista per teppismo (l'accusa di violenza era in seguito caduta). Richiamato alle armi nel 1952. Durante i tumulti reazionari dell'anno successivo, viene messo sotto accusa per manganellate ai dimostranti (l'imputazione di omicidio colposo è lasciata cadere) e finisce il servizio di leva come guardia di confine. Per quattro anni lavora come autista presso il segretario del Comitato Centrale per i Sindacati. Riammesso nel Partito nel 1963, si risposa con la stessa donna e lavora in una fabbrica di strumenti ottici, in qualità di caposquadra. Cinque anni dopo, radiato dal Partito per percosse alla moglie. Insomma, un bruto. Unmann adesso era di nuovo nel Partito ed era incaricato, dal Komsomol, di mantenere la disciplina fra gli studenti tedeschi a Mosca. La foto mostrava un uomo alto, ossuto, con radi capelli biondi. La nota di Pasha aggiungeva che Golodkin aveva fornito prostitute a Unmann, finché il sodalizio non era cessato a gennaio. Nessun accenno a icone.

C'era una bobina inserita nel mangianastri di Pasha. Arkady l'accese, dopo essersi infilato la cuffia. Chissà perché – si chiese – Unmann ha rotto con Golodkin. E perché proprio a gennaio?

Il tedesco di Arkady non era più così buono come sotto le armi, ma gli bastò per capire con quali minacce Unmann facesse rigar dritto gli studenti. Dal tono delle loro voci, quegli studenti tedeschi erano adeguatamente terrorizzati. Beh, Unmann non s'ammazzava di lavoro: atterriva un ragazzo o due al giorno, poi aveva tutto il tempo libero che voleva. Contrabbandava macchine fotografiche e binocoli dalla Germania Est, naturalmente, e, con ogni probabilità, costringeva di prepotenza gli studenti a far lo stesso per lui. Niente icone, s'intende. Solo i turisti occidentali vogliono icone russe.

Poi ecco un tale che telefona a Unmann e gli dà appuntamento "al solito posto". Il giorno dopo, la stessa persona dice a Unmann di trovarsi davanti al Teatro Bolshoi. Il giorno dopo: "al solito posto". Due giorni dopo, da qualche altra parte. Niente nomi e la conversazione era in tedesco. Arkady impiegò diverso tempo a ipotizzare che l'anonimo fosse John Osborne, poiché Unmann non ricorreva in nessuno dei nastri di Osborne. Osborne telefonava a Unmann, mai l'inverso; e, evidentemente, gli telefonava sempre da apparecchi a gettone. D'altro canto la voce dell'anonimo aveva una strana intonazione... e Arkady pensò che la sua ipotesi potesse essere anche sbagliata.

Da due mangianastri, ascoltò alternativamente i nastri di Osborne e Unmann. Nel posacenere le cicche formavano una piramide. La notte volgeva al termine. Ormai era questione di pazienza.

All'alba, dopo sette ore di ascolto, Arkady uscì a fare due passi per rianimarsi. Le siepi crepitavano al vento. Respirando a pieni polmoni, udì un altro rumore: colpi ritmici, su in alto. Degli operai, sul tetto dell'Ukraina, battevano per controllare che sui cornicioni non ci fossero mattoni scalzati dal gelo invernale.

Tornato in stanza, attaccò i nastri di Unmann di febbraio. Il 2 febbraio – giorno della partenza di Osborne da Mosca per Leningrado – l'anonimo ritelefona.

«*L'aereo è in ritardo.*»

«*In ritardo?*»

«*Sta andando tutto bene. Ti preoccupi troppo, tu.*»

«*E tu, invece, mai?*»

«*Rilassati, Hans.*»

«*Non mi piace la faccenda.*»

«*È un po' troppo tardi, per fare il difficile.*»

«*Tutti sanno che quei nuovi Tupolev...*»

«*Cadono come le mosche? Per te, solo i tedeschi sanno costruire qualsiasi cosa.*»

«*Ci mancava un ritardo. Quando arrivi a Leningrado...*»

«*Ci sono stato altre volte, a Leningrado. Ci sono stato coi tedeschi. Andrà tutto bene.*»

Per un'ora Arkady dormì.

VII

Era una testa di gesso senza fisionomia, dipinta di rosa e sormontata da una parrucca spelacchiata; ma aveva una cerniera, sicché il viso poteva aprirsi a metà e rivelare una struttura interna di muscoli blu e cranio bianco, intricata come un uovo di Fabergé.

«La carne non poggia sul vuoto» disse Andreev. «I suoi tratti, caro Investigatore, non sono determinati dall'intelligenza, dal carattere o dal fascino.» L'antropologo mise via il manichino e prese una mano di Arkady. «Le sente, le ossa, qui? Ne ha ventisette in una mano, e ciascuno si articola in modo diverso, per un preciso scopo.» Strinse maggiormente, con forza inattesa in un uomo così piccolo, e Arkady sentì le vene gonfiarsi sul dorso della mano. «Muscoli flessori e muscoli estensori, ciascuno di diverso formato e attaccatura. Se le dicessi che intendo ricostruire una mano, non si stupirebbe. La mano sembra un attrezzo, una macchina.» Andreev mollò la presa. «La testa è una macchina che ha reazioni nervose, e che serve a mangiare, vedere, udire e annusare – nell'ordine. È una macchina con ossa in proporzione più grandi e con meno carne di una mano. La faccia è solo una sottile maschera del teschio. Dal teschio si può ricostruire una faccia, ma non viceversa.»

«Quando?» domandò Arkady.

«Fra un mese...»

«Pochi giorni. Mi occorre una faccia identificabile entro pochi giorni.»

«Renko, lei è il tipico investigatore. Non mi è stato a sentire. A malapena ho acconsentito a fargliela, la faccia. La procedura è molto complicata. Ci lavorerò nei ritagli di tempo.»

«C'è un tale, su cui gravano sospetti, che lascerà Mosca fra una settimana.»

«Se ne va da Mosca ma non dalla Russia.»

«Invece sì.»

«È straniero?»

«Appunto.»

«Ah.» Il nano scoppiò a ridere. «Capisco. Non mi dica più niente, per favore.»

Andreev si arrampicò su uno sgabello, si grattò il mento, guardò il lucernario. Arkady temette che volesse mollare ogni cosa.

«Beh, a parte il viso, il resto è intatto, quindi non c'è da perder tempo a ricostruire il collo e la mascella. Le attaccature dei muscoli ci sono ancora. Abbiamo eseguito già foto e disegni. Conosciamo il colore e il taglio dei capelli. Non appena avrò il calco del teschio pulito, potrò incominciare.»

«Quanto tempo ci vuole, per un teschio pulito?»

«Che domande, Investigatore! Perché non lo chiede al comitato pulizie?»

Andreev aprì un grosso cassetto. Dentro c'era la scatola in cui Arkady aveva portato la testa. Andreev ne sollevò il coperchio. Dentro c'era una massa rilucente, e ad Arkady ci volle qualche istante per vedere che quella massa brulicava, essendo composta da insetti: un mosaico di scarafaggi simili a gioielli che stavano avidamente spolpando le ossa del teschio.

«Fra poco» promise Andreev.

Dalla sede di via Petrovka, Arkady spedì un fonogramma a tutte le sedi di Polizia, questa volta non solo a ovest degli Urali, ma anche in Siberia. Continuava a tormentarlo il fatto che i tre morti non fossero ancora identificati. Tutti hanno documenti, carte; tutti sono tenuti d'occhio: come possono, tre persone, non risultare "mancanti" dopo tanto tempo? L'unico rapporto erano quei pattini di Irina Asanova, la quale veniva dalla Siberia.

«In un posto come Komsomolsk sono dieci ore avanti a noi» disse il telescriventista. «È già notte, là. Non avremo risposta fino a domani.»

Arkady si accese una sigaretta e, dopo la prima boccata, si mise a tossire. Colpa della pioggia e delle sue costole ammaccate.

«Dovrebbe andare dal dottore.»

«Conosco un dottore.» Portò una mano alla bocca e se n'andò.

Quando Arkady arrivò, il dottor Levin stava eseguendo l'autopsia su un cadavere dalle labbra cianotiche. Vedendolo esitare sulla soglia, il patologo si pulì le mani e uscì.

«Suicidio. Col gas. In più s'è tagliato le vene» spiegò. Poi: «Senti l'ultima. Brezhnev chiama Kossyghin nel suo ufficio e gli fa: "Aleksei, mio carissimo amico e compagno, corre voce che tu sei ebreo". "Macché ebreo" sbotta Kossyghin, esterrefatto. Brezhnev estrae una sigaretta dall'astuccio d'oro, l'accende, annuisce..» (Levin mimò tutto questo) «... poi dice: "Beh, Aleksei, pensaci su un momentino"».

«È vecchia.»

«Ma in nuova versione.»

«Tu sei fissato con gli ebrei» disse Arkady.

«Sono fissato coi russi, io.» Il freddo, in quegli scantinati, provocò un altro eccesso di tosse ad Arkady. Levin disse: «Vieni con me».

Salirono nel suo ufficio. E qui Levin, con stupore di Arkady, tirò fuori una bottiglia di cognac e due bicchieri. «Anche per un poliziotto, hai l'aria abbrutita.»

«Mi ci vuole qualche pillola.»

«Renko, l'Eroe del Lavoro. Bevi.»

Il cognac parve fermarsi intorno al cuore, senza neanche raggiungere lo stomaco.

«Quanti chili hai perso, ultimamente?» domandò Levin. «Quante ore hai dormito da...?»

«Ce ne hai, di pillole?»

«Contro la febbre, contro i reumatismi, il raffreddore? Contro il lavoro?»

«Un calmante. Contro il dolore.»

«Contro la paura, vorrai dire. Macché Eroe.» Levin si sporse. «Lascia perdere l'inchiesta.»

«Sto cercando di farmela togliere.»

«Macché. Molla tutto e basta.»

«Piantala.»

Tossendo di nuovo, Arkady depose il bicchiere e si chinò, premendosi le costole. Sentì la mano gelida di Levin infilarglisi sotto la camicia e tastargli il torace dolorante. Levin si lasciò sfuggire un fischio. Poi andò alla scrivania e scrisse qualcosa su un foglio.

«Questo per certificare che, in seguito a contusioni della cassa toracica ed emorragia interna, hai bisogno di accurati esami clinici, per sospetta peritonite, nonché eventuali fratture alle costole. Iamskoy ti darà due settimane.»

Arkady prese il certificato e l'appallottolò.

«Questa» disse Levin, compilando un altro foglio, «è una ricetta per antibiotici. Queste» da un cassetto tirò fuori un flacone di pillole «per la tosse. Su, prendine una.»

Era codeina. Arkady ne inghiottì due. Poi si ficcò il flacone in tasca.

«Come ti sei procurato quel bozzo?» domandò Levin.

«Mi hanno picchiato.»

«Con un manganello?»

«No, a pugni.»

«Ecco un tale da cui tenersi alla larga. Ora, se permetti, torno giù da quel suicida... Ecco un sistema rapido e pulito.»

Uscito Levin, Arkady si trattenne mentre la codeina gli si diffondeva come un balsamo nelle vene. Con un piede, avvicinò il cestino della cartaccia, nel caso gli venisse da vomitare; poi rimase immobile pensando a quel cadavere da basso. Si era tagliato le vene dei polsi e della gola. E aveva aperto il gas. Per rabbia bestiale o ragionamenti filosofici? Steso in terra o immerso in una vasca? In una vasca privata o nel bagno comune? Quando stava per dare di stomaco, la nausea gli passò.

Un russo si uccide: in questo c'è un senso. Ma cosa può aver a che fare un cadavere russo, con qualche turista straniero? Tre cadaveri: sì, roba all'ingrosso, roba da capitalisti, ma anche in tal caso... Quand'è che un turista straniero trova il tempo di uccidere la gente? Per quale tesoro russo che valga la pena di rubare? Da un altro punto di vista: quale minaccia potrebbero, tre poveri operai, rappresentare per un uomo che può, semplicemente, salire su un aereo e volare in America, in Svizzera, o sulla luna? Perché dunque si ostinava sull'ipotesi dell'assassino forestiero? Perché anzi, l'aveva formulata? Passare il caso al KGB? Fargli marameo, al KGB? Oppure andar avanti e dimostrare, narcisisticamente, che un Investigatore è un tipo in gamba, un eroe addirittura, come Levin diceva scherzando? Dimostrarlo a chi? A una che, magari, pianta Schmidt e torna a casa? La risposta era sì, a tutte le domande.

Restava un'altra, più sconcertante, possibilità: lo stesso Investigatore ha scoperto – per caso, come uno che passa davanti a uno specchio e s'accorge che ha la barba lunga, il colletto consunto – quant'è squallido il suo lavoro. O, peggio, quanto inutile. Era un inquirente, lui, oppure un beccamorti? I suoi rapporti erano il surrogato dell'estrema unzione? Una piccolezza, ma certo indicativa della realtà socialista. La carriera è la cosa che più conta. Lui – ammenoché non diventasse un *apparatchik*, nel Partito – più avanti di così non sarebbe mai andato. Fin lì e non oltre. Era possibile...

aveva forse lui sufficiente fantasia per creare un qualche "giallo" complicato, pieno di misteriosi forestieri, borsari neri e informatori, un'intera popolazione di fantasmi che, come vapori, si levano da tre cadaveri? Era tutto quanto un gioco dell'Investigatore contro se stesso? Ciò era, in certo qual modo, plausibile.

Scappò via dall'obitorio e, sotto la pioggia, si incamminò con la testa fra le spalle. In piazza Dzerzhinsky c'era un gran viavai, presso la stazione del metrò. Dirimpetto alla Lubyanka c'era un bar-tavola calda. Doveva mangiare qualcosa. Stava per attraversare, quando sentì chiamare il suo nome.

«Venga!»

Qualcuno lo tirò sotto un basso porticato, al riparo dalla pioggia. Era il Procuratore Iamskoy, in impermeabile blu sopra la divisa da magistrato, il cappello dai fregi dorati sulla testa pelata.

«Compagno Giudice, conosce il nostro brillante Investigatore-capo Arkady Vasilevich Renko?» disse Iamskoy, nel presentarlo a un vecchio che era con lui.

«Figlio del Generale Renko?» Il Giudice aveva occhietti porcini e naso a uncino.

«Appunto.»

«Molto piacere.» Il Giudice porse una piccola mano paffuta.

Nonostante la fama di quell'uomo, Arkady restò impressionato. Erano solo dodici, i giudici della Corte Suprema.

«Piacere mio. Stavo andando in ufficio.» E fece per sganciarsi.

Ma Iamskoy lo trattenne. «Sta lavorando da stamattina all'alba. Crede che non conosca i suoi orari» soggiunse rivolto al Giudice. «Il lavoratore più accanito e anche il più estroso. Non s'accoppiano bene, queste due qualità? Ma basta. Il poeta depone la penna, l'assassino depone la scure, e anche lei, compagno Renko, si deve riposare ogni tanto. Venga con noi.»

«Ho un sacco di cose da fare» protestò Arkady.

«Non vorrà svergognarci? Non lo tollererei.» Iamskoy trascinò via anche il Giudice. Il porticato dava in un androne che Arkady non aveva mai notato. C'erano, di guardia, due poliziotti con le mostrine della Divisione per la Sicurezza Interna. «Eppoi, mi consenta di fare, con lei, un piccolo sfoggio, no?»

L'androne immetteva in un cortile dov'erano parcheggiate diverse limousine Chaika. Sempre più espansivo, Iamskoy fece strada; oltre una porta a vetri, in un atrio illuminato da *appliques* di cristallo a forma di stella, poi giù per uno scalone in una sala rivestita in legno e suddivisa in tanti box. Le *appliques* a stella, qui, erano rosse e un'intera parete era occupata da una veduta notturna del Cremlino, con la bandiera rossa sventolante sulla cupola verde del vecchio Senato.

Iamskoy si spogliò. Il suo corpo era roseo, muscoloso e, tranne all'inguine, privo di peli. Il petto concavo del vecchio giudice invece era coperto da una massa di pelo canuto. Arkady li imitò. Iamskoy accennò al livido gonfiore sul suo torace, dicendo:

«Brutte maniere, eh?»

Prese un asciugamano, nel suo box, e lo appese a mo' di sciarpa intorno al collo di Arkady per nascondere il livido. «Là! adesso è a posto. Questo è un circolo privato. Quindi mi segua. Pronto, compagno Giudice?»

Il Giudice portava un asciugamani intorno ai fianchi. Iamskoy si drappeggiò il suo su una spalla e cinse con un braccio la schiena di Arkady, sussurrandogli, con gioviale confidenza che escludeva il più anziano:

«Ci sono bagni turchi e bagni turchi. Certe volte un funzionario ha bisogno di darsi una rinfrescata, dico bene? Mica può far la fila e aspettare il suo turno... specie se ha la trippa del Giudice.»

Percorsero un corridoio rivestito di maiolica, ventilato da correnti d'aria calda, e sbucarono in una vasta cantina contenente un'enorme vasca di acqua sulfurea.

Intorno alla piscina, sotto arcate di stile bizantino, paraventi di legno intarsiato nascondevano, parzialmente, dei separé arredati con divanetti e bassi tavolini alla mongola. Alcuni bagnanti erano immersi nell'acqua fumigante, a un'estremità della piscina.

«Questi bagni furono costruiti all'epoca del Culto della Personalità, che causò tante distorsioni» disse Iamskoy all'orecchio di Arkady. «Alla Lubyanka gl'inquisitori lavoravano giorno e notte quindi si volle offrir loro un luogo di riposo, fra un interrogatorio e l'altro. L'acqua proviene da un fiume sotterraneo, la Neglinaya, e deve essere riscaldata e miscelata con sali. Senonché, quando Lui morì, questi bagni rimasero chiusi. Di recente, si è deciso che era una sciocchezza non utilizzarli. Quindi sono stati» strinse il braccio di Arkady «riabilitati»

Guidò Arkady in un separé dove due uomini nudi sedevano, sudando, a un tavolo colmo di vassoi con caviale, salmone, tartine, panetti di burro, fettine di limone, acqua minerale e due bottiglie di vodka, liscia e aromatizzata.

«Compagno Primo Segretario della Procura... Compagno Accademico... vi presento Arkady Vasilevich Renko, Investigatore-capo della Squadra Omicidi.»

«Figlio del Generale» disse il Giudice, cui nessuno badava.

Arkady strinse la mano ai due importanti personaggi. Il Primo Segretario della Procura era grosso e peloso come uno scimmione. L'Accademico era afflitto da una forte somiglianza con Khrushchev. L'atmosfera era tranquilla e affabile, come in un film che Arkady aveva visto e nel quale lo Zar Nicola faceva il bagno con lo Stato Maggiore. Iamskoy si versò della vodka al pepe – «ottima quando piove» – e spalmò del caviale su una fetta di pane, per Arkady. Caviale di prima qualità: uova di storione grosse come cuscinetti a sfere, del tipo che Arkady non vedeva ormai da anni, nei negozi. Ne fece due bocconi.

«L'Investigatore Nikitin, ricorderete, aveva una pagella quasi perfetta. Quella di Arkady Vasilevich è perfetta. State attenti» disse Iamskoy, in tono insolitamente burlone, «se intendete far fuori vostra moglie, andate in un'altra città.»

Dalla piscina giungevano folate di vapore puzzolente di zolfo. Non sgradevole però, conferiva un certo nonsoché alla vodka. Non occorre andar lontano, per le cure termali – pensò Arkady – basta essere ammessi ai bagni turchi di piazza Dzershinsky.

«Dinamite siberiana.» Il Primo Segretario riempì il bicchiere di Arkady. «Alcol puro.»

L'Accademico – arguì Arkady – non faceva parte dell'eletta schiera per meriti accademici normali, ma in quanto ideologo.

«La storia c'insegna a guardare a Occidente» prese a dire. «Marx dimostra la necessità dell'internazionalismo. Per questo noi dobbiamo tenere d'occhio quei bastardi dei tedeschi. Non appena distogliamo lo sguardo, si riuniscono di nuovo, parola mia.»

«Sono loro che spacciano droga da noi: i tedeschi e i cecoslovacchi» disse con forza il Primo Segretario.

«Meglio dieci assassini in libertà che un solo spacciatore di droga» sentenziò il Giudice. Aveva caviale fra i peli del petto.

Iamskoy strizzò l'occhio ad Arkady. Dopotutto, alla Procura si sapeva benissimo ch'erano i georgiani a portare canapa indiana a Mosca e gli studenti di chimica a preparare l'LSD. Arkady stette a sentire con un orecchio solo, mangiando salmone all'aneto, poi si rilassò sul divanetto e quasi s'addormentava. Iamskoy ascoltava soddisfatto a braccia conserte; non aveva mangiato niente e aveva sorseggiato appena un po' di vodka; la conversazione lo lambiva come le onde lambiscono uno scoglio.

«Non è d'accordo, Investigatore?»

«Prego?» Arkady aveva perso il filo della conversazione.

«Sul vronskismo» disse il Primo Segretario.

«Fu prima che Arkady Vasilevich venisse alla Procura» disse Iamskoy.

Vronsky: Arkady ricordava questo nome. Un Investigatore che non solo aveva difeso i libri di Solzhenitsyn, ma anche denunciato la sorveglianza degli attivisti politici. S'intende che Vronsky non era più Investigatore, e il solo nominarlo provocava un certo disagio negli ambienti giudiziari. Il "vronskismo" era qualcosa di vago e agghiacciante, come un vento improvviso.

«Quello che va combattuto, sradicato e distrutto» spiegò l'Accademico «è la tendenza a porre il garantismo al di sopra degli interessi della collettività, in generale, e, individualmente, la tendenza fra gli inquirenti a porre la loro interpretazione della legge al di sopra degli obiettivi della Giustizia.»

«Individualismo è sinonimo di vronskismo» disse il Primo Segretario.

«Vronskismo sta anche per intellettualismo egocentrico» disse l'Accademico. «Di quello che mira alla carriera e si compiace di successi superficiali, al punto di minare gli interessi di fondo del corpo sociale.»

«Poiché» disse il Primo Segretario, «la soluzione di qualsiasi crimine – anzi, le leggi stesse – sono solo il pavese di carta sul sistema concreto dell'ordine politico.»

«Quando abbiamo avvocati e inquirenti che confondono la fantasia con la realtà» disse l'Accademico «e quando il cosiddetto garantismo impedisce il funzionamento degli organi della Giustizia, ebbene, è il momento di abbattere quel gran pavese.»

«E se con esso cadono alcuni vronskisti, tanto meglio» disse il Primo Segretario ad Arkady. «Non è d'accordo?»

Si sporse in avanti, con le nocche sul tavolo, e l'Accademico rivolse il suo pancione da clown verso Arkady, il quale guardava Iamskoy. Questi, a giudicare dall'aria sorniona, sapeva fin dal principio dove sarebbe andata a parare la conversazione, quando aveva agganciato Arkady per strada. Gli occhi pallidi del Procuratore dicevano: concentrati... sta' attento.

«Vronsky» domandò Arkady «non era anche scrittore?»

«Esatto» disse il Primo Segretario.

«Giudio, per di più» disse l'Accademico.

«Allora» replicò Arkady, prendendo dell'altro salmone, «bisogna tener d'occhio tutti gli Investigatori che sono anche scrittori ed ebrei.»

Il Primo Segretario sgranò gli occhi. Guardò l'Accademico, poi Iamskoy, poi di nuovo Arkady. Un sorriso affiorò sulle sue labbra, seguito dallo scoppio d'una risata.

«Sì! Tanto per cominciare!»

Disinnescata, la conversazione divagò sul cibo, sullo sport, sulle donne e – dopo qualche minuto – Iamskoy condusse via Arkady, a far due passi intorno alla piscina. Erano arrivati altri pezzi grossi, e galleggiavano come trichechi nell'acqua sulfurea o si muovevano come ombre bianche e rosee dietro i paraventi.

«Si sente particolarmente in forma, oggi, e abbastanza sicuro di lei da schivare certi colpi. Bene, me ne compiaccio» disse Iamskoy, dando manatine sulla spalla di Arkady. «Comunque, la campagna contro il vronskismo comincerà fra un mese. Lei è stato avvisato.»

Arkady pensava che ora stessero dirigendosi verso l'uscita dei bagni turchi quando, invece, Iamskoy lo condusse in un altro separé. Qui, un uomo stava spalmando di burro una fetta di pane.

«Voi due vi dovreste conoscere. Yevgeny Mendel, suo padre ed il padre di Renko erano grandi amici. Yevgeny lavora al Ministero del Commercio Estero» disse Iamskoy ad Arkady.

Yevgeny abbozzò un inchino, senza alzarsi in piedi. Aveva un po' di pancetta e baffi sfilacciati. Era più giovane di Arkady; e Arkady ricordava vagamente un ragazzo grasso che sembrava piangesse sempre.

«Esperto di scambi internazionali» continuò Iamskoy, facendo arrossire Mendel. «Uno delle nuove leve.»

«Mio padre...» cominciò a dire Mendel, ma Iamskoy l'interruppe, per chiedere il permesso di allontanarsi; e così li lasciò soli.

«Sì?» disse Arkady, educatamente, per invitarlo a continuare.

«Un momento.» Mendel finì di imburrare il pane e disporci sopra il caviale, sicché la fetta somigliava a un girasole, nero al centro e con petali gialli. Arkady sedette e si versò un bicchiere di champagne.

«Compagnie americane, soprattutto» disse Mendel, alzando gli occhi dalla sua fetta d'arte.

«Ah sì? Un campo nuovo, direi.» Arkady si chiese quando sarebbe ricomparso Iamskoy.

«No, no, nient'affatto. Ci sono numerosi amici di vecchia data. Armand Hammer, per esempio, era amico di Lenin. La Chemico costruì per noi, negli anni Trenta, alcuni impianti. Sempre negli anni Trenta, la Ford costruì camion per noi. Pensavamo che la cosa seguitasse, però loro mandarono tutto a monte. Eppoi la Chase Manhattan è corrispondente della Vneshtorg-bank dal 1923.»

Nomi perlopiù sconosciuti ad Arkady, ma il tono di Yevgeny Mendel si era fatto più intimo, sebbene non si vedessero da anni.

«Buono, questo champagne» disse Arkady.

«È spumante nostrano. Lo esportiamo anche.» E sul viso di Yevgeny si dipinse un orgoglio infantile.

Un terzo individuo entrò nel separé: un uomo di mezz'età, alto, magro e tanto scuro di pelle da sembrare un arabo. Capelli bianchi, lisci, e occhi neri, naso lungo e bocca carnosa formavano un contrasto straordinario, un po' equino ma bello. Al dito portava un anello d'oro a sigillo. Arkady vide che la pelle, più che scura per natura, era abbronzata.

«Stupende» disse il nuovo arrivato, alludendo alle fette di pane, burro e caviale preparate da Mendel. «Come regali ben confezionati. Non oserò mangiarne.»

Guardò Arkady senza curiosità. Anche le sopracciglia sembravano curate. Il suo russo era eccellente ma dai nastri – che Arkady aveva ascoltati e riascoltati – non risultava la sicurezza animalesca di quell'uomo.

«Un tuo collega?» chiese a Mendel il nuovo arrivato.

«No. È Arkady Renko. E... non lo so mica.»

«Sono un Investigatore» disse Arkady.

Mendel versò spumante e offrì le sue tartine, continuando a chiacchierare. Lo sconosciuto sorrideva di continuo. Arkady non aveva mai visto denti così smaglianti.

«Su che cosa investiga?»

«Omicidi.»

I capelli di John Osborne erano più argentei che canuti. Se li strofinò con l'asciugamani poi li ravviò. Quindi s'infilò al polso un pesante orologio d'oro.

«Aspetto una telefonata, caro Yevgeny» disse. «Vuoi essere tanto gentile, *un ange sur la terre*, da andare a sentire al centralino?»

Mendel uscì, sollecito. Da una borsa di camoscio, Osborne estrasse un bocchino, v'infilò una sigaretta e l'accese con un accendino d'oro tempestato di lapislazzuli.

«Parla francese?»

«No» mentì Arkady.

«Inglese?»

«No» mentì di nuovo Arkady.

Uomini come Osborne, lui ne aveva visti solo sui rotocalchi occidentali e credeva che quel nonsoché di patinato fosse dovuto alla qualità della carta. Era tanto liscio, lustro, levigato da metter soggezione, da risultare alieno.

«Sono venuto tante volte in Russia ma, strano, questa è la prima volta che incontro un Investigatore.»

«Non ha mai commesso infrazioni, ecco tutto, signor... scusi, non conosco il suo nome.»

«Osborne.»

«Americano?»

«Sì. Vuole ripetermi il suo, per favore?»

«Renko.»

«Giovane per essere Investigatore giudiziario, dico bene?»

«No. Yevgeny mi diceva di questo spumante... È in vini che lei commercia?»

«No, in pellicce» rispose l'americano.

Sarebbe stato più facile dire che Osborne era una collezione di oggetti costosi – anello, orologio, denti – piuttosto che un uomo. Definizione corretta, da un punto di vista marxista, senonché bisognava tener conto anche d'una qualità che Arkady non s'era aspettato: un'enorme energia tenuta a freno. Era chiaramente un uomo di potere. E lui si era mostrato finora troppo inquisitorio. Doveva cambiare registro.

«Ho sempre desiderato un cappello di pelliccia» disse. «E di incontrare americani. Mi risulta che sono come noi: di gran cuore e molto aperti. Mi piacerebbe visitare New York... l'Empire State Building... Che bella vita, girare il mondo come lei.»

«Tranne Harlem.»

«Chiedo scusa.» Arkady si alzò. «Lei conoscerà certo persone importanti, qui, con le quali vorrà parlare... ma è troppo educato per mandarmi via.»

Fumando, Osborne lo guardò senza scomporsi, finché Arkady non accennò ad andarsene.

«La prego di restare» disse Osborne, rapidamente. «Di solito non mi capita di incontrare Investigatori. Vorrei approfittare dell'occasione, per farle domande sul suo lavoro.»

«Allora resto volentieri.» Arkady tornò a sedersi.

131

«Ma, da quello che leggo su New York, i miei racconti le sembreranno noiosi. Liti in famiglia, uligani... Sì, anche qualche omicidio... ma perlopiù commessi in un impeto di collera o tra i fumi dell'alcol.» Si strinse nelle spalle, quasi con l'aria di scusarsi, e sorseggiò lo spumante. «Molto dolce. Dovreste importarlo, davvero.»

Osborne gliene versò dell'altro. «Mi parli di lei.»

«Potrei parlare per ore» disse Arkady, con zelo, e bevve d'un sorso. «Magnifici genitori, e anche magnifici nonni. A scuola, gli insegnanti più in gamba e i compagni più solerti. Ora, i miei colleghi di lavoro.... ciascuno di loro meriterebbe un libro intero.»

«Non...» Osborne tolse il bocchino dalle labbra. «Non parla mai dei suoi insuccessi?»

«Personalmente» disse Arkady «non ne ho mai avuti.»

Si tolse l'asciugamani che aveva intorno al collo e lo lasciò cadere sopra quello con cui Osborne si era frizionato i capelli. L'americano gli guardò il livido.

«Un incidente» disse Arkady. «Ho provato con impacchi e pomate, ma non c'è niente di meglio d'un bagno solforoso, contro queste congestioni. I medici prescrivono nuove ricette, ma i vecchi rimedi sono i migliori. Infatti la criminologia socialista è un campo in cui le maggiori innovazioni...»

«A proposito» l'interruppe Osborne «qual è stato il più interessante dei suoi casi?»

«Mah, l'ultimo... il delitto di Gorky Park. Posso?» E sfilò una sigaretta dal pacchetto di Osborne poi si servì del suo accendino, ammirandone i lapislazzuli. I migliori provengono dalla Siberia. Non ne aveva mai visti di così belli. «I giornali non ne hanno parlato...» Diede una boccata. «Ma, lo so, sono circolate delle voci. Specialmente...» Agitò un dito, come un maestro che ammonisce lo scolaretto birichino. «Specialmente fra gli stranieri, eh?»

Impossibile dire l'effetto sortito. Osborne rimase imperturbabile.

«No, no, non ne avevo sentito parlare» disse infine, quando il silenzio divenne troppo lungo.

Tornò Yevgeny Mendel, e disse che non era arrivata nessuna telefonata. Arkady si alza, immediatamente, scusandosi perché si era trattenuto più del giusto e ringraziando per l'ospitalità e lo champagne. Raccolse un asciugamani – quello di Osborne – e se l'avvolse intorno al collo.

Osborne lo guardò con distacco ma, poi, quando fu accanto al paravento, gli chiese: «Chi è il suo superiore? L'Investigatore-capo?».

«Sono io.» E Arkady gli lanciò un ultimo, incoraggiante sorriso.

Si allontanò, camminando lungo il bordo della piscina. Si sentiva esausto.

Iamskoy lo raggiunse. «Dunque, erano amici, suo padre e quello di Mendel, eh?» disse. «Non si preoccupi troppo, quanto a quella faccenda del vronskismo. Lei ha il mio appoggio incondizionato: porti pure avanti l'inchiesta, come soltanto lei è capace.»

Arkady si rivestì e uscì dai bagni turchi. La pioggia era cessata, c'era nebbia. Si recò in via Petrovka. Nel laboratorio di medicina legale del Colonnello Lyudin: a consegnare l'asciugamani di Osborne.

«L'hanno cercata ripetutamente, i suoi ragazzi» gli disse Lyudin, prima di portare l'asciugamani ad analizzare.

Arkady allora telefonò all'albergo Ukraina. Gli rispose Pasha e, tutto fiero, gli disse che lui e Fet stavano intercettando le telefonate di Golodkin, il borsaro nero, e avevano sentito un tale dargli appuntamento proprio al Gorky Park. Secondo Pasha, questo tale era americano o estone.

«Americano o estone?»

«Cioè parla russo molto bene, ma con un certo accento.»

133

«Si tratta comunque di violazione dell'intimità, Pasha: articolo 12 e articolo 34.»

«Dopo tutti quei nastri...»

«Quelle intercettazioni le ha effettuate il KGB.» Un silenzio avvilito all'altro capo. Poi Arkady disse: «Va bene».

«Non sono un teorico come te, io» disse Pasha. «Ci vuole un genio per sapere cos'è ch'è contrario alla legge.»

«D'accordo. Chi c'è andato, tu o Fet, all'appuntamento fra Golodkin e quel tale?»

«Fet.»

«E s'è portato una macchina fotografica?»

«È per trovarla che ha perso tempo e... Insomma, è arrivato là in ritardo. Ha girato tutto il parco, ma dei due... neanche l'ombra.»

«Va bene. Se non altro dal tuo nastro si potrà...»

«Quale nastro?»

«Ma Pasha! Hai infranto la legge, intercettando le telefonate di Golodkin, e non le hai neanche registrate?»

«Veramente... no.»

Arkady riagganciò.

Il Colonnello Lyudin fece uno schiocco con la lingua. «Guardi qua. Ho trovato dieci capelli, in quell'asciugamani. Ne ho esaminato uno al microscopio, per confrontarlo con uno di quelli reperiti nel cappello recuperato da lei. Quello del cappello è grigio-bianco a sezione ovoidale, cioè ricciuto. Quello dell'asciugamani ha un colore più sul cromo, a sezione rotonda, indicante capelli lisci. Farò poi un'analisi proteica, ma fin d'ora posso dirle che non sono capelli della stessa persona. Guardi lei stesso.»

Arkady guardò al microscopio. John Osborne non era dunque l'uomo che gli aveva detto "figlio di puttana".

«Ottima spugna» disse Lyudin, palpeggiando l'asciugamani. «Lo rivuole?»

Vodka e codeina cominciavano a fargli effetto, così Arkady andò allo spaccio interno per bere un caffè. Seduto a un tavolo, represse la voglia di mettersi a sghignazzare da solo. Che agenti investigativi! Perdono tempo prezioso per cercare una macchina fotografica, mentre un misterioso individuo (estone o americano) gira inosservato per Gorky Park. E lui? Lui ruba un asciugamano che scagiona il suo unico indiziato. Sarebbe andato a casa, se avesse avuto una casa.

«Investigatore-capo Renko?» Un agente era venuto ad avvertirlo. «C'è una chiamata per lei... in sala telescriventi... dalla Siberia.»

«Di già?»

Al telefono c'era un agente, a nome Yakutsky, che chiamava da Ust-Kut, quattromila chilometri a est di Mosca. In seguito al fonogramma, Yakutsky riferiva che certa Valerya Semionovna Davidova, 19 anni, residente a Ust-Kut, era ricercata per furto ai danni dello Stato. Pure ricercato, per lo stesso reato, era il suo convivente Konstantin Ilych Borodin.

Arkady cercò con lo sguardo una carta geografica: dove diavolo era, esattamente, Ust-Kut?

Borodin – proseguì l'agente Yakutsky – era un uligano della peggior risma. Un bracconiere, dedito al contrabbando di pellicce e, anche, al mercato nero di radioline. Sospetto, inoltre, di essere un cercatore abusivo d'oro. Di recente, in seguito a un furto di pneumatici e altre parti di camion (i camion eran quelli adibiti alla costruzione della nuova ferrovia Baikal-Amur) la Polizia era andata per arrestarlo, assieme alla sua ragazza, ma i due erano scomparsi. Secondo Yakutsky: o nascosti in qualche capanna sperduta nella taiga, oppure a Mosca, oppure morti.

Ust-Kut. Arkady scosse la testa. Nessuno arriva a Mosca da Ust-Kut, dovunque Ust-Kut si trovi. Ma non voleva offendere Yakutsky. Siamo un'unica repubblica, pensò. Yakutsky: così si chiamano, uno sì uno no, tutti gli abitanti di Yakut, in Siberia. Arkady si raffigurò una faccia astuta, da orientale...

«Dove e quando sono stati visti l'ultima volta?» domandò.

«A Irkutsk, in ottobre.»

«Si occupavano forse anche di icone? Restauro di icone...?»

«Quelli di qui sono tutti bravi a intagliare il legno.»

Il nesso si faceva sempre più vago. «E va bene» tagliò corto Arkady «mandatemi tutte le foto e le informazioni che avete.»

«Spero si tratti di loro.»

«Vedremo.»

«Konstantin Borodin è Kostia il Bandito...»

«Mai sentito nominare.»

«Qui in Siberia è famoso...»

L'omicida Tsypin, rinchiuso al Lefortovo, ricevette in cella una visita di Arkady. Era senza camicia: i tatuaggi da urka gli coprivano il petto e le braccia. I pantaloni erano privi di cintura.

«Mi hanno tolto anche i lacci delle scarpe. Ma chi mai s'è impiccato con i lacci delle scarpe? Beh, mi hanno fottuto di nuovo. Ieri lei è venuto da me... E subito dopo è successo il fattaccio. Due tipi hanno cercato di rapinarmi...»

«Mentre vendevi benzina abusivamente, eh?»

«Appunto. Ho reagito e... che potevo fare? A uno gli ho dato una botta in testa con la chiave inglese, e l'ho accoppato. L'altro è scappato e ecco subito che arriva una macchina della Polizia, e mi trovano lì, con la chiave inglese in mano e il morto per terra. Mamma mia! È finita, stavolta, per il povero Tsypin!»

«Quindici anni.»

«Se mi va bene.» Tsypin tornò a sedersi sullo sgabello. Nella cella c'erano anche un tavolaccio, a calatoia, e un lavabo con una brocca d'acqua. Sulla porta,

136

due sportelli: uno per passare il cibo, l'altro uno spioncino.

«Non posso far niente per te» disse Arkady.

«Lo so, non ho avuto fortuna stavolta. Capita a tutti, prima o poi, che ti va storta.» Tsypin sospirò. Poi, rischiarandosi: «Io l'ho aiutata, Investigatore, come e quando ho potuto. Non l'ho mai delusa perché, fra di noi, c'è sempre stato un rispetto reciproco, vero?».

«Ti ho sempre pagato.» Poi, quasi a mitigare quelle parole, gli offrì una sigaretta e gliel'accese.

«Lo sa che cosa voglio dire.»

«Non ti posso aiutare, lo sai. Omicidio aggravato.»

«Non parlavo per me. Se lo ricorda, Swann?»

Sì e no. Arkady ricordò uno strano tipo che aveva assistito a un paio di incontri, fra lui e Tsypin, restando in secondo piano. Però disse: «Sì, certo».

«Siamo stati sempre insieme, anche in prigionia. Io ero quello che pensava a fare i soldi. Adesso, Swann se la passerà male. Eppoi, io, voglio dire, ce n'ho abbastanza di guai per la testa, non posso angustiarmi anche per lui. Lei ha bisogno di un informatore, no? Swann ha il telefono, persino un'automobile... l'ideale per lei. Che ne dice? Lo metta almeno alla prova.»

Quando Arkady uscì dal carcere, quello Swann stava aspettandolo sotto un lampione. Il giubbotto di renna dava risalto alla gracilità delle spalle e alla magrezza del collo. Aveva i capelli a spazzola. In prigionia, un ladro di mestiere si sceglie un detenuto da strapazzo, se lo porta a letto, e via. Lui ci fa la figura da montone, e l'altro, quello che viene messo sotto – e che è chiamato la capra – passa per finocchio. Invece, Tsypin e Swann erano una vera coppia d'amanti: una rarità. Nessuno dava della "capra" a Swann, davanti a Tsypin.

«Il tuo amico m'ha detto che potresti lavorare per me» gli disse Arkady.

«Io ci sto.» Swann aveva un nonsoché di delicato, e ciò risaltava di più per il fatto che non era per niente bello, e neppure passabile. Aveva un'aria logora, come di statuina sbreccata. Difficile indovinargli l'età. Né la voce, sommessa, offriva indizi al riguardo.

«Non c'è molto da guadagnare però» disse Arkady. «Quindici rubli, diciamo, se la soffiata è buona.»

«Magari, potrebbe fare qualcosa per lui, invece di pagare me» disse Swann, accennando verso il carcere.

«Dove lo manderanno, potrà al massimo ricevere un pacco-dono all'anno.»

«Quindici pacchi-dono» mormorò Swann, come se già pensasse cosa metterci dentro.

A meno che non lo facciano fuori addirittura, pensò Arkady, alludendo a Tsypin. Beh, l'amore non è una violetta che sboccia e appassisce. L'amore è un'erbaccia che cresce anche al buio. L'ha spiegato mai nessuno?

VIII

Benché all'avanguardia del mondo verso il secolo ventunesimo, Mosca conserva l'abitudine vittoriana di viaggiare su rotaie. Dalla stazione Kievsky, nei pressi del ghetto straniero e dell'abitazione di Brezhnev, si parte per l'Ukraina. La stazione Bielorussia, a due passi dal Cremlino, è dove Stalin salì sul treno dello Zar per recarsi a Potsdam e, poi, donde Khrushchev e Brezhnev erano soliti partire, a bordo di treni speciali, per visite ai Paesi satelliti o per lanciare la distensione. Dalla stazione Rizhsky si parte per gli Stati baltici. La stazione Kursky fa pensare alle vacanze sul Mar Nero. Dalle piccole stazioni Savelovsky e Paveletsky non parte nessuno degno di nota: solo orde di contadini polverosi come patate. Assai più imponenti le stazioni Leningrad, Yaroslavl e Kazan, i tre giganti di piazza Komsomol. La Kazan è la più strana, con la sua torre tartara; e di qui si può arrivare fino ai deserti afgani, fino agli Urali, oppure attraversare due continenti fino alle gelide sponde dell'Artico.

Quella mattina, alle sei, intere famiglie turcomanne giacevano sulle panchine, alla stazione Kazan. Bambini con zucchetto di feltro accovacciati in morbidi fagotti; soldati appoggiati stancamente contro il muro, sotto i mosaici del soffitto che sembravano l'eroica raffigurazione dei loro sogni; statue e borchie di bronzo rilucenti...

C'era un unico chiosco di bibite già aperto e, lì, Pasha Pavlovich stava parlando con una ragazza in pelliccetta di coniglio.

Poi Pasha tornò da Arkady e gli riferì: «Quella dice che Golodkin una volta la sfruttava, ma ora non più. Dice che adesso lui bazzica il mercato delle auto usate».

Un giovane soldato si accostò alla ragazza. Lei gli sorrise, col viso imbellettato pesantemente, e lui lesse il prezzo segnato col gesso sulla scarpa di lei. Poi si allontanarono, tenendosi per mano.

Arkady e Pasha sbucarono sulla piazza Komsomol, sbadigliando. Era ancora buio e la piazza era quasi deserta.

La ragazza e il soldato salirono su un taxi.

«Cinque rubli.»

Arkady e Pasha guardarono il taxi mettersi in moto. Si sarebbe fermato in uno dei vicoli adiacenti, l'autista sarebbe sceso per mettersi di guardia mentre i due scopavano in macchina. Dei cinque rubli, il taxista ne avrebbe intascato la metà, e magari avrebbe venduto una bottiglia di vodka al soldato. La vodka costava assai più della ragazza. Questa sarebbe ritornata alla stazione, sarebbe andata a darsi una lavata ai gabinetti – surriscaldati e maleodoranti – per poi ricominciare da capo. Per definizione, le prostitute non esistevano, poiché la prostituzione era stata eliminata dalla Rivoluzione. Potevano essere accusate di atti osceni, di diffusione di malattie veneree, di vita improduttiva, ma non di meretricio: per legge non c'erano puttane.

«Niente, neanche là» riferì Pasha di ritorno dalla stazione Yaroslavl, dove aveva sentito altre ragazze.

«Andiamo.» Arkady gettò il cappotto sul sedile posteriore, poi si mise al volante. Niente gelo, e il sole non era ancora spuntato. Il cielo cominciava appena a schiarirsi, sopra le insegne al neon delle stazioni. Il traffico andava intensificandosi. A Leningrado faceva ancora buio, a quell'ora. Certa gente preferisce Leningrado, i suoi canali e le sue reminiscenze letterarie. Arkady la trovava troppo cupa. Lui preferiva Mosca: era più aperta.

Si diresse a sud, verso il fiume. «Non ricordi nient'altro, riguardo al misterioso individuo che diede appuntamento a Golodkin nel parco?»

«Se ci fossi andato io, al posto di Fet!» borbottò Pasha. «Fet non troverebbe le palle in un toro.»

Stavano all'erta, casomai incrociassero una Toyota. Golodkin viaggiava in Toyota. Di là dal fiume, presso i bagni Rzhesky, si fermarono a prendere un caffè. C'era un giornale aperto sul bancone.

Pasha lesse ad alta voce: «Nell'imminenza del Primo Maggio, i calciatori...».

«Giurano di segnare più gol?» suggerì Arkady.

Pasha annuì. Poi: «Tu giocavi a calcio? Non lo sapevo».

«Portiere.»

«Ahà. Questo aiuta a spiegarti.»

Una folla si stava radunando in prossimità dei bagni. Molti avevano cartelli attaccati al cappotto. Una donna dall'aria vedovile: "Tre camere con bagno". Una sposina decisa a sfuggire ai suoceri: "Cambiasi quadricamere con due bicamere". Un ferrivecchi, semplicemente: "Letto".

Arkady e Pasha fecero un giro, separatamente, poi si rincontrarono.

«Sessanta rubli per due stanze con bagno, niente male» riferì Pasha.

«Notizie del nostro amico?»

«Senza termosifone, naturalmente. No, Golodkin qui ci capita solo di rado. Fa il sensale, a tempo perso. Si becca un trenta per cento di senseria.»

Il mercato delle auto usate si trovava in periferia. Un lungo viaggio e, oltretutto, a un certo punto Pasha volle fermarsi per comprare un ananas da un carrettino.

«Afrodisiaco cubano» confidò. «Certi amici miei ci sono stati a Cuba. Belle negrette, belle spiagge e cibo genuino.»

«Un paradiso del lavoratore.»

Il mercato delle auto usate era uno spiazzo pieno di Pobeda, Zhiguli, Moskvich e Zaporozhet, alcune decrepite ma altre nuove di zecca. Infatti, il furbo che, dopo tre anni d'attesa, ha ricevuto una piccola Zaporozhet per 3000 rubli, la porta subito a rivendere per 10.000 rubli, denuncia una transazione da 5000 rubli soltanto, versa una commissione del 7 per cento e poi con i 6650 rubli che gli avanzano si compra una Zhiguli usata, ma più spaziosa. Il mercato era un alveare: era previsto che ciascuna ape portasse parte del suo miele. Di api ce n'erano un migliaio, quella mattina. Un quartetto di ufficiali era riunito intorno a una Mercedes. Arkady accarezzò una Moskvich bianca.

«Liscia come una coscia, eh?» disse un georgiano in giubbotto di renna.

«Bella.»

«Già ti sei innamorato, eh? Facci un giretto intorno.»

Arkady obbedì. «Molto bella.»

«Sei uno che se ne intende di macchine» disse il georgiano, portando un dito all'occhio. «Trentamila chilometri, ha fatto. Un altro, gli avrebbe truccato il contachilometri. Ma io no, eh. Un lavaggio a settimana. E i tergicristalli? Guarda!» E li tirò fuori da un involto di carta. «Bellissimi.»

«Praticamente nuovi. Beh, si vede.» Riparandosi da sguardi indiscreti, scrisse su un foglio di carta che gli mostrò furtivamente: 15.000.

Arkady salì a bordo, affondando nel sedile sfondato. Il volante di plastica era rugoso come un vecchio elefante. Accese. Dallo scappamento si alzò un gran fumo nero.

«Ottima.» Scese. Dopotutto, un sedile si può ritappezzare e un motore riparare. È la carrozzeria che conta.

«Te ne intendi, lo sapevo. Affare fatto?»

«Dov'è Golodkin?»

«Golodkin... Golodkin...» Il georgiano si concentrò.

Mai sentito, quel nome... Che cos'era, una persona o un'auto? Allora Arkady gli mostrò il tesserino. Ah, *quel* Golodkin! *Quel* bastardo! «Era qui poco fa, ma se n'è andato.»

«Andato dove?» domandò Arkady.

«Al Melodya. E quando lo vede, gli dica che un onest'uomo come me la commissione la paga allo Stato, mica a farabutti come lui. Anzi, caro compagno, per i funzionari statali, pratichiamo uno sconto.»

Sul Prospekt Kalinin gli edifici più piccoli erano cubi di cemento a cinque piani. I più grandi a venticinque, sempre in cemento e vetro. Di analoghi se ne trovano in qualsiasi città dell'Unione Sovietica, ma i prototipi di Mosca marciano all'avanguardia, verso il futuro. Otto corsie di traffico si dipartivano in ogni direzione, oltre a un sottopassaggio pedonale. Arkady e Pasha attendevano a un caffè all'aperto, dirimpetto al negozio di dischi e strumenti musicali Melodya.

«D'estate, certo, è meglio...» osservò Pasha, rabbrividendo, nell'affrontare una granita al caffè.

Di lì a poco videro arrivare una Toyota rossa sull'altro lato della via, e andarsi a fermare in un vicolo laterale. Quando Feodor Golodkin – in cappotto elegante, colbacco d'astrakan, stivaletti da cowboy – entrò nel negozio, Arkady e Pasha stavano sbucando dal sottopassaggio pedonale.

Dalla vetrina del Melodya videro che Golodkin non si stava dirigendo al piano superiore – reparto musica classica. Pasha rimase presso l'ingresso e Arkady entrò. Attraversò il reparto ballabili gremito di ragazzini e entrò in una saletta retrostante. Vide una mano guantata frugare fra i dischi politici, dietro una scansia. Si accostò. L'uomo aveva capelli biondastri, arruffati secondo la moda, e una faccia paffuta, con una cicatrice accanto alla bocca. Un commesso riscosse dei soldi.

Arkady, portandosi accanto a Golodkin, lesse ad alta

voce la copertina del disco: *Il discorso di Leonid Brezhnev al 24° Congresso del Partito.*

«Smamma» disse Golodkin, dandogli una gomitata. Arkady l'afferrò per il braccio e glielo torse.

Dalla falsa copertina scivolarono in terra tre dischi di contrabbando. *Kiss*, *The Rolling Stones*, *The Pointers Sisters.*

«Uno dei Congressi più interessanti, il 24°» disse Arkady.

Gli occhi di Golodkin avevano palpebre rosse e pesanti. Nonostante i capelli lunghi e il vestito su misura, faceva pensare a un'anguilla che, presa all'amo, si contorce. Arkady lo aveva condotto alla sede di via Novokuznetskaja per due motivi. Perché lì era interamente in mano sua: non occorreva la presenza di un avvocato e neppure informare il Pubblico Ministero dell'arresto, per 48 ore. Eppoi perché, trovandosi a poca distanza da Chuchin, era sottinteso che l'Investigatore-capo addetto ai Casi Speciali se ne lavava le mani, del suo prediletto informatore; e che anzi lo stesso Chuchin era in qualche modo in pericolo.

«Sono rimasto stupito quanto lei, a vedere quei dischi» protestò Golodkin. «Si tratta di un malinteso.»

«Rilassati, Feodor.» Arkady si sedette alla scrivania e accostò un posacenere di latta al prigioniero che gli sedeva dirimpetto. «Fatti una fumata.» Golodkin aprì un pacchetto di Winston e le offrì in giro.

«Io per me preferisco le russe» disse Arkady affabilmente.

«Sai le risate, quando scoprirete che razza di granchio avete preso» disse Golodkin.

Pasha uscì e rientrò di lì a poco con un grosso fascicolo.

«Il mio dossier?» domandò Golodkin. «Bene, risulterà che sono dalla vostra parte. Ho reso innumerevoli servigi.»

«E quei dischi?» chiese Arkady.

«E va bene. Vi dirò tutto. Fanno parte della mia infiltrazione in un giro di intellettuali dissidenti.»

Arkady tamburellò con le dita. Pasha tirò fuori un modulo di denuncia.

«Chiedete informazioni sul mio conto» disse Golodkin. «Vedrete chi sono.»

Pasha lesse: «Cittadino Feodor Golodkin, via Serafimov 2, Mosca, lei è accusato di impedire alle donne di prendere parte ad attività sociali e produttive e di istigazione alla delinquenza».

Perifrasi per: sfruttamento della prostituzione. La pena prevista: quattro anni.

Golodkin si ravviò i capelli che gli piovevano sugli occhi, per meglio guardar brutto. «Assurdo!»

«Aspetta» disse Arkady.

Pasha seguitò a leggere: «È inoltre accusato di intascare provvigioni illegali nella compravendita di auto usate nonché di alloggi, e di commercio abusivo di icone».

«Tutto questo si spiega perfettamente» disse il prigioniero.

Pasha lesse: «È inoltre accusato di condurre vita da parassita».

Stavolta l'anguilla si contorse tutta. La legge contro il parassitismo era stata promulgata, a suo tempo, per colpire gli zingari, poi era stata interpretata in maniera estensiva per includervi dissidenti e ogni sorta di profittatori. La pena prevista era il confino in un gulag più vicino alla Mongolia che a Mosca.

Golodkin scoprì i denti in un ghigno. «Nego ogni cosa.»

«Cittadino Golodkin» gli rammentò Arkady «conosci le pene previste per chi rifiuta di collaborare con la giustizia. Non sei nuovo in questo ambiente.»

«Io ho detto...» S'interruppe, per accendersi una Winston. Guardò il fascicolo che lo riguardava. Solo Chuchin aveva potuto fornirlo. Chuchin dannato! «Ho lavorato per...» S'interruppe di nuovo, nonostante l'espressione invitante di Arkady. Accusare un altro poliziotto era da suicidi. «Quello che ho fatto...»

«Sì?»

«Quello che ho fatto... ma non ammetto di aver fatto niente... casomai l'ho fatto per questo ufficio.»

«Bugiardo!» esclamò Pasha. «Ti prenderei a pugni, guarda un po'.»

«Solo per ingraziarmi i veri profittatori e gli elementi antisovietici» Golodkin teneva duro.

«Mediante omicidi?» A Pasha prudevano le mani.

«Omicidi?» Golodkin sgranò tanto d'occhi.

Pasha fece per saltargli alla gola. Arkady glielo impedì. Il viso di Pasha era paonazzo di collera. Certe volte Arkady era veramente contento di lavorare con lui.

«Non so niente di nessun omicidio» balbettò Golodkin.

«Perché perdere tempo a interrogarlo?» disse Pasha. «Non fa che mentire.»

«Ho diritto di parlare» disse Golodkin, ad Arkady.

«Ha ragione» disse Arkady a Pasha. «Finché parla e dice la verità non lo si può accusare di reticenza. Dunque, cittadino Golodkin...» Avviò il registratore. «Cominciamo con un sincero e dettagliato resoconto sulla tua attività di magnaccia.»

Golodkin disse che, puramente allo scopo di rendere un servigio, sia pure non ufficiale, alle autorità, lui aveva fornito delle donne – da lui presunte maggiorenni – a persone "approvate".

«I nomi» incalzò Pasha. «Chi ha scopato chi, dove, quando e per quanto?» Arkady stava a sentire con mezz'orecchio solo, e intanto leggeva un rapporto da Ust-Kut contenuto nel fascicolo che Golodkin aveva scambiato per il proprio dossier. In confronto ai mediocri reati di Golodkin, quelli di cui trattava il rapporto di Yakutsky erano un romanzo di Dumas.

Konstantin Borodin, detto Kostia il Bandito, aveva

seguito, all'orfanotrofio di Irkutsk, corsi di falegname-
ria. Come apprendista, aveva partecipato a lavori di restauro nel Monastero Znamiensky. Poco dopo, scappato di casa, si era aggregato a nomadi yakutl, cacciatori
abusivi di volpi polari, al Circolo Artico. La Polizia si
era occupata per la prima volta di Kostia quando la
banda di cui lui faceva parte tentò di raggiungere i
campi auriferi di Aldan, sul fiume Lena. Prima dei
vent'anni, era già ricercato per furto di biglietti d'aereo, vandalismo, vendita di materiale radiofonico a
giovani le cui stazioni-radio pirata interferivano con le
trasmissioni regolari, nonché di rapine a mano armata. Era sempre rimasto latitante nella taiga siberiana,
dove neppure gli elicotteri erano mai riusciti a snidar-
lo. L'unica foto recente di Kostia il Bandito era stata
scattata per caso diciotto mesi prima, ed era apparsa
sul giornale "Krasnoye Znamya".

«Se vuole sapere la verità» stava dicendo Golodkin a
Pasha «alle ragazze piace scopare con gli stranieri.
Buoni alberghi, buon cibo, lenzuola pulite... un po' co-
me se andassero all'estero.»

La foto sul giornale era sgranata: vi si vedevano
trenta persone che uscivano da un edificio indistinto.
Sullo sfondo, una faccia dall'espressione sorpresa, con
un cerchietto disegnato intorno: ossuta, d'una bellezza
spavalda. Ci sono ancora banditi, a questo mondo.

Gran parte della Russia è Asia. La lingua russa ha
accolto solo due parole mongole: *taiga* e *tundra*; e queste due parole evocano un mondo di sterminate foreste
o di spogli orizzonti. Neanche gli elicotteri erano riusciti a snidare Kostia? Poteva, un uomo come lui, morire al Gorky Park?

«Sai di qualcuno che vende oro, qui a Mosca?» domandò Arkady a Golodkin. «Magari oro siberiano?»

«Non traffico in oro, io: è troppo pericoloso. C'è un
premio, per gli agenti che confiscano oro: il due per
cento possono tenerselo. No, saresti pazzo a trafficare

con oro. Eppoi, quello che c'è in giro non viene dalla Siberia. Lo portano i marinai, dall'India, da Hong Kong. A Mosca l'oro non ha un gran successo. Quando si dice oro, o diamanti, si pensa agli ebrei di Odessa, ai georgiani, agli armeni. Mica gente di classe. Non penserà mica ch'io me la faccia con quelli là.»

La pelle, i capelli e gli abiti di Golodkin sapevano di tabacco americano, acqua di colonia francese e sudore russo. «In fondo, io rendo un servizio. Sono esperto in icone. Vado in giro per le campagne, per i paesi, a cento, a duecento chilometri da Mosca, e mi do da fare. Soprattutto coi vecchi. Gente che non si sa come fa a sopravvivere, con una pensione che pare una presa in giro. Io gli faccio un favore. Gli rifilo venti rubli, in cambio di un'icona che stava là a raccogliere polvere da cinquant'anni e passa. Magari le mogli, piuttosto morirebbero di fame, che dar via quelle icone... ma con gli uomini si tratta, ci s'intende. Torno a Mosca e le rivendo.»

«Come?» domandò Pasha.

«Ci son certi taxisti, certe guide dell'Intourist che mi raccomandano. Ma posso anche individuarli da solo, per strada, gli acquirenti buoni. Specialmente gli svedesi, o gli americani della California. Parlo inglese, questo è il mio forte. Gli americani pagano qualsiasi cifra. Cinquanta per un'icona di cui non si distingue neanche il davanti dal didietro, mille per una di quelle belle, grandi. Dollari, dico, mica rubli. O dollari o buoni turistici, che vanno bene lo stesso. Quanto costa una buona bottiglia di vodka? Tredici rubli? Ebbene, con quei buoni turistici la pago tre rubli. Quattro bottiglie al prezzo normale di una. Se ho bisogno di uno che mi ripari la televisione, o l'automobile, di uno che mi faccia un favore, che, gli offro dei rubli? I rubli sono per i fessi. Se invece io gli offro qualche bottiglia, a quel meccanico, mi son fatto un amico per la vita. I rubli sono carta, e la vodka invece è danaro sonante.»

«Cerchi forse di corromperci?» chiese Pasha, indignato.

«No, no. Insomma, voglio dire, gli stranieri a cui vendo le icone sono contrabbandieri, e io li segnalo alla Polizia.»

«Le vendi anche a cittadini russi» disse Pasha.

«Ma solo ai dissidenti» protestò Golodkin.

Il rapporto dell'agente Yakutsky diceva anche che, durante la campagna del 1949 contro gli ebrei "cosmopoliti", un rabbino di Minsk, a nome Solomon Davidov, vedovo, fu esiliato a Irkutsk. Questo rabbino aveva un'unica figlia, Valerya Davidova, la quale, alla morte del padre, un anno prima, aveva abbandonato la scuola per andare a lavorare al Centro Pellicce di Irkutsk, in qualità di selezionatrice. Due foto erano accluse. In una si vedeva la ragazza durante una gita: in colbacco, maglione di lana e stivali di feltro, di quelli chiamati *valenki*: occhi luminosi, molto giovane, molto allegra. L'altra era una foto apparsa su "Krasnoye Znamya". La didascalia diceva: "La bella selezionatrice Valerya Davidova mostra una pelliccia di zibellino del valore di mille rubli alla Fiera Internazionale di Irkutsk, fra l'ammirazione dei visitatori stranieri». Era davvero molto bella, anche in quella disadorna uniforme. E, fra i visitatori ammirati, c'era John Osborne.

Arkady tornò a guardare la foto di Kostia Borodin. Vide allora che il bandito contrassegnato dal cerchietto faceva parte di un gruppo al centro del quale c'erano alcuni stranieri. E, fra essi, riconobbe John Osborne.

Intanto, Golodkin stava spiegando perché mai il commercio delle auto usate era in mano ai georgiani.

«Hai sete, Pasha?» domandò Arkady.

«Oh, sì, a furia di ascoltare bugie.»

Lo sguardo di Golodkin si spostò dall'uno all'altro.

«Vieni, s'è fatta ora di pranzo» disse Arkady, mettendosi il fascicolo e il registratore sottobraccio, e avviandosi alla porta.

«E io?» domandò Golodkin.

«Mica sarai tanto scemo da scappare, no?» disse Arkady. «Eppoi dove andresti?»

Lo lasciarono. Un momento dopo, Arkady tornò e, dalla porta, gli lanciò una bottiglia di vodka, che Golodkin afferrò al volo, contro il petto.

«Concentrati su quel delitto, Feodor» gli disse Arkady, incoraggiante, e richiuse la porta. Golodkin fece una faccia sbigottita.

La pioggia aveva eliminato completamente la neve. Presso la stazione del metrò, dirimpetto, alcuni uomini facevano la fila a un chiosco che vendeva birra: "un vero segno della primavera", secondo Pasha. Quindi lui e Arkady comprarono dei panini al prosciutto, prima di mettersi in fila. Si vedeva Golodkin che li stava a guardare da dietro i vetri appannati della finestra.

«Dirà fra sé ch'è troppo furbo, lui, per bere quella vodka» disse Arkady. «Ma poi ci ripenserà e dirà che se lo merita, dopotutto, un sorso. Eppoi, se tu hai la gola secca, figurarsi la sua.»

«Sei una volpe» disse Pasha, leccandosi le labbra.

«Tanto che non vedo l'ora di lasciare questa caccia» disse Arkady.

Tuttavia era eccitato. Dunque: l'americano Osborne aveva conosciuto in Siberia il bandito Kostia e la sua amante. Può darsi che Kostia Borodin fosse venuto a Mosca usufruendo di biglietti d'aereo rubati. Coincidenze notevoli.

Pasha comprò due birre per 44 copechi; e intanto intorno al chiosco si erano radunati altri operai. Quel quartiere, senza grossi edifici, aveva l'aria di una piccola città. Il quartiere Arbat invece era stato sventrato per far posto ai mostruosi palazzi del Prospekt Kalinin. Anche il quartiere Kirov, a est del Cremlino, avrebbe subito la stessa sorte. Lì, invece, sulla via Novokuznetskaya e stradine adiacenti c'erano ancora bottegucce antiquate; e, lì, la primavera arrivava prima che altrove. Gli uomini, con in mano i boccali di birra, si salutavano a vicenda, come se durante l'inverno tutti fossero invisibili. Arkady si disse che un tipo come Golodkin era davvero un'anomalia, un'aberrazione.

Dopo lo spuntino, Pasha andò al Ministero degli Esteri per attingere informazioni sull'americano Osborne e sul tedesco Unmann; poi al Ministero del Commercio per procurarsi fotografie del Centro Pellicce di Irkutsk. Arkady tornò da Golodkin, per continuare l'interrogatorio.

«Non è un segreto per lei che io... Insomma, lei sa certamente che ho preso parte a interrogatori, per così dire, standomene dall'altra parte della barricata. Penso quindi che possiamo parlare francamente, lei e io. Le assicuro che, come testimonio, le sarò utilissimo, come lo sono stato per... per altri. Dunque, riguardo a quelle faccende di cui abbiamo parlato stamani...»

«Piccolezze, Feodor» disse Arkady.

Il viso di Golodkin si colorì di speranza. La bottiglia di vodka era già mezzo vuota.

«Certe volte le condanne sembrano sproporzionate ai reati» soggiunse Arkady «specialmente nel caso di cittadini che, come te diciamo, hanno speciali benemerenze.»

«Possiamo metterci d'accordo, ora che siamo a quattr'occhi» disse Golodkin. Arkady infilò una bobina nuova nel registratore, offrì una sigaretta a Golodkin e se ne accese una anche per sé. Il nastro prese a girare.

«Ti dirò alcune cose ora, Feodor, e ti mostrerò delle foto. Poi ti rivolgerò delle domande. Ti sembrerà ridicolo, magari, ma voglio che tu abbia pazienza e che rifletta bene. È chiaro?»

«Attacchi pure!»

«Grazie» disse Arkady. Gli faceva l'effetto di trovarsi su un alto trampolino: sempre così, quando doveva tirare a indovinare. «È assodato, Feodor, che tu vendi icone ai turisti, spesso americani. Abbiamo le prove che hai tentato di venderne a un certo John Osborne. Ti mettesti in contatto con lui l'anno scorso e, di nuovo, alcuni giorni fa per telefono. L'affare andò a monte quando Osborne decise di comprare da un altro fornitore. Tu sei un commerciante, a modo tuo, e ti sarà già capitato altre volte che un affare vada a monte. Allora dimmi: perché stavolta, invece, ti sei tanto arrabbiato?»

Golodkin fece finta di nulla.

«Quei morti di Gorky Park. Non dirmi, Feodor, che non ne hai sentito neanche parlare.»

«Morti?» Golodkin sembrò proprio cadere dalle nuvole.

«Per essere più esatti: un certo Kostia Borodin e una ragazza a nome Valerya Davidova, entrambi siberiani.»

«Mai sentiti nominare» rispose Golodkin, pronto.

«Non sotto quei nomi, no, certo. Fatto sta che ti hanno soffiato un affare, quei due, e sei stato visto litigare con loro e... pochi giorni dopo, quei due sono stati uccisi.»

«Che posso dirvi?» Golodkin scrollò le spalle. «È ridicolo... l'ha detto lei stesso. Diceva di avere delle foto?»

«Grazie per avermelo ricordato. Sì, foto delle due vittime.» E Arkady gli mostrò le foto di Borodin e della Davidova.

Lo sguardo di Golodkin passò dalla ragazza a Osborne nella prima foto, da Osborne nella seconda foto al bandito contrassegnato da un cerchio, poi su Arkady, poi di nuovo sulle foto.

«Cominci ora a renderti conto, eh, Feodor? Due persone arrivano dalla Siberia e, qui a Mosca, vivono clandestinamente per un paio di mesi. Non hanno certo tanto tempo per farsi dei nemici, tranne che per motivi di concorrenza. Alla fine vengono uccisi da un sadico, da un parassita sociale. Vedi, sto descrivendo una mosca bianca: un capitalista, diciamo. Io ho te, in mano.

E mi torni molto utile. Un Investigatore in questi casi ha fretta di chiudere il caso, sottoposto a pressioni com'è perché trovi un colpevole. Un altro, al mio posto, non chiederebbe altro. Tu sei stato visto litigare con loro. Quindi, li hai ammazzati tu. Il ragionamento non fa una grinza.»

Golodkin fissò Arkady. L'anguilla presa all'amo. Arkady sentì che quella era la sua unica speranza, prima che l'amo venisse sputato.

«Se li hai uccisi tu, Feodor, verrai condannato a morte per omicidio a scopo di lucro. Se dichiari il falso, ti becchi dieci anni. Se poco poco ho il sospetto che mi racconti bugie, ti mando sotto processo per quelle piccolezze di cui si parlava stamani. E non conteranno niente le tue benemerenze, in prigionia. Gli altri detenuti non amano gli informatori della Polizia, specie quando non sono più protetti. Fatto sta che non puoi permetterti il lusso di andare in prigione. Ti segano la gola, tempo un mese, e lo sai.»

Golodkin strinse le labbra. L'amo ormai era bell'e inghiottito, e non l'avrebbe più potuto sputare. Si era fatto pallidissimo, il coraggio della vodka era sparito.

«Sono io la tua unica speranza, Feodor. Non ti resta che dirmi tutto su Osborne e sui due siberiani.»

«Magari fossi sbronzo!» E Golodkin si accasciò in avanti, con la testa sul tavolo.

«Racconta, Feodor.»

Golodkin perse un po' di tempo a giurare la propria innocenza, poi attaccò il racconto, con la testa fra le mani.

«C'è un tedesco, un certo Unmann, al quale una volta procuravo ragazze. Questo Unmann un giorno mi fa: conosco un tale, un amico mio, che le icone le paga molto bene. Si va insieme a una festa e là Unmann mi presenta l'amico americano, appunto Osborne.

«Osborne non voleva icone, veramente. Quello che voleva era uno scrigno sacro... un cofanetto... o una

153

cassapanca da sacrestia, istoriata. Per un cofano grande, in buono stato, era pronto a sganciare duemila dollari.

«Perdo tutta l'estate alla ricerca di un cofano... e alla fine ne trovo uno bellissimo. Osborne torna qui a Mosca a dicembre, come aveva promesso. Gli telefono per dargli la buona notizia, e quello mi dice che la cosa non gl'interessa più. Ma come! Allora vado di volata al Rossya... giusto in tempo per vedere Osborne e Unmann che escono assieme. Li seguo, fino a piazza Sverdlov. Qui s'incontrano con un paio di buzzurri, quelli delle vostro foto. Quando Osborne e Unmann se ne vanno, io mi accosto ai due buzzurri.

«Puzzano tutt'e due di trementina, quindi mangio la foglia facilmente. È chiaro che hanno un cofano da vendere a Osborne e a me il mio mi restava sul groppone. Senza giri di parole gli dico che quell'affare è mio, che ho avuto già delle spese e – quel ch'è giusto è giusto – ora voglio la metà dell'incasso... come provvigione diciamo.

«Lui allora, quello scimmione siberiano, mi mette un braccio intorno al collo, da amicone, e poi mi sento una punta aguzza qui contro il gargarozzo. Dico un pugnale, in piena piazza Sverdlov... un pugnale alla gola. E mi dice che lui non ne sa niente ma, comunque, non mi facessi rivedere più, né da lui né da Osborne, ch'era meglio per me. Da non crederci! In piena piazza Sverdlov. Era metà gennaio... Io ricordo perché era il vecchio Capodanno ortodosso. Tutti sbronzi, io potevo morire svenato e nessuno ci avrebbe fatto caso. Poi il siberiano sbotta a ridere e, assieme alla ragazza, se ne va.»

«Che quei due sono morti ammazzati non lo sapevi?» domandò Arkady.

«No!» Golodkin sollevò la testa. «Non li ho più rivisti. Mi prende per matto?»

«Eppure, hai avuto il coraggio di telefonare a Osborne, non appena hai saputo che era a Mosca di nuovo.»

«Tanto per tastare il terreno. Ce l'ho ancora, quel cofano, in casa. Non lo posso più vendere a nessuno. Non si può farlo uscire di contrabbando, un cofano così. Il mio unico cliente era Osborne. Ci ho provato. Non lo sapevo cosa avesse in mente.»

«Ma ieri ti sei incontrato con Osborne al Gorky Park» buttò là Arkady.

«Non era Osborne, quello. Chi fosse, non lo so. Non mi ha dato nessun nome. Semplicemente un americano che mi ha detto di interessarsi alle icone. Allora pensai che, magari, potevo rifilargli quel cofano. O, sennò, venderne i pannelli separatamente. Ma quello voleva solo far due passi nel parco.»

«Bugiardo» disse Arkady.

«Glielo giuro. Era un vecchio ciccione, che mi ha fatto un sacco di domande cretine. Parlava russo benissimo, ma io sono bravo a riconoscere i forestieri. Quindi camminiamo qua e là nel parco e poi ci fermiamo in uno spiazzo fangoso.»

«Sul lato nord del parco, una radura?»

«Sì, esatto. Comunque, ho pensato che volesse un luogo appartato per chiedermi di procurargli una ragazza... mi spiego?... invece, attacca a parlarmi di uno studente... un borsista straniero... americano... un certo Kirwill... mai sentito nominare. Me lo ricordo il nome perché lo ha ripetuto più volte. Badava a domandare... Mah – gli dico – incontro un sacco di gente. Allora lui mi pianta e se ne va. Così!» E Golodkin schioccò due dita. «Comunque, l'avevo capito subito che non era il tipo che compra le icone, quel vecchio.»

«Perché?»

«Ma perché aveva un'aria da poveraccio. Portava vestiti nostrani, figurarsi.»

«E te l'ha descritto, quel Kirwill?»

«Magro – m'ha detto – coi capelli rossi.»

Tutto andava per il verso di Arkady. Un altro nome americano. Osborne e un borsaro nero. Due apriti-se-

155

samo, non uno. Telefonò subito al Maggiore Pribluda. «Mi occorrono informazioni su un americano a nome Kirwill. Kappa, i, erre, vu doppia, i, elle, elle.»

Pribluda prese tempo prima di rispondere. «Sembra pane per i miei denti» disse, infine.

«Sono assolutamente d'accordo» replicò Arkady.

Uno straniero era sotto inchiesta: come poteva esserci alcun dubbio che l'inchiesta spettasse al KGB?

«No» disse invece Pribluda. «Le darò dell'altra corda. Mandi qui da me l'agente Fet. Gli darò tutto il materiale che abbiamo su Kirwill.»

Naturalmente, Pribluda dava informazioni solo tramite il suo informatore. Questo era scontato, per Arkady. Bene, pensò. Telefonò a Fet, all'Ukraina. Poi per un'ora giocherellò coi fiammiferi su un foglio di carta mentre Golodkin sorseggiava vodka.

Entrò Chuchin e rimase a bocca aperta, vedendo il suo informatore con un altro inquirente. Arkady gli disse, brusco, che, se aveva reclami da fare, si rivolgesse al Procuratore. Chuchin se n'andò con la coda fra le gambe. Su Golodkin ciò fece colpo. Alla fine, ecco Fet con una cartella – e l'aria dell'ospite invitato malvolentieri.

«Se ora ritieni opportuno aggiornarmi...» E si aggiustò gli occhiali montati in acciaio.

«Più tardi. Mettiti seduto.»

Se Pribluda s'aspettava un rapporto da Fet, Arkady glien'avrebbe fatto avere uno ottimo. Golodkin gioì visibilmente, a quel rabbuffo: ormai si stava adeguando alle nuove mansioni. Era tutto per Arkady. Questi esaminò il contenuto della cartella: più di quanto s'aspettasse. Generoso, Pribluda, nel dargli "corda".

C'erano due dossier.

Il primo conteneva i seguenti dati:

PASSAPORTO USA *Nome*: James Mayo Kirwill. *Data di nascita*: 4 agosto 1952.

Altezza: 5'11". [Circa un metro e 70, calcolò Arkady.]
Moglie: XXX. *Figli a carico:* XXX. *Luogo di nascita:* New York, USA.
Occhi: castani. *Capelli:* rossi.
Data del rilascio: 7 maggio 1974.

La foto-tessera acclusa, in bianco e nero, mostrava un giovane magro, dagli occhi incavati, capelli ondulati, naso lungo e bocca sottile. L'espressione sorridente era intensa. La firma, minuta e precisa.

PERMESSO DI SOGGIORNO. *Rilasciato a*: James Mayo Kirwill. *Nazionalità*: USA. *Nato a* New York il 4 agosto 1952. *Professione*: studente di lingue. *Motivo del soggiorno*: studi presso l'Università di Mosca. *Dipendenti al seguito*: nessuno. *È stato altre volte in URSS?* No. *Parenti in URSS*: nessuno. *Indirizzo permanente*: 109 West 78 Street, New York City (USA).

La stessa foto del passaporto appariva sul permesso di soggiorno. La firma, quasi identica. Colpiva la meticolosità della calligrafia.

LIBRETTO UNIVERSITARIO. Università Statale di Mosca. *Iscritto il*: 1° settembre 1977. *Corso di studi*: lingue slave.

I voti, riportati sul libretto, erano tutti alti. I giudizi dei professori erano tutti elogiativi. Ma:

RAPPORTO DEL KOMSOMOL. James Kirwill fa troppa lega con gli studenti russi, dà prova di eccessivo interesse per la politica interna sovietica, assume atteggiamenti antisovietici. Rimproverato dalla cellula universitaria del Komsomol, Kirwill ha ostentato anche atteggiamenti antiamericani. Da una perquisizione effettuata di nascosto nella sua camera risulta che ha con sé opere di

Kafka, di Joyce e di San Tommaso d'Aquino nonché un'edizione della Bibbia in caratteri cirillici.

COMITATO PER LA SICUREZZA DELLO STATO (KGB). Il Kirwill è stato sondato, ripetutamente, da colleghi e giudicato non degno di attenzione da parte di questo Comitato. In seguito, una professoressa, dietro nostra direttiva, ha tentato di entrare in intimità con il Kirwill ma è stata respinta. Analogo tentativo da parte di uno studente è andato ugualmente a vuoto. Si è quindi deciso che il Kirwill non è idoneo a venir utilizzato positivamente e viene incluso nelle liste negative del KGB e del Komsomol. Particolarmente assidui con il Kirwill risultano i seguenti studenti: T. Bondarev, S. Kogan (linguistica) e I. Asanova (giurisprudenza).

MINISTERO DELLA SANITÀ. POLICLINICO DELL'UNIVERSITÀ DI MOSCA. Lo studente James Kirwill ha ricevuto le seguenti cure: antibiotici per una forma gastroenterica durante il quarto mese di permanenza; iniezioni di vitamine C e E in seguito a stato influenzale; verso la fine del secondo anno di permanenza, gli è stato estratto un dente e sostituito con protesi in acciaio.

Lo schema accluso indicava che il dente in questione era il secondo molare sinistro superiore. Non era indicato alcun intervento su alcuna radice.

MINISTERO DELL'INTERNO. James M. Kirwill ha lasciato l'Unione Sovietica il 3 dicembre 1976. Trattandosi di elemento inidoneo come ospite dell'URSS, non gli verrà concesso un visto di rientro.

Quindi – rifletté Arkady – questo Kirwill, studente ascetico e sospetto, non andava zoppo dalla gamba sinistra come – secondo Levin – zoppicava il cosiddetto "Rosso", trovato morto al Gorky Park; né era stato curato da dentisti americani; e non era tornato più in

Russia. D'altro canto, però, aveva la stessa età del "Rosso", la stessa corporatura, lo stesso molare in acciaio, e conosceva Irina Asanova.

Arkady mostrò la foto-tessera a Golodkin. «Riconosci quest'uomo?»

«No.»

«Aveva i capelli rossi. Non se ne vedono molti, a Mosca, di americani coi capelli rossi.»

«Quello lì non l'ho mai visto.»

«E li conosci gli studenti Bondarev e Kogan, dell'Università di Mosca?» Non fece il nome della Asanova, però. Fet stava a orecchie tese.

Golodkin scosse il capo.

Arkady esaminò il secondo dossier.

PASSAPORTO USA. *Nome*: William Patrick Kirwill. *Data di nascita:* 23 maggio 1930. *Altezza*: 5'11". *Moglie*: XXX. *Figli a carico*: XXX. *Luogo di nascita*: New York, USA. *Capelli*: grigi. *Occhi*: azzurri.
Data del rilascio: 23 febbraio 1977.

La foto mostrava un uomo di mezz'età, dai capelli più bianchi che grigi, occhi d'un azzurro forse scuro. Il naso era piccolo, la mascella robusta. Non sorrideva. Spalle larghe e torace, per quel che si poteva vedere dalla foto, muscoloso. Firma compatta e larga.

VISTO TURISTICO. *Rilasciato a*: William P. Kirwill. *Cittadinanza*: USA. *Nato a* New York *il* 23 maggio 1930. *Professione*: pubblicitario. *Motivo del soggiorno*: visita turistica. *Dipendenti al seguito*: nessuno. *È stato altre volte in URSS?* No. *Parenti in URSS*: nessuno. *Indirizzo permanente*: 220 Barrow Street, New York City (USA).
Stessa firma, stessa foto.
Data di ingresso in URSS: 18 aprile 1977.
Data di partenza dall'URSS: 30 aprile 1977.

Si hanno altresì le conferme della PanAmerican Airways e dell'Hotel Metropole.

Arkady mostrò a Golodkin la foto di William Patrick Kirwill. «Questo lo riconosci?»

«Ma sì! è lui! L'uomo che ho incontrato ieri nel parco.»

«Prima hai detto» Arkady riguardò la foto «che era un vecchio ciccione.»

«Beh... bello grosso sì.»

«Com'era vestito?»

«Abiti ordinari, ma nuovi. Di confezione russa. Parla russo benissimo, quindi può averli comprati in un negozio qualsiasi, ma...» Golodkin sogghignò «... chi ci tiene a vestirsi come noi?»

«Come fai a dire che non era russo?»

Golodkin si sporse, da compagno a compagno. «Ci ho fatto su uno studio, a furia di individuare turisti per strada. A caccia di clienti, mi spiego? Ebbene, il russo in genere cammina con il peso... come dire?... sopra la cintura. L'americano, invece, cammina con le gambe.»

«Davvero?» Arkady guardò di nuovo la foto. Non s'intendeva di pubblicità americana, lui: vide un viso che esprimeva forza bruta; quell'uomo del resto aveva condotto Golodkin proprio nella radura dove i tre morti erano stati rinvenuti, e dove Arkady le aveva buscate. Ricordò allora di aver dato un morso a quell'uomo, su un orecchio. «Gli hai visto gli orecchi, Feodor?» domandò.

«Mi sa tanto...» Golodkin rifletté. «Mi sa tanto che non c'è differenza fra orecchi russi e orecchi occidentali.»

Arkady telefonò all'Intourist. Gli dissero che tre sere prima mentre lui veniva espertamente picchiato – il turista William Kirwill aveva un biglietto per il Teatro Bolshoi. Arkady chiese chi fosse la guida turistica cui Kirwill faceva capo. Gli risposero che Kirwill era un turista individuale. L'Intourist non forniva una guida se non a comitive di almeno dieci persone.

Arkady riagganciò. Fet stava sempre a orecchie tese. In quella rientrò Pasha, dal Ministero degli Esteri, e Arkady gli disse: «Ora abbiamo un teste che collega due vittime, direttamente, a un indiziato straniero». Largheggiò in enfasi, perché Fet potesse meglio riferire le sue parole a Pribluda. Poi soggiunse: «Si tratta di icone, in certo qual senso, dopotutto. È insolito, per noi, indagare su qualche straniero sospetto. Ne dovrò discutere con il Magistrato. Il nostro teste potrebbe anche fornirci un nesso con la terza delle vittime. Vedete ragazzi, tutto comincia a coincidere. Il nostro Feodor è un testimone chiave».

«Gliel'ho detto che sono dalla vostra parte» disse Golodkin a Pasha.

Fet non poté trattenersi: «Chi è lo straniero sospetto?».

«Il tedesco» rispose Golodkin, di slancio. «Unmann.»

Arkady riconsegnò la cartella a Fet. Questi partì di volata. Non vedeva l'ora di andare a riferire tutto a Pribluda.

«È vero, di Unmann?» domandò Pasha.

«Siamo lì» disse Arkady. «Vediamo cos'hai.»

Pasha aveva gli itinerari percorsi da Osborne e Unmann negli ultimi sei mesi, in Unione Sovietica.

JOHN D. OSBORNE, *Presidente della Osborne Furs Inc.*
Ingresso: New York-Leningrado 2 gennaio 1976 (Hotel Astoria); Mosca 10 gennaio 1976 (Hotel Rossya); Irkutsk 15 gennaio 1976 (ospite del Centro Pellicce); Mosca 20 gennaio 1976 (Rossya).
Uscita: Mosca-New York 28 gennaio 1976
Ingresso: New York-Leningrado 11 luglio 1976 (Astoria)
Uscita: Mosca-New York 22 luglio 1976
Ingresso: Parigi-Grodno-Leningrado 2 gennaio 1977 (Astoria); Mosca 11 gennaio 1977 (Rossya).

Interessante, pensò Arkady. Grodno è una città sulla linea ferroviaria al confine con la Polonia. Invece dell'aereo, Osborne aveva preferito il treno per arrivare a Leningrado.

Uscita: Mosca-Leningrado-Helsinki 2 febbraio 1977
Ingresso: New York-Mosca 3 aprile 1977 (Rossya)
Uscita prevista: Mosca-Leningrado 30 aprile 1977.

H. UNMANN, *Repubblica Democratica Tedesca*
Ingresso: Berlino-Mosca 5 gennaio 1976
Uscita: Mosca-Berlino 27 giugno 1976
Ingresso: Berlino-Mosca 4 luglio 1976
Uscita: Mosca-Berlino 3 agosto 1976
Ingresso: Berlino-Leningrado 20 dicembre 1976
Uscita: Leningrado-Berlino 3 febbraio 1977
Ingresso: Berlino-Mosca 5 marzo 1977.

Non erano indicati gli spostamenti di Unmann all'interno dell'Unione Sovietica; ma Arkady calcolò che Osborne e Unmann potevano essersi incontrati nei seguenti periodi: per tredici giorni nel gennaio 1976 a Mosca; per undici giorni nel luglio 1976 a Mosca; quindi, nell'inverno appena trascorso, fra il 2 e il 10 gennaio a Leningrado, fra il 10 gennaio e il 1° febbraio a Mosca (all'epoca del triplice omicidio). Il 2 febbraio Osborne era andato in aereo a Helsinki mentre sembrava che Unmann fosse andato a Leningrado. Adesso erano a Mosca, tutt'e due, dal 3 aprile. Tuttavia, nel corso degli ultimi dodici mesi, Osborne aveva chiamato Unmann soltanto da un telefono pubblico.

Pasha aveva rimediato anche una foto del Centro Pellicce di Irkutsk. Si trattava dello stesso edificio che faceva da sfondo alla foto di Kostia Borodin. Arkady non ne fu affatto sorpreso.

«Riaccompagna a casa, in auto, il nostro amico Feodor» disse Arkady, al suo collaboratore. «Lì c'è un cofano antico, istoriato, che porterai all'Ukraina, per metterlo al sicuro. Ecco... portaci pure questi nastri, all'Ukraina.»

E Arkady gli consegnò le bobine con la confessione di Golodkin. Per mettersele in tasca, Pasha tirò fuori il piccolo ananas, cui tanto teneva.

«Avresti dovuto comprartene uno anche tu» disse, ad Arkady.

«Sarebbe sprecato.»

«Se posso esserle utile, compagno Capo...» disse Golodkin, intuendo l'allusione alle proprietà afrodisiache dell'ananas cubano. «Per lei questo e altro» soggiunse, mettendosi cappello e cappotto.

Rimasto solo, Arkady si sentì per tutto il corpo una grande eccitazione. Ce l'aveva fatta. Ormai Pribluda *non* poteva *non* esonerarlo: c'era di mezzo un americano cui il KGB teneva particolarmente.

Si mise il cappotto, uscì, andò al bar dirimpetto e si bevve una vodka. Già era pentito di non essere andato con Pasha. Poi, avrebbero festeggiato insieme con una bevuta. «Alla nostra!» Mica male, come investigatori. Ricordò quell'ananas. Pasha, evidentemente, aveva altri progetti per la serata: di natura erotica. Arkady posò gli occhi sul telefono pubblico. Guarda caso, aveva giusto un gettone in mano. Chissà – si chiese – dove sarà Zoya a quest'ora.

L'indagine sul delitto di Gorky Park era stata una cosa fuori dell'ordinario. Ora, però, si tornava alla normale routine, grazie all'immancabile esonero. Quel telefono... era lì apposta... per lui. Metti che Zoya abbia piantato Schmidt e sia tornata a casa. Lui da diversi giorni era sempre in giro. Difficile, per lei, sarebbe stato rintracciarlo. Perché tenersi alla larga? Se non altro, potevano parlare... Maledicendo la propria debolezza, Arkady formò il numero di casa sua. Il telefono era occupato. Segno quindi che Zoya era tornata.

Sul metrò, tutti stavano rincasando dal lavoro. Anche Arkady; e la cosa gli appariva del tutto normale. Non sentiva più quasi dolore al torace. In testa aveva tante fantasie, piuttosto melodrammatiche. Zoya è pentita, e lui si mostra magnanimo. Zoya è ancora arrabbiata, però lui riesce ad ammansirla. Zoya è solo di passaggio, è venuta per prendere qualcosa, ma lui riesce a convincerla a restare. Queste e altre scene del genere. Ma il finale è sempre lo stesso: loro due a letto. Tuttavia, lui non era eccitato. Quei piccoli melodrammi erano tutti banali. Però era deciso a recitare la sua parte fino in fondo.

Arrivato a casa, salì gli scalini a due a due e bussò alla porta. Nessuno rispose. Aprì con la chiave ed entrò.

Zoya era tornata, poco ma sicuro. La mobilia non c'era più: né sedie né tavoli né tappeti né tende, non c'erano più né libri né scaffali, non c'era più il grammofono né i dischi, non c'erano più neppure i piatti, le posate e nemmeno i bicchieri. Aveva fatto piazza pulita. Nella prima delle due stanze restava solo il frigo, svuotato perfino dei contenitori di ghiaccio, il che rivelava – pensò Arkady – una deludente avidità.

Nell'altra camera restava invece il letto. Arkady ricordò quanto si era penato per montarlo, quel letto antiquato. E ora lei lo aveva lasciato solo con lenzuola e coperte.

Si sentì vuoto e stranamente indolenzito, oltreché offeso, come se gli avessero strappato di dosso dieci anni di vita coniugale. Lei magari avrà visto la cosa in tutt'altra maniera: un taglio netto, per rinascere a vita propria, non più creatura di lui. Si sentiva così infelice con me? si domandò. Ma non aveva alcuna voglia di ricordare.

Il ricevitore era staccato: per questo il telefono risultava occupato. Lo rimise sulla forcella, e si sedette lì accanto.

Cosa gli succedeva? Era odiato da una che un tempo l'aveva amato. Se Zoya era cambiata, doveva per forza essere stato lui la causa. Lui e il suo amore per il lavoro. Perché non si era fatto trasferire presso il Comitato Centrale? Un lavoro di merda, d'accordo. Ma così, perlomeno, avrebbe salvato il matrimonio.

Chi era lui per essere tanto puro? Guarda come ti sei comportato in questo caso: hai fatto congetture, ipotesi azzardate, sei andato a cercare oscuri collegamenti fra borsari neri e siberiani e americani, dei collegamenti magari fasulli... il tutto, non tanto per scoprire gli autori del delitto, non tanto per amor di giustizia... ma solo per scrollarti di dosso quei morti del Gorky Park. Hai fatto le capriole, i salti mortali, hai bluffato, per non sporcarti le mani.

Il telefono squillò. È Zoya, pensò lui. Rispose: «Pronto?».

«Parlo con l'Investigatore-capo Arkady Renko?»

«Sì, sono io.»

«C'è stata una sparatoria, in via Serafimov 2. Un uomo a nome Golodkin è morto. E così pure l'agente Pavlovich.»

C'erano poliziotti per le scale. L'appartamento di Golodkin si trovava al secondo piano. Le due stanze e lo stanzino erano piene di cassette e scatoloni contenenti whisky, sigarette, dischi e scatolame vario. Le cataste arrivavano al soffitto. C'era un divano-letto disfatto. In terra, diversi tappeti orientali, l'uno sopra l'altro. C'era Levin, che stava esaminando Golodkin. Pasha Pavlovich giaceva sopra il mucchio di tappeti. Aveva perduto sangue, ma non molto. La morte doveva essere stata immediata. C'erano due pistole, in terra: l'una accanto a Pasha, l'altra accanto a Golodkin.

Un Commissario di quartiere, che Arkady non aveva mai visto prima, si presentò ed espose la sua ipotesi: «Secondo me, è chiaro che questo Golodkin ha sparato a Pavel Pavlovich alla schiena. L'agente si è voltato e, prima di morire, ha ucciso Golodkin a sua volta. I vicini non hanno udito niente. Ma le pallottole corrispondono alle pistole: la PM d'ordinanza di Pavlovich e la TK di Golodkin. Ma per dirlo con esattezza, occorre aspettare l'esame balistico».

«I vicini... hanno visto uscire qualcuno?» domandò Arkady.

«No, non è uscito nessuno. Si sono uccisi a vicenda.»

Arkady guardò Levin, che distolse lo sguardo.

«L'agente Pavel Pavlovich stava riaccompagnando a casa sua Golodkin, dopo un interrogatorio» disse Arkady. «Avete trovato delle bobine, indosso a Pavlovich?»

«No. L'abbiamo perquisito. Ma non abbiamo trovato nessuna bobina» disse il Commissario di quartiere.

«Avete rimosso niente, dall'appartamento?»

«No, niente.»

Arkady diede un'occhiata in giro, cercando il famoso cofano istoriato. Guardò anche dentro gli armadi, estraendone sci e giacche a vento. Squarciò scatoloni di saponette francesi... E intanto il Commissario di quartiere lo guardava esterrefatto, non tanto per il danno, quanto per lo scempio di quei tesori. Quando Arkady tornò presso il cadavere di Pavlovich, il Commissario ordinò ai suoi uomini di portar via le merci sequestrate.

Golodkin era stato ucciso da un colpo alla tempia. Pasha appariva sereno, con gli occhi chiusi, il bel viso recline sul tappeto multicolore. Sembrava un viaggiatore addormentato su un tappeto volante. Il cofano di Golodkin era scomparso. I nastri erano scomparsi. Golodkin era morto.

Arkady scese in strada. I poliziotti stavano portando giù per le scale tutto quel bendidio – orologi, vestiti, sci, bottiglie di liquore... un ananas... saponette profumate – come formiche al lavoro intorno ai resti di un picnic.

IX

Quasi tutta la Russia è vecchia, plasmata da ghiacciai
che hanno lasciato un paesaggio di basse colline e
fiumi tortuosi come sentieri che sembrano scie di lu-
mache indecise. A nord di Mosca, in aprile, il Lago
d'Argento era ancora una lastra di ghiaccio. Tutte le
dacie estive della zona erano deserte, tranne quella di
Iamskoy.

Arkady andò a bussare alla porta posteriore, dopo
aver parcheggiato la sua auto accanto alla lussuosa
berlina Chaika del magistrato. Questi si affacciò a una
finestra e gli fece segno di aspettare. Dopo cinque minuti buoni comparve sulla soglia. Sembrava proprio
un bojaro d'altri tempi, in ricco soprabito e stivali
guarniti di pelo di lupo. La testa calva gli riluceva. Richiuse la porta dietro di sé.

«È domenica» disse, irritato, avviandosi verso la riva del lago. «Cosa è venuto a fare?»

Arkady lo seguì. «Qui non ha telefono.»

«È lei che non sa il numero.» Si soffermò. «Mi
aspetti qui.»

Si diresse verso un capanno, distante una cinquantina di metri dalla dacia. Il ghiaccio era spesso e opaco
al centro del lago, sottile e traslucido ai bordi. D'estate,
ogni villino aveva i suoi bravi bambini che giocavano
al volano, i suoi ombrelloni multicolori, la sua brava

caraffa di limonata. Iamskoy ritornò, con una trombetta di latta e un secchiello con dentro polpettine di farina di pesce.

«Se non sbaglio» disse «da ragazzo lei veniva da queste parti, a villeggiare.»

«Sì. Ci venimmo un'estate.»

«Certo, suo padre era un pezzo grosso. Dia fiato, qua.» Gli consegnò la trombetta.

«Perché?»

«Soffi e basta.» Era un ordine, quasi.

Arkady portò la trombetta alle labbra e vi soffiò. Ne uscì un suono di corno da caccia, che echeggiò nell'aria immota. Il secondo squillo fu ancora più sonoro e fu rimandato dai salici della sponda opposta.

Iamskoy si riprese la trombetta. «Mi dispiace per quel suo agente... Come si chiamava?»

«Pavel Pavlovich.»

«Mi dispiace anche per lei. Se quel Golodkin era tanto pericoloso, avreste dovuto accompagnarlo in due, e Pavlovich sarebbe ancora vivo. Ho ricevuto un sacco di telefonate, dal Procuratore Generale, dal Capo della Polizia... Loro ce l'hanno il mio numero di qui. Ma non si preoccupi. Io la proteggerò. Se è per questo che è venuto.»

«No.»

«Eh, già, non sarebbe da lei.» Iamskoy sospirò. «Quel Pavlovich era un suo amico, vero? Avevate lavorato insieme altre volte.» Distolse lo sguardo. Guardò il cielo. La foschia all'orizzonte si fondeva con l'argento delle betulle. «Magnifico posto. Dovrebbe venirci d'estate. Ci sono anche degli ottimi negozi, che non c'erano quando lei era ragazzo. L'accompagno io, e potrà comprare quello che vuole. Porti sua moglie.»

«Lo ha ucciso Pribluda.»

«Un momento.» Iamskoy tese l'orecchio. Si udì uno stormire fra gli alberi, poi, oltre le cime, si levarono in volo alcune anatre selvatiche che, appena giunte ad al-

168

ta quota, si disposero in formazione a V. I maschi, bianchi con mascherina nera; le femmine, grigio-brune. Lo stormo di edredoni compì il giro del lago, e tornò indietro.

«Pribluda ha fatto uccidere Pavlovich e Golodkin.»

«E per quale motivo?»

«Perché nel caso di Gorky Park è immischiato un commerciante americano. L'ho conosciuto.»

«Come mai lei incontra degli americani?» Il Procuratore si diede a disseminare sul terreno le polpettine di farina di pesce. Nell'aria si udivano rauchi richiami, e gran battere di ali.

«Da lui mi ci ha condotto lei stesso.» Arkady alzò la voce. «Ai bagni turchi. Lei segue questo caso da vicino, fin dall'inizio, no?»

«Io l'avrei condotta da lui? È un'ipotesi strampalata!» Iamskoy seguitò a disseminare le polpettine, quasi con intento decorativo. «Ho molto rispetto per le sue capacità investigative. E, stia tranquillo, l'aiuterò come e fin dove posso. Ma non vada a pensare che io l'abbia "condotto" da nessuno. No! non voglio neanche sapere il suo nome.» Depose il secchiello, ormai vuoto. «Ssst!»

Le anatre selvatiche discesero, e andarono a posarsi sul lago, a circa trenta metri dalla riva. Lì rimasero a guardare, sospettose, i due uomini, finché questi non arretrarono verso il capanno. Quindi, le più ardite si fecero avanti, con solenne andatura ondeggiante.

«Magnifici uccelli, eh?» disse Iamskoy. «Rari, in questa zona. Di solito svernano intorno a Murmansk. Là ne avevo una vera colonia, durante la guerra.»

Altri edredoni vennero a posarsi, mentre i primi avevano già raggiunto la riva, e torcevano il collo, attenti ai pericoli.

«Lei va a cercare rogne, sempre rogne» disse Iamskoy. «Avrà certamente delle prove schiaccianti, per azzardarsi a sospettare un funzionario del KGB.»

«Due dei tre cadaveri di Gorky Park li abbiamo

identificati almeno provvisoriamente. Secondo Golodkin, stavano trattando un affare con l'americano.»

«Ha la registrazione della testimonianza di Golodkin?»

«No, non più. Le bobine sono state trafugate. Le aveva Pasha Pavlovich. C'era anche un cofano... o scrigno... in casa di Golodkin.»

«Uno scrigno. E dov'è adesso? Nel rapporto del Commissario di quartiere non si fa cenno a nessuno scrigno, o forziere o cofano o roba del genere. Ebbene... tutto qua? E lei accuserebbe un Maggiore del KGB in base a un nastro e a uno scrigno che sono scomparsi, e alla testimonianza di un morto? Quel Golodkin ha mai nominato Pribluda?»

«No.»

«Allora, non capisco di cosa stia parlando. Mi rendo conto, certo, che lei è stravolto per la tragica morte di un collega. Il Maggiore Pribluda le sta, personalmente, antipatico. Ma questa è l'accusa più assurda che io abbia mai sentito formulare... e la meno circostanziata.»

«Quell'americano ha dei legami con il KGB.»

«E con questo? Ne ho anch'io, ne ha anche lei. Tutti respiriamo aria e tutti quanti pisciamo acqua. Lei mi sta soltanto dicendo che quell'americano non è un fesso. Francamente, lo è lei, un po' fesso. Per il suo stesso bene, mi auguro proprio che lei non abbia esternato tali assurdi sospetti a nessun altro. Non ne faccia cenno, la prego, nei rapporti diretti al mio ufficio.»

«Chiedo che mi venga affidata l'indagine sull'assassinio di Pavel Pavlovich, nell'ambito di quella sui delitti di Gorky Park.»

«Mi lasci finire. Un americano come quello cui lei allude ha non solo denaro, ma amici influenti. Molti. Persino più di lei» disse Iamskoy, sornione. «Cosa potevano avere, quei tre di Gorky Park, che valesse un minuto del suo tempo – non diciamo la pena di ammazzarli! Mille rubli... o centomila rubli... a lei possono anche sembrare una somma favolosa... ma non a un uomo come lui. Sesso? Con i soldi che ha, si può togliere le voglie più bizzarre e mettere tutto a tacere. Che altro resta? No, caro mio, non resta niente. Lei dice di avere identificato – provvisoriamente almeno – due dei morti. Russi o stranieri?»

«Russi.»

«Ecco, vede? Niente che riguardi Pribluda o il KGB. Quanto alla morte dell'agente Pavlovich, lui e Golodkin si sono uccisi a vicenda. Così dice il rapporto. E mi pare che il Commissario di quartiere abbia svolto un buon lavoro, senza il suo aiuto. Certo, il rapporto definitivo lo invierà a lei. Ma non voglio che lei interferisca. La conosco. Fin dal principio, voleva che l'inchiesta fosse affidata al Maggiore Pribluda. Ora che pensa – per motivi illogici e personali – che lui sia coinvolto nell'assassinio del suo collaboratore, non vuole più mollare il caso, dico bene? Una volta che ha azzannato, lei non molla più l'osso, eh? Sarò franco: un altro magistrato, al mio posto, la metterebbe in congedo per malattia, subito. Io le offro un compromesso. Lei continua a indagare sul delitto di Gorky Park, ma io d'ora in poi controllerò le indagini più da vicino. Quanto a lei, si riposi un paio di giorni.»

«E se invece mollassi?»

«Come sarebbe?»

«È proprio quello che intendo fare. Mi dimetto. Nomini un altro, al posto mio.»

Ad Arkady quel pensiero e quelle parole erano venuti nello stesso istante, come quando, all'improvviso, ci si rende conto che la trappola in cui si è caduti ha un'altra uscita. Era così ovvio!

«Continuo a dimenticare che lei ha una componente irrazionale.» Iamskoy lo fissava con attenzione. «E tante volte mi domando perché lei disdegni così apertamente il Partito. Eppoi mi chiedo perché ha scelto questo mestiere.»

Arkady fu indotto a sorridere. La situazione era estremamente semplice e, a lui, ne derivava un singolare potere. Metti che, nel bel mezzo dell'*Amleto*, Amleto decida che la trama è troppo complicata, si ribelli alle istruzioni dello Spettro, e esca di scena. Arkady lesse, negli occhi di Iamskoy, lo stupore e la rabbia per una commedia interrotta. Non si era mai fissata così su di lui, in passato, l'attenzione del Procuratore. Tuttavia lui seguitò a sorridere, finché anche le labbra del Magistrato si dischiusero.

«E va bene. Mettiamo che lei molli. Che succede?» disse Iamskoy. «Io la potrei distruggere, ma non sarebbe necessario. Lei perderebbe la tessera del Partito e distruggerebbe se stesso e la sua famiglia. Che lavoro può fare, un ex investigatore? Il guardiano notturno, bene che gli vada. A me, farebbe fare una brutta figura, d'accordo, però io sopravviverei.»

«Anch'io» disse Arkady.

«Ma vediamo che cosa ne sarebbe delle indagini, dopo il suo abbandono» proseguì Iamskoy. «Ovviamente verrebbero affidate a un altro Investigatore. Chuchin, mettiamo. Questo non le seccherebbe?»

Arkady si strinse nelle spalle. «Chuchin non ha esperienza in indagini del genere. Comunque, la cosa riguarda lei.»

«E va bene. Io affido il caso a Chuchin. A lei subentra un cretino, un corrotto, e lei accetta.»

«Non me n'importa più, di quell'indagine, una volta che me ne sono andato. E me ne vado perché...»

«Perché il suo amico è morto. Per amor suo. Altrimenti sarebbe ipocrisia. Era un bravo agente. Uno che si sarebbe frapposto fra lei e una pallottola. Dico bene?»

«Sì» disse Arkady.

«E allora lo faccia, il bel gesto di dimettersi» disse Iamskoy. «D'accordo, Chuchin non è bravo come lei. Anch'io lo penso. Quindi – data la sua scarsa esperien-

za in casi di omicidio e date le pressioni cui sarà sottoposto – che farà, per cavarsela? Incolperà Golodkin del
triplice omicidio di Gorky Park. Tanto, Golodkin è
morto... E l'indagine verrà conclusa nel giro di un paio
di giorni. Come vede, i conti tornano. Ma, conoscendo
Chuchin, non credo che questo gli basterebbe. A lui
piace timbrare tutto col suo marchio, dare un giro in
più di vite... lo conosce, no? Quindi, sarebbe capacissi-
mo di accusare Pavlovich di complicità con Golodkin.
Due ladri che s'ammazzano a vicenda litigando per la
spartizione del bottino. Tanto per farle un dispetto.
Dopotutto, non fosse per lei, Chuchin avrebbe ancora
il suo miglior informatore. Sul serio, più ci penso, e
più mi convinco che farà proprio così. L'esperienza
professionale mi insegna – ed è questo un aspetto affascinante della natura umana – che, dato lo stesso caso,
diversi inquirenti arrivano a diverse soluzioni. Tutte
perfettamente plausibili. Scusi.»

Non c'era via d'uscita, dunque, dalla trappola. Iamskoy andò a riprendere il secchiello vuoto. Anziché volar via, le anatre si allontanarono correndo, per porsi a
rispettosa distanza, e, tubando sconsolate, lanciavano
su entrambi sguardi irritati. Iamskoy tornò al capanno, col secchiello.

«Perché ci tiene tanto che porti avanti io questo caso?» gli domandò Arkady.

«A parte i suoi istrionismi lei è il miglior Investigatore di cui io disponga. È mio dovere farle proseguire
le indagini.» Iamskoy era di nuovo affabile.

«Se l'assassino fosse quell'americano...»

«Mi porti le prove, e stileremo assieme il mandato di
cattura» disse Iamskoy, generosamente.

«Se l'assassino è lui, ho soltanto nove giorni di tempo per scoprirlo. L'americano parte il 30 aprile.»

«Forse lei ha già fatto più progressi di quanto non
creda.»

«Nove giorni. Non lo beccherò mai.»

«Faccia quello che crede opportuno. Lei ha delle grosse capacità e io continuo a nutrire fiducia sull'esito di questa vicenda. Ho fiducia nel sistema, più di quanta ne abbia lei.» Iamskoy aprì la porta del capanno, per riporvi il secchiello. «Abbia fiducia nel nostro sistema.»

Prima che la porta venisse richiusa, Arkady intravide – dentro il capanno – due anatre appese per le zampe. Due edredoni cui era stato tirato il collo. Stavano lì a frollare, se ne sentiva il puzzo. Eppure, quelle anatre selvatiche erano protette; era proibito cacciarle. Chissà perché, si domandò lui, un uomo come il Procuratore Iamskoy corre il rischio di ucciderle. Guardò verso la spiaggia. Le anatre si stavano di nuovo contendendo il mangime distribuito loro dal Magistrato.

Arkady ritornò all'Ukraina. Aveva già cominciato a bere, quando notò una busta ch'era stata infilata sotto la porta. L'aprì. C'era un biglietto (di Levin, ma senza la sua firma) che diceva che Pavlovich e Golodkin erano morti entrambi istantaneamente, in seguito a colpi sparati da non più di mezzo metro di distanza. L'uno colpito alla schiena, l'altro in fronte. I cadaveri erano stati rinvenuti a tre metri di distanza l'uno dall'altro. Come facevano a essersi uccisi a vicenda? Arkady non si stupì che Levin non avesse firmato quel biglietto.

Arkady non era un gran bevitore di vodka. I bevitori ci credono, nella vodka. C'era un detto: "Ci sono soltanto due tipi di vodka: buona e eccellente".

Chi aveva seguito Pasha e Golodkin fin in via Serafimov? Chi aveva bussato alla porta e esibito una tale identità da soddisfare Pasha e impaurire Golodkin? Saranno stati in due, pensò. Un uomo, da solo, non poteva aver fatto tutto in così breve tempo. In tre, avrebbero insospettito Pavlovich. Dopo aver colpito Pasha alla schiena, l'assassino (ma chi?) gli toglie la pistola e se ne serve per uccidere il sempre più terrorizzato Golodkin. Chi... se non il Maggiore Pribluda?

Osborne è un informatore del KGB. Il Maggiore Pribluda intende proteggere Osborne e tenere nascosti i suoi legami con i Servizi Segreti. Può proteggerlo solo rimanendo a distanza. Se Pribluda si fosse accollato le indagini, sarebbe equivalso ad ammettere che c'erano di mezzo degli stranieri. All'Ambasciata americana (covo di spie) si sarebbero insospettiti, e avrebbero cominciato a indagare per conto loro. No: occorreva che l'indagine restasse affidata alla Polizia giudiziaria. E che non approdasse a nulla.

Ci sono varie maniere per non ubriacarsi. Certi fanno affidamento sui sottaceti, altri sui funghi trifolati. Pasha invece diceva che il trucco consiste nel far scendere l'alcol dritto dritto nello stomaco senza respirarne i fumi. Arkady ci provò, ma gli andò di traverso e si mise a tossire.

In certo qual modo, qualcosa univa Pasha e Zoya. Per Arkady, erano due simboli gemelli: il collega ammiratore e la moglie fedele. Ma entrambi l'avevano abbandonato. E Pasha, morendo, per sempre.

La storia marxista è una serie, scientificamente disposta, di battagli ovattati, l'uno che percuote l'altro, messi in moto da un difetto, da una fatale instabilità.

Non era colpa del sistema. Il sistema scusa – anzi presume la stupidità e l'ubriachezza, la pigrizia e l'inganno. La colpa è di chi si pone al di sopra del sistema. In difetto era Arkady, in questo caso.

Sul tavolo di Pasha, i suoi appunti: in bella calligrafia, a volte in stampatello. A volte invece, frettolosi scarabocchi. Quando Pasha cercava di imitare il suo maestro. Ora, Arkady doveva trovare un altro aiutante, per finire di vagliare quei nastri, quei verbali (in tedesco e in polacco). Fet, naturalmente, avrebbe continuato a esaminare quelli in svedese e norvegese – fra una soffiata a Pribluda e l'altra. Restava un bel po' di lavoro, da smaltire... Anche per non approdare a nulla.

Chi aveva richiesto quei nastri e verbali, in primo luogo? Chi aveva, coraggiosamente, minacciato di arrestare un informatore straniero dei Servizi Segreti? Chi aveva – veramente – ucciso Pasha?

Arkady lancia una scatola di nastri contro il muro. Ne lanciò una seconda, sfasciandola. Una terza... Poi cominciò a lanciare le singole bobine gridando: «Abbasso il vronskismo!».

L'unica scatola rimasta indenne era quella ch'era stata portata quel giorno stesso, lì all'Ukraina. C'erano, dentro, bobine recentissime. Arkady ne trovò una, registrata al Rossya, appena due giorni prima. Riguardava John Osborne.

Dopo la sfuriata, Arkady si rimise al lavoro. Ebbene, avrebbe continuato fino in fondo.

Il nastro che mise su per primo cominciava con una "scena" estremamente breve.

Si sentiva bussare a una porta. Si sentiva una porta che s'apriva.

Poi la voce di Osborne che salutava.

«Salve!»

«Dov'è Valerya?»

«Aspetta. Stavo proprio per uscire a far due passi.»

Poi si sentiva la porta richiudersi.

Arkady ascoltò più volte quella breve conversazione. Poiché aveva riconosciuto la voce che diceva "dov'è Valerya". Era la voce di Irina Asanova, la ragazza incontrata alla Mosfilm.

X

Lo striscione era lungo quanto tutto il caseggiato, le lettere alte due metri: L'UNIONE SOVIETICA È LA SPERANZA DEL MONDO INTERO! GLORIA AL PARTITO COMUNISTA DELL'UNIONE SOVIETICA!

Dietro quell'insegna c'erano le Officine Likhachev, dove gli operai facevano a gara per produrre di più in occasione del Primo Maggio – più auto, più trattori, più frigoriferi – picchiando coi martelli, dando alacri martellate, quasi si trattasse di fabbricare a mano macchinari e veicoli – con la fiamma del saldatore che li seguiva, benedicente, a un passo di distanza – sebbene dall'esterno si vedessero solo gli sbuffi di fumo che si alzavano dalle ciminiere, nel cielo del mattino.

Arkady condusse Swann in una bettola dei paraggi e gli mostrò le foto di James Kirwill, Kostia Borodin e Valerya Davidova. C'erano già alcuni ubriachi, a quell'ora, nella bettola. Il maglione nero di Swann faceva sembrare più magro il suo collo. Chissà – si chiese Arkady – quanto camperà, come informatore. Dove c'erano ubriachi, i poliziotti andavano sempre in coppia.

«Deve essere difficile per lei» disse Swann.

«Che cosa?» fece Arkady, sorpreso.

«Essere un uomo sensibile, come lei, voglio dire.»

Arkady si chiese se non fosse una mossa da finocchio. «Vedi un po' se qualcuno le ha mai viste, queste facce» disse, accennando alle tre foto. Gettò alcuni rubli sul tavolo e uscì.

Irina Asanova abitava nei pressi dell'Ippodromo, al pianterreno di un caseggiato ancora in costruzione. Quando comparve sulla soglia, uscendo, Arkady notò quella piccola chiazza azzurrastra – uno screzio – sullo zigomo destro. Avrebbe potuto nasconderla, sotto il trucco. Così, dava uno strano riflesso ai suoi occhi neri. Il cappotto era rattoppato qua e là.

«Dov'è Valerya?» le domandò Arkady.

«Valerya... chi?» Sobbalzò.

«Lei non è il tipo che denuncia alla polizia il furto di un paio di pattini» disse Arkady. «Lei la evita, la polizia. Non avrebbe denunciato quel furto, se non avesse temuto che – dai pattini – risalissero a lei.»

«Di che sono accusata?»

«Di aver mentito. A chi li ha dati, quei pattini?»

«Perdo l'autobus.» Fece per scansarlo.

Arkady la prese per una mano, ch'era morbida e calda. «Chi è Valerya dunque?»

«Ma chi? Ma che? Ma quando? Non so niente, io. E neanche lei.» Si liberò con uno strattone.

Tornando indietro, Arkady passò accanto a un gruppo di ragazze che attendevano l'autobus. In confronto a Irina, eran tutte ordinarie come broccoli.

Arkady raccontò una storia a Yevgeny Mendel, al Ministero del Commercio Estero.

«Qualche anno fa, un turista americano stava visitando il suo piccolo paese natale, a duecento chilometri da Mosca, quando morì d'un colpo. Era d'estate, quindi i paesani decisero di metterlo in frigorifero. Ce n'era uno solo, in tutto il paese. Telefonarono a Mosca e al Ministero degli Esteri gli dissero di non far nulla finché non avessero ricevuto gli appositi moduli, per l'atto di morte dei forestieri. Passa un giorno, passa l'altro... i moduli non si vedono. Passano due settimane, e i paesani cominciano a stufarsi di quel morto nel frigo. Era d'estate, il latte andava a male... Col morto dentro, nel frigo c'entravano poche altre cose. Una sera i paesani si stufano, caricano il morto su un camion e lo portano a Mosca. Lo scaricano nell'atrio del Ministero del Commercio Estero e ripartono. È una storia vera, questa, Yevgeny. Succede un casino del diavolo. Arrivano quelli del KGB e chiamano l'ambasciatore americano. Questo, magari, s'aspettava un colloquio privato con Gromyko invece si trova quel morto fra i piedi. Non lo tocco – fa – senza i moduli appositi. Ma questi moduli non si trovano da nessuna parte. Magari – dice uno – non esistono proprio. Basta questo per scatenare il panico. Nessuno lo voleva quell'americano. Magari – dice un altro – lo facciamo sparire. Lo riportiamo al paese... lo seppelliamo nel Gorky Park... lo assumiamo al Ministero. Alla fine, mandano a chiamare me e un medico. Risulta che gli appositi moduli ce li abbiamo noi alla Procura. Carichiamo il morto nel bagagliaio dell'ambasciatore... E quella fu l'ultima volta che ci capitai, a questo Ministero.»

Yevgeny Mendel, ch'era con Osborne ai bagni turchi e la cui voce ricorreva spesso nei nastri di Osborne, non sapeva niente di James Kirwill né dei morti di Gorky Park: Arkady era sicuro di questo. Mentre gli raccontava quella storia, la faccia di Mendel non diede alcun segno di apprensione o intelligenza.

Alla fine domandò: «Qual era l'apposito modulo?».

«Bastava un normale certificato di morte.»

Eppure Yevgeny Mendel era turbato. Adesso sapeva che Arkady era un Investigatore; un investigatore qualsiasi, venuto su dalla gavetta non gli avrebbe fatto né caldo né freddo; invece, Arkady era figlio di un uomo appartenente alle alte sfere; e uno che proveniva da quei livelli, non poteva essere un semplice investigatore e basta. Mendel – che era il buffone di quell'ambiente – indossava un vestito inglese, aveva una penna d'argento al taschino, accanto al distintivo del Partito, disponeva di un vasto ufficio in Piazza Smolensk, con tre telefoni e – sul tavolo – una statuetta di bronzo raffigurante uno zibellino: emblema della Soyuzpushnina, l'Ente per l'esportazione di pellicce. Dunque, Arkady Renko era un decaduto: dalle alte sfere, nella Polizia investigativa. Chissà perché, quest'idea mise Mendel a disagio; e la faccia gli s'imperlò di sudore.

Arkady, intuendo qualcosa, volle sfruttare quella sua reazione. E prese a parlare della grande amicizia fra i loro padri, lodò le imprese del vecchio Mendel in guerra, ma, al tempo stesso, insinuò che era un vigliacco.

«Ma se fu decorato, per il suo eroismo!» protestò Yevgeny. «Ti faccio vedere i documenti, te li spedisco a casa. A Leningrado, papà era assieme a quell'americano che incontrasti l'altro giorno.. Pensa, che coincidenza! Una volta furono circondati dai tedeschi, dietro le linee nemiche. Papà e Osborne ne uccisero tre e volsero gli altri in fuga.»

«Osborne? Un mercante americano di pellicce all'assedio di Leningrado?»

«Oggi fa il commerciante, ma a quei tempi no. Compra pellicce e le importa in America. Qui le paga 400 dollari l'una, là le rivende a 600. Per certi versi, bisogna ammirarlo, il capitalismo. Comunque Osborne è un grande amico dell'Unione Sovietica, e l'ha dimostrato. Resti fra noi...»

«Sta' tranquillo» disse Arkady, per incoraggiarlo a parlare ancora.

Yevgeny era nervoso. Non vedeva l'ora che l'altro se n'andasse. Ma voleva anche far colpo sul vecchio compagno d'infanzia. Abbassò la voce: «Il mercato americano delle pellicce è in mano ai sionisti».

«Agli ebrei, vuoi dire.»

«Ebrei internazionali. Purtroppo, c'erano degli ele-

180

menti, in mezzo alla Soyuzpushnina, in combutta con quegli ebrei. Mio padre, allora, per spezzare la loro intesa, offrì prezzi vantaggiosi a certi mercanti non-sionisti. I sionisti vennero a saperlo, sganciarono un sacco di soldi e si aggiudicarono l'intera partita di zibellini.»

«Osborne era uno dei non-sionisti?»

«Sì, certo. Fu una decina di anni fa.»

Dalla finestra, si scorgevano neri squarci nel ghiaccio del fiume. Arkady si accese una sigaretta e gettò il fiammifero nel cestino della carta.

«In che modo Osborne dimostrò di essere amico dell'Unione Sovietica, a parte combattere eroicamente al fianco di tuo padre a Leningrado?»

«Non dovrei dirtelo.»

«E dai!»

«Beh...» Mendel seguiva Arkady con un posacenere. «Un paio d'anni fa ci fu un accordo di scambio-merci fra la Soyuzpushnina e gli allevatori americani di animali da pelliccia: visoni contro zibellini. I loro visoni erano stupendi; ma non c'era confronto con gli zibellini russi. Tuttavia, questi avevano un piccolo difetto.»

«Dimmi.»

«Erano castrati. È illegale esportare zibellini fecondi, da noi. Mica potevamo andare contro la legge. Gli allevatori americani si arrabbiarono. E organizzarono un piano per infiltrare un loro uomo in Russia, rubare alcuni zibellini e portarli via di contrabbando. Un vero amico ci informò della cosa.»

«John Osborne.»

«Appunto. Per dimostrargli la nostra gratitudine, destinammo a lui un'equa parte di zibellini, ogni anno, sottraendola ai sionisti. Per servigi resi.»

«L'aereo è in ritardo.»

«In ritardo?»

«Sta andando tutto bene. Ti preoccupi troppo, tu.»

«E tu invece mai?»

«Rilassati, Hans.»

«Non mi piace la faccenda.»

«È un po' troppo tardi per fare il difficile.»

«Tutti sanno che quei nuovi Tupolev...»

«Cadono come le mosche? Per te, solo i tedeschi sanno costruire qualsiasi cosa.»

«Ci mancava proprio un ritardo. Quando arrivi a Leningrado...»

«Ci sono stato altre volte, a Leningrado. Ci sono stato coi tedeschi. Andrà tutto bene.»

Arkady controllò di nuovo la data di quel nastro: 2 febbraio. Osborne stava parlando a Unmann il giorno in cui era partito da Mosca per Leningrado. Arkady ricordò gli spostamenti di Unmann: era partito anche lui per Leningrado lo stesso giorno, ma, evidentemente, non con lo stesso aereo.

«Ci sono stato altre volte a Leningrado. Ci sono stato coi tedeschi. Andrà tutto bene.»

Arkady si chiese come Osborne avesse ucciso quei tre tedeschi a Leningrado.

Si mise quindi ad ascoltare i nuovi nastri di Osborne. E, qui, riconobbe la voce di Yevgeny Mendel.

«John, sarai ospite del nostro Ministero, la vigilia del Primo Maggio, al Bolshoi, per il Lago dei cigni. È molto tradizionale. È importante esserci. Poi ti facciamo accompagnare direttamente all'aeroporto.»

«Un onore, per me. Raccontami di che si tratta.»

C'era stato un cambiamento, dall'inverno alla primavera: l'Osborne invernale era stato maliziosamente divertente, l'Osborne primaverile era un seccatore di prim'ordine. Arkady udì ripetersi monotoni brindisi, e la conversazione era d'una noia interminabile. Eppure, dopo ore di ascolto, avvertì qualcosa di strano: era come se Osborne si nascondesse dietro quei discorsi, fra quelle parole opache: come uno si nasconde fra gli alberi.

Arkady ripensò a Pasha.

Una volta Pasha gli aveva raccontato una barzelletta, mentre andavano in giro alla ricerca di Golodkin: «Un mugiko va a Parigi in viaggio-premio e quando torna a casa gli amici si radunano per festeggiarlo. "Raccontaci tutto, Boris" gli dicono. Boris scuote la testa e dice: "Oh, il Louvre, il Louvre, tutti quei quadri, vaffanculo". "E la Torre Eiffel?" gli domanda un amico. Boris alza una mano più che può e dice: "Vaffanculo!". "E Notre Dame?" domanda un altro amico. Boris scoppia in lacrime al ricordo di tanta bellezza ed esclama: "Vaffanculo!". "Ah Boris" dicono tutti, sospirando, "che gran bei ricordi che hai."»

Arkady si chiese come Pasha avrebbe descritto il paradiso.

Piazza della Rivoluzione era, una volta, Piazza della Resurrezione. Il Metropole un tempo era il Grand Hotel.

Arkady accese le luci. Il copriletto e le tende erano della stessa mussola rossa, logora. Il disegno del tappeto era indecifrabile, tant'era consunto. Il tavolo, il comò e la scrivania erano scheggiati e bruciacchiati dalle cicche.

«Ma... è permesso?» domandò la cameriera in apprensione.

«Sì, è permesso» rispose Arkady e le chiuse la porta in faccia, per restare solo nella stanza del turista americano William Kirwill, all'Albergo Metropole. Si affacciò, guardò la sottostante Piazza della Rivoluzione, i torpedoni dell'Intourist allineati davanti all'albergo. I turisti, divisi in gruppi a seconda della lingua, vi stavano salendo per recarsi all'Opera, o ai balletti. Secondo l'Intourist, Kirwill aveva prenotato per quella sera "Cena tipica e teatro". Arkady entrò nella stanza da bagno: molto pulita, poiché i turisti occidentali ci tengono all'igiene. Prese gli asciugamani, li andò ad avvolgere intorno al telefono, in camera, poi ci mise sopra anche i cuscini.

William Kirwill e James Kirwill dovevano essere parenti. Se James Kirwill era il terzo morto di Gorky Park, e William Kirwill l'avesse identificato, allora il caso sarebbe passato automaticamente a Pribluda. Quindi Arkady avrebbe insistito per condurre lui l'inchiesta sulla morte di Pasha.

Nell'armadio di William Kirwill c'erano tutti indumenti americani, ben diversi dagli abiti russi descritti da Golodkin.

Non c'erano abiti nascosti sotto il letto. Nell'armadio c'era anche una valigia di alluminio e vinil, chiusa a chiave. Arkady la portò sul letto e cercò di forzarla con il temperino. Non ci riuscì. Allora la posò in terra, pestò ripetutamente il tacco della scarpa sulla serratura. Quindi finì di aprirla con il temperino. La rimise sul letto e ne esaminò il contenuto.

C'erano quattro libri: *Breve storia dell'arte russa*, *Guida turistica della Russia*, *Guida alla Galleria Tretyakov* e *Mosca e dintorni* – tenuti insieme da un elastico. Separato, un enorme volume: *L'Unione Sovietica* di Schulthess. Quindi: due stecche di Camel; una macchina fotografica Minolta da 35 millimetri, con impugnatura uso pistola; un teleobiettivo lungo 25 centimetri, filtri fotografici e dieci rullini; assegni da viaggio per 1800 dollari; tre rotoli di carta igienica; un tubo di metallo con tappo zigrinato da un lato e, dall'altro, un pistone scanalato che spingeva su un coltello dalla lama a rasoio, da pittore; calzini sporchi appallottolati; una scatoletta chiusa con grossi elastici, nella quale c'erano una penna e una matita d'oro; un blocco di carta da disegno; una sacca di plastica contenente un apriscatole, un apribottiglie, un cavatappi e una barra di metallo, piatta, piegata ad angolo retto da una parte e con un becco dall'altra estremità e una vite che s'inseriva sopra il becco; un blocchetto di buoni-pasto Intourist. E niente abiti russi.

Arkady perquisì i vestiti appesi nell'armadio. Solo

roba americana. Guardò dietro e sotto i mobili. Poi tornò alla valigia scassinata. Se l'americano ci teneva tanto ai prodotti russi, poteva andarsene a comprare una nuova, di fibra. Sfogliò le varie guide turistiche. Sollevò il grosso volume con foto a colori dello Schulthess: ben pesante, per uno che viaggia leggero. Al centro, fra due pagine di un servizio sulla sagra dei cavalli ad Alma Ata, trovò un foglio da disegno quadrettato, sul quale era nitidamente disegnata una piantina: alberi, aiole, viali, una radura e, al centro di essa, tre fosse. La scala era molto ridotta ma, a parte questo particolare, era identica alla piantina di Gorky Park eseguita su scala metrico-decimale dalla Polizia. Sempre fra le pagine del libro, trovò una pianta dell'intero parco in scala più grande; nonché il lucido di una radiografia di una gamba destra: un'ombreggiatura segnava una frattura rimarginata dello stinco: la stessa frattura che c'era sul terzo cadavere del parco; infine, uno schema dentario e il lucido di una radiografia dei denti. Da quest'ultima risultava un intervento alla radice dell'incisivo superiore destro.

Arkady guardò, ora, con occhio diverso le altre cose estratte da quella valigia. Il tubo di metallo contenente il coltello da pittore era curioso: cos'aveva intenzione di tagliare, a Mosca, un uomo d'affari? Svitò il cappuccio del tubo e, mediante il pistone all'altra estremità, spinse fuori il coltello, il quale sembrava non essere mai stato usato. Il tubo aveva un leggero odore: di polvere da sparo. Sbirciando dentro il buco, si vedeva la punta aguzza del pistone. Quel tubo era una canna di pistola.

A Mosca, è difficile trovare una pistola, e si fabbricano le armi più incredibili con vario materiale. Fucili ricavati da tubi di scappamento, per esempio. Ora che sapeva quel che stava cercando, Arkady era nel suo elemento: gli spiaceva anzi, di non averci pensato subito.

Per un appassionato di fotografia, quel turista non scattava mai foto. Arkady staccò la macchina fotografica dalla sua impugnatura di legno. C'era una scanalatura, in quel manico, nella quale il tubo si inseriva perfettamente: solo un paio di centimetri ne spuntavano, davanti, e il pistone di dietro. Sul lato sinistro dell'impugnatura c'era il buco d'una vite. Arkady restò un momento in forse. Poi squarciò la sacca di plastica, ne estrasse apriscatole e cavatappi, e prese la barra di metallo di strana foggia che aveva già notato. Il lato maggiore della "L" era lungo dieci centimetri circa, e il minore tre centimetri, il becco all'altra estremità misurava quattro centimetri. Con l'unghia Arkady avvitò la vite nel buco dell'impugnatura, lasciando un certo gioco alla barra. Ebbene, il becco era un grilletto, e l'angolo retto all'altra estremità poggiava saldamente sul pistone della canna, impedendogli di slittare in avanti. Tirò il grilletto: l'angolo retto si sollevò, liberando il pistone. Lo mollò, quindi avvolse due volte un grosso elastico dal davanti dell'impugnatura al didietro del pistone. Munizioni. Negli aeroporti americani si esaminano i bagagli ai raggi X: come nascondere delle munizioni? Arkady aprì l'astuccio della penna e della matita. Erano d'oro, 14 carati, refrattario ai raggi X. Ne svitò i cappucci: c'erano due pallottole calibro 22 nel serbatoio della penna, una terza all'interno della matita. Usando il lungo manico del coltello da pittore, infilò una pallottola dentro la canna e la spinse contro il punto in cui il pistone avrebbe percosso, una volta tirato il grilletto. Ma il rumore? Non aveva quasi udito alcun rumore, quando quell'arma impropria era stata usata contro di lui sul fiume ghiacciato. Doveva esserci un silenziatore. Nascosto in un rullino? Troppo corto. Allora strappò l'involucro d'un rotolo di carta igienica. Poi gli altri due. Nel terzo, invece del cilindro di cartone, ce n'era uno di plastica nera, con sfiatatoi e una guarnizione zigrinata.

Insomma: un'arma da fuoco fatta in casa, a un solo colpo, imprecisa a cinque metri. A distanza minore, adeguata. Arkady stava inserendo il silenziatore nella canna quando la porta si aprì. Rapido, puntò quell'arma contro William Kirwill.

Kirwill chiuse pian piano la porta dietro di sé, con la schiena. Guardò la valigia sfasciata, il telefono imbavagliato, la pistola. Lo tradivano gli occhi azzurri velocissimi, per il resto aveva l'aspetto di un bruto qualsiasi: faccia colorita dai tratti netti e minuti, corpo di manzo ancora robusto, oltre la quarantina, braccia e gambe grosse. La prima impressione: un soldato, la seconda: un ufficiale. Arkady capì subito che era l'uomo del quale lui aveva incassato i pugni al Gorky Park. Kirwill aveva l'aria stanca, ma all'erta. Sotto l'impermeabile aperto, una camicia sportiva rosa.

«Sono tornato prima del previsto» disse Kirwill, in inglese. «S'è messo a piovere di nuovo.»

Si tolse il cappello a tesa stretta, ne scrollò via l'acqua.

«No: lo getti qua, quel cappello» disse Arkady in russo.

Kirwill si strinse nelle spalle. Il cappello atterrò ai piedi di Arkady. Con una mano, lui vi frugò dentro, sotto la guarnizione.

«Si tolga il cappotto e lo lasci cadere in terra» disse. «Rovesci le tasche.»

Kirwill obbedì: lasciò cadere l'impermeabile in terra, quindi si svuotò le tasche dei calzoni, lasciando cadere la chiave della stanza, alcuni spiccioli e il portafogli sopra l'impermeabile.

«Lo spinga col piede verso di me» ordinò Arkady. «Lentamente, non a calci.»

«È solo, eh?» disse Kirwill. Lo disse in russo, con facilità, mentre spingeva il cappotto col piede. Cinque metri era la portata di quella specie di pistola; un metro era la portata di Kirwill. Arkady fece cenno all'americano di arrestarsi a metà strada, e tirò lui a sé il cappotto. Kirwill aveva le maniche della camicia rimboccate. Sui polsi massicci e lentigginosi gli crescevano peli rossi incanutiti.

«Non se ne vada» ordinò Arkady.

«È camera mia. Perché dovrei andarmene?»

In una tasca del cappotto c'erano il passaporto e il permesso di soggiorno di Kirwill. Nel portafogli, c'erano tre carte di credito plastificate, una patente di guida rilasciata a New York, un foglietto con i numeri dell'Ambasciata e di due agenzie-stampa americane, e inoltre 800 rubli in contanti: una bella somma.

«Non vedo la sua... com'è che la chiamate?... *business card*.» (Arkady alludeva a una specie di biglietto da visita, o "biglietto d'affari".)

«Sono in viaggio di piacere. E mi diverto un mondo.»

«Faccia al muro, mani in alto, gambe larghe» ordinò Arkady.

Kirwill obbedì, lentamente. A spintoni Arkady gli fece assumere la posizione desiderata, ad angolo rispetto alla parete, quindi lo frugò da capo a piedi. L'uomo aveva la corporatura di un orso.

Arkady indietreggiò. «Si giri, e si tolga le scarpe.»

Kirwill si tolse le scarpe, sempre tenendo d'occhio la pistola. «Gliele do o gliele spedisco?» chiese poi.

Incredibile, pensò Arkady. Quest'uomo è pronto ad attaccare un poliziotto russo nella sua stanza al Metropole.

«Si sieda» disse all'americano, indicando una sedia accanto all'armadio.

Capì che Kirwill stava valutando le probabilità di successo d'un attacco. Gli Investigatori della Polizia giudiziaria hanno in dotazione una rivoltella e sono, o dovrebbero essere, addestrati al tiro a segno, Arkady però non si portava mai la sua, e non sparava più dal tempo del servizio di leva. Mirare alla testa o al cuore? Una calibro 22 non avrebbe fermato un bestione come Kirwill, altrimenti.

Alla fine Kirwill sedette. Arkady s'inginocchiò ed esaminò le scarpe. Non vi trovò nulla. Kirwill si sporse in avanti.

«Semplice curiosità» disse, quando Arkady gli puntò l'arma addosso. «Sono un turista e i turisti sono curiosi per definizione.»

«Si rimetta le scarpe, e leghi i lacci fra loro.»

Kirwill obbedì. Dopodiché Arkady si avvicinò e diede un calcio alla sedia, facendola inclinare contro il muro, sicché Kirwill non toccava più i piedi per terra. Allora si sentì al sicuro, per la prima volta da quando quel bestione era comparso sulla soglia.

«E adesso?» chiese Kirwill. «Pensa di buttarmi i mobili addosso per tenermi fermo?»

«Se necessario...»

«Può darsi che lo sia.» Kirwill ostentava sicurezza, spavalderia, com'è tipico degli uomini molto robusti, quasi la loro forza non avesse limiti. Gli occhi azzurri erano carichi d'odio. Ma questo Arkady non lo capiva.

«Mister Kirwill, lei è colpevole di violazione dell'articolo 15, per aver contrabbandato un'arma impropria in Unione Sovietica, nonché dell'articolo 218, per averla fabbricata.»

«L'ha fabbricata lei, mica io.»

«Va in giro per Mosca vestito come un russo. Ha parlato con un tale a nome Golodkin. Perché?»

«Lo dica lei.»

«Perché James Kirwill è morto» disse Arkady, per colpirlo.

«Lei dovrebbe saperlo, Renko» replicò Kirwill. «Dal momento che l'ha ucciso lei.»

«Io?»

«Non è lei quello che presi a pugni l'altra sera nel parco? Lei presta servizio alla Procura, vero? Non è stato lei a mandare un suo scagnozzo a spiare me e Golodkin, quando ci incontrammo al Gorky? Uno bassotto, con gli occhiali. L'ho pedinato, a mia volta, fino a una sede del KGB. Cos'importa, quale sede... eh?» E Kirwill inclinò di lato la testa.

«Come fa a conoscere il mio nome?»

«Ho chiesto all'Ambasciata. Ho chiesto ai giornalisti. Ho letto tanti numeri arretrati della "Pravda". Eppoi parlo con la gente per la strada. Ho tenuto d'occhio l'obitorio, l'ufficio del Procuratore... Una volta scoperto il suo nome, ho tenuto d'occhio il suo appartamento. Non ho visto lei, ma ho visto sua moglie e il suo amico. Hanno fatto piazza pulita, quei due. Ero davanti al suo ufficio quando lei rilasciò Golodkin.»

Arkady non poteva credergli. Quel pazzo non poteva avere sorvegliato lui, pedinato Fet fin all'ufficio di Pribluda, visto Zoya con Schmidt... Quando lui e Pasha avevano preso quella birra al chiosco, Kirwill era forse in coda con loro?

«Perché ha scelto questo periodo, per venire qui a Mosca?»

«Dovevo pur venire prima o poi. La primavera è un'ottima stagione. È in primavera che i cadaveri riaffiorano da sotto alla neve, o vengono a galla da in fondo al fiume. Eccellente stagione, per i cadaveri.»

«E pensa che *io* abbia ucciso James Kirwill?»

«Forse non di persona, ma è stato senz'altro uno dei suoi. Che importa chi ha premuto il grilletto?»

«Come sa che gli hanno sparato?»

«L'ho dedotto dal fatto che in quella radura hanno setacciato la neve alla ricerca dei proiettili. Eppoi, via, non si uccidono tre persone all'arma bianca. Ah, l'avessi saputo che era lei Renko, l'altra sera nel parco! L'avrei accoppata.»

Lo disse con un certo divertito rimpianto, all'idea dell'occasione perduta. Parlava russo senza accento straniero, eppure la sua voce aveva un che di americano. Incrociò le braccia. Un colosso, intelligente per di più, rappresenta spesso una minaccia, e attira sempre l'attenzione, specie in un ambiente piccolo. Arkady si sedette sul comodino, alla parete dirimpetto. Come mai non aveva notato, incontrandolo altrove, un uomo come Kirwill?

«Lei è venuto a Mosca per far domande in merito a un delitto nell'ambiente straniero» disse Arkady. «Ha mappe, grafici, radiografie, schizzi. Il suo intento dovrebbe esser quello di aiutare le indagini.»

«Sì, se lei fosse un vero investigatore.»

«Risulta che James Kirwill lasciò l'Unione Sovietica l'anno scorso. Non risulta però che sia rientrato, in seguito. Perché lei pensava che fosse qui a Mosca? Perché ritiene che sia stato ucciso?»

«Ma lei non è un vero investigatore. I suoi agenti sono no pappa e ciccia con il KGB.»

Come spiegare Fet a un americano? Arkady non ci si provò neppure.

«Che legame di parentela c'è, fra lei e James Kirwill?»

«Lo dica lei.»

«Mister Kirwill, io agisco in base a direttive della Procura di Mosca. Sto indagando su un triplice omicidio. Lei viene da New York ed è a conoscenza di alcuni dati che potrebbero agevolare le indagini. Mi passi queste informazioni.»

«No.»

«Non è nella posizione di poter rifiutare. È stato visto vestito alla russa. Ha contrabbandato un'arma impropria. L'ha usata contro di me. Inoltre, può essere accusato di reticenza.»

«Forse lei ha trovato degli abiti russi, qui da me? Eppoi, è un reato vestirsi come voi? Quanto alla pistola... o qualunque cosa sia quell'affare che ha in mano... io non l'ho mai vista prima. Lei ha scassinato la mia valigia. Può averci messo dentro qualsiasi cosa. E poi, di quali informazioni sta parlando?»

Arkady rimase stupito, lì per lì, di fronte a un tale disprezzo per la legge.

«Le sue dichiarazioni a proposito di James Kirwill...» cominciò.

«Quali dichiarazioni? La microspia è dentro il telefono, ma lei stesso ha provveduto a metterla fuori uso. Avrebbe dovuto portarsi appresso degli amici, Renko. Come investigatore, non è poi tanto bravo.»

«Ci sono quei suoi disegni della scena del delitto in Gorky Park, e gli altri grafici, atti a stabilire un nesso fra lei e James Kirwill – se è lui una delle vittime.»

«Quei disegni e quei grafici sono stati eseguiti su carta russa con matita russa» disse Kirwill. «Non ci sono radiografie, ma solo lucidi *da* radiografie. Quello che dovrebbe preoccuparla, ora, Renko, è cosa diranno all'Ambasciata americana di uno sbirro russo che aggredisce innocenti turisti americani quando viene da loro sorpreso» (accennò alla valigia scassinata) «a rubare. Ma lei non intendeva portar via niente, vero?»

«Mister Kirwill, se denuncia qualcosa all'Ambasciata americana, la rispediscono a casa con il prossimo aereo. Questo non le andrebbe, vero? E neanche le andrebbe passare una quindicina d'anni in un centro di riabilitazione sovietico.»

«Posso cavarmela.»

«Mister Kirwill, come mai parla russo così bene? Dove ho già sentito il suo nome? Voglio dire, prima ancora di questa faccenda. È un nome famoso.»

«Addio, Renko. Torni pure dai suoi amici della Polizia segreta.»

«Mi parli di James Kirwill.»

«Esca.»

Arkady rinunciò. Depose il passaporto, il portafogli e le carte di credito di Kirwill sopra il comodino.

«Non si preoccupi» disse l'americano. «Rimetto in ordine io, dopo che lei sarà uscito.»

Quel portafogli era pesantuccio e rigido, anche senza le carte di credito. Uno dei suoi comparti, notò Arkady, era cucito a mano. Kirwill si agitò. Arkady gli puntò contro la pistola. Una spia? si chiese. C'era forse un messaggio segreto, cucito lì dentro? Ridicolo! Arkady strappò la cucitura, sempre tenendo d'occhio Kirwill, ed estrasse un distintivo di metallo dorato, che raffigurava un indiano e un pellegrino. "Città di New York" c'era inciso in cima; e sotto: "Tenente".

«Poliziotto?»

«Dell'Investigativa» precisò Kirwill.

«Allora deve aiutarci» disse Arkady, come fosse logico, poiché lo era per lui. «Ha visto Golodkin uscire dal mio ufficio insieme a un agente... un amico mio... Pavel Pavlovich.» (Quel nome non diceva niente, all'americano.) «Insomma, un collega con cui avevo spesso lavorato, un gran brav'uomo. Un'ora dopo, in casa di Golodkin, sia il mio collaboratore sia Golodkin vennero uccisi, da una terza persona. Di Golodkin non m'importa. Ma intendo scoprire chi ha ucciso il mio amico. Le cose non possono essere tanto diverse, in America. Lei stesso è un investigatore, e saprà che cosa vuol dire quando un amico...»

«Renko, vada a farsi fottere.»

Senza neanche rendersene conto, Arkady sollevò la rudimentale pistola e la puntò, prendendo la mira fra gli occhi di Kirwill. Aveva già cominciato a tirare il grilletto e l'elastico e il pistone si stavano già lentamente muovendo, quando – all'ultimo istante – spostò l'arma. Il colpo partì e un buco comparve sull'anta dell'armadio, accanto all'orecchio di Kirwill.

Arkady rimase esterrefatto. Non era mai stato lì lì per uccidere nessuno, in vita sua. E, stavolta, c'era mancato un pelo, anche se l'arma era tutt'altro che infallibile. Il volto di Kirwill, esangue, era adesso una maschera di stupore.

«Se ne vada, finché è in tempo» digrignò tra i denti.

Arkady lasciò cadere la pistola. Senza fretta, tolse dalla valigia e prese con sé il lucido della radiografia e lo schema della dentatura. Si tenne il distintivo e gettò il portafogli.

«Mi serve, quello scudo» disse Kirwill, in inglese, alzandosi.

«No, qui a Mosca no.» Arkady uscì. «Questa è la mia città» borbottò fra sé.

Nessuno era di turno serale al laboratorio. Quindi Arkady provvide da sé a confrontare il lucido e lo schema con gli analoghi referti nell'archivio di Levin. A quest'ora – pensava frattanto – Kirwill starà sbarazzandosi di quella specie di pistola – il manico qua, la canna là – e non ne resterà nessuna traccia.

Tornò quindi nel suo ufficio in via Novokuznetskaya e scrisse un rapporto per Iamskoy. Era sicuro che Kirwill avrebbe cercato asilo all'Ambasciata americana. Bene – si disse – a questo punto è certo che il terzo morto è un americano... con quel che ne consegue. Lasciò il rapporto sul tavolo del Procuratore.

Un faro, al centro del fiume Moscova, si spostava lentamente. C'era rumore di pietre smosse. Arkady si fermò a guardare. Era un rompighiaccio, sulla cui scia i lastroni cozzavano fra loro, nel ribollire dell'acqua liberata.

Arkady proseguì, in macchina, per il lungofiume. Fumava una sigaretta dietro l'altra. La faccenda del Metropole l'aveva scosso. Non aveva ucciso Kirwill, ma ne aveva provato la voglia e c'era mancato un pelo. Era scosso perché non gliene sarebbe importato molto, se l'avesse ammazzato sul serio. E forse neanche a Kirwill.

Costeggiando il Gorky Park, notò le luci accese nello studio di Andreev, all'ultimo piano dell'Istituto di Etnologia. Benché fosse mezzanotte, l'antropologo lo accolse con piacere.

«Il lavoro per lei lo faccio fuori orario, quindi è giusto che mi tenga compagnia. Entri, c'è anche qualcosina da mangiare.» E Andreev sloggiò alcune teste di pitecantropi per far posto alle stoviglie, su un tavolo. «Salsicce, cipolle, rape... Niente vodka, mi dispiace. I nani si sbronzano rapidamente, e non c'è nulla, per me, di più grottesco di un nano ubriaco.»

Andreev era così di buon umore che Arkady non osò

dirgli che, per quel che riguardava lui, l'inchiesta era come fosse chiusa.

«Ah, vorrà vederla» disse Andreev, mal interpretando l'indecisione di Arkady. «È venuto per questo.»

«Già finito?»

«Non ancora. Può darle un'occhiata, però.» Sollevò un drappo, sulla ruota da vasaio, rivelando la testa della ragazza uccisa al Gorky Park.

Il lavoro di ricostruzione del volto era giunto a una fase analoga a quella dell'abbozzo d'una scultura. I muscoli del collo erano in loco, e mancava soltanto la pelle. La cavità nasale era stata colmata e così pure erano in evidenza le fasce muscolari intorno alla bocca, agli zigomi e alle tempie, nonché intorno alle mascelle. Nel complesso, quelle strisce di plastilina ammorbidivano le linee crude del teschio ma, nello stesso tempo, lo rendevano sinistro come una maschera di morte. Ti fissava con due occhi di vetro, nocciola.

«Come vede, ho già terminato di ricostruire la muscolatura del collo e della mascella. Dalle vertebre, si deduce che abitualmente teneva la testa alta. E anche questo è un piccolo indizio psicologico. Si è potuto anche dedurre, dalla comparazione degli attacchi muscolari, che non era mancina. Certe cose sono molto semplici. I muscoli d'una femmina sono più piccoli di quelli d'un maschio. Il teschio è più leggero, le orbite più grandi e minore è il rilievo delle ossa. Però ogni muscolo va scolpito individualmente. Guardi la bocca. Vede come sono ben allineati i denti, il che è tipico dell'*homo sapiens*, tranne che per alcuni primitivi, aborigeni o pellerossa. Il punto principale è che, in questo tipo di morso, il labbro superiore è di solito dominante. La bocca si ricostruisce con più facilità del resto. Vedrà, risulterà che aveva una bella bocca carnosa. Il naso è più difficile, naturalmente, tutto un lavoro di triangolazioni dal profilo orizzontale della faccia alla cavità nasale e alle cavità orbitali.»

Quegli occhi di vetro, cementati dalla plastilina, così prominenti sembravano isterici.

«Come fa a determinare la grandezza degli occhi?» domandò Arkady.

«Tutti hanno gli occhi più o meno della stessa grandezza. Deluso? Lo specchio dell'anima e via dicendo. Dove sarebbe il romanticismo, senza gli occhi! Il fatto è che quando si parla degli occhi d'una persona, in realtà si descrive la forma delle palpebre. "Ella velava deliberatamente la luce dei suoi occhi ma questa, suo malgrado, brillava nel sorriso appena percepibile."»

Anna Karenina.

«Amante della letteratura! Lo sospettavo. Insomma, si tratta di palpebre, solo di palpebre e muscoli.» Andreev si arrampicò su uno sgabello e si tagliò una fetta di pane. «Le piace il circo, Investigatore?»

«Non particolarmente.»

«A tutti piace, il circo. Perché a lei no?»

«Certi numeri mi piacciono. I cosacchi... i pagliacci...»

«È degli orsi che è stufo, invece.»

«Un po'. L'ultima volta che ci andai, c'era un numero di scimmie ammaestrate. La domatrice aveva un costume a lustrini – da cui straripava da tutte le parti – e chiamava fuori le scimmie a una a una e quelle facevano le capriole. Ma non perdevano d'occhio un omaccione, in costume da marinaio, che schioccava la frusta, in disparte. Pazzesco. Quel bruto, con la barba ispida, le manacce pelose... giù frustate, ogni volta che una scimmia sbagliava. Alla fine la cicciona fa un inchino e tutti battono le mani.»

«Lei esagera.»

«No, no» disse Arkady. «Quelle scimmie erano maltrattate.»

«Allora, non avrebbe dovuto far caso all'uomo con la frusta... ecco perché era in costume da marinaio.» Andreev sogghignò. «Comunque, caro Renko, il suo disagio al circo non è niente in confronto al mio. Quando arrivo, tutti i bambini si voltano a guardarmi. Per loro, un nano deve far parte dello spettacolo. Le dirò che i bambini non mi sono simpatici, neanche nelle migliori circostanze.»

«Allora lei odia il circo.»

«Lo amo, invece. Nani, giganti, grassoni, pagliacci con i capelli blu e il naso rosso, o con i capelli verdi e il naso viola. Che sollievo, poter sfuggire alla normalità! Vorrei aver un po' di vodka, adesso. Comunque, è per questo che lei trarrà vantaggio da me. Il precedente direttore di questo istituto era un brav'uomo rotondo, gioviale, normalissimo. Come capita a tutti gli artisti normali, le sue creazioni tendevano a rassomigliargli. All'inizio no, ma poi pian piano la rassomiglianza s'insinuava. Ogni faccia che lui eseguiva era un po' più rotonda della precedente, persino un po' più gioviale... I trogloditi e le vittime di qualche omicidio che uscivano dalle sue mani erano gente dall'aspetto allegro. Una persona normale, insomma, vede se stessa negli altri. Sempre. Io, invece, vedo più chiaro.» Ammiccò. «Si fidi dell'occhio di uno sgorbio di natura.»

Mentre dormiva, il telefono squillò. Era l'agente investigatore Yakutsky. Come prima cosa domandò che ora era a Mosca.

«Tardi» borbottò Arkady. Le telefonate fra Mosca e la Siberia cominciavano sempre, a quanto pare, con lo stesso rituale: stabilire la differenza d'orario.

«Qui è mattina» disse Yakutsky. «Ho delle altre informazioni su Valerya Davidova.»

«Forse non le conviene darle a me. Credo che, fra un paio di giorni, si occuperà un altro di questo caso.»

«Ho una pista, per lei.» Dopo una pausa, Yakutsky soggiunse: «Siamo molto interessati a questo caso, qui a Ust-Kut».

«E va bene» disse Arkady, per non deludere i ragazzi di Ust-Kut. «Di che si tratta?»

«La Davidova aveva una carissima amica che s'è trasferita da Irkutsk a Mosca, dove frequenta l'università. Il suo nome è Irina Asanova. Se la Davidova è venuta a Mosca, certo è andata a trovare la Asanova.»

«Grazie» disse Arkady.

«Le telefono non appena scopriremo qualcos'altro» promise Yakutsky.

«A qualsiasi ora» disse Arkady, e riappese.

Gli faceva pena, Irina Asanova. Ricordò Pribluda che strappava il vestito di quel cadavere in Gorky Park. La Asanova era una bella ragazza. Comunque, non spettava a lui preoccuparsene. Chiuse gli occhi.

Quando il telefono squillò di nuovo, annaspò nel buio per afferrare la cornetta. S'aspettava che fosse di nuovo Yakutsky, con altre inutili notizie.

Invece era John Osborne. «Ho preso il vizio russo di telefonare nel cuore della notte» disse.

Ora Arkady era ben sveglio. E, con la lucidità che si ha solo in certi momenti, vide tutti gli oscuri dettagli intorno a lui: le scatole di nastri, le gambe delle sedie, un'ombra in agguato in un angolo, il manifesto delle aviolinee tedesche alla parete – leggibilissimo al buio.

«Non la disturbo, spero» disse Osborne.

«No.»

«Avevamo appena avviato una conversazione interessante, quel giorno ai bagni turchi... e ci terrei a incontrarla di nuovo, prima di ripartire da Mosca. Le va bene domani alle dieci? Davanti al Palazzo del Commercio?»

«Sì.»

«Perfetto. Ci vediamo là.» E Osborne riattaccò.

Arkady non vedeva alcun motivo per cui Osborne dovesse venire a quell'appuntamento. Non vedeva neanche perché dovesse andarci lui.

XI

La prima vera rugiada dell'anno si era trasformata in fanghiglia sul lungofiume Shevchenko. Arkady attendeva già da un pezzo sul marciapiede dirimpetto al Palazzo del Commercio, sede del Consiglio per gli Scambi USA-URSS. Dalla finestra si vedevano impiegate russe negli uffici e uomini d'affari americani nel salone.

Arkady aspirò una boccata di fumo e lo buttò fuori tossendo. Il caso era ancora suo. Iamskoy gli aveva telefonato di prima mattina per dirgli come fosse interessante che un americano che aveva studiato a Mosca avesse caratteristiche somatiche simili a quelle di un cadavere trovato al Gorky Park; non esitasse quindi, Arkady, a raccogliere prove atte a dimostrare un tale collegamento; però non doveva avvicinare alcun elemento straniero; eppoi, d'ora in avanti, non avrebbe più usufruito di nastri e verbali di intercettazioni effettuate dal KGB.

Ebbene – pensò Arkady – Osborne ha avvicinato me, non viceversa. All'"amico dell'Unione Sovietica" non sarà piaciuto sapere di essere stato argomento di un colloquio fra Arkady e Mendel, al Ministero del Commercio Estero. Ora, comunque, Arkady non sapeva come sarebbe riuscito a portare il discorso, con Osborne, sui suoi traffici e viaggi. Anzi, dubitava che Osborne si sarebbe presentato all'appuntamento.

Invece, sia pure con mezz'ora di ritardo, John Osborne arrivò. Arkady lo vide uscire dall'ingresso principale del Palazzo del Commercio, dirigersi verso una limousine Chaika, ch'era appena sopraggiunta, dire qualche parola all'autista, e poi attraversare la strada e venire verso di lui. Portava un cappotto di renna. In testa aveva un colbacco di zibellino nero, che costava certamente più di quanto Arkady guadagnava in un anno. Aveva gemelli d'oro ai polsini. Tale lusso nel vestire era una cosa naturale, in Osborne: come una seconda pelle della sua indefettibile sicurezza di sé. Non aveva mai l'aria di trovarsi spaesato, lui, ma di far apparire squallido e inadeguato tutto ciò che lo circondava. Lui e Arkady restarono fermi a fissarsi un momento, poi Osborne prese l'Investigatore sottobraccio e s'avviò, con lui, a passi svelti, in direzione del Cremlino. La Chaika li seguiva da vicino.

Osborne cominciò a parlare fitto fitto. «Scusi la fretta, ma vede, c'è un ricevimento al Ministero del Commercio, cui non posso arrivare in ritardo. Lo conosce, il Ministro del Commercio Estero? Sembra che lei conosca tutti e sbuchi dai posti più impensati. Si intende di denaro?»

«No, per niente.»

«Le dirò tutto io, sul denaro. Oro e pellicce costituiscono le più antiche ricchezze della Russia. In oro e in pellicce consistevano, già da tempi antichissimi, i tributi russi al Gran Kan, all'Imperatore. Oggi, naturalmente, la Russia non versa tributi a nessuno. Oggi si tengono due aste di pellicce l'anno, in gennaio e in luglio, a Leningrado. Vi affluiscono un centinaio di compratori, una decina dei quali dagli Stati Uniti. Alcuni di loro comprano in proprio, altri sono mediatori. Io svolgo entrambe le funzioni, poiché compro per altri mercanti ma, al tempo stesso, ho negozi miei in America e in Europa. Le principali pellicce all'asta sono di visone, martora, volpe, puzzola, astrakan e zibellino. In genere, gli americani non concorrono per le pelli di visone poiché i visoni russi sono proibiti negli Stati Uniti – si tratta purtroppo di uno strascico della guerra fredda. Io, che ho punti di vendita anche in Europa, concorro invece per tutte le pellicce. Agli americani, però, interessano soprattutto le pellicce di zibellino. Arriviamo una decina di giorni prima dell'asta per esaminare le pelli. Quando compro visoni, per esempio, controllo attentamente una cinquantina di pelli provenienti da un dato allevamento. Queste cinquanta pelli mi danno un'idea sul valore di una intera partita, che ne comprende un migliaio. Poiché in Russia si producono ogni anno otto milioni di pelli di visone, questo sistema delle "partite" – o come lo chiamiamo noi *string system* – è una necessità materiale.

«Per gli zibellini il discorso è diverso. In un anno si producono appena centomila pelli di zibellino – di qualità da esportazione – quindi niente *strings*, niente partite: ciascun zibellino va esaminato individualmente, per il colore e la morbidezza. Se l'animale viene – come diciamo eufemisticamente – "mietuto" una settimana troppo presto, il pelo non è morbido abbastanza; una settimana troppo tardi, addio lucentezza. Le offerte sono in dollari, semplicemente per uniformare gli scambi. A ogni asta, io compro zibellini per circa un milione di dollari.»

Arkady non sapeva cosa dire. Non era una conversazione, quella, bensì un divagante monologo. Gli veniva impartita una lezione e, al tempo stesso, veniva ignorato.

«In quanto socio in affari e amico di vecchia data, ricevo inviti da diverse istituzioni sovietiche del ramo. L'anno scorso, per esempio, fui invitato a visitare il Centro Pellicce di Irkutsk. La mia attuale permanenza a Mosca è, anch'essa, per motivi d'affari. Ogni primavera, il Ministero del Commercio invita alcuni acquirenti abituali a trattare una compravendita a prezzi scontati di pellicce avanzate. A me fa sempre piacere tornare qui a Mosca, anche perché ho modo di incontrare gente di vario tipo. Non solo gli amici del Ministero, ma anche artisti, attori, ballerini, cineasti. E, adesso, un Investigatore-capo che si occupa di omicidi. Mi dispiace di non poter restare fino al Primo Maggio, ma devo partire, per New York, l'ultimo d'aprile.»

Osborne estrasse una sigaretta da un astuccio d'oro e l'accese, senza arrestare il passo. Arkady si rese conto che non aveva divagato affatto, ma che era andato dritto dritto al punto. Ogni ragguaglio era stato fornito, volontariamente, in modo tale da porre Arkady nel ruolo d'infimo funzionarietto statale. Non si era trattato di far sfoggio, bensì di dimostrare – da parte di Osborne – la propria superiorità. Lui non sapeva più cosa chiedere, a parte far domande talmente accusatorie che non potevano essere formulate.

«Come vengono uccisi?» domandò.

«Chi?» Osborne arrestò il passo ma sul suo volto non c'era nulla, come se l'altro gli avesse semplicemente chiesto l'ora.

«Gli zibellini.»

«In modo indolore, mediante iniezioni.» Osborne riprese a camminare, un po' meno rapidamente. La nebbia gli inumidiva il colbacco. «Lei ha un interesse professionale in ogni cosa, eh, Investigatore?»

«Gli zibellini sono così affascinanti! Come li catturate?»

«Si possono snidare affumicandone le tane. Oppure costringerli, con l'aiuto di cani particolarmente addestrati, a rifugiarsi in cima a qualche albero, quindi si abbattono gli alberi circostanti e si dispiegano alcune reti.»

«Gli zibellini cacciano come i visoni?»

«Gli zibellini cacciano i visoni. Sulla neve nessuno li batte in velocità. La Siberia è un paradiso per loro.»

Arkady si fermò. Spezzò tre fiammiferi, prima di

riuscire ad accendersi una Prima. Con un sorriso fece capire a Osborne che, per quanto lo riguardava, lui non desiderava altro che far quattro chiacchiere divertenti.

«Leningrado...» sospirò Arkady. «Gran bella città. La Venezia del Nord, la chiamano.»

«Sì, c'è chi la chiama così.»

«Mi domando perché i grandi poeti sono tutti di Leningrado. Non alludo a Yevtushenko o Voznesensky, no, mi riferisco a grandi poeti come la Akhmatova e Mandelstam. Conosce la poesia di Mandelstam?»

«So che non gode i favori del Partito.»

«Ah, ma è morto, e questo migliora enormemente la sua posizione politica» disse Arkady. «Comunque, guardi la nostra Moscova. Guardi quei lastroni di ghiaccio spezzati. E pensi alla Neva, il fiume di Leningrado, che Mandelstam definisce "denso come una medusa". Dice molto, con una sola frase.»

«Deve sapere» (Osborne guardò l'orologio) «che quasi nessuno, da noi, legge Mandelstam. È troppo russo. Non si può tradurre.»

«Appunto! Qui volevo arrivare. Troppo russo. Può essere un difetto.»

«Davvero?»

«Come quei cadaveri trovati al Gorky Park, di cui abbiamo parlato. Tre persone uccise, con estrema efficienza, mediante un'arma automatica occidentale. Non si può tradurre in russo, non le pare?»

A volte il vento fa garrire uno stendardo da parata e il volto dipinto su quello stendardo, pur senza mutare espressione, rabbrividisce. Negli occhi di Osborne, Arkady vide un brivido di quel genere.

«Avrà notato, Mister Osborne, una certa differenza fra un uomo come lei e un uomo come me. Il mio modo di pensare è così terra-terra, così proletario, ch'è un piacere per me, un privilegio, incontrare qualcuno tanto sofisticato. Può figurarsi quanto mi riesca difficile cercare di capire perché mai un occidentale si darebbe la briga di uccidere tre russi. Non siamo in guerra né si tratta di spionaggio. Le confesso che sono male attrezzato. Di solito cosa succede da noi? Si trova un cadavere. La scena del delitto è un vero macello: sangue dappertutto, impronte digitali, magari anche l'arma abbandonata dall'assassino. Un lavoro da ragazzi, scoprirlo. E il movente? Adulterio, ubriachezza, un prestito di pochi rubli... magari il furto di una gallina. Magari un litigio fra due donne in cucina. Le cucine in comune sono, mi creda, veri e propri focolai di passioni micidiali. Francamente, se fossi portato all'ideologia o avessi doti da burocrate o sapessi distinguere una pelliccia da un'altra... farei un altro mestiere, no? Quindi, bisogna avere un po' di comprensione, per un povero Investigatore che brancola nel buio, alle prese con un crimine che rivela: accurata preparazione, ardita esecuzione e – se proprio non mi sbaglio di grosso – molto spirito.»

«Spirito?» Osborne era interessato.

«Sì. Le cito parole di Lenin: "La classe operaia non è separata dalla vecchia borghesia da una sorta di Muraglia Cinese. Quando un individuo muore, non si seppellisce da sé; e così, quando muore una società, non è possibile cucirne il corpo in un sudario e calarlo in una tomba. Quel cadavere andrà in putrefazione in mezzo a noi, continuerà a contaminarci per un pezzo". Consideri, quindi, un uomo d'affari borghese che giustizia due operai sovietici e li lascia stecchiti nel cuore di Mosca... e mi dica se non è un uomo di spirito.»

«Ha detto due? Credevo che ne avesse trovati tre, di morti, nel parco.»

«Tre. Conosce bene Mosca, Mister Osborne? Le piace venirci?»

Stavano di nuovo camminando, lasciando orme scure sulle pietre. Nonostante fosse giorno, le auto avevano i fari accesi. Il ponte, più avanti, era avvolto dalla foschia.

«Si diverte a Mosca?» ripeté Arkady.

«Caro Investigatore, durante il mio viaggio in Siberia capitai in una piccola città... di cui non ricordo il nome... e il sindaco mi fece visitare, tutto fiero, l'edificio più moderno del paese. Comprendeva sedici cessi, due pisciatoi e un solo lavandino. Erano i gabinetti pubblici. Lì, i notabili si riunivano a cacare insieme e a prendere importanti decisioni.» Osborne fece una pausa. «Certo, Mosca è molto più grande.»

«Mister Osborne, chiedo scusa.» Arkady si fermò. «Ho detto qualcosa che l'ha infastidita?»

«Nient'affatto. Lei non può infastidirmi. Io, piuttosto, forse la sto distogliendo dal lavoro.»

«No, no, glielo assicuro.» Ripresero a camminare. «Anzi, mi è d'aiuto. Se riuscissi, per un solo minuto, a pensare non da russo ma da uomo d'affari geniale, risolverei i miei problemi.»

«Vale a dire?»

«Non occorre del genio, forse, per trovare qualcosa per cui valga la pena di uccidere dei russi? Non è adulazione, questa, ma reale ammirazione. Pellicce? No, lui potrebbe comprarne da lei. Oro? No, non saprebbe come portarlo oltre frontiera. Ha già tanto penato a sbarazzarsi della sacca, o valigetta.»

«Quale sacca?»

Arkady fece schioccare le dita. «Il fattaccio è compiuto. I tre sono morti stecchiti. L'assassino in fretta e furia ripone le cibarie e le bottiglie nella sacca di cuoio perforata dai colpi di pistola. Quindi se ne va, pattinando. Nevica, si sta facendo buio. Uscito dal parco, mette anche i pattini nella sacca – o borsa o valigetta – della quale, senza farsi notare da nessuno, ora deve sbarazzarsi. Non può lasciarla nel parco, non può gettarla in un bidone di rifiuti, poiché verrebbe trovata e, senz'altro, portata alla Polizia. Gettarla nel fiume?»

«È gelato.»

«Esatto. Eppure deve sbarazzarsi di quel fardello e,

anche ammesso che ci riesca per magia, deve poi attraversare il fiume, senza farsi notare.»

«Passa per il ponte Krimsky» disse Osborne, accennando verso il ponte, in direzione del quale stavano procedendo.

«Senza attirare l'attenzione di qualche poliziotto, o di qualche babushka? La gente è così curiosa!»

«Prende un taxi.»

«Troppo rischio, per uno straniero. No: ha un amico che l'aspetta, sul lungofiume, a bordo d'un'auto. Questo appare abbastanza ovvio... persino a me.»

«Perché allora non s'è fatto aiutare, da quel complice, a commettere il delitto?»

«Lui?» Arkady rise. «Mai! Qui stiamo parlando di fascino... di charme e seduzione. Quel complice là non sarebbe capace di sedurre una mosca col miele, altroché!» Arkady tornò serio. «Scherzi a parte, l'assassino ha calcolato tutto con la massima cura.»

«Qualcuno l'avrà visto con la sacca... o valigetta» disse Osborne.

Un testimone lo preoccupa – pensò Arkady – ci torneremo su. Il fiume formava un'ansa e la foschia era infittita.

«Lasciamo stare, per ora. Quello che vorrei sapere» disse Arkady «è il movente. Il perché. Non si tratta di un oggetto... diciamo, un'icona... no, certo. Perché mai un uomo tanto intelligente, fortunato e più ricco di qualsiasi cittadino sovietico, perché, dico, dovrebbe uccidere per avidità? Se riuscissi a capire quell'uomo, capirei anche il delitto. Secondo lei potrei capirlo?»

Osborne era impenetrabile. Arkady aveva l'impressione di grattare una superficie perfettamente levigata e scivolosa. Cappotto di renna, colbacco di zibellino... la pelle, gli occhi... tutto quanto in lui diceva una cosa sola: *denaro*. Questa era una parola che Arkady non aveva mai usato, finora, in un simile contesto. In astratto, sì. Ma non era mai venuto a contatto (contatto fisico) con il denaro. E Osborne era un uomo che trasudava ricchezza da tutti i pori, ecco cos'era! Capire un uomo simile?

«Direi proprio di no» rispose Osborne.

«Un movente sessuale?» disse Arkady. «Uno straniero incontra una bellissima ragazza e la porta in camera sua, in albergo. Le addette ai piani chiudono un occhio, in certi casi. L'uomo e la ragazza cominciano a incontrarsi regolarmente. D'un tratto, lei avanza pretese di soldi e tira fuori un marito dall'aria minacciosa. È una vera e propria estorsione.»

«No.»

«Qual è il difetto di questa ipotesi?»

«C'è un errore di prospettiva. Per un occidentale, i russi sono brutti. Una brutta razza.»

«Sul serio?»

«Le donne di qui, in genere, non hanno più attrattive di una mucca. Ecco perché gli scrittori russi parlano tanto degli occhi delle loro eroine, di sguardi allusivi e seducenti: perché con gli altri attributi fisici c'è poco da abbondare in descrizioni.» Osborne precisò: «È per via dei vostri lunghi inverni. Cosa c'è di più caldo d'una donna grassa con le gambe pelose? Gli uomini sono più magri, ma persino più brutti. In mancanza di bellezza, il *sex appeal* resta affidato a colli taurini e ciglia folte.»

Ad Arkady sembrava che Osborne stesse descrivendo dei trogloditi.

«Dal nome... Renko... direi che lei è oriundo dell'Ukraina. È così?»

«Sì. Dunque, lasciamo da parte il sesso...»

«Mi pare giusto.»

«... Resta solo il delitto gratuito» disse Arkady, accigliandosi.

John Osborne si voltò lentamente a guardarlo. «Lei è un uomo sorprendente. Dice sul serio?»

«Oh, sì.»

«Un triplice omicidio, così, per capriccio!»

«Sì.»

«Incredibile. Cioè» (Osborne si animò) «da non credersi, alla lettera, da parte di un Investigatore come lei. Da parte di un altro tipo d'uomo, forse sì, ma non da lei.» Osborne riprese fiato. «Ammettiamo però di trovarci di fronte a un delitto gratuito, senza testimoni... quante probabilità avrebbe di prendere l'assassino?»

«Nessuna.»

«Crede davvero nel delitto gratuito?»

«No. Dico solo che non ne conosciamo il movente. Ma facciamo un'altra ipotesi. Da un altro punto di vista. Mettiamo che un tale si rechi, ogni tanto, in un'isola di primitivi. Gente dell'età della pietra. Il nostro parla la loro lingua, è un esperto adulatore, si fa amico i capi indigeni. Al tempo stesso è conscio della propria superiorità. Anzi, trova gli abitanti dell'isola ridicoli e degni di disprezzo.» Arkady parlava lentamente, procedeva a tentoni, cercava di ricordare l'episodio dei soldati tedeschi uccisi da Osborne e Mendel durante l'assedio di Leningrado. «A un certo punto, il nostro uomo uccide un indigeno. C'è la guerra fra due tribù rivali, quindi non viene punito, bensì ricompensato. Passa il tempo e lui ripensa a quell'uomo che aveva ammazzato con lo stesso piacere con cui un altro ricorda i particolari della sua prima donna. C'è qualcosa di seducente, in una società primitiva, non le pare?»

«Qualcosa di seducente?»

«Sì. E, per il nostro uomo, è una rivelazione: scopre certi suoi impulsi latenti e, insieme, scopre un luogo dove può dar sfogo a tali impulsi. Un luogo fuori della civiltà.»

«E se si sbagliasse?»

«Dal suo punto di vista non può sbagliarsi. Gli indigeni, lì, sono primitivi: non c'è dubbio al riguardo. Forse lui, nonostante il suo aspetto civile, nutre lo stesso odio per chiunque, anche altrove. Ma solo su quell'isola primitiva lo confessa a se stesso.»

«Resta il fatto che, se lui uccide a caso, lei non lo scopre.»

«Ma lui non uccide a caso. In primo luogo, attende diversi anni prima di dar di nuovo sfogo all'istinto violento. È un dilettante, sia pure di genio, e sta di fatto che un dilettante, una volta eseguito un primo delitto con successo, tende – quasi sempre – a ripetersi, a copiare se stesso, come se avesse la ricetta esclusiva del delitto perfetto. Quindi, c'è un disegno, un modello da seguire. E tutto va curato nei dettagli. Un superuomo, per definizione, deve sentirsi padrone di sé. Pensa anche a quei colpi di cannone che echeggiano nel disco di Tchaikovsky... perché no? Ha la pistola nascosta nella sacca, o valigetta... la solleva... spara per primo al bestione... poi al secondo uomo e infine alla ragazza... sfigura i loro visi, mozza loro le falangi... e scappa. Non si può prevedere ogni cosa, però. Resta sempre qualcosa affidato al caso. Mettiamo, un ambulante che s'è spinto fin là col suo carrettino... o ragazzi che giocano a nascondino fra gli alberi... oppure una coppietta. Dopotutto, gl'innamorati cercano luoghi solitari. Non le pare?»

«Quindi, qualcuno ha visto qualcosa?»

«A che serve un testimone? I ricordi si fanno indistinti, dopo un paio di giorni. A tre mesi di distanza, francamente, potrei indurre un testimone a riconoscere chiunque... chi mi pare, voglio dire. No: soltanto l'assassino può aiutarmi, a questo punto.»

«E l'aiuterà?»

«Può darsi, addirittura, che sia lui a venirmi a cercare. Anche se io mi tenessi nascosto.»

«E perché?»

«Il delitto non gli basta. Dopo l'eccitazione del momento, non basta più. Il delitto è soltanto una parte dell'impresa. Un vero superuomo vuole anche vedere un inquirente – come me – ridotto all'impotenza e, magari, indotto all'ammirazione... non le pare?»

«E sarebbe poi tanto appassionante, come sfida?»

«Tutto sommato, no...» Arkady calpestò una cicca. «Non tanto.»

Erano giunti al ponte Novo-Arbatsky. Da un lato l'Ukraina e dall'altro il Ministero degli Esteri, le cui stelle rosse si ammiccavano a vicenda. La limousine di Osborne si avvicinò.

«Lei è un galantuomo, Investigatore Renko» disse Osborne, con voce raddolcita come se, al termine di un arduo viaggio, fra i due fosse nata una certa momentanea amicizia. Il sorriso era di rigore, come in una scena di addii a teatro. «Le auguro buona fortuna. Mi tratterrò a Mosca ancora una settimana, ma non credo che ci rivedremo più. Tuttavia non la voglio lasciare a mani vuote.»

Si tolse il colbacco e lo mise in testa a Arkady.

«Un regalo» disse. «Ai bagni turchi mi disse di aver sempre desiderato un bel colbacco di pelliccia, se ben ricordo. Questo l'ho preso apposta per lei. Ho dovuto tirare a indovinare, per la taglia. Ma ho buon occhio, io.» Guardò Arkady da diverse angolazioni. «Le sta perfetto.»

Arkady se lo tolse. Era nero come l'inchiostro e aveva la lucentezza del raso. «Molto bello. Ma...» Lo riconsegnò, a malincuore. «Non posso accettarlo. È proibito dal regolamento, accettare regali.»

«Se non l'accetta mi offendo.»

«E va bene. Mi dia qualche giorno per pensarci. Così avremo una scusa per parlarci di nuovo.»

«Qualsiasi scusa mi va bene.» Osborne strinse la mano ad Arkady, con vigore. Poi salì a bordo della limousine, che imboccò il ponte.

Arkady andò a prendere la sua auto all'Ukraina e si recò al Commissariato del quartiere Oktyabrsky. Qui, chiese se era stato notato qualche forestiero in attesa, in auto, nei paraggi di Gorky Park, all'epoca del triplice delitto.

Quando uscì, era sbucato un grosso sole arancione dalla nebbia. Luccicava sulle putrelle del ponte Krimsky. Scintillava sulle vetrate del Ministero. Si specchiava sul selciato del lungofiume, dove lui e Osborne avevano camminato, poco prima.

L'Investigatore-capo Ilya Nikitin, coi radi capelli impomatati sul cranio rotondo, socchiuse gli occhi in mezzo al fumo della sigaretta incastrata fra i denti. Abitava solo in una casupola del quartiere Arbat dove la pittura si sfaldava dai muri e l'intonaco cadeva a pezzi dal soffitto, sugli scaffali altissimi, zeppi di libri in triplice o quadruplice fila, polverosi, con etichette di carta ingiallita. Arkady ricordava una finestra a trifora che un tempo guardava sul fiume e i Colli Lenin ma adesso i libri l'avevano tappata. I libri invadevano anche la cucina, il corridoio e le scale che portavano al piano di sopra.

«Kirwill... Kirwill...» disse Nikitin, riflettendo. Scostò una raccolta di *Emendamenti al contratto collettivo dei poligrafici* e tirò fuori una bottiglia di vino rumeno, quasi vuota. Vi si attaccò a garganella. Quindi, ammiccando, cominciò a salire le scale. «Kirwill... Kirwill... Dunque, ti rivolgi al vecchio Ilya, eh, quando ti serve aiuto?»

Era difficile dire se Nikitin fosse un genio progressista oppure un genio reazionario; un fautore di riforme o uno stalinista inveterato, un compagno di sbronze del cantante negro Paul Robeson oppure un amico fraterno del discusso romanziere Sholokov. Comunque, era un genio dell'allusività e dell'ambiguità. I suoi ammicchi contavano più dei nomi che lasciava cadere nel discorso.

Senza dubbio era stato un bravissimo investigatore. Era quello che entra in una stanza con due bottiglie in mano e un ghigno in faccia, per interrogare un indiziato, e ne esce qualche ora dopo con un reo confesso.

«La confessione è una gran cosa» era solito dire. «Dopo che al popolo gli hai tolto la fede religiosa, dagli almeno la consolazione di confessare un delitto. Proust dice che si può sedurre qualsiasi donna se solo si ha la pazienza di ascoltare le sue lamentele fino alle quattro del mattino. In fondo, ogni assassino è uno che ha bisogno di lagnarsi.»

Quando Nikitin si era fatto trasferire dalla Squadra Omicidi a un ufficio governativo, ad Arkady che gli chiedeva come mai, aveva risposto: «Per le mance e le tangenti, mio caro!».

Ora, salendo le Scale, ripeteva fra sé: «Kirwill... Diego Rivera... La battaglia di Union Square...». Si volse e domandò: «Lo sai, almeno, dove si trova New York?».

Inciampò, fece cadere un libro, altri due o tre ruzzolarono giù. Poi riuscì ad arrestare la frana.

«Dimmi quello che sai di Kirwill» domandò Arkady.

Nikitin scosse il capo. «Dei Kirwill, vorrai dire. I coniugi Kirwill. Della *Stella rossa*.» Si infilò in un corridoietto reso ancor più angusto dai libri accatastati.

«Chi erano, insomma, i coniugi Kirwill?» domandò Arkady.

Nikitin inciampò di nuovo e stavolta cadde lungo disteso fra i suoi libri, incapace di rialzarsi, ubriaco com'era. Riuscì solo a rigirarsi.

«Hai rubato un bottiglia dal mio ufficio, sei un ladro, tu, Arkasha, va' all'inferno.»

Arkady notò un libro intitolato *L'oppressione politica negli Stati Uniti: 1929-1941*. Sopra c'erano una crosta di pane e una mezza bottiglia di vino. Si mise la bottiglia sottobraccio, prese il libro e diede una scorsa all'indice. «Puoi prestarmelo, questo?»

«Senti, fammi un favore...» disse Nikitin.

Arkady gli allungò la bottiglia di vino.

«No» disse Nikitin. La bottiglia gli scivolò di mano, ruzzolò in terra. «Tienilo, il libro. E non tornare più.»

L'ufficio di Belov era un monumento alla guerra. Alle pareti c'erano vecchie foto di soldati in marcia, e ritagli di giornale; spiccavano titoli come: EROICA DIFESA SUL VOLGA, RENKO AL CONTRATTACCO PRESSO KARKOV, IL NEMICO VOLTO IN FUGA NELLA VALLE DEL DON... Belov dormiva, con la bocca aperta, alla sua scrivania. Briciole di pane sulla camicia, una bottiglia semivuota di birra stretta nella mano, in grembo. Arkady sedette vicino alla finestra e aprì il libro che aveva preso da Nikitin.

Nel 1930, il Comizio di Union Square a New York fu la più grande manifestazione organizzata dal Partito Comunista americano. Operai e disoccupati, desiderosi di ascoltare coloro che erano all'avanguardia nella lotta di classe e per la giustizia sociale, gremivano la piazza, in numero anche maggiore del previsto. Nonostante il Capo della Polizia, Grover Whalen, avesse vietato ai mezzi pubblici di effettuare fermate in prossimità della piazza, la folla superava le 50.000 persone. La Polizia ricorse ad altri sistemi per cercar di disperdere il comizio e soffocare la voce del popolo. Agenti provocatori si infiltrarono fra gli astanti e tentarono, senza riuscirvi, di fomentare attacchi contro i poliziotti in divisa. La Polizia aveva inoltre vietato riprese cinematografiche dello storico evento. Grover Whalen dirà in seguito: «Non c'era motivo di perpetuare una manifestazione di traditori, e io non intendo arrogarmi il compito di censore». In questa dichiarazione si esprime il ruolo contraddittorio della polizia in un Paese capitalista: da una parte tutori della pace sociale e, dall'altra, cani da guardia al servizio degli sfruttatori e pronti ad azzannare gli sfruttati.

Arkady saltò a piè pari il brano in cui veniva riportato un messaggio di solidarietà di Stalin che "mandò in visibilio la folla". Seguitò poi a leggere:

Una pacifica marcia sul Municipio fu allora proposta dall'oratore William Z. Foster. Non appena il corteo si

213

mosse tuttavia si trovò la via sbarrata da autoblindo. Poi, secondo le direttive impartite da Whalen, cominciò la carica dei poliziotti. A piedi e a cavallo – alla cosacca – piombarono su uomini inermi, su donne e bambini. Soprattutto contro i negri si dirigeva la loro furia. Una ragazza negra, tenuta ferma da un poliziotto, fu selvaggiamente picchiata da alcuni suoi colleghi. A randellate furono stesi a terra, sanguinanti, James e Edna Kirwill, redattori del giornale "Stella Rossa" della sinistra cattolica. I cavalli travolsero attivisti e passanti. Numerosi dirigenti del Partito furono aggrediti e tratti in arresto. Rinchiusi in celle, fu loro negata la libertà su cauzione poiché, come dichiarò Grover Whalen, «quei nemici della società andavano cacciati via da New York senza tener conto dei loro diritti costituzionali».

Belov aprì gli occhi cisposi, si guardò intorno, si leccò le labbra, si raddrizzò sulla schiena.

«Stavo giusto...» riafferrò la bottiglia che gli stava sfuggendo di mano «stavo giusto dando una scorsa a queste nuove direttive...» L'Investigatore-capo per l'Industria raccattò gli avanzi di un panino imbottito e li gettò nel cestino. Emise un rutto. Sgranò gli occhi su Arkady. «Da quanto sei qui?»

«Stavo dando una letta a questo libro, zio Seva» disse Arkady. «Senti qua: "I nemici della società vanno cacciati via senza tener conto dei loro diritti costituzionali". Dice così.»

«Giusto» commentò il vecchio, dopo aver riflettuto un momento. «Per definizione, i nemici della società non hanno diritti costituzionali.»

Arkady schioccò le dita. «Bravo!» esclamò.

«Elementare, amico.» Belov fece un gesto come per scansare l'adulazione. «Allora, che vuoi? Da me ci vieni solo quando hai bisogno di qualcosa.»

«Sto cercando di ritrovare un'arma gettata nel fiume a gennaio.»

«*Sul* fiume, vorrai dire. Era gelato.»

«Giusto, ma forse non dappertutto. Alcune fabbriche scaricano ancora acqua calda nel fiume e, lì, il ghiaccio non si forma. Tu conosci le fabbriche meglio di chiunque.»

«L'inquinamento desta preoccupazioni, Arkasha. Ci sono direttive precise, al riguardo. Tu, quand'eri ragazzo, ti lagnavi continuamente con me delle fabbriche. Eri un gran rompiscatole.»

«Scaricare acqua calda nel fiume, se pulita, è tuttora consentito dietro speciale autorizzazione.»

«Tutti pensano di aver diritto a "speciali" autorizzazioni. Versar acque di scarico nella Moscova entro i confini urbani è severamente vietato... grazie a tipi come te.»

«Ma il progresso industriale è necessario. Un Paese è come un corpo. Prima i muscoli, poi la lozione per i capelli.»

«Vero. Tu pensi di burlarti di me, Arkasha, quando dici qualcosa ch'è vero. A te piacerebbe di più stare in una città allegra come Parigi. Lo sai perché hanno boulevard così ampi, a Parigi? Per meglio sparare ai comunisti. Quindi non venirmi a rompere le scatole sull'inquinamento. Aah!» Quando Belov si stropicciava gli occhi, la faccia gli tremolava come una gelatina. «Quello che vai cercando è la Conceria Gorky. In base a specialissima autorizzazione, quelli versano acqua di scarico nel fiume. Ma priva di sostanze coloranti, bada bene. Ho una mappa...»

Frugò nei cassetti, finché trovò una piantina industriale, nera e arancione, che, dispiegata, copriva tutto il tavolo.

«Guanti, taccuini, astucci... roba del genere. Qua...» Indicò il lungofiume che costeggiava il Gorky Park. «Un tubo di scarico. Il fiume, qui, è ghiacciato solo in superficie. Appena una crosta. A gettarci qualcosa di pesante, la si sfonda, poi la crosta si riforma nel giro di un'ora. Quindi, Arkasha, se uno vuol gettare una pistola nel fiume è molto probabile che scelga l'unico punto in cui la lastra di ghiaccio non ha lo spessore d'un metro, non ti pare?»

«Come lo sai che cerco una pistola?»

«Arkasha, sono vecchio, ma non rimbambito. E neanche sordo. Le sento le cose.»

«Quali cose?»

«Le sento... ma non le capisco più.» Belov guardò i giornali incorniciati alle pareti, con i loro titoli eroici. «Una volta si credeva nel futuro. C'erano cricche, si commettevano errori di valutazione, le purghe andavano forse troppo oltre... ma alla fin fine tutti tiravamo la carretta assieme. Oggi invece...» Belov sbatté gli occhi. Non si era mai sfogato così, con Arkady, finora. «Il Ministro della Cultura è stato esonerato per corruzione. Si era arricchito, aveva una casa favolosa. Un ministro! Non volevamo cambiare tutto questo?»

Le riprese erano terminate, per quel giorno.

Arkady seguì Irina Asanova intorno al set. La scena rappresentava una baita circondata da betulle. Dappertutto si inciampava su cavi elettrici. Nonostante il cartello VIETATO FUMARE la ragazza aveva acceso una sigaretta scadente. Portava la giacca afgana sbottonata e, sotto, un vestito di cotonina leggera. Una matita le pendeva sul petto appesa a uno spago. E ciò accentuava la grazia del suo collo, in qualche modo. Portava i lunghi capelli sciolti. I suoi occhi si fissarono, sfrontati, in quelli di Arkady – e quasi allo stesso livello. Quello screzio sulla guancia di lei era appena un riverbero rossiccio, che nulla aveva a che fare con il sole al tramonto. Era lo stesso riverbero che Tolstoy descrive sui volti degli artiglieri a Borodino, un rossore esultante allorché la battaglia si avvicina.

«Valerya Davidova e il suo amante Kostia Borodin erano della provincia di Irkutsk» disse Arkady. «Anche lei viene da Irkutsk. Era la migliore amica di Valerya.

216

Le scrisse, da qui. E lei, quando fu uccisa, aveva ai piedi i suoi pattini da ghiaccio, da lei denunciati come smarriti.»

«Intende arrestarmi?» disse Irina con atteggiamento di sfida. «In tal caso occorre la presenza di un agente di Polizia. Lo so, ho studiato Legge.»

«Me l'ha già detto. L'uomo trovato morto insieme a Valerya e Kostia era un americano, a nome James Kirwill. Lei l'ha conosciuto, questo Kirwill, all'Università. Perché continua a mentirmi?»

Lei gli voltò le spalle, anziché rispondere, e si allontanò, girando intorno alla finta baita. Lui la seguì e, nonostante quella sua aria strafottente, aveva l'impressione di star braccando una cerbiatta.

«Non se la prenda» disse lei, voltandosi. «Di solito mento ai suoi pari.»

«Perché?»

«La tratto come tratterei un lebbroso. È infetto. È un membro dell'Ente Lebbra. Non voglio essere contagiata.»

«È per questo che studiava Legge? Per diventare lebbrosa?»

«Per diventare avvocato. In certo qual senso un dottore, per difendere i sani dai malati.»

«Qui si tratta di omicidi, non di malattie.» Arkady si accese a sua volta una sigaretta. «È molto coraggiosa. Si aspettava un qualche Beria, adesso, che divorasse un bambino davanti ai suoi occhi. Devo deluderla. Io sono solo alla ricerca di chi ha ucciso i suoi amici.»

«Adesso è lei che mente a me. A lei premono solo i cadaveri, non gli amici di qualcuno. O casomai le importa dei suoi amici, non dei miei.»

Era un'accusa lanciata a caso, ma aveva colpito nel segno. Se era andato lì, alla Mosfilm, era solo per Pasha.

Cambiò argomento. «Ho dato un'occhiata alla sua scheda, alla Polizia. Qual è, esattamente, il "vilipendio antisovietico" per cui fu espulsa dall'Università?»

«Come se non lo sapesse!»

«Faccia conto che non lo sappia» disse Arkady.

Irina Asanova restò immobile, per un attimo, come l'aveva vista appena arrivato lì alla Mosfilm: assorta, come chiusa in un mondo tutto suo, inespugnabile. Il guaio era che era troppo bella.

«Preferisco quelli del KGB» disse infine. «Perlomeno c'è una specie di onestà, nel pigliare a schiaffi una donna. Il suo metodo e la sua finta pietà dimostrano debolezza di carattere.»

«Non è questo, che disse all'Università.»

«Glielo racconterò, quello che dissi all'Università. Mi trovavo alla mensa, con gli amici, e dissi che avrei fatto qualsiasi cosa, per potermene andare via dall'Unione Sovietica. Qualche verme del Komsomol colse a volo quelle mie parole e andò a denunciarmi, così mi espulsero.»

«Scherzava, certamente. Perché non gliele spiegò?»

Lei fece un passo avanti. Si sfioravano, quasi. «Invece no, non scherzavo. Dicevo assolutamente sul serio. Se ora qualcuno mi desse una pistola e mi dicesse che, se la uccidessi, potrei andarmene dall'Unione Sovietica, ebbene, la ucciderei, senza un attimo di esitazione.»

«Sul serio?»

«Anzi, molto volentieri.»

Spense la sigaretta sulla betulla accanto ad Arkady. La bianca corteccia dell'albero si annerì, arricciandosi un po' in superficie. Arkady provò un senso di dolore come se quella brace gli avesse scottato il cuore. Le credeva. La verità era passata da lei alla betulla, e dal legno a lui.

«Compagna Asanova, non so perché queste indagini restano ancora affidate a me» disse, per fare un altro tentativo. «Non mi va di svolgerle, e non spetterebbe a me. Ma tre poveracci sono stati assassinati, e le chiedo soltanto di venire con me, a dare un'occhiata ai corpi. Magari dai loro vestiti o...»

«No.»

«Se non altro, per constatare che non si tratta dei suoi amici. Non vuole sapere la verità?»

«Lo so già, che non si tratta di loro.»

«E allora, dove sono?»

Irina Asanova non rispose. Una bruciacchiatura segnava la betulla come un marchio. Non disse nulla, ma la strada alla verità era ancora aperta. Arkady rise, involontariamente, stupito dalla propria stupidità. Tutto il tempo si era chiesto cosa potesse volere Osborne da due russi. Non si era mai chiesto, finora, cosa potessero volere due russi da lui.

«Dove crede che si trovino?» domandò.

La vide trattenere il fiato.

Rispose lui stesso: «Kostia e Valerya erano scappati dalla Siberia. Arrivare a Mosca non era un grosso problema. Kostia aveva dei biglietti d'aereo, rubati all'Aeroflot. Qui, inoltre, è possibile procurarsi, al mercato nero, un certificato di residenza, o un permesso di lavoro, se si hanno i soldi per pagarlo. Senonché Mosca non era, per loro, abbastanza lontana dalla Siberia. Kostia – Kostia il Bandito – intendeva espatriare. Lei mi dirà che questo è impossibile. Eppure, è morto insieme a un americano rientrato *clandestinamente* in Unione Sovietica».

Irina Asanova fece un passo indietro, nell'ultimo raggio di sole.

«Infatti» disse Arkady «è soltanto per questo che lei ammette di conoscerli. Io lo so, che sono morti al Gorky Park. Lei invece pensa che siano vivi, dall'altra parte della frontiera. Pensa che siano scappati.»

Lei aveva l'aspetto radioso del trionfo.

XII

I sommozzatori erano all'opera e il fiume ribolliva di melma smossa. Riflettori ermetici venivano calati nell'acqua. Vedevi ora una mano, ora una pinna, e sagome agitarsi intorno al punto in cui il canale di scarico delle Concerie Gorky si versava nella Moscova.

Sul lungofiume, poliziotti con lanterne facevano segno ai rari automezzi di passare oltre, senza fermarsi. Arkady stava a guardare dall'alto dell'argine. Poi si allontanò di qualche passo e raggiunse la sua auto, a bordo della quale, ben in ombra, sedeva William Kirwill.

«Non le prometto niente» gli disse Arkady. «Può tornare all'albergo, se vuole, o andare alla sua ambasciata.»

«Resto qui.» Gli occhi di Kirwill scintillavano nell'oscurità.

Un tonfo annunciò che un altro sommozzatore si era immerso. Un altro riflettore discese, allo stridio d'una carrucola. Mediante delle pertiche, alcuni militi dal greto tenevano lontani i lastroni di ghiaccio.

Arkady estrasse una busta rigonfia. «Ecco i referti della Scientifica sui tre cadaveri trovati al Gorky Park» disse.

Arkady faceva assegnamento su un certo qual spirito di fratellanza, sulla familiarità di quella scena – le imprecazioni degli agenti, il tramestio, le livide lanterne – che certo era la stessa da ogni parte del mondo, durante un sopralluogo.

Dopo averci ragionato su un giorno intero, Kirwill doveva essere approdato alla conclusione che Arkady non era del KGB: nessuno di quelli poteva essere così genuinamente ignorante.

«Faccia vedere.» E William Kirwill allungò una mano.

«Chi era James Kirwill?» domandò Arkady.

«Mio fratello.»

Arkady gli porse la busta dal finestrino. Era il primo baratto, fra loro. Lì dentro non c'era, però, alcun accenno a John Osborne. Se William Kirwill avesse voluto soltanto aiutare le indagini, si sarebbe fatto avanti fin dal primo giorno. Inoltre, aveva portato con sé un'arma – per farsi vendetta da solo. Ora, dunque, avrebbe collaborato fin quando non avesse scoperto su chi fare vendetta. Non aveva più la pistola, ma questo non importava. Aveva pur sempre le mani.

Un ufficiale della Polizia Fluviale venne a dire ad Arkady che i sommozzatori si stavano congelando e che non si trovava niente. Arkady tornò vicino all'argine. Qui un sergente lo trasse in disparte e gli disse che un suo uomo, una recluta, aveva da dirgli qualcosa. La recluta difatti ricordava una Zhiguli parcheggiata sul lungofiume una sera di gennaio, o forse di febbraio. Dell'uomo a bordo ricordava soltanto che era tedesco e portava all'occhiello un distintivo d'una squadra di calcio juniores di Berlino. Essendo un accanito collezionista di distintivi, la recluta gli aveva chiesto se glielo vendeva, e l'altro gli aveva risposto di no. Dall'accento, era appunto un tedesco.

Ai sommozzatori, Arkady disse: «Continuate a cercare per un'altra mezz'ora».

Dieci minuti dopo, delle grida di trionfo. E uno di loro risalì per la scala di corda sull'argine portando una sacca di cuoio tutta sgocciolante sporca di fango.

La sacca era chiusa da un cordone che passava attraverso degli occhielli. Calzando guanti di gomma, Arkady l'aprì, sotto un riflettore. Fra la melma e le bottiglie trovò una pistola. La tirò fuori: era una grande, snella semiautomatica.

«Compagno Investigatore...» Era arrivato Fet.

Arkady non l'aveva più rivisto dopo l'interrogatorio di Golodkin.

Fet si aggiustò gli occhiali, fissò con sguardo miope la pistola, poi chiese: «Posso fare qualcosa?».

Arkady non sapeva quale parte avesse avuto Fet nella morte di Pasha. Sapeva solo che non lo voleva tra i piedi. «Sì» gli rispose. «Procurati una lista delle icone rubate in questi ultimi sedici mesi.»

«Rubate a Mosca?»

«E nei dintorni» rispose Arkady «e in tutto il resto del Paese, di qua dagli Urali. E poi...»

«Sì?» Fet si fece più vicino.

«E poi anche un elenco delle icone rubate in Siberia» disse Arkady. «Lo sai, no? dove si trova la Siberia.»

Lo guardò quindi allontanarsi nell'oscurità. La ricerca lo avrebbe tenuto impegnato per una settimana, e c'era anche caso che tornasse utile.

Arkady avvolse con cura la pistola in un fazzoletto. Di che marca fosse, nessuno dei presenti lo sapeva. Arkady diede del denaro al comandante della pattuglia perché offrisse da bere ai sommozzatori. Quindi tornò alla sua auto, con la sacca e la pistola.

Si diresse verso una rimessa di taxi nei pressi di Ponte Krimsky, assieme a Kirwill. L'alba spuntava. Davanti alla rimessa, alcuni taxisti stavan rappezzando e rabberciando vetture ormai prossime al collasso. Qua e là s'aggiravano liberi imprenditori che offrivano pezzi di ricambio rubati.

Kirwill esaminò la pistola. «Ottima arma. È la versione argentina della Mannlicher da 7,65 millimetri. Molto rapida, accurata, a otto colpi.» Della fanghiglia gli schizzò sulla camicia, quando estrasse il caricatore. Quando era passato a prelevarlo all'albergo Arkady non aveva notato che Kirwill si era di nuovo vestito alla russa. «Tre colpi avanzati.» Riinserì il caricatore e restituì la pistola. «Era d'ordinanza in Argentina, prima che adottassero la Browning. Le Mannlicher furono allora vendute ad armaioli, negli Stati Uniti, ed è per questo che le conosco.»

«I cuscini» disse Arkady, studiando i vestiti di Kirwill. «Non avevo guardato dentro i cuscini.»

«Esatto.» Kirwill quasi sorrise. Restituì la busta, si pulì le dita poi estrasse una scheda dal taschino. Era un cartoncino con dieci macchie d'inchiostro. Impronte digitali. «Non ha trovato neanche questa.»

Arkady fece per allungare una mano ma l'altro, scuotendo la testa, rimise la scheda in tasca.

«No, questa la tengo per me.» Allargò le braccia sullo schienale del sedile. «Però ci ho pensato su. Forse lei è davvero quello che dice di essere, Renko. Forse possiamo metterci d'accordo. Mi ha detto che un suo agente è stato ucciso. E ha anche perso Golodkin. Quindi ha bisogno di aiutanti.»

«E allora?»

«A proposito di Jimmy...»

«Jimmy. Suo fratello James?»

«Sì.» Kirwill si strinse nelle spalle. «Il lavoro della Scientifica non è male. Ma non è tutto.»

«Cosa intende dire?»

«Che non ci si è dati da fare abbastanza successivamente. Mi spiego? Cinquanta uomini sguinzagliati a interrogare chiunque abbia frequentato Gorky Park quest'inverno. Ripetere le domande due, tre volte. Dar modo ai giornali di parlarne. Annunciare alla televisione che, chiunque abbia informazioni utili, telefoni al tal numero...»

«Magnifiche idee» disse Arkady. «Per New York, mica per qui da noi.»

Gli occhi di Kirwill si fecero freddi. «Se io identificassi l'assassino di mio fratello... cosa succederebbe?»

«Se ne occuperebbero i Servizi di Sicurezza.»

«Il KGB?»

«Appunto.»

«E a me, cosa succederebbe?»

«Sarebbe arrestato come teste. Io potrei non dir nulla sul nostro incontro-scontro al Gorky Park, né su quella sua arma impropria. Tutto sommato, la sua detenzione non sarebbe troppo spiacevole.»

«Ma neanche uno spasso, eh?»

Arkady rise. «No, non tanto divertente.»

«Allora...» Kirwill si accese una sigaretta e gettò il fiammifero dal finestrino. «Allora, preferisco lasciare le cose come stanno. Un accordo fra lei e me, soltanto.»

Un taxista avanzò, domandando se avessero pezzi di ricambio da vendere.

Arkady lo liquidò.

«Un accordo?» chiese quindi a Kirwill. Era quello che lui stesso aveva in mente, ma sentirlo dire dall'altro lo mise a disagio.

«Un'intesa di mutua assistenza» rispose Kirwill. «Dunque, secondo me, per primo fu abbattuto il colosso... Kostia Borodin. E per secondo Jimmy. Con quella gamba malconcia, mi stupisce che andasse a pattinare... mah! Per ultima, la ragazza – la Davidova. Quello che non spiego sono le revolverate alla testa. Ammenoché l'assassino non sapesse di quell'intervento alla radice d'un dente di Jimmy e intendesse, perciò, eliminare una traccia. Renko, lei non ha sospetti su qualche dentista? Oppure...» di nuovo quel mezzo sorriso «... su qualche straniero?»

«Nient'altro?» domandò Arkady, con voce piatta, sebbene a lui gli ci fossero voluti giorni e giorni per arrivare... alla radice di quel dente.

«Bene. Il gesso nei vestiti. Icone... giusto? Per questo lei ha ordinato la lista delle icone rubate, al suo assistente. A proposito, è il tizio che ho pedinato fino al KGB. Lei non sarà un loro "pidocchio", ma lui sì.»

«La penso come lei.»

«Bene. Ora mi ridia il mio scudo.»

«La sua patacca? Non ancora.»

«Renko, lei mi nasconde qualcosa.»

«Mister Kirwill, ci teniamo nascosto qualcosa a vicenda. A un passo, appena, dal mentire addirittura. Siccome nessuno dei due sa quando l'altro gli si rivolterà contro, ecco che bisogna, per forza, procedere a un passo per volta. Non tema, riavrà la sua patacca da poliziotto, prima di tornare a casa.»

«Dell'Investigativa» lo corresse di nuovo Kirwill. «Ma stia tranquillo, non mi serve. Può tenerla, per qualche giorno ancora. Nel frattempo... Conosce l'espressione americana *"it sucks"* – fa schifo? Infatti fa proprio schifo il suo "lavoro di gambe" – noi lo chiamiamo così in queste indagini. Per non parlare del suo fallimento sulla pista delle icone. Penso sia meglio che noi due lavoriamo separati, e ci incontriamo solo per scambi di informazioni. Solo così lei farà passi avanti. Mi dia i suoi numeri.»

Arkady gli scrisse il numero di telefono del suo ufficio e quello dell'Ukraina. Kirwill si ficcò il biglietto nel taschino.

«Carina la ragazza, eh? Quella uccisa assieme a Jimmy.»

«Credo. Ma lei da cosa lo deduce? Suo fratello era un donnaiolo?»

«Tutt'altro. Jimmy era un tipo ascetico. Non le toccava, le donne, però gli piaceva la loro compagnia ed era molto esigente.»

«In che senso?»

«Gli piacevano le madonne, Renko. Mi spiego?»

«No, non credo di capire.»

«Beh, non si sforzi troppo.» Kirwill aprì la portiera. «Comincio appena a credere che lei fa sul serio.»

Arkady lo guardò allontanarsi, sicuro di sé. Lo vide soffermarsi presso un cofano aperto e dir la sua al taxista. Ecco, adesso offrirà sigarette, pensò Arkady. E difatti... Altri taxisti si radunarono.

L'intenzione di Arkady era quella di servirsi di Kirwill. Questi, certo, aveva qualcos'altro in mente.

Dopo aver portato la sacca e la pistola a Lyudin, Arkady andò alla sede centrale dei Telefoni di Stato e diede ordine di mettere sotto controllo tutti i telefoni pubblici nei paraggi dell'abitazione di Irina Asanova. Una così non aveva certo il telefono in casa. Lei, poi, denunciava la sua povertà da altre cose: i vestiti di seconda mano, le scarpe scalcagnate, le sigarette d'infima marca che fumava. Alla Mosfilm c'erano tante ragazze che ricevevano uno stipendio altrettanto misero, eppure vestivano elegantemente e frequentavano i ricevimenti in onore di ospiti stranieri, dov'era facile ricevere "in omaggio" un profumo francese o un taglio per un vestito. Certo avranno invitato anche Irina, a quelle feste. Lei, invece, lesinava il copeco. Arkady l'ammirava.

Il Colonnello Lyudin stava illustrando ad Arkady i referti relativi alla sacca ritrovata in fondo al fiume, quando squillò il telefono.

Rispose un assistente e passò il ricevitore ad Arkady: «È per lei, compagno Renko».

Era Zoya.

«Ti richiamo io» le disse Arkady.

«No, devo parlarti subito.» La sua voce era stridula.

Arkady fece cenno a Lyudin di andare pure avanti.

Il Colonnello della Scientifica disse: «La sacca di cuoio è di fabbricazione polacca».

«Arkady...» insistette Zoya.

Lyudin continuò: «La sacca, chiusa mediante un cordone che passa attraverso degli occhielli di metallo, può portarsi sia in mano sia a tracolla. Molto sportiva. È in vendita soltanto a Mosca e Leningrado. Qui» (indicò con una matita) «un unico foro, in fondo alla sacca. Allargato da colpi successivi. Ci sono tracce di polvere da sparo intorno al foro. Il cuoio della sacca è identico a quello trovato, in minutissimi frammenti, sulla pallottola G-1».

Era la pallottola che aveva ucciso Kostia Borodin. Arkady annuì, invitandolo a continuare.

Frattanto Zoya stava dicendo: «Ho presentato istanza di divorzio. Il costo è di cento rubli. A te spetta pagarne la metà. Dopotutto ti ho lasciato l'appartamento». Attese una risposta. «Pronto? Sei ancora lì?»

«Sì» rispose Arkady, di traverso, al microfono.

Lyudin stava enumerando gli oggetti rinvenuti entro la sacca ed esposti su un tavolo: «Tre anelli portachiave, ognuno con una chiave identica. Un accendino. Una bottiglia vuota di vodka extra. Una bottiglia semivuota di cognac Martell. Un paio di pattini Spartak da ghiaccio, misura extragrande. Un vasetto, rotto, di marmellata francese. Non d'importazione: deve essere stato comprato all'estero».

«Niente formaggio, pane, salsicce?» domandò Arkady.

«Pesci e anguille sono entrati e usciti per mesi da quella sacca, Investigatore, la prego. Ci sono tracce di grasso animale indicanti la presenza di altri cibi. E inoltre, tracce di tessuti umani.»

Al telefono Zoya disse: «Devi venire qui subito, Arkady. Per parlare con il giudice, prima a porte chiuse. Io già ci ho parlato».

«Ho da fare» disse Arkady a sua moglie e chiese a Lyudin: «Impronte digitali?».

«Non se le aspettava mica veramente, eh, Renko?»

Zoya disse: «Vieni subito, o te ne pentirai».

Arkady coprì il microfono con una mano. «Scusi un momento, Colonnello».

Lyudin si allontanò di qualche passo verso un gruppetto di assistenti, dopo aver controllato l'orologio.

Arkady volse loro le spalle e bisbigliò: «E i motivi da te addotti quali sono? Che ti picchio? che bevo?».

«Tanto per cominciare...» (aveva un nodo alla gola)

«... incompatibilità di carattere. Ho testimoni. Natasha e il dottor Schmidt.»

«Ma che...» Non riusciva a coordinare i suoi pensieri. «Che figura ci fai, col Partito?»

«Ivan...»

«Ivan chi?»

«Il dottor Schmidt dice che non subirò alcun danno.»

«Sia lodato il cielo, per questo. E quanto alla nostra incompatibilità... fin dove arriva?»

«Dipende» disse Zoya. «Se non ci accordiamo e arriviamo al processo, sarà peggio per te.»

«Già mi va male. Cosa c'è di peggio?»

«Le tue battute...» disse lei, sottovoce.

«Quali battute?»

«Le battute, i giudizi... tutto quello che dici riguardo al Partito.»

Arkady fissò il ricevitore. Cercò di figurarsi Zoya all'altro capo, e gli venne alla mente quel manifesto dei Pionieri, con lei ragazzina, i capelli biondi come l'oro. Poi rivide la loro casa vuota, senza mobili. Come se la carcassa del loro matrimonio fosse stata spolpata da invisibili, voraci animali. Ma era inutile avere rimpianti. Già tutto gli si confondeva, e lui aveva un vuoto innanzi a sé. Le parole, ironiche o sentimentali, sarebbero morte ugualmente in quel vuoto, fra lui e sua moglie... "ex", fra poco.

Allora disse: «Dammi solo un po' di tempo. Fino al Primo Maggio. Non ne subirai alcun danno, ne sono sicuro. Cosa vuoi che siano, pochi giorni?». E riagganciò.

Lyudin schioccò le dita. «Torniamo a noi. La pistola dovrà passare in un bagno acido, prima che si possa sparare qualche colpo di prova. Tuttavia, posso dire, fin d'ora, che gli esperti son dell'avviso che si tratti di una Mannlicher, dello stesso calibro dell'arma da cui partirono i colpi omicidi, nel Gorky Park. Domani saprò dire di che modello si tratta, esattamente. Nel frattempo, faremo più di quanto è umanamente possibile. Renko... mi sta a sentire?»

Arkady andò in via Novokuznetskaya per sentire se erano arrivate telefonate da Kirwill e, lì, alla sede della Procura, incappò in una riunione ideologica. Se ne tenevano di rado e, di solito, c'era uno che leggeva un articolo di fondo della "Pravda" ad alta voce e altri che leggevano, per loro conto, riviste sportive. Stavolta, invece, era una cosa seria. Il salone a pianterreno era gremito di Investigatori, venuti dai vari distretti, e alla cattedra sedevano Chuchin e uno psichiatra dell'Istituto Serbsky.

Quest'ultimo stava dicendo: «La psichiatria sovietica è a una svolta importante. È in ballo il concetto stesso di malattia mentale. Per troppo tempo, gli organi sanitari e quelli giudiziari hanno lavorato separatamente, in questo campo, e in modo non coordinato. Oggi sono lieto di annunciarvi che le cose stanno cambiando». Fece una pausa, per riordinare le carte e inghiottire una pastiglia. «All'Istituto Serbsky siamo giunti all'importante conclusione che i criminali sono affetti da un disturbo psichico che noi definiamo "pato-eterodossia". Ci sono prove sia teoriche sia cliniche, a sostegno di questa scoperta. In una società ingiusta, un uomo può avere validi motivi – sociali o economici – per infrangere le leggi. In una società giusta, invece, non sussistono validi motivi, a parte la malattia mentale. Il riconoscimento di questo fatto vale a proteggere sia il trasgressore sia la società le cui leggi egli infrange. Il trasgressore verrà isolato, messo in quarantena e curato da medici esperti, fino alla sua completa guarigione. Vedete quindi quanto sia importante che gli inquirenti siano edotti alla nuova psichiatria sovietica, dimodoché potranno – da sintomi in apparenza insignificanti – individuare il "pato-eterodosso" prima che questo deviante abbia modo di violare la legge. È nostro dovere risparmiare danni e dolori alla società e proteggere un malato dalle conseguenze dei propri atti inconsulti.»

Lo psichiatra usò entrambe le mani per voltar pagina. «Restereste stupiti, di fronte agli esperimenti che attualmente si conducono da noi, all'Istituto Serbsky. Abbiamo la prova che il sistema nervoso di un criminale è diverso da quello di una persona normale. A tutta prima i criminali da noi esaminati si comportavano nei modi più svariati: a volte irrazionali nelle loro espressioni, a volte invece – in apparenza – sensati. Eppure tutti quanti, dopo alcuni giorni in cella di isolamento, cadevano in stato di catatonia. Io stesso ho conficcato spilloni nella carne di codesti "pato-eterodossi" e constatato, di persona, la totale mancanza di dolore, in loro.»

«Dove li infilza, gli spilloni?» domandò Arkady.

Ma in quella udì squillare il telefono nel suo ufficio e non attese risposta. Chuchin disse qualcosa all'orecchio dello psichiatra, il quale prese un appunto.

«Quand'ero piccola avevo una gattina.» Natasha Mikoyan spianò la coperta di mohair che le copriva le gambe. «Così soffice, così leggera... un batuffolo! Avrei dovuto nascer gatta, io.»

Stava raggomitolata sul sofà, con la coperta fin sotto il mento in camicia da notte, coi piedi nudi sopra un cuscino. Le tende erano tirate, le luci spente. Aveva i capelli sciolti, scompigliati. Sorseggiava cognac da una tazza smaltata.

«Hai detto che volevi parlarmi di un omicidio» disse Arkady. «Quale omicidio?»

«Il mio» rispose lei, opprimente.

«Chi intenderebbe assassinarti?»

«Misha, è ovvio.» Represse una risatina, come se lui le avesse fatto una domanda scema.

Nonostante la penombra, Arkady notò nella stanza

alcuni cambiamenti rispetto alla settimana prima, quando era venuto lì a cena. Cose da poco: un quadro di traverso, posacenere ricolmi, polvere sui mobili e, nell'aria, un odore di fiori appassiti. Una borsetta giaceva sul tavolinetto da tè e, accanto, c'erano uno specchio e un rossetto. Il rossetto rotolava ogni volta che lei, rigirandosi, urtava il tavolino.

«Da quanto tempo sospetti che Misha intenderebbe ucciderti?»

«Oh, sono anni ormai.» Poi, come ripensandoci: «Fuma pure se vuoi. Lo so che fumi quando sei nervoso».

«Ci conosciamo da tanto, eh, sì» disse lui, e tirò fuori una sigaretta. «Come pensi che intenda ucciderti?»

«Mi ucciderò da me.»

«In tal caso, non è un omicidio, Natasha, ma un suicidio.»

«Lo sapevo che avresti detto così, ma non è il caso, qui. Io sono solo lo strumento: l'assassino è lui. È avvocato, lo sai, non corre rischi.»

«Vuoi dire che cerca di farti diventare pazza, è così?»

«Fossi pazza, non potrei capire il suo gioco. Eppoi, mi ha già tolto la vita. Parliamo di me, ora.»

«Ah.»

Non sembrava affatto pazza. La sua voce aveva un che di sognante, la sua aria era un'aria di acquiescenza. Arkady e Natasha erano sempre stati molto amici, ma mai intimi.

«Ebbene» domandò «cosa vuoi che faccia per te? Posso parlare a Misha...»

«Parlargli? Lo devi arrestare, lo devi.»

«Per omicidio? Non ucciderti, e non ci sarà nessun delitto.» Tentò di sorridere.

Natasha scosse la testa. «No, non posso correre rischi. Bisogna che lo faccia arrestare, finché sono in tempo.»

«Via, ragiona!» Arkady stava perdendo la pazienza. «Non posso arrestare nessuno per un crimine che non ha commesso... specie dietro denuncia d'una vittima che si ucciderà da sé!»

«Allora... non sei un grande Investigatore.»

«Perché mi hai fatto venire? Perché parlare con me? Parla con tuo marito.»

«Mi piace come suona... "tuo marito"!» Inclinò la testa. «Ha un bel suono giudiziario.» Si raggomitolò. «Penso a te e Misha come foste tutt'uno. E anche lui. Di te, dice sempre che sei il suo "lato buono". Fai tutte le cose che lui vorrebbe fare. Per questo ti ammira tanto. Se non posso dirlo al suo "lato buono" che intende uccidermi, non posso dirlo a nessuno. Sai, tante volte mi son chiesta perché non ti interessavi a me, da studente. Ero molto graziosa.»

«Lo sei ancora.»

«Ti interesso, ora? Potremmo farlo qui... senza neanche andare di là in camera. Andresti tranquillo, ti giuro. Nessun rischio. No? Sii sincero, Arkasha. Tu sei sempre sincero. È il tuo fascino. No? Non chiedere scusa, ti prego. Ti dirò che neanche a me interessa la cosa. Che ci è successo, di'?» Rise. «Non ci resta neanche più l'interesse.»

D'impulso, Arkady afferrò la borsetta e ne rovesciò il contenuto sul tavolo: c'erano diversi astucci di Pentalginum, un calmante alla codeina e al fenobarbital. Lo si vendeva nelle farmacie, era il "tossico" delle casalinghe.

«Quante ne prendi, al giorno?»

«Il *modus operandi*, ecco cosa ti offusca la vista. Sei così professionale. Gli uomini lo sono, in genere. Io ti annoio» soggiunse subito, vivacemente. «Avrai qualche morto ammazzato cui pensare. Io volevo soltanto allargare i tuoi orizzonti. Eri l'unico, fra quanti conosco, cui magari poteva interessare... Mah! Torna pure al tuo lavoro, adesso.»

«Tu che farai?»

«Oh! Resto qui. Come una gatta.»

Arkady si alzò e fece un paio di passi verso la porta. «So che testimonierai contro di me, in tribunale» disse.

«Non contro di te. A favore di Zoya. Francamente» disse Natasha, con gentilezza «non vi ho mai visti come una coppia, voi due, mai.»

«Tutto a posto? Io devo andare.»

«A postissimo, per quel che mi riguarda.» Portò la tazza alle labbra, contegnosa.

Vicino all'ascensore, Arkady incontrò Misha, che stava rincasando, e lo vide arrossire d'imbarazzo.

«Grazie per esser venuto, Arkasha. Non sono riuscito a sbrigarmi prima.» E fece per passar oltre.

«Senti. È meglio che la porti da un medico» disse Arkady. «E toglile quelle pillole.»

«Si rimetterà.» Misha indietreggiò, verso la porta di casa. «Già altre volte è successo, e s'è ripresa. Perché non ti preoccupi degli affari tuoi?»

Arkady trascorse il pomeriggio fra le scartoffie. Controllò l'immatricolazione di una Zhiguli da parte di Hans Unmann e ricontrollò i visti e i permessi di soggiorno di John Osborne. Questi aveva viaggiato in treno da Parigi a Leningrado arrivando il 2 gennaio. Un viaggio del genere, anche se con tutti i comfort attraverso Francia, Germania e Polonia, doveva essere stato noioso, specie per un uomo d'affari come Osborne sempre in movimento. Nei mesi invernali a Leningrado il traffico marittimo era bloccato dal gelo e un controllo all'aeroporto avrebbe fatto scoprire la Mannlicher nel suo bagaglio.

Sul tardi, Arkady andò ad assistere alla cremazione di Pasha Pavlovich. Solo ora la salma aveva ricevuto il nulla osta.

Gli uligani avevano tolto di mezzo tutte le parole della vistosa insegna rossa, tranne una: SPERANZA.

Le ciminiere delle Officine Likhachev erano spente. I negozi erano chiusi. Quello in cui si vendeva vodka aveva una porta di ferro. Passò un poliziotto. Gli ubriachi gli lanciarono contro improperi. Il poliziotto svicolò di lì a poco.

Arkady entrò nel locale dove già si era incontrato con Swann. Ai tavoli rotondi si pigiavano numerosi avventori già alticci, in maniche di camicia, bottiglia di vodka in mano, cipolle crude sul piatto, coltelli sul piano di marmo. Si tenevano stretti alle loro bottiglie e guardavano la partita alla televisione: la Dinamo di Mosca contro l'Odessa. Arkady andò alla toilette e lì trovò Kirwill che stava urinando. Nonostante la penombra notò sul suo volto, oltre alla consueta pericolosa tensione, le venuzze dilatate di chi ha bevuto molto.

«Se la spassa?» gli domandò.

«Qui, in questo piscio? Certo.» Si allacciò i pantaloni. «Uno spasso da chiavica. Lei è in ritardo.»

«Scusi.» Arkady si mise a urinare a sua volta, tenendosi un paio di passi lontano dal cesso, però, perché intorno era tutto allagato. Si chiese quanto Kirwill avesse già bevuto.

«Controllata, la Mannlicher?»

«A suo tempo lo sarà.»

«Che altro cavolo ha fatto, oggi? Si è allenato al tirassegno?

«Si fa quel che si può.» E guardò le scarpe di Kirwill.

Tornarono al tavolo che l'americano aveva già occupato, in fondo al locale. C'era sopra una bottiglia di vodka, mezzo vuota.

«Renko... è un bevitore?»

Arkady fu tentato di andarsene. Kirwill era già imprevedibile da sobrio, figurarsi da sbronzo. Gli americani, aveva sentito dire, non reggono l'alcol. Ma doveva venire anche Swann, e non poteva non farsi trovare.

«Senta, Renko. Poi faremo una gara, noi due. Una gara a chi piscia di più, più distante e con più stile. Le do pure un vantaggio. Io, su una gamba sola. Non le basta, come handicap? Senza mani?»

«Davvero lei è un ufficiale di Polizia?»

«L'unico, qui presente. Suvvia, Renko! Beva. Offro io.»

«Ha l'insulto facile, eh, lei?»

«Quando sono ispirato, sì. Preferirebbe che la pigliassi a pugni, come è già capitato?» Kirwill incrociò le braccia e volse lo sguardo intorno. «Bel locale.» Tornò a guardare Arkady e, con la voce petulante di un bambino offeso, disse: «Ho detto ch'è un bel posto, qui!».

Arkady andò al bancone e ne tornò con una bottiglia e un bicchiere per sé. Posò due fiammiferi sul tavolo, fra la propria bottiglia e quella di Kirwill, ne spezzò uno a metà, li racchiuse nel pugno, di modo che soltanto la capocchia ne spuntava, e disse: «Chi prende il più corto, versa dalla sua bottiglia».

Accigliandosi, Kirwill ne estrasse uno. Quello corto.

«Merda!» esclamò in russo.

«Ottima pronuncia, ma il vocabolo è sbagliato!» osservò Arkady. Guardò Kirwill versar da bere dalla sua bottiglia. «Inoltre, dovrebbe tagliarsi i capelli più corti, sopra le orecchie. E non dovrebbe mettere i piedi sul tavolo. Solo gli americani mettono i piedi sul tavolo.»

«Oh, lavoreremo bene insieme, noi due.» Kirwill ingollò la sua vodka d'un fiato, gettando indietro la testa, come Arkady. Di nuovo tirarono a sorte, e di nuovo perse Kirwill. «Dannata etichetta lumpenproletaria! Da bravo, Renko. Perché non mi racconta quello che ha fatto oggi, a parte lasciar scorrere il sangue dal cuore al culo?»

Arkady non intendeva dirgli di Osborne, né voleva metterlo sulla pista di Irina Asanova, quindi gli parlò della ricostruzione del cranio della ragazza uccisa.

«Magnifico» disse Kirwill. «Ho dunque a che fare coi matti, io. Una faccia da un cranio? Cristo! Beh, è affascinante come conoscere i sistemi usati dalla polizia dell'antica Roma. Poi di che cos'altro si diletta? Di trarre vaticini dalle viscere degli animali? o auspici dal volo degli uccelli? Ricostruire icone... ecco di cosa si occupava Jimmy. Renko, nei suoi appunti si fa cenno a un insieme di icone.»

«Da rubare o comprare, non da ricostruire.»

Kirwill si grattò il mento. Poi estrasse dalla tasca interna una cartolina illustrata e la mise sotto gli occhi di Arkady. La dicitura era in inglese: "Cofanetto religioso – Cattedrale dell'Arcangelo, Cremlino". La foto, a colori, mostrava uno scrigno, o cofanetto, dorato, sul quale c'erano calici sacramentali d'oro e cristallo. I pannelli laterali del cofanetto erano altrettante icone raffiguranti una battaglia fra angeli bianchi e angeli neri.

«Secondo lei, a quando risale?»

Arkady tirò a indovinare: «Quattrocento... cinquecento anni».

«Diciamo 1920. Il telaio, cioè. Le icone, invece, sono autentiche, antiche, montate sul telaio nel 1920. Cioè quando la cattedrale fu restaurata, o, diciamo, rinnovata. Chi ha mai detto che Lenin non avesse buon gusto? Un insieme di icone così può valere, a New York, da centomila dollari in su. Se ne trovano. Per esportare queste icone si ricorre a vari espedienti. Per esempio: un mercante esporta un mediocre cofanetto i cui pannelli sono costituiti da eccellenti icone "truccate" in maniera che sembrino croste. Quindi, oggi, io, mi son fatto il giro di tutte le ambasciate: per cercare di scoprire chi avesse esportato icone, o un cofano, uno scrigno o altro insieme di icone, negli ultimi sei mesi. Non sono approdato a nulla. Torno quindi all'Ambasciata americana, dall'addetto politico – ch'è anche il capo della CIA di Mosca, uno che non saprebbe trovare il proprio culo con l'aiuto di uno specchio retrovisore... Tutto quello che m'ha detto – in gran segreto – è che portarsi a casa, di contrabbando, una discreta icona è un buon investimento contro l'inflazione. È roba che ti viene l'ernia se provi a sollevar la valigia diplomatica alla nostra ambasciata! Lasciamo stare. Dopodiché, mi sono reso conto che una "ricostruzione" di icone non si può effettuare senza oro. E l'oro, qui a Mosca, non si trova, né a comprarlo né a rubarlo. Quindi, la mia ipotesi non regge. Nel frattempo m'è venuta sete... e eccomi qua.»

«Kostia Borodin poteva...» disse Arkady.

«... comprare oro a Mosca?»

«Rubare oro in Siberia. Ma non è una trovata troppo ovvia mettere insieme un cofanetto nuovo con icone antiche?»

«Ci sono vari sistemi per invecchiarlo. Si raschia un po' d'oro per far trasparire il legno, qua e là. Ci si strofina sopra della terra d'ombra. Senta: mandi un agente in ogni negozio d'arte di Mosca e controlli chi compra gesso, gelatina granulata, bolo armeno, colla da falegname, carta vetrata finissima, pezzuole di camoscio...»

«Lei ha una notevole esperienza» osservò Arkady, prendendo appunti.

«È roba che sa qualsiasi poliziotto, a New York. E inoltre... scriva... cotone, alcol, punzoni e brunitoio a testa piatta.» Kirwill si versò un altro bicchiere, mentre Arkady scriveva. «Mi stupisce, che lei non abbia trovato peli di zibellino, fra gli indumenti di Jimmy.»

«Di zibellino? E perché?»

«L'unico pennello adatto a dare la doratura è un pennello di zibellino rosso. E quello là chi è?»

Era arrivato Swann, assieme a uno zingaro: un vecchio dalla faccia di vecchia scimmia, grinzosa e all'erta, un informe cappello sulla testa riccia e grigia, un lercio fazzoletto intorno al collo.

Nelle statistiche dell'URSS non figurano mai disoccupati, tranne gli zingari, o tzigani. Nonostante gli sforzi per elevarli o spedirli altrove, ogni domenica se ne trovano al mercato agricolo, dove vendono amuleti, e ogni primavera ricompaiono nei parchi pubblici – le donne con un neonato al seno – a mendicar monetine.

«La gente non compra materiale per artisti nei negozi d'arte» spiegò Arkady a Kirwill. «Lo comprano nei mercati dell'usato, agli angoli delle strade, in casa di qualcuno.»

«Lui ha saputo di un siberiano che aveva polvere d'oro da vendere» disse Swann, accennando al vecchio tzigano.

«E anche pelli di zibellino, ho sentito» disse lo zingaro. Aveva la voce rauca. «Cinquecento rubli, per una pelle.»

«Puoi comprare di tutto, all'angolo giusto» disse Arkady a Kirwill, guardando però lo tzigano.

«Qualsiasi cosa» confermò questi.

«Persino le persone» aggiunse Arkady.

«Come il Giudice che morirà di cancro lento per aver mandato in prigione mio figlio. Lo sa quanti figli ha lasciato mio figlio?»

«Quanti figli ha lasciato suo figlio?» domandò Arkady.

«Dieci» rispose il vecchio tzigano, con la voce strozzata dalla commozione. Si girò sulla sedia per sputare in terra, poi si pulì la bocca con la manica. «Tutti piccoli.»

Alcuni ubriachi, al tavolo accanto, cantavano una canzone d'amore, tenendosi allacciati per le braccia e ondeggiando con la testa.

Lo tzigano si dimenò sui fianchi e si leccò le labbra, allusivamente. Confidò sottovoce ad Arkady: «La loro mamma è molto graziosa».

«Quattro bambini.»

«Otto. È l'ultima...»

«Sei.» Arkady depose sei rubli sul tavolo. «Che diventeranno sessanta, se lei trova dove abitava quel siberiano.» Si rivolse a Swann. «C'era un tipo magro, dai capelli rossi, con loro. Sono scomparsi tutti quanti all'inizio di febbraio. Copia quell'elenco di materiale per artisti, e consegnane uno anche allo tzigano. Dovevano pur comprarla da qualcuno, la roba che gli serviva, no? Magari abitavano alla periferia, non al centro. Non avranno voluto avere tanti vicini di casa.»

«Lei avrà un bel po' di fortuna» disse lo zingaro, ficcandosi in tasca i sei rubli. «Come suo padre. Il Generale era molto generoso. Lo sa che noi seguimmo le sue truppe fino in Germania? C'era da razzolare bene, al suo seguito. Mica come tanti altri.»

Swann e lo zingaro se n'andarono proprio mentre, alla televisione, l'Odessa segnava un gol. Sullo schermo si vide il portiere della Dinamo, Pilgui, con le mani sui fianchi, come se contemplasse un campo vuoto.

«Gli zingari le trovano, le cose» disse Arkady.

«Io effettuerò le stesse ricerche tramite i miei informatori, non si preoccupi» disse Kirwill. «Tocca a lei prendere il fiammifero.»

Arkady perse e versò da bere.

Kirwill sollevò il bicchiere. «Sa... una volta, anni fa, anche da noi ricostruirono la faccia d'una donna assassinata, per poterla identificare. C'è un tale, a New York, che fa questi lavori... generalmente dopo un disastro aereo. Toglie via le ossa e riplasma la pelle. Suppongo che si possa lavorare anche dalla direzione opposta. Brindiamo al suo collaboratore defunto... eh?»

«Okay. A Pasha.»

Bevvero, tirarono a sorte e bevvero ancora. Arkady sentiva la vodka insinuarsi, dallo stomaco, in tutte le sue membra. Kirwill – notò con piacere – non mostrava alcun segno di intontimento da alcol. Anzi, comodamente seduto, con un bicchiere in mano, mostrava tutti i segni del bevitore esperto. Gli faceva pensare a un corridore fondista che segna il passo, o a un grosso barcone che cavalca tranquillamente le onde. Il puzzo, in quel locale, ne avrebbe cacciato via qualsiasi moscovita colto. Meglio morti nell'atrio del Bolshoi che vivi in una bettola operaia. Invece, Kirwill sembrava genuinamente a suo agio.

«Era veramente suo padre, il Generale Renko?» domandò. «Lei è il figlio del Macellaio dell'Ukraina, dunque. Interessante. Come mai m'era sfuggito?»

Arkady guardò il suo interlocutore, per capire se intendesse insultarlo. Ma sul florido faccione di Kirwill lesse solo una semplice curiosità, persino un cordiale interesse.

«Facile, per lei» disse «ma molto difficile per me.»

«Eh, sì. Perché non ha intrapreso la carriera militare? Come figlio del Macellaio dell'Ukraina sarebbe Generale a sua volta, a quest'ora. Forse lei è un lavativo?»

«Oltreché un incompetente, intende dire?»

Kirwill rise. «Sì. Oltre a tutto.»

Arkady ci pensò su. Era un tipo di umorismo che non gli era familiare, e voleva scegliere la risposta giusta.

«La mia "incompetenza" è dovuta soltanto al cattivo addestramento. Quanto a essere un "lavativo", come dice lei, è qualcosa di più congeniale. Mio padre comandava truppe corazzate in Ukraina. Buona parte dei membri dell'attuale Stato Maggiore erano comandanti in Ukraina, durante la guerra. Fatto sta che Commissario politico, in Ukraina, era Khrushchev. Faranno tutti carriera: chi diventerà Segretario del Partito, chi Maresciallo... Quindi, io fui mandato alle scuole migliori, ebbi gli insegnanti giusti e i giusti protettori nel Partito. Se mio padre fosse stato nominato Maresciallo, non avrei avuto scampo. A quest'ora comanderei una base di missili in Moldavia.»

«Invece non lo promossero Maresciallo?»

«No. Era "il braccio di Stalin". Quando Stalin morì, nessuno si fidava più di lui. Maresciallo? Mai più!»

«Lo uccisero?»

«Gli fecero dare le dimissioni. E così io potei "degenerare", facendo il "lavativo", fino a diventare l'investigatore che lei vede. Su, tocca a lei.»

«È buffo.» Kirwill tirò il fiammifero più corto e versò da bere dalla sua bottiglia. «È buffo come la gente ti domanda sempre come mai ti sei messo a fare il poliziotto. Lo si domanda anche ai preti e alle puttane. I tre mestieri più utili del mondo. È sempre la stessa domanda: come mai? Tranne se sei irlandese.»

«Perché?»

«Se sei irlandese sei nato nella Società del Santo Nome e hai solo due scelte: la Polizia o la Chiesa.»

«Santo Nome? Cosa vuol dire?»

«Vuol dire la vita semplice.»

«Come, semplice?»

«Le donne sono o sante o puttane. I comunisti sono ebrei, per gl'irlandesi. I preti irlandesi bevono, gli altri sono finocchi. I negri sono gran scopatori. Il libro migliore che mai sia stato scritto è *Il Tredicesimo Secolo, il più Grande Secolo* di John Walsh, ti dicono le monache. Hoover era frocio. Hitler aveva ragione. Un procuratore distrettuale ti piscia in tasca e ti dà ad intendere che piove. Queste sono le Auree Massime, questa è la realtà della vita; il resto, fesserie. Lei pensa ch'io sia un povero stronzo ignorante, non è vero?»

C'era ora, indubbiamente, del disprezzo sulla faccia di Kirwill. L'amabilità di poco prima era scomparsa. Arkady non aveva fatto niente, per provocare quel cambiamento. Non aveva più influenza su di lui, di quanta ne avesse sulle fasi della luna. Kirwill si sporse sul tavolo, afferrandone i bordi, con gli occhi iniettati di sangue.

«Io non sono un ignorante. Li conosco, io, i russi. Sono cresciuto in mezzo ai russi. Tutti i russi che scappavano da questo cesso di Paese, per paura di Stalin, venivano a stare a casa mia.»

«Mi risulta che i suoi genitori erano radicali» disse Arkady, cautamente.

«Radicali? Rossi, erano, altroché! Rossi cattolici irlandesi. Il grande Jim e la grande Edna Kirwill. Sfido, che ne ha sentito parlare!»

Arkady si guardò intorno. Tutti seguivano la partita alla televisione. L'Odessa segnò di nuovo, e si levarono dei fischi, delle proteste. Una stretta al polso costrinse Arkady a girare di nuovo la testa.

«Jim e Edna Kirwill, i grandi amici della Russia. Tutti i russi... anarchici, menscevichi e via discorrendo... purché fossero pazzi... avevano una casa, a New York: la nostra casa. Nessun altro li voleva. I profughi russi non potevano contare che su di loro. Le dirò, gli anarchici erano ottimi meccanici. A furia di confezionare bombe.»

«Interessante, direi, la storia della Sinistra americana» disse Arkady.

«Non mi parli della Sinistra americana. Le parlerò io della Sinistra americana. Il fiacco movimento cattolico-marxista, con le sue riviste tipo "Lavoro", "Culto" e "Pensiero"... come se qualcuno di loro avesse mai fatto un lavoro più duro che alzare il bicchiere o sparare una scorreggia... oppure pubblicazioni dai titoli gesuitici come "Orate fratres" o "La rivista gregoriana"... Che roba! Il pretonzolo a braccetto con Fratel Carlo Marx. Senonché, loro non c'erano mai, quando piovevano le manganellate. E gli sbirri andavano in chiesa a farli benedire, i loro manganelli. I preti erano peggio degli sbirri. Il Papa era fascista. In America, per essere cardinale dovevi essere corrotto, ignorante e irlandese, ecco quanto. Dagli in testa, a Edna Kirwill! Era alta un metro e mezzo. Dagli in testa, e poi vai a batterti il petto a San Patrizio. Perché? Perché, per venti anni, "Stella Rossa" fu l'unico giornale cattolico che avesse il coraggio di definirsi comunista. Sulla testata stessa. Così le faceva, le cose, il Grande Jim. Veniva da una famiglia di ribelli dell'IRA, era un colosso, con due mani che avrebbero coperto questo tavolo» (Kirwill allargò

242

le proprie mani enormi) «e troppo istruito per andar a finir bene. Edna era un tipino delicato. I suoi facevano i birrai e lei era destinata a farsi suora. Ecco perché Jim e Edna non furono mai scomunicati: perché il padre di lei non faceva che donare eremi alla Chiesa, tre lungo l'Hudson e uno in Irlanda. Anche noi, naturalmente, avevamo i nostri eremi – Joe Hill House, Mary Farm – profonde conversazioni intorno al caminetto! De Chardin era, o non era, un cripto-capitalista? Bisognava, o no, boicottare il film *La mia vita* con Bing Crosby? Oh, si pregava anche! Puzzavamo di frate, addirittura. Poi la guerra finì e ci fu il processo contro i coniugi Rosenberg. Allora tutti i frati si coprirono la faccia col cappuccio e corsero a nascondersi. Tutti, tranne Jim e Edna Kirwill e quei pochi, miserabili russi del nucleo iniziale che non ci diedero grande aiuto quando avevamo McCarthy e l'FBI alle calcagna. Io ero soldato in Corea, quando nacque mio fratello Jimmy. Allora circolò questa battuta: Hoover... il capo della CIA, Hoover ha costretto Jim e Edna a star rinchiusi in casa, tanto che si son rimessi a scopare.»

La Dinamo segnò, finalmente, e nel locale si levarono eccitate acclamazioni.

«Dalla Corea tornai a casa in licenza speciale, perché mio padre e mia madre erano morti. Suicidi, tutt'e due, con la morfina – la sola maniera decente d'andarsene. Era il 10 marzo 1953, cinque giorni dopo la morte di Stalin, quando l'Unione Sovietica stava cominciando a uscire dal caos e a illuminare la strada verso la Gerusalemme socialista. Tranne che non sarebbe accaduto; al timone della nave restarono gli stessi sanguinari macellai; il Grande Jim e Edna creparono semplicemente di delusione. Comunque, si celebrò un funerale coi fiocchi. I socialisti non vennero perché Edna e Jim erano comunisti; i cattolici non vennero perché il suicidio è un peccato imperdonabile; i comunisti non vennero perché Edna e Jim non battevano le mani a Baffone...

Quindi c'eravamo solo Jimmy, io e l'FBI. Di lì a cinque anni, arriva uno, dall'ambasciata russa, a domandare se volevamo che le salme di Jim e Edna venissero portate in Unione Sovietica. Non per esser sepolte nel mausoleo del Cremlino – questo no – ma in un bel cimitero di Mosca. Divertente, a ripensarci.

«Il motivo per cui le racconto tutto questo è per farle capire che io vi conosco, voialtri. Qualcuno, qui a Mosca, ha ucciso mio fratello. Lei, adesso, mi dà una mano ma, a un certo punto – o per correre dietro a quello che ha ucciso il suo aiutante, o perché glielo ordina il suo capo – mi lascerà in braghe di tela e con un cappio intorno al collo. Ebbene, sappia che io la frego prima. È meglio che lo sappia.»

Arkady vagava senza meta. Non era ubriaco. Star là a sentire Kirwill era stato come trovarsi davanti a una fornace che brucia vodka ed emana vapori che ti mettono addosso un'inutile energia. Agli angoli delle strade si allestivano addobbi con bandiere rosse. Mosca si preparava al Primo Maggio.

Aveva fame, finalmente. Andò a mangiare un boccone alla mensa della Polizia, in via Petrovka. Il locale era deserto, tranne un tavolo occupato da tre o quattro agenti che cascavano dal sonno. Arkady prese un tè e due panini ma ne mangiò solo uno.

Aveva la sensazione che qualcosa stesse per succedere; ma non sapeva cosa, né dove. Si alzò, uscì, percorse il corridoio. I propri passi gli echeggiavano come quelli di un altro. Quasi tutti gli agenti di turno erano in giro a far retate di ubriaconi, per ripulirne Mosca in vista del Primo Maggio. Il Primo Maggio, invece, sarebbe patriottico ubriacarsi. Il tempismo è tutto. Quei radicali di Kirwill... fantasmi d'un oscuro passato e di spente passioni, di cui nessuno sapeva ormai più nulla, in America, certo... come potrebbero aver a che fare con un delitto commesso a Mosca?

Nella sala delle telescriventi, due graduati dal colletto sbottonato stavano spedendo o ricevendo fonogrammi. La grande mappa era spenta. Tuttavia Arkady la fissò a lungo.

Poi passò nell'ufficio accanto. Un dattilografo stava copiando a macchina un verbale scritto a mano. Comunicati e circolari, affissi alle pareti, esortavano alla vigilanza "straordinaria" in occasione "della gloriosa festività" e invitavano a iscriversi a una gita nel Caucaso. Arkady telefonò ai Telefoni di Stato. Gli risposero al ventesimo squillo. Chiese delle telefonate in partenza da apparecchi a gettone nei paraggi della casa di Irina Asanova.

Una voce impastata di sonno gli rispose: «Le manderemo una lista, domattina. Non posso mica leggerle, adesso, un centinaio di numeri di telefono».

«Ma le risulta almeno che, da uno di quegli apparecchi, sia partita una telefonata diretta all'Hotel Rossya?» domandò.

«No.»

«Aspetti.» Afferrò un elenco telefonico. Ne sfogliò rapidamente le pagine. Cercò fra gli alberghi il Rossya. Quindi chiese: «Nessuna chiamata diretta a questo numero: 45-77-02?».

All'altro capo ci fu uno sbuffo, poi un lungo silenzio, quindi: «Alle 10 e 20 di stasera dal telefono pubblico numero 90-28-25 hanno chiamato il numero da lei indicato».

«Quanto è durata la conversazione?»

«Un minuto.»

Arkady riappese. Poi chiamò il Rossya e chiese di Osborne. Gli risposero che non era in camera. Dunque doveva essere uscito per incontrarsi con Irina Asanova!

Andò in garage, salì in auto e partì sparato, in direzione sud. Il traffico era scarso. Intanto ragionava: supponendo che Irina abbia chiamato Osborne, di propria iniziativa... Non può averlo chiamato che per fissargli un appuntamento. Ma dove? Non certo in camera sua al Rossya e neanche in un posto dove la presenza di lui non sarebbe stata giustificata. Neanche a bordo di un'auto: avrebbe potuto attirare l'attenzione di qualche poliziotto. Quindi – continuò a ragionare – se non si incontrano a bordo di un'auto, Osborne non può riaccompagnarla a casa. I mezzi pubblici cessano a mezzanotte e mezzo. Arkady guardò l'ora: dieci minuti dopo mezzanotte. Fatto sta che non sapeva se avevano davvero appuntamento, né dove, né quando. Poteva solo azzardare delle ipotesi.

Svoltò per piazza della Rivoluzione, e parcheggiò in un angolo poco illuminato. Lì c'era la stazione del metrò più vicina al Rossya e di lì si poteva raggiungere, senza cambiare, il quartiere dove Irina abitava. Passò un'auto della Polizia, a sirena spenta. Arkady rimpianse di non avere un radio-telefono a bordo della sua auto. Il cuore gli batteva forte. Qualcosa gli diceva che la sua intuizione era giusta. Tamburellò nervosamente con le dita sul volante.

In prossimità di piazza della Rivoluzione c'erano, a nord, piazza Sverdlov e, a sud, la Piazza Rossa. Sull'angolo, c'erano i grandi magazzini GUM. Arkady cercava di tenere d'occhio tutti i passanti, che si affrettavano per prendere l'ultimo metrò. Erano tanti e arrivavano da tutte le parti.

Ed ecco che, a un certo punto, gli parve di riconoscere una sagoma... Sì, era lei: Irina Asanova. Era sbucata dall'angolo dei Grandi Magazzini, e procedeva a passo veloce, i lunghi capelli al vento come una bandiera. Entrò nella stazione del metrò. Arkady vide, allora, due uomini (che aspettavano presso la soglia) seguirla.

Irina aveva già pronti i cinque copechi per fare il biglietto. Arkady invece dovette cambiare mezzo rublo. Quindi perse del tempo. Quando raggiunse la scala mobile, lei era già molto avanti. I due uomini, di cui non s'era accorta, le stavano alle costole. I due, in impermeabile e cappello, avevano un aspetto comune e potevano confondersi fra la folla senza dare nell'occhio. Da quelle scale mobili si scendeva per duecento metri nelle viscere di Mosca. C'erano varie coppiette, a quell'ora. Gli uomini, un gradino più in basso, posavano il capo sul seno delle loro ragazze. Queste, impassibili, guardavano il soffitto. Giunta al termine della discesa, Irina imbucò un corridoio e scomparve. I due uomini, dietro.

I corridoi della stazione sotterranea avevano pavimenti di marmo, lampadari di cristallo, mosaici alle pareti. I mosaici raffiguravano episodi della rivoluzione. Si udiva il sibilo e il rimbombo dei treni. Arkady, di corsa, superò due soldati mongoli che trascinavano un'enorme valigia. Passò davanti a Lenin che parla ai bolscevichi. Superò delle coppiette che indugiavano davanti a Lenin che parla agli operai d'una fabbrica. Aveva perso di vista Irina e non udiva l'eco dei suoi passi. Era semplicemente svanita nel nulla!

In fondo al corridoio, attraverso un'arcata, si sbucava sulla banchina. Un treno stava giusto partendo. Era gremito. Arkady diede una rapida scorsa alle facce che s'intravedevano dai finestrini. Non gli parve che lei fosse a bordo, ma non poteva esserne sicuro, ovviamente. I fanali di coda scomparvero nel tunnel. Un grande orologio a muro scattò sull'ora zero: 00,00. Negli orari di punta i treni si susseguivano a distanza di un minuto l'uno dall'altro; a quell'ora, invece, gli intervalli fra un treno e l'altro erano di tre minuti almeno. Un'anziana controllora stava esortando le coppiette che indugiavano sulle panchine: «Ultima corsa... ultima corsa!». Arkady le si avvicinò e le chiese se aveva visto una ragazza alta, giovane, snella, coi lunghi capelli castani. La donna, equivocando, scosse il capo con commiserazione. Lui imbucò di corsa il corridoio che portava all'altra banchina, quella dei treni che andavano nell'opposta direzione. Qui, i passeggeri sembravano l'immagine speculare di quelli della banchina di rimpetto, tranne i due soldati mongoli seduti sulla loro valigia come due bambolotti in attesa d'esser vinti al tirassegno.

Arkady tornò allora sui suoi passi, ripercorse il corridoio decorato dai mosaici rivoluzionari, scansando i ritardatari che correvano in senso inverso al suo. Era certo di non aver superato Irina. Una donna stava strofinando il pavimento, con acqua e ammoniaca: la testa seguiva la rotazione del braccio. Di mosaico in mosaico, Lenin concionava, incitava, meditava, esultava... su quei fumetti di pietra. Su un lato del corridoio si aprivano tre porte. Le luci ammiccarono, indicando che il prossimo treno era l'ultimo della giornata. Al loro lampeggiare, i Lenin si svegliavano e svanivano.

Arkady aprì una porta contrassegnata da una croce rossa e trovò ch'era un ripostiglio contenente estintori, barelle e bombole d'ossigeno e altro materiale da pronto soccorso. Provò ad aprire la seconda porta, su cui era scritto VIETATO L'ACCESSO, ma era chiusa a chiave. Anche sulla terza porta c'era la scritta VIETATO L'ACCESSO, ma questa si aprì facilmente, e Arkady entrò.

Si trovò in una cabina. Al riverbero d'una lampadina rossa vide, alle pareti, quadranti, manometri, leve, commutatori. In terra vide qualcosa, che gli parve lì per lì uno straccio. Lo raccattò: era invece una sciarpa.

C'era una porta di ferro con la scritta PERICOLO. L'aprì: dava in una galleria ferroviaria. La porta era a livello d'una passerella di metallo situata a un metro e mezzo d'altezza, rispetto ai binari. Nel tunnel soffiavano correnti d'aria e la scarsa luce, grigia, proveniva dalla lontana banchina. Guardò giù e vide Irina Asanova. Giaceva di traverso ai binari, gli occhi e la bocca aperti, mentre uno dei due uomini stava finendo di sistemarvela. L'altro uomo, che si trovava sulla passerella, aggredì Arkady.

Due manganellate, in rapida successione, lo raggiunsero alla spalla, intorpidendogli il braccio. Aveva imparato qualcosa da Kirwill, però, al Gorky Park. Prima che l'altro potesse assestargli una mazzata sulla fontanella del cranio, lui gli tirò un calcio al basso ventre. L'uomo si piegò in due e lasciò cadere il manganello. Arkady lo raccolse e, fulmineo, gli diede una botta sulla faccia. L'uomo si accasciò sulla passerella, comprimendosi con una mano l'inguine e con l'altra il naso sanguinante. Arkady lanciò uno sguardo verso la banchina, laggiù in fondo. Un quadrante spiccava, luminoso. Mancavano circa tre minuti al passaggio del treno.

L'uomo sui binari stette a guardare la colluttazione sopra di lui con il blando sgomento di un caporeparto che vede il suo assistente scansato da un cliente prepotente. Aveva una faccia da professionista, piena di cicatrici, dagli occhi porcini. Prese di mira Arkady con una TK a canna corta, la pistola da tasca del KGB. Irina non si muoveva, benché avesse gli occhi aperti. Se fosse morta oppure ancora in vita non si capiva.

«No!» gridò Arkady, indicando verso la stazione. «Ti sentirebbero.»

L'uomo sui binari annuì, con fare ragionevole, e si rimise la pistola in tasca. Poi guardò verso la banchina, guardò il grande orologio e disse ad Arkady, sempre con quell'aria ragionevole: «Troppo tardi. Torna a casa».

«No.»

Se non altro, pensava di impedirgli di risalire sulla passerella. Ma l'uomo vi si issò e ne scavalcò la ringhiera, con atletica agilità, venendo a trovarsi, ora, al livello di Arkady. Questi si diede a tirar fendenti col manganello, ma senza riuscire ad assestare un buon colpo, finché l'altro non lo respinse a calci. Poi l'uomo avanzò, oltre il collega caduto, a passi cadenzati, su Arkady che si ritraeva. Un calcio lo colpì alla pancia, un altro ancora. Proteggendosi il torace già ammaccato, emise un profondo grugnito. L'altro, con quell'aria da professionista, ora cercava il punto dove colpire ancora, come un medico che cerca una vena. Qua...? Là...? Non era robusto quanto Kirwill, né altrettanto abile a schivare. Arkady, ritraendosi, attutì il calcio successivo e spiccò un balzo. Il manganello gli era caduto di mano, ma riuscì a mettere a segno un pugno. Poi un altro, al cuore, che buttò l'avversario a terra. Questi però si rialzò subito e afferrò Arkady, dandogli prima testate e poi cercando di cavargli un occhio. Arkady si divincolò, insieme caddero oltre la ringhiera, sui binari.

Arkady cadde sopra, ma sentì qualcosa pungerlo di striscio. Si rialzò. Vide l'avversario balzare in piedi a sua volta: impugnava un coltello a serramanico. Il cappello gli era volato via, aveva una stempiatura a V e, per la prima volta, rivelò un interesse personale nel proprio lavoro. La lama roteò e guizzò, prima in direzione del viso, poi del petto. Arkady schivò entrambi i colpi ma, indietreggiando, incespicò nel corpo di Irina steso fra le rotaie. Gli occhi dell'uomo che continuavano ad avanzare sembravano, adesso, illuminati dall'interno: occhi d'insetto, al cui balenio rispondevano gli ammicchi della lama, agitata nel pugno.

Arkady andò a sbattere contro la ringhiera, con la schiena. L'uomo allora, come se eseguisse una pantomima più volte provata, ripiegò il coltello, raccolse il berretto e s'inerpicò sulla passerella. Arkady si voltò e vide i fari del treno in arrivo. La luce invase la galleria. Si sentì una folata di vento, le rotaie stridevano.

Le mani di Irina erano calde e inerti. Arkady la sollevò di peso. Doveva volgere le spalle al treno per non essere accecato. Si caricò Irina sulle spalle. Vacillò. Stridettero i freni della locomotiva, salendo a un parossismo di isteria metallica, poi il treno passò oltre e raggiunse la stazione.

Ma Arkady aveva fatto in tempo a scaraventare Irina sulla passerella e ad appiattirsi contro la parete.

Levin venne ad aprirgli in pigiama. Arkady entrò, sparato, con Irina in braccio. La distese su un divano. Poi si voltò e disse all'amico dottore:

«L'hanno tramortita, o le hanno fatto un'iniezione, non so. Scotta molto.»

Levin s'infilò una vestagliaccia sopra il pigiama. Era in forse se dire ad Arkady di andarsene o no.

«Non mi hanno seguito» lo rassicurò Arkady.

«Vuoi offendermi?» disse Levin, che aveva intanto preso una rapida decisione. Controllò il polso di Irina. Il viso della ragazza era arrossato e smorto, la giacca afgana ridotta a brandelli. Arkady si sentì in imbarazzo per lei. Non vedeva in che stato era lui stesso.

Levin gli mostrò un livido e dei forellini, sull'avambraccio della ragazza. Disse: «Iniezioni. Di sulfazina, probabilmente, a giudicare dalla febbre. Un lavoro pasticciato».

«Magari lei si divincolava.»

«Eh già» disse Levin, in tono che sottolineava la stupidità dell'osservazione. Accese un fiammifero, lo passò davanti alle pupille della ragazza, coprendo prima un occhio, poi l'altro.

Arkady rabbrividiva ancora, dopo aver evitato la morte per un pelo. Prima che il macchinista avesse potuto dare l'allarme e la Polizia giungere sul posto, lui aveva già portato via Irina, e l'aveva caricata sulla sua auto. Era scappato, ecco. Questo pensiero gli batteva in testa, come un volano scassato. Un Investigatore di Polizia che scappa davanti ai poliziotti! E Levin che si mette in sospetto non appena vede una ragazza svenuta! Magnifico Paese, in cui tutti capiscono al volo certe situazioni.

Arkady si guardò intorno. Non era mai stato finora a casa di Levin. Anziché soprammobili o gingilli, sui tavoli e sulle scansie c'erano scacchiere – di marmo, d'avorio, di legno – con i pezzi schierati per altrettante partite interrotte. Alle pareti, ritratti di grandi campioni di scacchi: Lasker, Tal, Botvinnik, Spassky e Fischer. Tutti ebrei.

«Se hai un po' di cervello» disse Levin «adesso la riporti dove l'hai trovata.»

Arkady scosse la testa.

«Allora, aiutami» disse Levin.

La portarono sul letto di Levin, ch'era una semplice branda. Arkady le sfilò gli stivaletti e aiutò Levin a spogliarla completamente. I suoi indumenti erano zuppi di sudore.

Altre volte, Arkady e Levin avevano contemplato assieme dei corpi nudi, ma rigidi e freddi. Ora però il patologo appariva impacciato, sebbene cercasse di non darlo a capire. Arkady non lo aveva mai visto tanto umano: era nervoso, con un corpo vivo. E Irina Asanova era, indubbiamente, viva e tutt'altro che fredda, benché in stato comatoso. La febbre le arrossava la pelle. Più snella di quanto Arkady pensasse, aveva seni pesanti dalle areole oblunghe, il ventre incavato, un folto pelo sul pube, bellissime gambe. Fissava Arkady senza vederlo.

Le fecero impacchi con panni bagnati per farle diminuire la temperatura.

Levin indicò il segno bluastro che la ragazza aveva sullo zigomo destro. «Vedi questo?»

«Sarà stato un incidente, no?»

«Altroché!» Levin sogghignò. «Vatti a dare una pulita, va'. Il bagno lo trovi da te, mica è il Palazzo d'Inverno, questo.»

Nello specchio del bagno, Arkady vide ch'era tutto sporco di polvere e fuliggine, e che aveva un sopracciglio spaccato, come da un colpo di rasoio. Si lavò, si ripulì alla meglio, poi tornò in soggiorno.

Levin stava facendo del tè. In una credenzina c'erano barattoli di tonno e altre scatolette. «Dovevo scegliere: o un appartamento con la cucina, o uno col bagno. Ho preferito avere il bagno.» In tono ospitale (che

252

non gli era certo consueto) soggiunse: «Vuoi mangiare un boccone?».

«Una tazza di tè, mi basta. Come sta?»

«Non preoccuparti per lei. È giovane e forte. Fra un giorno o due sarà di nuovo in sesto. Tieni.» E gli porse una tazza.

«Dunque, le hanno iniettato sulfazina?»

«Puoi portarla all'ospedale, se vuoi esserne sicuro.»

«No.»

La sulfazina era uno dei narcotici preferiti dal KGB e all'ospedale qualcuno avrebbe fatto subito una telefonata; Levin era certo di questo.

«Grazie» disse Arkady. «E...»

«Lascia perdere» tagliò corto Levin. «Meno parli, meglio è per me. Ho abbastanza immaginazione. Mi domando se tu ne hai altrettanta.»

«Che vuoi dire?»

«Questa tua ragazza, Arkady, non è alle prime armi.»

«Non capisco a cosa alludi.»

«Quel segno sulla guancia. C'era già passata, per le loro mani. Le iniettarono aminazina, anni fa. Come stasera.»

«Credevo avessero smesso di usare aminazina, perché troppo pericolosa.»

«Appunto. Fanno apposta a sbagliarsi. Dimodoché non venga assorbita e, allora, si forma un tumore maligno, nel muscolo dov'è stata malamente iniettata. È quello che è successo a lei. È cieca da un occhio: asportandole il tumore, le hanno leso il nervo ottico. E le è rimasto il segno. Il *loro* segno.»

«Non ti sembra di esagerare, adesso?»

«Chiedilo a lei, com'è andata.»

«Esageri, ti dico. Una teste è stata aggredita e io l'ho difesa, ecco tutto.»

«E allora, perché non ti sei rivolto alla Polizia?»

Arkady andò di là, in camera da letto. Fece a Irina altri impacchi freddi. Nel sonno, aveva contrazioni spasmodiche alle articolazioni. Era una reazione al cambio di temperatura. Le deterse la fronte, le gettò indietro alcune ciocche di capelli intrisi. Il segno sulla guancia era violaceo, sul colorito febbrile della pelle.

Ma cosa vorranno? si chiese. È dall'inizio che ci stanno dietro. Appena trovati i tre cadaveri a Gorky Park, ecco Pribluda. E Fet era presente, all'interrogatorio di Golodkin. I sicari a casa di Golodkin, i sicari alla stazione del metrò. Palle di gomma, iniezioni, lame... erano tutte firme di Pribluda e dei vari Pribluda del KGB. Ora – si disse – sorveglieranno la sua casa e avranno una lista di tutti i suoi amici. Terranno d'occhio gli ospedali, intanto. Ma, poi, non tarderanno a pensare a Levin. Levin era coraggioso ma... Al più presto bisognava portar via la ragazza, da qualche altra parte.

Tornò in soggiorno. Levin, per distendersi i nervi, si era messo a giocare a scacchi, da solo.

«Sta meglio, mi pare» disse Arkady. «Comunque, riposa.»

«Beata lei» disse Levin, senza alzare la fronte.

«Vuoi fare una partita?»

Levin lo guardò: «Qual è il tuo punteggio?».

«Punteggio? Non saprei.»

«Se ne avessi uno, lo sapresti. No, grazie.» Tuttavia l'ospitalità aveva le sue esigenze. Eppoi non voleva pensare alla ragazza ricercata da quelli del KGB. Allora disse: «Questa qui, è la riproduzione di una partita fra Bogolyubov e Pirtz, giocata nel '31. A questo punto, tocca al nero muovere. Ma non gli resta più nessuna mossa».

Solo sotto le armi Arkady si annoiava tanto da giocare a scacchi sul serio e, allora, era bravo soltanto in attacco. In quella partita, entrambi i contendenti avevano arroccato e il bianco era padrone del centro e per il nero, come aveva detto Levin, non c'era scampo. Tuttavia Arkady volle provare, tanto per distrarre l'amico, che aveva di fronte a sé una notte lunga e angosciosa.

«Permetti?» Mosse per il nero. «L'alfiere mangia un pedone.»

Levin si strinse nelle spalle. Mosse a sua volta e mangiò l'alfiere con un pedone.

Seguirono altre mosse. Il cavallo nero venne a minacciare, simultaneamente, l'alfiere e la torre del bianco.

«Rifletti mai, prima di muovere?» borbottò Levin. «Ci si trova anche un certo piacere, sai?»

Continuarono a giocare. Levin si chiese se mangiare il cavallo con la torre o con il re. In entrambi i casi il cavallo era condannato. Quindi, il nero doveva scambiare regina, alfiere e cavallo contro regina, torre e due pedoni. L'esito perciò dipendeva dalla capacità del bianco di riportare il suo alfiere in gioco prima che il nero riuscisse a passare all'offensiva con pedoni e torri.

«Hai solo introdotto delle complicazioni» disse Levin.

Mentre l'altro rifletteva sulla mossa, Arkady diede un'occhiata alla libreria e prese un libro di Edgar Allan Poe. Dopo un po' si accorse che Levin si era addormentato sulla poltrona.

Alle quattro del mattino, scese in strada, salì in auto, fece un giro intorno al caseggiato per vedere se lo seguivano; poi risalì in casa. Non poteva più aspettare. Rivestì Irina, le avvolse intorno una coperta e la portò giù da basso. La caricò in macchina, e via.

Nei paraggi, incontrò solo una squadra di operai che riparavano una strada. Un uomo guidava il rullo compressore e quattro donne spargevano catrame.

Oltrepassò il ponte e, a un paio di isolati da via Taganskaya, si fermò, raggiunse a piedi la propria abitazione, salì in casa e controllò che non ci fosse nessuno. Tornò quindi alla macchina, e proseguì fino al cortile, dove entrò a fari spenti. Portò Irina in casa, la mise sul letto, la spogliò, la coprì con la coperta di Levin e con il proprio cappotto.

Stava per uscire, per spostare di nuovo la macchina, quando vide che la ragazza aveva gli occhi aperti. Le pupille erano dilatate e il bianco iniettato di sangue. Non aveva neppure la forza di muover la testa.

«Idiota» disse.

XIII

Pioveva. Si udivano i consueti rumori, dall'appartamento di sopra e da quello di sotto. Donne intente alle faccende di casa. Per le scale, si udì il passo incerto di una vecchia. Nessuno era venuto a bussare alla porta, nessuno aveva telefonato.

Irina Asanova giaceva sul letto addormentata con la faccia pallida come d'avorio, ora che non aveva più la febbre. Lui aveva dormito vestito, qualche ora appena, sul letto accanto a lei, non essendoci in casa altro posto – né un divano e neppure un tappeto – dove sdraiarsi. Lei non se n'era neanche accorta, né le sarebbe importato. Arkady guardò l'ora: le nove.

Si alzò, pian piano, per non svegliarla e andò alla finestra, guardò giù nel cortile. Nessuno. Comunque, doveva portarla da qualche altra parte. Ma non sapeva dove. A casa sua, no. Alberghi, neanche a pensarci: era illegale prendere una stanza d'albergo nella propria città di residenza. (Che motivo avrebbe, un onesto cittadino, per non pernottare a casa?) Qualcosa salterebbe fuori.

Quattro ore di sonno gli erano bastate. Era l'inchiesta a dargli la carica. Ne era trascinato, come da un'onda, anima e corpo, abiti sgualciti.

La ragazza dormiva della grossa, e lui pensò che avrebbe continuato a dormire così per altre quattro ore, almeno. Per allora, lui sarebbe tornato.

257

Ora doveva andare da suo padre, dal Generale.

Percorse la strada detta ironicamente "della Gioia", donde i condannati iniziavano a piedi il viaggio per la Siberia, superò le Officine Falce e Martello e imboccò la Statale 89, che correva fino agli Urali. Dopo una quarantina di chilometri, svoltò al bivio per Balobanovo. Prese una strada asfaltata fra pascoli punteggiati di mucche scure e campi dove i contadini erano intenti a seminar fagioli e abelmosco; quindi una strada di terra battuta, fra boschi così fitti che la terra era ancora coperta di neve intatta dal sole. Fra i rami si scorgeva il fiume Kliazma.

Raggiunse un cancello di ferro, qui scese e fece a piedi il resto della strada. Non erano passate automobili, per di là, di recente. L'erba cresceva in mezzo al sentiero. Una volpe gli passò quasi fra i piedi. Non udì cani abbaiare. Nel bosco c'era silenzio, a parte lo stormire della pioggerella fra le foglie.

Camminò per una decina di minuti e giunse a una villa di due piani, dal tetto spiovente. Di là dall'aia, una scalinata scendeva fino al fiume. Qui c'erano un piccolo molo, una barca e, all'ancora in mezzo alla corrente, una zattera di barilotti arancione. C'erano anche (almeno una volta) vasi di peonie lungo il molo. Quando si davano feste, c'erano lanterne cinesi, lungo tutta la scalinata, e attendenti in giacca bianca e guanti bianchi servivano da bere. Il riflesso dei lampioncini sull'acqua dava l'impressione di strani pesci venuti a galla attratti dalla musica.

Arkady guardò la casa. C'erano chiazze di muffa sui muri. La balaustra era contorta. La gramigna cresceva in giardino intorno a un tavolo ormai arrugginito; c'era una gabbia per conigli, vuota. Tutt'intorno crescevano pini sparuti e olmi inselvatichiti. L'atmosfera era di totale desolazione. L'unico segno di vita era dato da una sfilza di lepri morte, scorticate, bluastre e rosso scure.

Bussò. Venne ad aprirgli una vecchia, il cui stupore

si trasformò subito in un'occhiata torva e in una smorfia. Si pulì le mani in un grembiule sudicio. «Che sorpresa» disse, con voce resa incerta dalla vodka.

Arkady entrò. I mobili coperti da fodere, grigie come sudari. Sopra il caminetto, che puzzava di ceneri umide, un ritratto di Stalin. C'erano rami secchi, fiori di carta appassiti anch'essi nei loro vasi, una panoplia con due carabine e un fucile Mosin-Nagant ad avancarica.

«Dov'è?» domandò Arkady.

La vecchia accennò verso la biblioteca. «Digli che io ho bisogno di più soldi» gli raccomandò ad alta voce. «E di una donna che m'aiuti. Ma, prima, i soldi.»

Arkady si liberò delle sue dita adunche e andò a una porta che si apriva sotto lo scalone.

Il Generale sedeva su una poltrona di vimini, presso la finestra. Al pari di Arkady, aveva una bella faccia magra, ma la pelle gli s'era fatta tirata e traslucida. Aveva folte sopracciglia bianche, i capelli canuti a rade ciocche, la fronte alta con vene sporgenti alle tempie. Portava una camicia da mugiko, pantaloni e stivali. Fra le dita incartapecorite stringeva un bocchino di legno, senza sigaretta.

Arkady si sedette. C'erano busti, nella biblioteca: uno di Stalin, l'altro del Generale stesso, entrambi in bronzo, ricavati da granate d'obice. In cornice, numerose medaglie, fra cui quella dell'Ordine di Lenin. Il medagliere era polveroso. Le foto appese alle pareti avevano una patina di sudicio. La polvere si raccoglieva fra le pieghe di un vecchio gagliardetto inchiodato al muro.

«Ti si vede, finalmente» disse il Generale. Sputò in terra, mancando una vaschetta di ceramica piena fin quasi all'orlo di schiuma scura. Agitò il bocchino. «Di a quella puttana che, se vuole altri soldi, se li vada a guadagnare in città, sulla schiena.»

«Sono venuto per chiederti di Mendel. C'è una cosa che vorrei accertare, sul suo conto.»

«È morto, questo è poco ma sicuro.»

«Ottenne l'Ordine di Lenin per aver ucciso alcuni incursori tedeschi presso Leningrado. Era molto amico tuo.»

«Era un pezzo di merda. Ecco perché entrò al Ministero degli Esteri. Lì ci prendono solo gli stronzi e i ladri, e nessun altro. Mendel era un vigliacco come te. No, meglio di te. Mica era un fallito completo, lui. Gli stronzi rimangono a galla. Torna a casa. Va' a annusare la fica a quella scema che hai sposato. Siete ancora insieme?»

Arkady gli prese il bocchino e c'infilò una sigaretta. Gliel'accese.

Il Generale tossì. «Ero a Mosca, per l'assemblea d'ottobre. Avresti potuto venirmi a trovare. Belov s'è fatto vivo.»

Arkady guardò una delle foto alla parete. Erano uomini che ballavano, o impiccati? Un'altra mostrava o un giardino o una fossa comune.

«M'hai sentito?»

«Sì.»

Per la prima volta il Generale guardò suo figlio in faccia. Il suo viso era ridotto pelle e ossa. Gli occhi neri erano ciechi, velati da cataratte.

«Sei un debole» disse. «Mi fai schifo.»

Arkady guardò l'orologio. La ragazza si sarebbe svegliata, fra qualche ora, e lui voleva prendere qualcosa da mangiare, prima di tornare a Mosca.

«Sentito dei nuovi carri armati? A noi ce li hanno mostrati, come fossero chissà che. Quello stronzo di Kossyghin! Sembrano auto di lusso, più che mezzi corazzati. Con aria condizionata e tutto. Ci manca sola la toilette! Roba inutile. E pensavano anche di far colpo, su di noi combattenti della vecchia guardia! No, no, macché, non ci siamo, no e poi no. Un carrarmato dev'essere fatto con il minor numero possibile di pezzi che possono guastarsi, e, se si guasta qualcosa, bisogna poterlo riparare strada facendo. Come, appunto, gli aerei che faceva costruire Mikoyan. Quel che ci vuole è una buona équipe, con un grosso cervello al comando. Oggi, invece, ci si perde in merdate. Sono tutti pappemolli, oggi. E tu, hai ancora quell'aria istupidita?»

«Sì.»

Il vecchio si agitò, senza quasi mettere in disordine i vestiti che gli pendevano addosso. «Avresti potuto esser Generale, tu, a quest'ora. Il figlio di Govorov comanda il Distretto militare di Mosca. Tu, con il mio nome, avresti potuto salire anche più in su. Beh, lo so, non avevi i coglioni per comandare truppe corazzate, ma, almeno, avresti potuto far carriera nel controspionaggio.»

«Allora, che mi dici di Mendel?»

«Non ce l'hai la stoffa, tu. Mah, sarà stato uno spermatozoo fiacco, o che so io.»

«Fu Mendel a sparare a quei tedeschi?»

«Non ti fai veder qui per dieci anni, poi mi vieni a far domande su un vigliacco ch'è morto e sepolto.»

Arkady si sporse in avanti, per spazzar via un po' di brace che, dalla sigaretta, era caduta sulla camicia di suo padre.

«I miei cani... me li hanno ammazzati!» disse il Generale, con rabbia. «Erano fuori e si sono imbattuti in certi coglioni su dei bulldozer. Maledetti bastardi di contadini! Cosa diavolo scavano fuori, dei bulldozer?» Strinse il pugno, esangue. «Va tutto in malora. Non si salva più niente. Senti?... Le mosche.»

Il Generale inclinò la testa, porgendo orecchio alla pioggia. Tacquero entrambi. Un'ape era rimasta imprigionata fra i doppi vetri della finestra, ma aveva smesso di ronzare.

«Mendel è morto. Sul suo letto. Sempre detto, che sarebbe morto sul suo letto. E così fu. I miei poveri cani!» Stirò le labbra, in una specie di sorriso. «Mi vogliono portare all'ospedale, ragazzo. A Riga, c'è un ospedale di lusso, per le vecchie glorie. Non si bada a spese. Credevo fosse per questo che eri venuto. Ho il cancro, ormai diffuso dappertutto. Marcisco con lui, ma è tutto quello che mi tiene insieme. In quell'ospedale là, ti fanno irradiazioni e via dicendo. Ma io non ci vado perché so che non ne tornerei mai. Ho parlato con uno specialista. No, non ci vado. A quella puttana non l'ho detto. Lei vuole che vada perché pensa che riscuoterebbe la mia pensione. Uguale a te, dico bene? Vi sento dall'odore... perché vi cacate sotto.»

«Non m'importa, dove tu morirai» disse Arkady.

«Appunto. Sta di fatto, però, che io ti frego. Lo so, lo so perché sei andato nella Polizia giudiziaria. Per mandare me in galera. Venire qui a rivangare il passato e riaprire un vecchio caso. Fu davvero una disgrazia... o non fu invece uccisa, la moglie del Generale Renko? Incidente di barca o uxoricidio? Ah, lo so. È questo lo scopo supremo della tua vita: fregare me. Questo spiega tutto di te. Senonché ti frego io. Muoio prima che tu ti ci metta. E così non saprai mai niente.»

«Lo so, invece. Da anni, lo so.»

«Non cercare di farmi fesso. Sei un pessimo bugiardo. Sempre stato.»

«E lo sono, difatti. Ma la so, la verità. Non l'hai uccisa tu, e non fu neppure una disgrazia. La moglie dell'eroe si è uccisa.»

«Belov...»

«No, non me l'ha detto lui. L'ho capito da solo.»

«E allora, se sapevi che non sono stato io... perché non sei mai venuto a trovarmi, tutti questi anni?»

«Se riesci a capire perché lei si è uccisa, capiresti anche perché non sono mai venuto a trovarti. Non è un mistero; è soltanto il passato.»

Il Generale si accasciò sulla poltrona, con una maschera di sdegnosa protesta sul volto, e parve allontanarsi dal presente, da Arkady, da se stesso. Il suo viso divenne inerte. Sembrava inanimato. Era come se lo spirito avesse abbandonato il corpo: faccia e mani immobili, nella loro tranquilla fissità, non turbata neppure dal respiro.

Nel silenzio, ad Arkady venne in mente, chissà perché, una leggenda asiatica sulla vita. Forse fu l'improvvisa serenità della figura sulla sedia a rammentargliela. La vita – diceva la leggenda – è solo preparazione alla morte, la morte è un trapasso naturale quanto la nascita, ed è follia lottare per sottrarsi al destino. C'era una mitica tribù presso la quale si nasceva senza piangere e si moriva senza agonia. Dove pensasse di andare, quella mitica gente, dopo morta, lui l'aveva scordato, però. Tuttavia loro avevano un grosso vantaggio sui russi, i quali passano la vita ad annaspare come quando si lotta contro la corrente di un fiume prima d'una cascata.

Di secondo in secondo Arkady vedeva suo padre farsi sempre più inerte. Le forze, in lui, si andavano ritirando verso un'ultima roccaforte. Poi, d'un tratto, e penosamente, si riscosse. Il respiro si fece più profondo e il sangue – affluendo come forze di rincalzo – mandò un tremore per le sue membra. Era l'immagine di un uomo che si ricostituisce per pura forza di volontà, che tiene duro entro se stesso. Alfine, il pallore cereo scomparve dal volto e gli occhi lattiginosi fissarono lo sguardo su qualcosa, semispenti ma ancora arroganti.

«Mendel era in classe con me, all'Accademia Militare Frunze. Ed entrambi comandavamo reparti corazzati, al fronte, quando Stalin ordinò: "Non si arretri più d'un passo!". Io, per me, capii subito che la tattica dell'infiltrazione era la migliore. I miei rapporti, via radio, da dietro le linee nemiche avevano un effetto elettrizzante. Stalin li ascoltava ogni notte, nel suo rifugio. I giornali parlavano del Generale Renko e delle sue imprese. I tedeschi si chiedevano: "Renko? Chi è questo Renko?". Perché io ero soltanto Colonnello. Stalin mi aveva promosso Generale, a mia insaputa. I tedeschi avevano l'elenco completo dei nostri alti ufficiali. E quel nome nuovo li confondeva, scuoteva la loro fiducia. Era sulle labbra di tutti, il primo nome dopo quello di Stalin. E poi mi aprii un varco, combattendo, e tornai dalla parte nostra del fronte. Al mio rientro a Mosca, Stalin in persona mi venne incontro alla stazione Mayakovsky, e io ero al suo fianco, quando lui pronunciò il suo più grande discorso, che rovesciò le sorti della guerra, quando il nemico era quasi giunto a tenere la capitale sotto tiro... E quattro giorni dopo mi fu affidato il comando di una divisione corazzata, la Divisione delle Guardie Rosse, alla testa della quale poi entrai a Berlino per primo. Nel nome di Stalin...» Fece un gesto con la mano, per impedire ad Arkady di alzarsi e andarsene via. «Ti ho dato un nome glorioso e tu sei un semplice, piccolo investigatore, e vieni qui da me a farmi domande su un vigliacco che ha passato la guerra imboscato in fureria! Un uomo di pastafrolla, ecco quello che sei. Di simili stronzi, ti occupi? D'un Mendel?»

«Di te so già tutto.»

«E io, di te. Non scordarlo. Un riformista, sei, un...» La mano gli ricadde. Inclinò la testa. «Dov'ero rimasto?»

«A Mendel.»

Arkady s'aspettava che il Generale si mettesse di nuovo a divagare invece venne al dunque.

«Una storia divertente. Catturarono alcuni ufficiali tedeschi, a Leningrado, e li consegnarono a Mendel, perché li interrogasse. Mendel parlava tedesco come un...» Sputò nella bacinella. «Così un americano si offrì d'aiutarlo... non ricordo il suo nome. Era in gamba, per essere un americano. Simpatico, alla mano. I tedeschi gli raccontarono tutto. Alla fine dell'interrogatorio, l'americano conduce quei tedeschi a far merenda in un boschetto... cioccolata e champagne... e poi li ammazza, così, per divertimento. Il buffo è che non dovevano mica essere uccisi... anzi questa fu una grave trasgressione... così Mendel dovette fare un rapporto falso, in cui si parlava di incursori tedeschi. L'americano pagò gli inquirenti militari, perché non dicessero niente. E Mendel fu insignito, per la presunta gloriosa impresa, dell'Ordine di Lenin. A me fece giurare di non dirlo a nessuno. Ma dato che tu sei mio figlio...»

«Grazie.»

Arkady si alzò, più esausto di quanto pensasse, e si avviò barcollando verso la porta.

«Tornerai ancora?» domandò il Generale. «Mi fa piacere parlare un poco.»

Nella scatola di cartone c'erano uova, latte, pane, zucchero, tè, piatti e tazze, una padella, sapone, shampoo, dentifricio e spazzolino: il tutto acquistato in un emporio di paese, durante il viaggio di ritorno. Arkady corse a riporre la roba nel frigo, prima che la scatola si sfondasse. Era intento a questa faccenda quando udì Irina alle sue spalle.

«Non si volti» disse lei. Prese una saponetta, lo shampoo e corse via.

Lui sentì scorrere l'acqua nella vasca.

Poi andò in soggiorno, si sedette sul davanzale. Non c'era neppure una sedia. E si diede dello stupido, perché si faceva scrupolo ad andare in camera da letto. La pioggia era cessata. Non si vedevano tipi sospetti, giù in strada. Questo lo stupiva perché Pribluda non andava mica tanto pel sottile.

Ripensò al racconto di suo padre. Dunque, Osborne aveva ucciso quei tre tedeschi. (*Ci sono stato altre volte, a Leningrado. Ci sono stato coi tedeschi.*) E poi, a distanza di anni, aveva ucciso, all'identica maniera, i tre di Gorky Park. Chi saranno stati gli inquirenti militari che, allora, Osborne mise a tacere? Che brillante carriera avranno fatto – si chiese – nel dopoguerra?

Sentì la presenza di Irina, prima ancora di vederla. Si era avvolta in un lenzuolo, a mo' di peplo, con una cintura intorno alla vita. Aveva i capelli bagnati, i piedi scalzi. Certo, era lì da appena un secondo, ma lui ebbe la sensazione che lo stesse osservando da più tempo – come la prima volta che l'aveva incontrata – quasi che lui fosse una rarità, o una stranezza. Persino quell'abbigliamento improvvisato sembrava, in lei, elegante: come se le lenzuola andassero tanto di moda, quell'anno. Notò che teneva il viso leggermente girato da una parte. E ricordò che era cieca da un occhio.

«Come si sente?» le chiese.

«Più pulita.»

La sua voce era aspra. Aveva vomitato: la sulfazina fa quest'effetto. Tuttavia il viso aveva ripreso colore. Si guardò intorno.

«Chiedo scusa per lo stato in cui si trova la casa» disse lui, seguendo il suo sguardo. «Mia moglie ha fatto un po' di repulisti. Ha portato via qualcosa.»

«Sembra che se ne sia andata anche lei con la roba.»

«Appunto.»

Irina si accostò alla cucina, guardò l'unica padella, i piatti, le tazze.

«Perché mi ha salvato la vita, ieri sera?» domandò.

«Perché lei è importante, per le mie indagini.»

«Tutto qua?»

«Cos'altro dovrebbe esserci?»

Lei guardò in un armadio vuoto.

«Non voglio sconvolgerla» disse «ma non credo che sua moglie intenda tornare.»

«Un parere obiettivo è sempre apprezzato.»

Lei chiese: «E adesso?».

«Appena asciutta, se ne può andare» rispose Arkady.

«Dove?»

«Dove le pare. A casa...»

«Mi aspetteranno. Grazie a lei, non posso neanche tornare alla Mosfilm.»

«Vada da qualche amico, allora. Alcuni saranno sorvegliati, ma altri no.»

266

«Sì, così metto nei guai anche loro. Non mi piace far certi scherzi agli amici.»

«Insomma, qui non può restare.»

«Perché no?» Si strinse nelle spalle. «Anzi, la casa d'un Investigatore-capo mi sembra il rifugio ideale. Non ci abita nessuno e...»

«Compagna Asanova...»

«Irina. Mi ha spogliata e messa a letto, può anche chiamarmi per nome.»

«Forse, Irina, le sembrerà assurdo, ma questo è il posto meno sicuro, per lei. Mi hanno visto, ieri sera. E verranno qui senz'altro. Lei non potrebbe uscire a far la spesa. Sarebbe in trappola, qui.»

«Vuol dire che *saremmo* in trappola.»

Mentre parlavano il lenzuolo andava sempre più aderendo al suo corpo bagnato. E in certi punti diventava trasparente.

Arkady distolse lo sguardo. «Io, per me, sto poco in casa.»

«Vedo là due piatti e due tazze» disse Irina. «È molto semplice. O lei sta con "loro", nel qual caso non importa dove scappo perché mi farebbe seguire, oppure non sta con "loro", nel qual caso o trascino giù con me qualche amico o trascino giù lei. Ci ho pensato su. Preferisco affidarmi a lei.»

Il telefono squillò. Si trovava in un angolo della camera da letto, nero, insistente. Al decimo squillo Arkady sollevò il ricevitore.

Era Swann. Disse che lo zingaro aveva scoperto dove Kostia Borodin lavorava alle icone.

Si trattava di un garage, sulla riva sud del fiume, vicino a una pista di go-kart. Un meccanico chiamato "il siberiano" era scomparso da alcuni mesi.

Dal soffitto pendeva qualche go-kart, il pavimento era cosparso di segatura e chiazzato di petrolio, c'era una vecchia Pobeda in stato di avanzata demolizione;

sul banco da lavoro, una morsa stringeva un asse segato per metà; pezzi di ricambio e parti metalliche erano ammucchiati in un angolo, avanzi di legno in un altro; alle pareti, foto di campioni del volante e di divi del cinema; su una panca, un mazzo di carte da gioco, un telaio per tendere la tela, barattoli di vernice, d'olio di lino e di trementina; un armadietto dallo sportello scassato con dentro tute troppo lerce per far gola a un ladro; non c'erano attrezzi, in giro, né nulla che valesse la pena di asportare. Si udivano, intermittenti, i ringhi e i lamenti dei go-kart dalla vicina pista.

«È capace di rilevare impronte?» domandò Arkady.

Kirwill annuì. «Ho una certa esperienza, farò del mio meglio.»

Swann e lo zingaro si trassero in disparte. Lo zingaro fumava e usava una tasca come posacenere.

Arkady estrasse da una valigetta l'attrezzatura scientifica per il prelievo di impronte digitali: apposite polverine (bianche, nere e violette), pennelli di pelo di cammello, speciali spruzzatori, cartoncini bianchi e neri, sottilissimi guanti di gomma.

Kirwill se n'infilò un paio. Svitò la lampadina da 60 candele che pendeva dal soffitto del garage e la sostituì con una da 150 candele.

Arkady, munito di torcia elettrica, cominciò dalle finestre, spennellando polverine rivelatrici sui vetri e sui telai, poi passò ai bicchieri e alle bottiglie che si trovavano sopra una scansia, applicando la polvere bianca e i cartoncini neri. Kirwill cominciò dalle superfici porose, con uno spruzzatore di ninidrina, partendo dalla porta, e girando tutto attorno.

Quello era un lavoro, detto "spolvero", che poteva farsi bene in un giorno oppure male in una settimana. Dopo aver esaminato i luoghi più ovvii (maniglie, stipiti, interruttori eccetera) bisognava prendere in esame tutti i posti anche meno probabili dove le dita possono posarsi: dal dorso dei quadri al fondo dei barattoli.

Di solito Arkady evitava quel lavoro, se appena era possibile; questa volta invece gli andava a genio, perché gli teneva la mente occupata. L'americano lavorava con metodica energia, e con un certo garbo, concentrandosi sulle minuzie. Lavoravano in silenzio, senza trascurare nulla. Arkady spolverò le maniglie, i paraurti e la targa dell'auto in demolizione, mentre Kirwill spruzzava il bancone, la morsa, da tutte le parti. Quando lo zingaro indicò col mento un mucchio di stracci, entrambi scrollarono il capo: non si possono rilevare impronte, sulla stoffa. Arkady sparse polvere nera sui bordi d'una foto alla parete. L'attrice raffigurata aveva un sorriso che parlava di esotiche spiagge, onestà e biancheria intima straniera. Lui cercava di non sprecare le polverine, spennellando accortamente.

C'era da tener presente la "personalità" di quel garage. La zona intorno all'auto e ai go-kart pullulava di ditate grasse; i meccanici sono abituati a sporcarsi le mani. I falegnami, invece, sono assai più pignoli – quasi come dei chirurghi. Eppoi c'erano altri fattori. L'indiziato ideale sarebbe un tipo nervoso dalla pelle grassa e i capelli impomatati. Però un uomo freddo e compassato avrebbe potuto anche stringere la mano a un uomo unto e bisunto, e aver bevuto alla stessa bottiglia. Bisognava anche tener conto che d'inverno, col freddo, i pori si chiudevano; e la fine segatura di legno può assorbire come una spugna impronte latenti.

Arkady rimise gli attrezzi usati nell'astuccio e ne trasse una lente d'ingrandimento e una cartella segnaletica con le impronte digitali di Kostia Borodin. Kirwill, frattanto, munito di un riflettorino portatile, ripassava in senso inverso tutti i punti in precedenza spruzzati di ninidrina.

Arkady osservò le impronte di Kostia Borodin e notò un insolito disegno a "doppio cappio" su entrambi gli indici e una "spirale sfregiata" sul pollice destro. Nel caso che avesse dovuto raccogliere prove da esibire in tribunale, egli avrebbe ora seguito una più lenta procedura, fotografando le impronte e cercando di procurarsi il maggior numero possibile di analogie fra la cartella segnaletica e le impronte rilevate in loco. Invece, tirava a sbrigarsi, accontentandosi di prove sufficienti a soddisfare se stesso.

Anche Kirwill procedeva con rapidità. La ninidrina combinandosi con residui di amminoacidi sotto una luce intensa mette in risalto vecchie impronte. Kirwill confrontò pazientemente tali impronte con quelle di suo fratello James, servendosi di una scheda segnaletica in suo possesso. Lui e Arkady non si scambiarono le rispettive schede. Quando Arkady ebbe finito di controllare le impronte rilevate mediante polverine, passò a esaminare quelle rilevate da Kirwill mediante spruzzatore; e viceversa.

L'operazione durò in tutto tre ore. Alla fine, Arkady rimise gli attrezzi nell'astuccio. Kirwill, appoggiato a un paraurti, si accese una sigaretta. Lo zingaro, che moriva dalla voglia, gliene scroccò una. Anche Arkady si mise a fumare.

Il garage era tutto imbrattato di impronte, bianche e nere e violette, a migliaia, dovunque. Arkady e Kirwill tacevano, in preda a quel perverso senso di appagamento che dà un lavoro ben fatto e inutile.

«Le avete trovate, dunque, le impronte che cercavate» disse lo zingaro, mal interpretando la loro aria soddisfatta.

«No» gli rispose Arkady. «Qui *loro* non ci sono mai stati.»

«E allora perché siete tanto contenti, tutt'e due?» domandò Swann.

«Perché abbiamo fatto qualcosa» gli rispose Kirwill.

«Qui ci stava un siberiano, e lavorava il legno e dipingeva» disse lo zingaro. «Altro non mi avete mica detto, voi.»

«Infatti, non gli abbiamo fornito abbastanza particolari» disse Kirwill accendendosi un'altra sigaretta.

Quali altri particolari abbiamo, noi? si chiese Arkady, fra sé. James Kirwill si tingeva i capelli... Ma certamente (ragionò) era la ragazza che andava a comprargli la tintura.

«Cosa dice il rapporto della scientifica?» domandò Kirwill. «Che hanno trovato tracce di...?»

«Di gesso, di segatura di legno e di polvere d'oro» gli rispose Arkady.

«E di nient'altro?»

«Di sangue. Essendo morti uccisi...»

«Sì, ma io ricordo che hanno trovato qualcos'altro, nei loro abiti.»

«Anche tracce di sangue di animale» disse Arkady. «Sangue di pesce e di pollo.» Guardò Swann e ripeté: «Pesce e pollo».

«Ebbene» disse Kirwill, «io, nei vostri negozi, non ho mai visto in vendita carni tanto fresche da buttar fuori una goccia di sangue. Dov'è che si comprano carni fresche, da queste parti?»

Di solito, infatti, a Mosca, si trovavano polli dissanguati e pesce surgelato. I polli freschi e i pesci vivi costavano un occhio e – a parte che nei negozi riservati agli stranieri e alle persone importanti – si potevano solo trovare presso qualche privato: il pescatore di frodo o la donnetta che ha il pollaio dietro casa. Arkady si diede dell'idiota, per non averci pensato prima.

«È bravo» disse Swann, accennando a Kirwill col mento.

«Scopri dove vendono carni fresche e pesce fresco» ordinò Arkady.

Swann e lo zingaro se n'andarono.

Gli altri due rimasero, Kirwill seduto sul paraurti, Arkady sul bancone.

Il russo tirò fuori il distintivo dell'americano e glielo lanciò.

«Dovrei disertare e venire qui da voi. Passerei per Superman, qui a Mosca» disse Kirwill.

«Buona idea, quella delle macchie di sangue d'animale» disse Arkady, cercando di mostrarsi magnanimo.

«Come si è fatto quel taglio all'arcata sopracciliare? Dove è andato, l'altra sera, dopo che ci siamo separati?»

«Al cesso e sono scivolato.»

«A calci, gliela farei sputare la risposta.»

«E se lei si fratturasse un alluce? La terrebbero buono in ospedale per sei, sette settimane... gratis, per di più.»

«E con ciò? L'assassino è qui a Mosca... Avrei più tempo a mia disposizione.»

«Venga.» Arkady scese dal bancone. «Si è guadagnato qualcosa.»

Ai Grandi Magazzini Universali, il reparto MUSICA era un vero e proprio giro d'affari. C'era un'atmosfera contemplativa, là dove i giovani potevano esser influenzati dalla funzione dei prezzi politici: venti rubli (accettabili) un violino, quattrocentottanta rubli (proibitivi) un sassofono.

Un uomo dalla faccia butterata prese in mano proprio un sassofono, l'ammirò, ne toccò i tasti e lanciò, ad Arkady, quel vago cenno di saluto che ci si scambia fra colleghi.

Arkady riconobbe quella faccia: era l'uomo del metrò. Girò intorno lo sguardo e scorse un altro del KGB intento a provare una fisarmonica.

Dirigendosi, assieme a Kirwill, nell'attiguo reparto, vide con la coda dell'occhio i due presunti musicofili deporre gli strumenti e seguirlo a rispettosa distanza interessati, ma non invadenti.

Kirwill fece girare il piatto d'uno stereo. «Dov'è questo tale, Renko? Lavora qui?»

«Mica pensava che glielo avrei presentato, no?»

Arkady estrasse di tasca una bobina e l'inserì in un mangianastri, uguale a quello che aveva all'Ukraina. C'erano cuffie, a disposizione dei clienti, per provare gli apparecchi senza disturbare gli altri. A quel registratore – marca Rekord – era possibile inserire simultaneamente le spine di due cuffie. Arkady se ne mise una, imitato da Kirwill. Da lontano, il Butterato li guardava. L'altro si era eclissato. Sarà andato a telefonare i connotati di Kirwill, pensò Arkady.

Accese l'apparecchio. La bobina inserita era quella contenente la conversazione del 2 febbraio fra John Osborne e Hans Unmann.

«*L'aereo è in ritardo.*»

«*In ritardo?*»

«*Sta andando tutto bene. Ti preoccupi troppo.*»

«*E tu invece, mai?*»

«*Rilassati, Hans.*»

«*La faccenda non mi piace.*»

«*È un po' troppo tardi, per fare il difficile.*»

«*Tutti sanno che quei nuovi Tupolev...*»

«*Cadono come le mosche? Per te, solo i tedeschi sanno costruire qualsiasi cosa.*»

«*Ci mancava un ritardo. Quando arrivi a Leningrado...*»

«*Ci sono stato altre volte, a Leningrado. Ci sono stato coi tedeschi. Andrà tutto bene.*»

Dopo il *clic* del telefono riagganciato, Arkady bloccò il registratore, fece tornare indietro il nastro e lo ripassò. Poi, una terza volta. Infine sfilò la bobina.

«Un tedesco e un americano» disse Kirwill, togliendosi la cuffia. «Il tedesco si chiama Hans. E l'americano chi è?»

«Penso sia l'assassino di suo fratello.»

Sullo schermo di un televisore a colori Padoga si vedeva una donna accanto a un mappamondo. L'audio era spento. Arkady finse di interessarsi a quell'apparecchio, come se fosse lì per comprarlo.

«Questo non mi dice mica tutto» replica Kirwill. «Mi sta menando il can per l'aia.»

«Forse più tardi mi ringrazierà.» Arkady cambiò canale e sullo schermo apparvero dei ballerini, in costume folcloristico, che saltellavano silenziosamente avanti e indietro battendo le mani sulle ginocchia e sui tacchi. Spense e sullo schermo che si oscurava poté scorgere i due del KGB in fondo alla sala. Il secondo era tornato. «Quei due laggiù...» disse Arkady. «Non credo che farebbero scherzi a un turista americano, ma forse non sanno chi è lei.»

«Ci hanno seguiti fin qui dal garage, li avevo notati» disse Kirwill. «Pensavo che fossero suoi scagnozzi.»

«No.»

«Allora lei sta dalla parte sbagliata, Renko.»

Arkady e Kirwill si separarono in via Petrovka. Il primo si diresse verso il Comando di Polizia, il secondo all'albergo Metropole.

Dopo una decina di passi, Arkady si fermò per accendere una sigaretta. La strada era piena di gente che andava a far compere, dopo la chiusura degli uffici: un esercito stoico in lenta marcia davanti alle vetrine. Arkady si volse a guardare Kirwill che fendeva la folla con l'arroganza di uno zar e aveva alle calcagna i due del KGB.

Adesso Arkady doveva occuparsi dello zingaro.

Il furgone era dipinto in verde e arancio, con stelle e segni zodiacali azzurri. Un bambino nudo ne discese le scalette posteriori e corse in grembo alla madre, per attaccarsi al suo seno. La donna, in abiti multicolori e seni olivastri, sedeva accanto a un fuoco assieme a altre donne e a un vecchio. Gli altri uomini della famiglia sedevano a bordo di un'auto. Indossavano abiti sudici, a doppio petto, con cappello a larga tesa. Avevano i baffi, tutti quanti, anche il più giovane – appena una peluria. Il sole stava tramontando dietro l'Ippodromo.

C'erano numerosi accampamenti di zingari in quella zona. Ma il "suo" zingaro non c'era – era scomparso – come del resto Arkady s'aspettava. Era certo che non fosse stato Swann, a tradirlo.

In casa c'era un tale silenzio che, appena entrato, lui pensò che lei fosse andata via. Invece, la trovò in camera, seduta sulla sponda del letto, a gambe accavallate. Portava il vecchio vestito, che, dopo l'inesperta lavatura, le era diventato corto e stretto.

«La trovo meglio.»

«Infatti» disse lei.

«Fame?»

«Se mangia, le faccio compagnia.»

In realtà era affamata. Divorò la zuppa di cavoli. E una tavoletta di cioccolata come dessert.

«Perché si è incontrata con Osborne, ieri sera?»

«Invece no.» Prese una sigaretta, gliela tolse di mano senza chiedere.

«Perché, secondo lei, Osborne l'ha fatta aggredire da quei due?»

«Non so di cosa sta parlando.»

«Via! C'ero anch'io, alla stazione del metrò.»

«Allora interroghi se stesso.»

«Pensa che questo sia un interrogatorio?»

«E c'è chi, nell'appartamento di sotto, ne registra ogni parola» disse lei, con calma, soffiando via il fumo. «Qui ci stanno di casa informatori del KGB, e ci sono camere di tortura, giù in cantina.»

«Se veramente lo credesse, se ne sarebbe andata.»

«Posso forse lasciare il Paese?»

«Ne dubito.»

«E allora, cosa cambia se sto qui, o da qualche altra parte?»

Posò il mento sulla mano e studiò Arkady con i grandi occhi scuri – uno cieco.

«Pensa realmente che importi dove sono e cosa dico...»

La casa era buia. Aveva scordato di comprare le lampadine. Irina, appoggiata a uno stipite, sembrava un'ombra.

Era una fumatrice accanita, come lui. I capelli – dopo lo shampoo – erano più vaporosi, più morbidi. Era ancora scalza. Il vestito le tirava sul petto e sui fianchi.

Poi cominciò a camminare su e giù, per inventare qualche bugia, fumando, e lui la seguiva con lo sguardo. Al riverbero dei lampioni del cortile, vedeva di lei solo qualche dettaglio: la curva d'una spalla, le labbra carnose. Aveva lunghe gambe, lunghe dita, il collo lungo. C'era come una specie di lampo, quando i loro sguardi s'incrociavano.

Lui sapeva che lei era conscia dell'effetto che faceva su di lui. E sapeva anche che un suo minimo approccio sarebbe equivalso a una resa. Lei, allora, non si sarebbe più data neanche la briga di inventare bugie.

«Lo sa che Osborne ha ucciso la sua amica Valerya, Kostia Borodin e quel ragazzo americano, James Kirwill... eppure, gli offre l'occasione di uccidere anche lei. Praticamente, ce lo costringe.»

«Quei nomi non mi sono familiari.»

«Aveva dei sospetti... ecco perché se ne è andata da Osborne, in albergo, non appena ha saputo che lui era qui a Mosca. Si era insospettita non appena io sono venuto a trovarla, quel giorno, alla Mosfilm.»

«Mister Osborne si interessa di cinema.»

«Le diede a intendere che Valerya e Kostia erano al sicuro, all'estero. Non so in che maniera le disse che li aveva fatti espatriare. Certo, però, era stato capace di far rientrare di nascosto Kirwill – James Kirwill. Non le è mai balenato il sospetto che farla uscire, la gente, dall'Unione Sovietica, è più difficile che farcela entrare, clandestinamente? soprattutto tre persone insieme?»

«Oh! Mi balena di continuo.»

«E che ucciderle è più semplice? Dove le ha detto che si trovano i suoi amici? A Gerusalemme? A New York? A Hollywood?»

«Importa forse? Lei dice che sono morti. In ogni caso, non può più prenderli, ormai...»

Nel buio, lei, alla luce della sigaretta, sembrava godere d'una superiorità morale.

«Solzhenitsyn e Amalrik in esilio. Palach indotto al suicidio. Fainberg preso a calci in bocca sulla Piazza Rossa. Grigorenko e Gershuni rinchiusi in manicomio, per farli impazzire. Poi quelli che mettete in galera separatamente – Sharansky, Orlov, Moroz, Bayev – e quelli che incarcerate in blocco – come gli ufficiali della Flotta Baltica – e quelli che deportate a migliaia e migliaia – come i tartari della Crimea...»

Continuò ancora. Per lei era uno sfogo: sputava quelle parole contro di lui, come fossero pallottole dirette contro tutti i poliziotti.

«Voi avete paura di noi dissidenti» disse ancora. «Non potete fermarci, e lo sapete. Il dissenso si diffonde sempre più. È un vasto movimento.»

«Macché movimento. Non esiste neppure. Ragione o torto... che cosa importa, dal momento che proprio non esiste.»

«Lei ha persino paura a parlarne!»

«È come discutere di un colore che nessuno ha mai visto.»

Si accorse di comportarsi con troppa educazione. E lei ne approfittava per metter tra loro una fredda distanza che, tra breve, sarebbe stata incolmabile.

«Dunque, lei scriveva a Valerya, prima del suo fallimento all'Università» cominciò, daccapo.

«Non son stata bocciata in nessuna materia» disse lei. «Mi hanno espulsa, come lei sa.»

«Bocciata, espulsa... che importa? È stata cacciata fuori perché ha detto di odiare il suo Paese. La patria che le ha dato un'istruzione. È una cosa così stupida che è lo stesso che essere bocciati.»

«Pensi come le pare.»

«Poi fa dei favori a uno straniero che ha ucciso la sua miglior amica. Ah, per lei questa è politica. È più disposta a credere alle bugie assurde di un americano dalle mani lorde di sangue che non alla verità di uno dei suoi.»

«Lei non è uno dei miei.»

«È fasulla. Perlomeno Kostia Borodin era un vero russo, bandito o non bandito. Lo sapeva, lui, almeno, che razza di imbroglio è lei?»

Lei aspirò con troppa forza e la brace le illuminò il viso, che era avvampato.

Arkady continuò: «Se Kostia voleva espatriare aveva un buon motivo, lui. Era ricercato dalla giustizia. È un motivo che chiunque può rispettare. Altrimenti, sarebbe rimasto. Mi dica: cosa ne pensava Kostia delle sue pose antisovietiche? Chissà quante volte avrà detto a Valerya: ma come è fasulla quella tua amica, Irina Asanova! Lo direbbe, ora, se fosse vivo».

«Lei è disgustoso.»

«Su, via! Cosa disse Kostia il Bandito quando lei gli confidò di essere una dissidente?»

«La spaventa, eh, l'idea di avere una dissidente sotto il suo tetto.»

«Ha mai spaventato nessuno, lei? Sia sincera! Chi se ne frega di certi cosiddetti intellettuali che vengono espulsi da scuola per aver pisciato sulla bandiera? Gli sta bene, ecco!»

«Mai sentito parlare di Solzhenitsyn?»

«Ho sentito parlare del suo conto in banca, in Svizzera» le rispose Arkady, in tono di scherno. Vuoi aver a che fare con un mostro? Ebbene – disse fra sé – eccoti accontentata!

«O degli ebrei sovietici?»

«Sionisti, vorrà dire. Hanno una loro repubblica sovietica; cosa vogliono di più?»

«O della Cecoslovacchia?»

«Allude a quando Dubček fece venire soldati fascisti tedeschi come turisti e i ceki chiesero aiuto a noi? Si decida a crescere. Non ha mai sentito parlare del Vietnam o del Cile o del Sudafrica? Irina, forse la sua visione del mondo non è abbastanza vasta. Lei crede, mi pare, che l'Unione Sovietica sia un'enorme congiura per farle vivere una giovinezza infelice.»

«Lei non ci crede, a quello che dice.»

«Le dirò, adesso, quello che pensava Kostia Borodin.» Arkady non poteva più fermarsi. «Pensava che lei volesse il piacere di essere perseguitata senza avere il coraggio, però, di trasgredire la legge.»

«Sempre meglio che essere un sadico e non aver il coraggio di usare la frusta» ribatté lei. Aveva gli occhi pieni di lacrime di rabbia.

Lui ne fu stupito. Volente o nolente, lei era dunque entrata in lizza. Correva sangue – per così dire – sul campo di battaglia. Poi la battaglia si trasferì su un campo diverso: in camera da letto, dove era rimasto l'unico mobile della casa.

Sedettero sulle opposte sponde, fumando. Lei attendeva eroicamente il prossimo assalto. Spense la sigaretta, e incrociò le braccia. A testa alta.

«Lei vuole il KGB» disse Arkady. E sospirò. «Vuole torture. Gli assassini. Gli scimmioni.»

«Stava per consegnarmi a loro, non è vero?»

«Sì» ammise lui. «O almeno lo credevo.»

Lei guardava la sagoma di Arkady camminare avanti e indietro davanti alla finestra.

«Gliel'ho detto in che modo li ha uccisi, John Osborne?» le chiese lui. «Erano andati a pattinare insieme, al Gorky Park: lui, Valerya, Kostia e Kirwill – lo studente americano. Ma questo lo sa: fu lei a prestare i pattini a Valerya. E sa anche che Osborne commercia in pellicce. Ma forse ignora che è un informatore del KGB, oltretutto. Questo le dà fastidio. Comunque, dopo aver pattinato per un po', vanno tutti e quattro a far meren-

279

da in una radura. Osborne – il ricco Osborne – ha portato lui le cibarie.»

«Si sta inventando tutto, di sana pianta.»

«Abbiamo la sacca in cui porta le vettovaglie: l'abbiamo ripescata dal fiume. Dunque: i tre stanno mangiando e, ecco, Osborne solleva la sacca, verso Kostia. Dentro c'è una pistola. Spara. Colpisce Kostia al cuore. Quindi tocca a Kirwill, pure colpito al cuore. L'uno dietro l'altro. Con estrema efficienza, no?»

«Si direbbe che lei era presente.»

«L'unica cosa che non riesco a capire – e qui forse lei mi può aiutare – è: come mai Valerya non gridò aiuto, quando vide uccidere gli altri due. Va bene che c'era la musica diffusa dagli altoparlanti del parco, ma lei non tentò neppure di gridare, di scappare. Rimase là, davanti a Osborne, immobile, mentre lui le puntava contro l'arma. Perché non si mosse, perché non gridò? Lo chiedo a lei, che era la sua migliore amica.»

«Continua a dimenticare» gli disse lei «che io la conosco, la legge. C'è un articolo del codice penale che dice che tutti i disertori sono criminali contro lo Stato. Lei farebbe di tutto per catturare un disertore, e chi l'abbia aiutato a disertare. Chi mi dice che l'aggressione contro di me, al metrò, non fosse una montatura? Magari architettata proprio da lei o da lei assieme al KGB. Come quei cadaveri che dice di aver... Dov'è che li ha trovati? Osborne – dice lei – ha ucciso qualcuno? Voi prendete un qualsiasi turista innocente e lo sbattete alla Lubyanka.»

«Osborne non è mica in carcere. Lui ha amici potenti, che lo proteggono. Sono disposti anche a uccidere lei, per proteggerlo.»

«Proteggerebbero un americano?»

«Sono trentacinque anni che lui va e viene dalla Russia. Porta dentro milioni di dollari, fa la spia, passa al KGB informazioni su attori e ballerini sovietici di cui si atteggia a protettore, dà in pasto ai suoi amici qualche povero piccolo scemo "nemico del popolo", come lei e Valerya.»

Irina si tappò le orecchie. «Ai suoi amici, ai suoi!» esclamò. «È di lei che stiamo parlando. Lei vuole soltanto sapere – ora, da me – dove mandare i suoi assassini!»

«Mandarli a uccidere Valerya? Ma Valerya posso trovarla quando voglio in una cella frigorifera, in via Petrovka. Ho la pistola con cui Osborne l'ha uccisa. So chi c'era ad attendere Osborne nei pressi del Gorky Park, dopo il triplice delitto, a bordo di un'auto. So che tipo di macchina era. Ho fotografie di Osborne con Valerya e con Kostia, a Irkutsk. So del cofano – o scrigno – che gli procurarono.»

«Un americano come Osborne se ne può procurare una ventina, di cofani o scrigni, da venti differenti fornitori.» Irina non cedeva d'un palmo. «Lei stesso ha accennato a Golodkin. Golodkin poteva procurargliene uno e senza chiedergli, in cambio, un espatrio clandestino. Golodkin non voleva lasciare il Paese, a lui bastava esser pagato in dollari. Un pugno di dollari. E Osborne, ne ha a milioni. Perché avrebbe dovuto far venire Valerya e Kostia Borodin qui a Mosca, da Irkutsk? Perché proprio loro?»

Poteva distinguere appena i suoi contorni. Le brillavano gli occhi, nell'ovale del viso. Una mano posava sull'anca. Era esausta.

Nella penombra, Arkady percepiva la sua mortale stanchezza. L'incalzò: «Durante la guerra, John Osborne uccise – alla stessa maniera – tre prigionieri tedeschi. Li condusse in un boschetto, a Leningrado, offrì loro cioccolata e champagne... e li ammazzò. Ricevette una medaglia, per questo. Non dico bugie: sta scritto sui libri di storia».

Irina non disse nulla.

Lui le chiese: «Se riesce a cavarsela da questo impiccio, cosa pensa di fare, dopo? Diventare un'esponente del dissenso? Denunciare i sistemi polizieschi? Riscriversi all'Università? Io potrei raccomandarla».

«Per diventare avvocato...»

«Perché no?»

«Crede che sarei felice, allora?»

Arkady pensò a Misha, ch'era avvocato, e le rispose: «No».

Lei disse: «Quel regista... Quello degli stivaletti... Ebbene, poi m'ha chiesto di sposarlo. Lei mi ha vista nuda. Non sono mica tanto brutta... no?».

«No.»

«E allora, mi sposerò. Farò la donna di casa. Sparirò dalla circolazione.»

Dopo ore di litigi, la sua voce era così fioca che sembrava provenire da un'altra stanza.

«In conclusione» disse Arkady «tutto quello che le ho raccontato potrebbe essere una bugia, straordinariamente elaborata, o la semplice e pura verità.»

La sentì respirare ritmicamente e capì che si era addormentata. Allora le mise addosso una coperta. Andò alla finestra e, per un po', stette a guardare, casomai si scorgessero segni di insolita attività, nelle case dirimpetto o sul viale Tagansky. Infine, tornò a sdraiarsi sul letto, vestito.

XIV

Righe rosse erano dipinte sulle strade che portavano alla Piazza Rossa. Erano in corso preparativi per la grande parata militare. Venivano erette postazioni per le telecamere.

Dieci anni di matrimonio. Dieci anni di risparmi: 1200 rubli, che fruttavano un interesse annuo del 2 per cento. Ebbene, Zoya aveva prelevato l'intera somma, tranne 100 rubli.

Un uomo – si disse Arkady – può prevenire le mosse d'un killer, ma non quelle della propria moglie. Si corresse: ex moglie.

Di ritorno dalla banca, vide una fila davanti a un negozio. E dissipò venti rubli per comprare un foulard rosso bianco e verde, decorato con uova di Pasqua.

Andreev aveva terminato il suo lavoro.

Valerya Davidova, assassinata al Gorky Park, era di nuovo viva. Gli occhi le rilucevano, il sangue affluiva alle guance, le labbra rosse erano dischiuse ansiosamente come fosse sul punto di parlare. Invece, restava muta. Ma occorreva fare uno sforzo per accorgersi che era plastilina, e non carne – colore e non colorito – e che gli occhi erano di vetro. Incredibile, quindi, che quella testa, così viva, non fosse attaccata a un corpo, ma posasse sulla ruota d'un vassoio.

Arkady, che pure non era superstizioso, si sentì accapponare la pelle.

«Gli occhi, poi, gliel'ho fatti d'un castano un po' più scuro» disse Andreev, «e le guance un po' più accese, di conseguenza. La parrucca è italiana, di capelli veri.»

Arkady girò intorno a quella testa. «È il suo capolavoro.»

«Sì» convenne Andreev, con orgoglio.

«Giurerei che stia per dire qualcosa.»

«In effetti, sta dicendo qualcosa, Investigatore. Sta dicendo: "Eccomi qua!". La prenda pure.»

Valerya sembrava guardarlo. Non era una bellezza clamorosa come Irina, ma era molto carina, il nasino più corto, la faccia più larga, più semplice. Quel tipo di faccia che uno s'aspetta di veder sorridere da sotto un colbacco di volpe, durante una gita d'inverno, con la neve che fiocca pian piano. Una brava pattinatrice, una ragazza che ama divertirsi, piena di vita.

Si riscosse. «No» rispose, «non ancora.»

Trascorse la giornata insieme a Swann, a interrogare macellai, contadini o chiunque potesse fornire carni fresche. Erano le quattro suonate quando tornò alla Procura, in via Novokusnetskaya. Gli dissero che il Procuratore lo voleva.

Iamskoy sedeva alla sua scrivania, con le dita paffute intrecciate sul tavolo, e la testa pelata che riluceva di pensieri.

«Sono preoccupato perché le sue indagini, sul delitto di Gorky Park, non stanno facendo progressi, a quanto pare. Non intendo immischiarmi, ma è pur mio dovere controllare un investigatore che ha perso il bandolo, o che si smarrisce. È questo il suo caso? Sia franco, per favore.»

«Torno ora dall'aver visto la testa d'una delle vittime ricostruita da Andreev» rispose Arkady.

«Ah, sì? Non l'aveva mica detto, che aveva fatto ricostruire quella testa. Ecco un esempio, lampante, di mancanza di coordinamento.»

«Non ho perso il controllo, né di me stesso né della situazione.»

«Il suo rifiuto di ammettere potrebbe già essere un sintomo. Insomma! ci sono sette milioni di abitanti, a Mosca, e fra essi un pazzo che ha ucciso tre persone. Non m'aspettavo certo che lo estraesse da un cappello a cilindro, l'assassino. Pretendo, bensì, che un investigatore organizzi e coordini i suoi sforzi, e che ragioni in modo corretto. A lei non piace, lo so, collaborare con altri. È un individualista, e si considera uno specialista. Un singolo individuo, tuttavia, ragiona in modo troppo soggettivo – per brillante che sia – eppoi può ammalarsi o essere sviato da problemi suoi squisitamente personali. Insomma, è troppo vulnerabile, un uomo solo. Lei, poi, si è molto affaticato.» Iamskoy allargò le braccia, in un gesto di rassegnazione o compatimento. E soggiunse: «Mi risulta che ha delle difficoltà con sua moglie».

Arkady non rispose niente. Non era una domanda.

«Gli Investigatori alle dipendenze di questo ufficio sono, per così dire, un'emanazione di me stesso, ciascuno a suo modo. Lei che è il più sveglio di tutti, lo capisce benissimo.» Cambiò tono e soggiunse, deciso: «Da tempo lavora a ritmo serrato. La festa del Primo Maggio è vicina, e dopo la vacanza si vedrà. Ora voglio che lei, appena uscito da questa stanza, si metta a preparare un dettagliato rapporto su tutti gli aspetti delle indagini svolte finora».

«Un rapporto del genere richiederebbe dei giorni, anche se non facessi niente altro.»

«Quindi, non faccia nient'altro. Si prenda del tempo, e sia esauriente. Naturalmente, non voglio che si faccia alcun cenno – nel rapporto – a stranieri e a funzionari dei Servizi di Sicurezza. Le sue ipotesi, al riguardo, non sono approdate a nulla. Farvi riferimento quindi recherebbe imbarazzo non solo a lei, ma anche a questo ufficio. Grazie.»

Arkady ignorò quel congedo. «Procuratore, vorrei sapere se questo rapporto servirà poi a un altro investigatore, che prenderà il mio posto.»

«Quello che si vuole da lei» disse Iamskoy con fermezza «è che collabori. Quando tutti collaborano cos'importa chi fa una cosa, chi un'altra?»

Arkady sedeva alla macchina per scrivere, ma non aveva infilato un foglio nel rullo.

Alla parete, in fotografia, Lenin si riposava su una sdraio, con un bicchiere in grembo, e guardava – con aria furba – da sotto la tesa del cappello bianco.

Un rapporto! Ma cosa restava da dire, una volta escluso Osborne e sottaciuto ogni riferimento al giovane Kirwill ucciso?

Al mio successore – si disse – sembrerà ch'io non abbia indagato affatto. Poco male, per lui: ricomincerà da capo. Il problema è piuttosto: che ne sarà dell'ex investigatore?

Sentì aprirsi la porta e comparve Nikitin; sulla soglia, con una bottiglia e due bicchieri in mano.

L'Investigatore-capo che si occupava di indagini amministrative aveva un'aria di commiserazione. «Ho saputo...» gli disse. «Hai avuto sfortuna.»

Arkady non si mosse.

«Avresti dovuto consigliarti con me.» Gli versò da bere della vodka. «Tu, invece, tieni tutto solo per te. Te l'ho sempre detto. Ma non preoccuparti, però. Ti troveremo una sistemazione. Conosco tanta gente... Bevi! Bevici su. Non dello stesso livello, naturalmente, ma farai di nuovo carriera. Ci penserò, ci penserò... Del resto, non t'ho mai visto adatto "per natura" a far l'inquirente.»

Era chiaro, ora, ad Arkady, che gli erano sfuggiti tutti quei segnali che, a un più astuto investigatore, avrebbero suggerito quali strade percorrere, quali invece evitare. Levin, Iamskoy, persino Irina avevan cercato di metterlo sull'avviso. Lui, invece, aveva preferito procedere a lume di logica, forse sperando che i contorti sentieri della contraddizione convergessero tutti, alla fine, in una spiegazione razionale.

«Non si ha memoria di un Investigatore-capo licenziato a questo modo» stava dicendo Nikitin. «Il tuo caso non ha precedenti. Nel sistema sovietico, nessuno può mai perdere il posto. A te l'onore di scardinare questo sacro principio.» Nikitin ammiccò.

Arkady chiuse gli occhi.

L'altro si sporse e chiese sottovoce: «Come la prenderà, Zoya, la cosa?».

Arkady riaprì gli occhi e vide che Nikitin, sull'orlo della sedia, pendeva letteralmente dalle sue labbra. Non sapeva perché fosse lì presente. Neanche stava realmente a sentire quel che l'altro diceva. Ma sapeva che Nikitin – il suo antico mentore, l'opportunista dalla faccia tonda e gran pettegolo – sarebbe stato *sempre* presente. Certi muoiono, certi vengono destituiti. Lui, Nikitin, assisteva alle esequie di tutti – come un ladro di tombe.

Squillò il telefono. Arkady rispose.

Dal Ministero degli Esteri lo informarono che, nel periodo gennaio-febbraio, nessun individuo aveva esportato all'estero icone, o altri articoli di simile natura, ma era stato rilasciato uno speciale nullaosta per un "cofano religioso" indirizzato al Comitato per le Arti del Partito Comunista finlandese, come dono da parte della Lega Calcistica Juniores della Germania Est. Il cofano in questione era stato spedito via aerea da Mosca a Leningrado e, di qui, aveva proseguito in treno per Helsinki, via Vyborg. La spedizione era stata effettuata il 2 febbraio, e sulla fattura figurava, come mittente, un certo H. Unmann. Dunque, c'era uno scrigno... e Unmann l'aveva spedito.

Arkady prenotò una chiamata per la Sede Centrale

del Partito Comunista finlandese. Ottenne subito la co-municazione (le chiamate internazionali eran più faci-li di quelle interurbane) e, da Helsinki, apprese che il Comitato per le Arti era stato sciolto un anno prima, e che nulla di somigliante a un "cofano o scrigno istoria-to" era stato mai richiesto, atteso o ricevuto.

«Posso fare qualcosa per te?» offrì Nikitin.

Arkady aprì il cassetto di fondo della sua scrivania e ne trasse una pistola. Era la Makarov semiautomatica che gli era stata data in dotazione quand'era diventato investigatore. Lui non l'aveva mai adoprata, finora. Prese anche una scatola di munizioni, da 9 millimetri. Caricò la pistola e inserì il caricatore.

«Che fai...?» disse Nikitin, ch'era stato a guardarlo.

Arkady sollevò la pistola, ne tolse la sicura e la puntò sul viso di Nikitin.

Questi spalancò la bocca, balbettando.

«Ho paura» disse Arkady. «Pensavo ti piacesse aver paura insieme a me.»

Nikitin se la svignò rapidamente. Arkady si mise il cappotto, infilò in tasca la Makarov e uscì.

Quando entrò in casa, Irina sbirciò alle sue spalle come se pensasse che ci fosse qualcun altro con lui. «Credevo che fosse venuto a arrestarmi, stavolta» gli disse.

«Perché pensa che voglia arrestarla?» chiese Arkady. E andò alla finestra per guardare giù in strada.

«Mi arresterà, prima o poi.»

«Se ho impedito a quelli là d'ucciderla, io!»

«Troppo facile. Per lei, uccidere e arrestare sono due cose diverse. È un vero poliziotto, vecchia scuola.»

Arkady si chiese se, davvero, Pribluda non avesse qualcuno dei suoi nell'appartamento accanto, o al piano di sotto, e se non ci fossero microspie dapper-tutto.

Irina aveva tirato a lucido il pavimento. Così vuota e

pulita la casa aveva un nonsoché d'irreale. E lei, in essa, sembrava una fiamma nel vuoto.

Era scalza e il vestito, consunto, le aderiva addosso. «Magari oggi mi tiene nascosta... Cosa vuole che sia un giorno, nella vita» gli disse. «Ma appena verranno a bussare, mi consegnerà a quelli.»

Arkady non le chiese come mai allora non se n'andava, poiché aveva paura che se n'andasse sul serio.

Dopo un po', lei cominciò a dire, in tono di sommo disprezzo: «Fa l'investigatore... ma come può indagare sulla nostra morte, se non sa nulla sulla nostra vita? Oh, avrà letto qualche articolo di giornale sulla Siberia... e la polizia di Irkutsk le avrà mandato un rapporto su Kostia Borodin. Si chiederà: com'è possibile che una ragazza ebrea come Valerya si sia messa con un criminale come Kostia Borodin? E com'è possibile che Kostia abbia creduto alle promesse di John Osborne? Ci sarei caduta anch'io, se le avesse fatte a me, certe promesse!».

Arkady non ribatté.

Lei camminava su e giù, torcendosi le mani. «Mio nonno fu deportato in Siberia. Era ingegnere idraulico, a Leningrado. Dirigeva gli acquedotti. Non aveva commesso nessun crimine. Ma, come ricorderà, l'ordine del giorno era, allora: "Tutti gli ingegneri sono ostruzionisti". Quindi fu condannato a quindici anni di lavori forzati, in Siberia. Qui passò da un lager all'altro, finché la pena non fu commutata in esilio perpetuo. Lui divenne così siberiano. A suo figlio – mio padre – non fu neanche concesso di andar volontario in guerra, in quanto figlio di un esiliato. Era insegnante e non gli rilasciarono mai un passaporto interno, quindi non poteva lasciar la Siberia. Mia madre era musicista. Le offrirono un posto al Teatro Kirov, ma non poté accettare in quanto moglie del figlio d'un esiliato.»

«E Valerya?»

«I Davidov sono oriundi di Minsk. Una volta ci fu

289

una retata di ebrei antipatriottici. Il rabbino Davidov fu spedito in Siberia, con la sua famiglia.»

«E Kostia?»

«Più siberiano, lui, di tutti noi. Un bisnonno condannato alla deportazione, per omicidio, ai tempi dello Zar. Poi, i Borodin si dedicarono, di padre in figlio, alla cattura di prigionieri scappati dai campi. Vivevano fra gli Yukagiri, mandriani di renne, perché questi erano i primi a sapere, quando un prigioniero evaso cercava di attraversare la tundra. I Borodin allora si mostravano amici, con lui, come se intendessero aiutarlo a scappare. Per tutta la sera ci chiacchieravano insieme, si facevano raccontare cosa avrebbe fatto, una volta libero... e poi l'uccidevano nel sonno. Così, almeno per un'ora, quel disgraziato aveva assaporato l'illusione della libertà. Lei, invece, neanche questo.»

«A me sembra una cosa crudele» disse Arkady.

«Lei non è siberiano. Osborne ci conosce meglio di lei.»

Anche dalla profondità del suo disprezzo, lei però lo osservava attentamente, come se lui potesse assumere una forma diversa.

Dopo un po' Arkady chiese: «Ma i Borodin non potevano certo vivere solo catturando evasi».

«Commerciavano con i mandriani, cercavano oro di frodo, guidavano i geologi. Kostia cacciava.»

«Cosa cacciava?»

«Volpi... zibellini...»

«Era un bandito... come poteva poi andarle a vendere, quelle pelli?»

«Le dava a qualche intermediario. Una pelle valeva cento rubli. Lui ne intascava novanta. Nessuno faceva domande a Irkutsk.»

«Ci sono allevamenti di zibellini, oggi. Che bisogno c'è di andarne a caccia?»

«Gli allevamenti? Un disastro, come tutti i kolkoz, le fattorie collettive e via dicendo. Gli zibellini vanno nutriti con carne fresca. Quando non ne arriva attraverso i normali canali di distribuzione (e spesso, spessissimo accade, per qualche disservizio) bisogna comprarla nei negozi. Quindi allo Stato allevare uno zibellino costa il doppio che comprarne uno selvatico. Eppoi la quota di produzione viene sempre aumentata, perché gli zibellini fruttano valuta estera.»

«Ci saranno molti cacciatori di frodo, allora.»

«Lo sa, dove bisogna colpirlo, uno zibellino, per non rovinare la pelliccia? In mezzo agli occhi – con un fucile – da cinquanta metri. Ci sono pochi capaci di tanto. E nessuno come Kostia.»

Per cena, mangiarono salsicce e bevvero caffè.

Ad Arkady sembrava di star andando a caccia: attento a non spaventare la selvaggina, e a cercare di portarla sotto tiro servendosi di qualche esca – nel suo caso, di opportune domande.

«E quelli che scappano dalla Siberia...?»

«Vengono a Mosca. Dove altro vuole che scappino? Al Polo Nord? In Cina? Ah» soggiunse poi «lasciare la Siberia è l'unico vero reato che un siberiano possa commettere. Ecco, qual è lo scopo delle sue indagini! Scoprire come hanno fatto, quei selvaggi siberiani, ad arrivare fino a Mosca... Come hanno fatto a varcare il confine? Non mi venga a dire che si dà da fare così perché un paio di siberiani sono morti. Noi siamo *nati* morti.»

«Chi le ha detto tutte queste fesserie?»

«Lo sa qual è l'alternativa siberiana?»

«No.»

«È una scelta fra due modi di morire congelati. Eravamo andati in gita su un lago ghiacciato, a pescare all'eschimese, quando un nostro professore cadde dentro quel buco nel ghiaccio. L'acqua era poco profonda, gli arrivava appena al collo. Ma non aveva scampo. Se restava dentro l'acqua, sarebbe morto congelato entro trenta o quaranta secondi. Se ne usciva, sarebbe congelato all'istante, trasformandosi in ghiaccio. Era, ricordo, un professore di ginnastica. Un evenki, l'unico nativo fra i nostri insegnanti, un bell'uomo, giovane, benvoluto da tutti. Stavamo là a guardarlo intorno al pozzo, con in mano le canne da pesca. Il cielo era sereno, c'era il sole, ma la temperatura era polare. L'evenki era sposato, ma la moglie non era lì. Ci guardò... aveva la faccia più sveglia che avessi mai visto. Era in acqua da non più d'una decina di secondi... forse meno... quando si issò fuori.»

«E poi?»

«Prima che si potesse raddrizzare, era già morto. Ma era uscito, questo è l'importante. Non aveva atteso inerte la morte.»

Il sole, al tramonto, le splendeva negli occhi.

Poi la notte la rese più pallida, lo sguardo più cupo.

«Le dirò io, ora, di un'altra alternativa siberiana» disse Arkady, riprendendo più tardi il discorso. «Osborne avrebbe potuto comprare icone, cofani istoriati, scrigni, cassapanche o simili, qui a Mosca, da venti differenti fornitori. Anzi, Golodkin – come ha detto lei – gliene aveva procurato già uno, di quei cofani. Perché, quindi, correre il rischio di trattare un affare con due disperati, in fuga davanti alla legge? Perché darsi la briga d'inventare fantastiche bugie, promettendo loro l'espatrio clandestino? Cosa avevano, Kostia e Valerya, da offrirgli, di tanto speciale?»

«Non lo chieda a me.» Irina si strinse nelle spalle. «C'era anche... lei dice... uno studente americano a nome Kirwill, entrato clandestinamente in Russia. Perché Osborne avrebbe corso quel rischio? È pazzesco.»

«Però era necessario. Kostia voleva la prova che Osborne fosse in grado di far entrare e uscire chiunque dalla Russia. James Kirwill era, appunto, tale prova vivente. Tanto più valida in quanto era americano. Mai Kostia e Valerya avrebbero pensato Osborne capace di tradire un compatriota.»

Perché Kirwill sarebbe venuto, se non fosse stato certo di poter poi uscire di nuovo?»

«Gli americani pensano di poter fare qualsiasi cosa» disse Arkady. «John Osborne è convinto di essere onnipotente. Hm... si scopava Valerya?»

«Lei non era mica...»

«Era carina. Osborne dice che le russe sono brutte, ma Valerya doveva certamente piacergli. Si conobbero al Centro Pellicce di Irkutsk. Lui la notò subito. A Kostia allora balenò un'idea. Far fesso il ricco americano, d'accordo con Valerya.»

«Lo fa apparire...»

Arkady l'interruppe. «È questo, dunque, quello che offrirono a Osborne, di speciale? Da scopare! Eh, dài, su – avrà detto Kostia alla sua amica – stacci... cosa vuoi che sia?... mica muori, per qualche scopata, e neanch'io – così intanto spenniamo quel fesso. Così l'avrà istigata, eh, che ne dice? Tre persone ammazzate perché Osborne si accorse che l'avevano fatto fesso?»

«Lei non sa tutto.»

«So che, mentre Kostia Borodin e James Kirwill giacevano morti, o morenti, fra la neve, la sua amica Valerya – lì presente e ancora viva – non gridò aiuto né scappò via. Non ci provò neppure. Ecco una vera alternativa siberiana! Se ne deduce solo una cosa: Valerya sapeva che Borodin e Kirwill sarebbero stati uccisi... ed erano d'accordo, lei e Osborne. Cosa gliene fregava, d'un bandito siberiano? Neanche da paragonarsi a un ricco imprenditore di New York! Al diavolo il romanticismo. Magari Osborne le avrà detto che poteva far espatriare solo una persona. A lei la scelta. E lei era una ragazza molto sveglia. Altro che chiamare aiuto! Lei era pronta a scavalcare i due cadaveri e allontanarsi da lì sottobraccio all'amico americano.»

«Basta!»

«Immagini dunque il suo stupore, quando Osborne sparò anche a lei. Troppo tardi, per gridare aiuto. Retrospettivamente, sembra incredibile. Appare ovvio, adesso, che l'amico americano era un mostro a sangue freddo, e che le sue promesse erano campate in aria. Che crudeltà, far venire quella bella ragazza sprovveduta dalla Siberia a Mosca, solo per ucciderla, qui! Se non scappò né chiamò aiuto, quando vide cadere quei due, ammetterà che, o era d'accordo, o era troppo stupida. In un caso come nell'altro, meritava la morte che ha fatto.»

Irina gli diede uno schiaffo.

Arkady sentì in bocca il sapore del sangue.

«Ora è convinta ch'è morta» le disse. «Mi ha colpito perché adesso mi crede. È così?»

Bussarono alla porta.

Dal pianerottolo una voce d'uomo disse: «Investigatore-capo Renko!...».

Irina fece «no» con la testa. Neanche Arkady aveva riconosciuto quella voce.

«Investigatore!... Lo sappiamo che è in casa. E sappiamo anche della ragazza» disse la voce.

Arkady fece cenno a Irina di andare di là in camera e andò a prendere la pistola nella tasca del cappotto. Non gli andava di usarla, però. Non aveva nessuna voglia di sparare a qualcuno. Ma neppure di essere ammazzato in casa sua. Le sue mosse erano calme e calcolate, ma in testa i pensieri gli si accavallavano, sovrapponendosi fra loro. Che fare? sparare attraverso la porta? oppure tentare una sortita sempre sparando?

Invece, si appiattì contro il muro a fianco della porta e, con la mano libera, pian piano, tolse il catenaccio.

«Entri» disse. Poi, appena sentì muovere, spalancò la porta di scatto.

L'uomo, preso alla sprovvista, barcollò sulla soglia. Era solo.

Arkady gli passò un braccio intorno al collo – da dietro – e gli puntò la Makarov contro la tempia, facendo cadere un berretto di lana. Quindi chiuse la porta con un calcio. Poi guardò il visitatore, rigirandolo.

Era sui ventidue anni, grande e grosso, lentigginoso. Sorrideva da ubriaco, come se avesse combinato un bello scherzo.

Arkady lo riconobbe: era Yuri Viskov, il figlio dei gestori di quella tavola calda, lo stesso Viskov che, al processo d'appello, era stato difeso da Iamskoy davanti alla Corte Suprema.

«Parto domani, per la Siberia» disse il giovanotto, tirando fuori una bottiglia di vodka dal tascone della giacca a vento. «Così... ho pensato di venir a bere un goccio insieme a lei...»

Arkady si allungò per rinfilare la pistola nella tasca del cappotto, mentre l'altro l'abbracciava.

Irina uscì, titubante, dalla camera da letto.

Viskov sembrava al colmo dell'allegria. Ostentando sicurezza sulle gambe, andò presso il lavandino, dove c'erano alcuni bicchieri.

«Non l'ho più rivista, dopo che l'hanno rilasciata» disse Arkady.

«Avrei dovuto venire a ringraziarla, oh, sì.» Viskov riempì i bicchieri fino all'orlo. «Ma sa com'è... c'è un mucchio di cose da fare, quando si esce di prigione.»

Aveva riempito solo due bicchieri. Siccome ce n'erano un altro paio, in cucina, Arkady arguì che l'esclusione di Irina fosse voluta. La ragazza era rimasta sulla soglia della camera da letto. E aveva una cert'aria...

«Ma voi due vi conoscete?» chiese Arkady a Viskov, alzando il bicchiere per brindare.

«Non bene» rispose Viskov. «Questa qui oggi ha telefonato a una certa persona per chiedere notizie su di lei, e questa persona mi ci ha fatto parlare a me, con questa qui, per telefono. Molto semplice. La prima cosa che le ho detto è che lei mi ha salvato dalla forca. Sì, le ho intonato il suo panegirico... un eroe della Giustizia sovietica, niente meno, le ho detto che è lei. E il bello è che è vero.»

«Non le ho chiesto io di venire qui» disse Irina.

«Non son mica venuto per lei. Io sono un ferroviere, un operaio delle ferrovie, mica sono un dissidente.» Viskov le volse le spalle. Ora il tono scherzoso era svanito e il suo viso era serio, sincero, preoccupato. Posò una mano sul gomito di Arkady e gli disse: «Si sbarazzi di questa qui. Quelli come lei sono tipi velenosi. Chi è mai, per indagare su di lei? Lei è l'unico, al mondo, che m'abbia aiutato.

«Le dirò... se non ci fossero dissidenti come questa, tante brave persone non dovrebbero soffrire le pene che hanno sofferto mio padre e mia madre. Sono in pochi, a combinare casini. E un sacco di gente onesta finisce in galera, per colpa loro. Non succede solo a quelli come me, no; anche a lei gliene combinano, tanti...»

Viskov si volse ancora a guardare Irina. Da lì dove si trovava, poteva vedere anche il letto, nell'altra camera. Irina stava sulla soglia, appoggiata allo stipite.

«Il veleno migliore è il più dolce... dico bene?» soggiunse Viskov, allusivamente. «Che vuole, siamo fatti di carne. Ma, dopo che si è tolto la voglia, si sbarazzi di lei.» E sollevò il bicchiere, per brindare con Arkady.

Arkady fece tintinnare gli orli. «Alla Siberia!» disse. «Su, beva.»

Viskov continuava a fissare Irina.

«Beva» insistette Arkady, con più forza, e si liberò della stretta del giovane.

Viskov scrollò le spalle, e ingoiò la vodka d'un fiato.

Anche Arkady bevve, e sentì l'alcol bruciargli la bocca ferita. «Perché va in Siberia?» domandò.

«C'è bisogno di operai specializzati, per la nuova ferrovia in costruzione, vicino al lago Baikal» rispose Viskov, con una certa riluttanza. «Danno una mensilità extra, vacanze più lunghe, e passano anche la casa, col frigorifero. Ci saranno dei vermi di Partito anche là, ma non quanti qui. Comincerà per me una nuova vita. Andrò a caccia nei boschi, a pesca nel lago... Se lo im-

magina, un ex condannato per omicidio, col suo fucile
da caccia? L'avvenire è in Siberia, caro mio. I miei figli, vedrà, cresceranno diversi. Magari fra cent'anni
manderemo al diavolo Mosca, e avremo la nostra patria indipendente. Cosa ne pensa?»

«Buona fortuna.»

Non restava più niente da dire. Viskov se n'andò.
Dalla finestra, Arkady lo guardò attraversare il cortile,
raggomitolato contro il vento, diretto verso le luci della
Taganskaya. Le nubi erano basse e cariche di pioggia.
Il vento sibilava negli interstizi.

«Gliel'avevo detto di non usare il telefono» disse
Arkady, dopo che Viskov fu scomparso. «Non avrebbe
dovuto telefonargli.»

Il vetro tintinnava. Lui sentì le vibrazioni sulla mano
che vi aveva appoggiato. Irina era un bianco riflesso
nella finestra. Se fosse stato un altro, anziché Viskov,
lei avrebbe potuto essere morta. Arkady si accorse che
erano le sue mani a tremare, non il vetro.

Guardò la propria immagine riflessa. Chi era
quell'uomo? Non gliene importava un accidente, di Viskov, la cui vita lui stesso aveva salvata, solo qualche
mese prima. Voleva soltanto una cosa: Irina Asanova.
L'ossessione era tanto evidente che persino Viskov,
ubriaco com'era, se n'era accorto. Arkady non aveva
mai desiderato niente, prima d'ora; non c'era mai stato
niente che valesse la pena di desiderare. Lussuria è una
parola troppo pallida. Nulla era valso finora la pena.
Una vita grigia, misera, svogliata – una routine di pallidi spettri. Lei invece brillava d'una luce tanto intensa,
da accendere anche lui.

«L'ha capito...» disse Arkady.

«Capito cosa?»

«Ha visto giusto, riguardo a me. A me non importa
della sua amica Valerya. Non me ne frega niente, se
Osborne ha le mani sporche di sangue. Le indagini sono una scusa. Per tenerla con me.» Ogni parola era

una sorpresa, per lui, non riconosceva neppure la propria voce. «Può anche darsi che tutto quello che ho fatto, dal momento in cui l'ho vista, non avesse altro scopo che... portarla qui. Non sono l'Investigatore che lei crede, né quello che io credevo di essere. Non posso proteggerla. Se anche non lo sapevano già, che lei è qui, ora lo sanno, avendo intercettato la sua telefonata. Dove vuole andare?»

Si volse verso Irina. Gli ci volle un momento, per vedere che gli puntava contro la pistola.

Senza una spiegazione, lei la rimise dove l'aveva presa: nella tasca del cappotto di lui. Quindi chiese: «E se non volessi andarmene?».

Avanzò verso il centro della stanza, e si tolse il vestito. Era completamente nuda, sotto.

«Voglio restare» disse.

Il suo corpo aveva un bagliore di porcellana. Teneva le braccia lungo i fianchi. Dischiuse le labbra, quando lui le si accostò. Le pupille le si dilatarono, quando lui la toccò.

La penetrò così, all'impiedi, sollevandola, mentre si baciavano. Lei era già bagnata, aperta a lui. Gli conficcò le dita nella nuca, nella schiena. Lui si sentiva stordito del suo odore, del suo sapore misto alla vodka e al sangue dello schiaffo. Si stesero sul pavimento, senza staccarsi l'una dall'altro, e lei gli cinse le reni con le cosce, assecondando il suo movimento.

«Allora mi ami anche tu» disse Arkady.

Più tardi, a letto, guardava il suo seno vibrare al battito del cuore.

«È una cosa fisica» disse lei posandogli una mano sul petto. «L'ho sentita fin dal primo momento che t'ho visto. Tuttavia ti odio ancora.»

La pioggia picchiava sui vetri. Lui le passò una mano lungo i fianchi, lisci, bianchi.

«Odio quello che fai. Non ritiro niente» disse lei.

«Quando sei dentro di me, però, nient'altro conta. In un certo senso, sei dentro di me da molto tempo.»

Potevano esserci spie in ascolto, nemici in agguato al piano di sotto, al piano di sopra. La paura rendeva soltanto più intenso il piacere. Le punte dei suoi seni erano dure, per il persistere dell'eccitazione.

«Ti sbagli, riguardo a Valerya» gli disse. «Non aveva via di scampo, e lo sapeva. Lo sapeva anche Osborne.» Gli ravviò i capelli. «Mi credi?»

«Riguardo a Valerya, sì. Per tutto il resto, no.»

«A cos'è che non credi?»

«Tu lo sai cosa facevano Kostia e Valerya per Osborne.»

«Sì.»

«Siamo ancora nemici...» disse Irina. Uno sguardo di lei lo trapassò, lasciandolo come uno specchio d'acqua turbato da un sasso.

«Ti ho preso questo» disse, lasciando cadere il foulard su di lei.

«Ma perché?»

«Per sostituire la sciarpa che hai perso al metrò.»

«Ho bisogno di un vestito nuovo, altroché, e di scarpe nuove.»

«Ho potuto permettermi solo un foulard, io.»

Lei lo guardò, cercando di distinguerne i colori, al buio. «Dev'essere proprio stupendo» disse.

«Non importa quanto sia assurda una bugia, se questa bugia è la tua unica speranza di scappare» disse lei. «Non importa quanto sia ovvia la verità, se la verità è che non ci riuscirai mai, a scappare.»

XV

Al telefono, Misha sembrava in preda al panico. Dopo aver riappeso, Arkady si vestì in fretta e furia. Irina era ancora addormentata, con un braccio allungato verso il posto dove prima era lui.

«Devo andare a incontrare un amico» disse Arkady, a Kirwill, quando questi salì in auto, davanti all'Hotel Metropole. «Ci fermiamo un momento, strada facendo...»

«Mi restano quattro giorni» lo interruppe Kirwill. «E ieri l'ho sprecato ad aspettarla inutilmente. Oggi, o mi dice chi ha ucciso Jimmy, o io ammazzo lei.»

Arkady scoppiò a ridere, imboccando Piazza Sverdlov. «In Russia, bisogna fare la fila.»

In via Serafimov, al numero 2, salirono al secondo piano. Arkady s'aspettava di trovare il portoncino sigillato, dei cartelli... invece niente. Bussò. Venne a aprirgli una vecchia, con un bambino in braccio. Squadrò lo sconosciuto, stringendo gli occhi.

«Non dovrebbe abitarci nessuno, qui» le disse Arkady, sbirciando a sua volta dentro l'appartamento di Golodkin. «Ci sono morte due persone... sei sette giorni fa... l'inquilino e un poliziotto.»

«E che vuole che ne sappia, io? Non ne so niente. Io mi faccio i fatti miei.» Guardò Arkady, poi Kirwill, poi

Arkady. «Eppoi, perché dovrebbe restare sfitto, un buon appartamento? Con la crisi che c'è, degli alloggi!»

Da quel che si poteva vedere dalla soglia, in casa non era rimasto nulla di ciò che apparteneva a Boris Golodkin. Al posto delle casse contenenti merci di contrabbando, c'era un divano letto con accanto un samovar. Ogni traccia era sparita.

«Ha trovato, per caso, un... un cofano, qui? Uno di quei cofani istoriati, come se ne vedono in chiesa... una specie di cassetta dipinta, con figure... Magari giù in cantina? o su in soffitta?»

«Eh? Ma che le salta in mente? Cosa vuole che ce ne facessimo?» Si fece da parte. «Entri, a guardare. Noi siamo gente onesta, cosa crede. Non abbiamo niente da nascondere.»

Spaventato, il bambino si rannicchiò contro il petto della nonna. Gli occhi quasi gli schizzavano. Arkady gli sorrise, e il bambino, rassicurato, scoprì le gengive, colando bava.

«Ha ragione lei» disse Arkady alla vecchia. «Non c'è motivo di lasciarlo sfitto, un buon appartamento come questo.»

Arkady incontrò Misha in una chiesa sconsacrata, in fondo alla stessa via Serafimov. Come tante altre, anche quella chiesa era stata trasformata in un museo. Però stava cadendo in rovina. Le impalcature, erette per lavori di restauro abbandonati, marcivano anch'esse. In terra pozzanghere d'acqua piovana e cacate di uccelli. Quattro pilastri, al centro, e, accanto al presbiterio, una iconòstasi – o struttura divisoria – un tempo adorna di immagini sacre, raffiguranti Cristi, angeli e arcangeli – ma ormai tutta screpolata e scolorita. Dalla cupola entrava un po' di luce. C'erano dei piccioni appollaiati sul cornicione. Misha aveva acceso una candela.

«Sei in anticipo» disse.

«È successo qualcosa a Natasha?» chiese Arkady.

«Non potevo venire a casa tua? Che bisogno c'era di vederci qui?»

«Sei in anticipo d'una mezz'ora.»

«Anche tu, quindi. Beh, parliamo.»

Misha era strano. Aveva i capelli spettinati. I vestiti sgualciti, come se ci avesse dormito.

Meno male – pensò Arkady – che ho persuaso Kirwill ad aspettarmi fuori, in macchina.

«Si tratta di Natasha?» domandò.

«No, di Zoya. Il suo avvocato è un amico mio. E lei intende dichiarare in tribunale... La prima udienza, per la vostra causa di divorzio, è fissata per domani, lo sai, no?»

«No, non lo sapevo» disse Arkady. E non ne fu sorpreso. Non gliene importava niente.

«Tutti parlano e sparlano del Partito come te... ma mica si può andarlo a ripetere in tribunale. Zoya invece... me l'ha detto il suo avvocato... Zoya intende dichiarare che tu hai... vilipeso il Partito *anche* in presenza mia. Lo capisci, in che impiccio mi mette?»

«Mi dispiace.»

«Beh, tu non sei stato mai un buon militante. Io ho cercato d'aiutarti, tuo malgrado... Insomma, ora non puoi mettere di mezzo *me*! Senti, allora. Adesso verrà qui l'avvocato di Zoya. E tu gli dirai di non aver mai – mai – denigrato il Partito in mia presenza. Lo fai questo favore, a un amico?»

«Ma dai! Si dicono un sacco di cose, durante una causa per divorzio, e nessuno ci fa caso.»

«Me lo fai, questo favore, sì o no?»

«E va bene. Dimmi il nome, di questo avvocato, e gli telefono.»

«No. Sta venendo qui.»

«Avrà pure un ufficio! Un telefono.»

«Non puoi telefonargli adesso, è già per strada.»

«E parliamo qui, in chiesa?»

«È un museo. Comunque, lui ti vuole incontrare in

302

privato. Tu sei il marito della sua cliente... la parte avversa, no? È per fare un favore a me, che si presta.»

«Io non posso aspettare mezz'ora» disse Arkady, pensando a Kirwill, là fuori, in macchina.

«Vedrai, sarà qui fra poco. Non ti chiederei di restare, se non fosse...» S'interruppe e afferrò Arkady per un braccio. «Allora, resti?»

«E va bene. Aspetto un po'.»

«Non ci vorrà molto.»

Arkady si appoggiò ad una colonna, fumò a rare boccate una sigaretta, poi si mise a camminare su e giù. Si era abituato alla penombra. Forse – pensò – i vecchi quadri vanno guardati sotto una cattiva luce. Negli affreschi alle pareti c'erano molte figure alate. Angeli, arcangeli... Le ali erano esili, gli angeli grifagni, le spade lucenti. L'altare non c'era più. Le tombe erano state svuotate. Udì il fruscio di un topo spaventato. Si udivano le gocce cadere, a una a una. Misha, accanto alla candela, era tutto sudato, benché facesse freddo. Stava tenendo d'occhio la porta d'ingresso.

«Ricordi...» disse Arkady, e vide l'altro sussultare. «Ricordi, da ragazzi... avremo avuto dieci anni sì e no... ricordi quella volta che andammo in chiesa?»

«No, non me ne ricordo.»

«Sì, perché tu volevi dimostrarmi che Dio non esiste. Si stava celebrando una funzione. Non era sconsacrata, quella chiesa. C'erano tante vecchiette. E i preti col barbone. Tu andasti là e gridasti: "Dio non c'è!". Allora tutti si arrabbiarono, ma erano anche un po' spaventati. Io lo ero. Poi tu gridasti: "Se Dio c'è, che mi fulmini! E fulmini anche il mio amico, Arkasha, là!". Mamma, che fifa. Ma non fummo fulminati. E io mi convinsi che tu eri il più coraggioso del mondo. Fu un trionfo, no?»

«No, non me ne ricordo» disse Misha, scuotendo la testa.

«Magari era questa stessa chiesa» disse Arkady.

«No, non qui.»

In un affresco era raffigurato un Padreterno con la mano alzata, angeli tutt'intorno e, sotto, due nudi, forse un uomo e una donna, sopra un cane con due teste, oppure un porco, o una macchia di muffa. Eppoi c'era un uomo che guidava un somaro, e martiri e un...

«Qui non viene nessun avvocato» disse Arkady.

«Sta...»

«Macché!»

Arkady accese un'altra sigaretta. Misha spense la candela. Entrambi guardarono verso la porta.

«Non avrei mai pensato che potessi essere tu» disse Arkady. «Chiunque altro, ma non tu.»

Misha non replicò, non disse niente.

Trascorse un minuto.

«Misha.» Arkady sospirò. «Misha.»

Si sentivano le gocce cadere, a una a una. Fuori, la pioggia doveva essere aumentata. La luce, che entrava a mala pena, si era fatta più fosca.

Misha guardò Arkady con aria implorante. I riccioli neri, così arruffati, erano ridicoli. Gli colavano lacrime dagli occhi e gli rigavano la faccia.

«Corri» disse, in un bisbiglio.

«Chi è che sta per arrivare?» chiese Arkady.

«Sbrigati... sono andati a prendere la testa.»

«Come l'hanno saputo, della testa?»

Gli parve d'udire dei passi. Spense la sigaretta. Si addossò alla parete. Estrasse la pistola.

Misha restò dov'era, sorridendo debolmente.

Un piccione stava facendo il bagno, in un'acquasantiera sbreccata, piena d'acqua piovana. Si scrollò, batté le ali, e volò verso la cupola.

«E tu? Puoi stare tranquillo?» chiese Arkady. «Ti telefono più tardi.»

Misha annuì.

Arkady si spostò lungo la parete e aprì la porta. Pioveva a dirotto. La gente, per strada, correva a testa bassa. Kirwill, in macchina, aspettava impaziente.

«Arkasha, ci ho ripensato spesso, sai, a quella volta in chiesa...» disse Misha.

Arkady si mise a correre.

Il lungofiume era allagato, e dovette fare una deviazione intorno al Gorky Park. Quando arrivò all'Istituto di Etnologia, vide una Volga nera che ne stava giusto uscendo.

Grazie, Misha, disse Arkady fra sé.

Girò intorno all'isolato, fece una conversione e tornò indietro sulla scia della Volga, tenendosi a un centinaio di metri di distanza.

«Ma che fa?» chiese Kirwill.

«Seguo una macchina. E lei scende al prossimo semaforo.»

«Ma neanche per sogno.»

«Là, a bordo di quella Volga nera, c'è un agente del KGB. Ha rubato una testa ricostruita per me.»

«Allora, lo fermi e gliela riprenda.»

«Voglio vedere a chi la sta portando.»

«E poi cosa farà?»

«Mi presento con due militi e li arresto, per furto di proprietà statale e ostacoli alle indagini giudiziarie.»

«Sono del KGB. Non può arrestarli.»

«Non credo che si tratti di un'operazione ufficiale, da parte dei Servizi Segreti, capisce? Il KGB avoca a sé un'inchiesta, non va mica in giro a rubare le prove. Il KGB avrebbe tenuto sigillato per un anno l'appartamento di Golodkin: è così che operano, loro. Quei morti nel parco sarebbero stati "scoperti" entro ventiquattr'ore: il KGB non lascia "raffreddare" una lezione. Secondo me, si tratta di un Maggiore e di un pugno di suoi subalterni, i quali conducono un'operazione strettamente privata: proteggono qualcuno per danaro. Al KGB non piace avere degli imprenditori privati nei suoi ranghi. Comunque, il Procuratore di Mosca rappresenta la legge, al di fuori, e al di sopra del KGB. E io investigo, appunto, per conto della Procura. Ecco, può scendere.»

Erano fermi a un semaforo, sulla Sadovaya, a tre auto di distanza dalla Volga nera. Al volante di questa c'era il Butterato del metrò. Stava guardando qualcosa – qualche oggetto – posato sul sedile accanto al suo. Non si voltava indietro, né scrutava nel retrovisore.

Un tipo simile – si disse Arkady – non può concepire di essere seguito a sua volta.

«No» disse Kirwill. «Io vengo con lei.»

«E va bene.»

Il semaforo scattò.

Arkady era convinto che la Volga, ora, svoltasse a sinistra, verso il centro, per raggiungere l'ufficio di Pribluda. Invece, svoltò a destra. Imboccò Via della Gioia. C'erano addobbi per il Primo Maggio, e uno striscione diceva: NESSUNO RESTI INDIETRO! Arkady si teneva sempre a tre auto di distanza dalla Volga.

«Come fa a essere sicuro che ha rubato quella testa e l'ha con sé?» gli domandò Kirwill.

«È l'unica cosa più o meno di cui sono sicuro. Quello che vorrei sapere, è come ha fatto a saperlo.»

Più si allontanavano dal centro, più il traffico si diradava, e Arkady doveva allungare la distanza fra sé e la Volga nera. Si lasciarono dietro le Officine Falce e Martello, si lasciarono dietro Izmailovo Park... Stavano andando fuori Mosca.

La Volga imboccò, in direzione nord, la circonvallazione esterna, che divide la città dalla campagna. Il cielo era coperto, e ogni tanto lampeggiava.

A un certo punto sul ciglio della strada, incontrarono un reparto corazzato: carri armati, automezzi pesanti, cannoni semoventi...

«Per la parata del Primo Maggio» spiegò Arkady.

Rallentò, in prossimità del bivio con la Strada Dimitrov. Qui, soltanto la Volga imboccò la rampa d'uscita. Arkady l'imitò. Presso la curva c'erano due militi, ma non lo fermarono. La Volga aveva un distacco di circa cento metri.

Si lasciarono dunque la città alle spalle. La strada si addentrò in un bosco. Ora c'erano frequenti salite e discese. La Moskvich di Arkady perdeva ogni tanto di vista la Volga, che poi riappariva. Volavano corvi.

«Dove porta questa strada?» domandò Kirwill.

«Al Lago d'Argento.»

«Località di lusso! E il suo uomo è un semplice Maggiore?»

«Sì.»

«Hm, non credo che troveremo lui.»

Giunsero in vista del lago, sulla loro sinistra, oltre una cortina di frassini e abeti. Il lago si era sgelato e, al centro, un isolotto era popolato di anatre selvatiche. Stradine laterali conducevano alle varie dacie estive. Superato un ponticello di legno, la strada tornava ad addentrarsi nel bosco, tortuosa. La Volga scompariva e riappariva dopo ogni curva.

A un certo punto, Arkady spense il motore e svoltò per una stradina in leggero pendio che terminava davanti a una casetta di legno. Questa aveva le finestre e le porte sbarrate da assi inchiodate. Era circondata da un frutteto inselvatichito, poi, oltre una frangia di salici, si scendeva sulla spiaggia del lago.

«Perché si è fermato qui?» domandò Kirwill.

Arkady portò un dito alle labbra. Pian piano aprì lo sportello dell'auto. Kirwill fece altrettanto. In lontananza, udirono una portiera d'auto sbattere rumorosamente. La Volga era poco lontana, nascosta alla vista dagli alberi.

«Allora lo sa da chi è andato, quello?» chiese Kirwill.

«Adesso sì.»

Il terreno era paludoso. Si udivano delle voci, oltre gli alberi, ma non si potevano cogliere le parole. Arkady girò intorno alla casetta abbandonata, s'inoltrò nel frutteto. Le foglie morte attutivano i passi.

Le voci si facevano più forti, man mano che lui avanzava, di albero in albero. Poi tacquero, e lui s'arrestò a metà d'un passo. Le voci ripresero. Arkady si distese ventre a terra, e pian piano strisciò fino a una fratta. A circa trenta metri, presso l'angolo d'una dacia, fra questa e le due auto parcheggiate (la Volga nera e una Chaika berlina) vide il Butterato che parlava con Andrei Iamskoy, il Procuratore di Mosca.

Il Butterato aveva in mano una scatola di cartone. Iamskoy indossava un cappotto dal bavero di pelliccia, stivaletti, colbacco d'astrakan; e si stava infilando guanti di pelle, mentre parlava.

Arkady non riuscì a cogliere neppure una parola, dato che Iamskoy parlava a voce bassa, in tono pacato. Ma colse, bensì, l'autorevolezza di quel tono, l'estrema sicurezza e previdenza che erano proprie dell'uomo.

Iamskoy prese il Butterato sottobraccio e lo condusse giù per un sentiero verso la riva del lago, là dove Arkady – l'altra volta – aveva suonato il corno da richiamo per le anatre.

Arkady li seguì, tenendosi al riparo della fratta e dei salici, anch'essi digradanti verso il lago. L'altra volta, non aveva notato certe cataste di legna, sparse qua e là. Presso una di queste, ora, il Butterato si fermò ad attendere mentre Iamskoy entrava nel capanno (dov'erano – Arkady ricordò – le anatre a frollare).

Poco dopo Iamskoy riapparve, con una scure in mano. Il Butterato, allora, aprì lo scatolone e ne estrasse la testa di Valerya Davidova (o, meglio, la sua perfetta replica eseguita da Andreev) e la posò sopra un ceppo.

Iamskoy sollevò la scure e la lasciò cadere a mo' di mannaia sulla testa, spaccandola in due. Quindi seguitò a vibrare colpi, alacremente, finché non ebbe ridotto la testa in frantumi sempre più minuti. Poi, tenendo la scure di piatto, ridusse quei frantumi in polvere, che spazzò via dal ceppo, nella scatola. Il Butterato prese la scatola e andò a versarne il contenuto nel lago. Iamskoy raccolse da terra due palline di vetro – gli occhi di Valerya – e se le ficcò in tasca. Quindi prese la parrucca e, quando il Butterato ritornò, la buttò nella scatola vuota, assieme ad alcuni pezzi di legna da ardere. I due si avviarono per il sentiero, verso la dacia.

Kirwill aveva seguito Arkady in silenzio, e adesso lo guardava con un mezzo sorrisetto divertito.

«Quello è il Procuratore, lo conosco» disse. «Le conviene scappare, a questo punto, per salvarsi la pelle.»

«E dove? dove scappo?»

Sempre senza far rumore, ritornarono nel frutteto. Da qui, videro levarsi un filo di fumo dal comignolo della dacia di Iamskoy. Se avessero potuto affacciarsi da una finestra, avrebbero anche sentito la puzza di capelli bruciati.

«Me lo dica, chi ha ucciso Jimmy» disse Kirwill. «Lei non lo prenderà mai. Non ha né prove né niente eppoi – adesso – è un uomo bell'e morto. Lasci che ci pensi io.»

Arkady si sedette in terra, appoggiato a un tronco, e prese in esame quella proposta. Si accese una sigaretta. Poi disse: «Se l'assassino di suo fratello fosse uno che vive a New York, e lei lo uccidesse, pensa che potrebbe farla franca?».

«Sono un poliziotto. Posso sempre cavarmela, io. Senta, finora ho cercato d'aiutarla.»

«No» disse Arkady. «Non è vero.»

«Come sarebbe! Le ho detto della gamba...»

«Jimmy aveva una gamba fasulla ed è morto: a parte questo, non so nient'altro di lui. Mi dica: era sveglio o tonto, coraggioso o vigliacco, gli piaceva scherzare oppure no? Come mai mi ha detto così poco, quasi niente... anzi niente... su suo fratello?»

In piedi, vicino a lui seduto, Kirwill sembrava più grosso degli alberi. Si era rimesso a piovere, e lui grondava. «Lasci perdere, Renko. Lei non ha più nessun incarico. Ora subentro io. Come si chiama? Il nome!»

«Non gli voleva bene, a suo fratello? Non le piaceva, eh?»

«Non direi questo...»

«E che cosa direbbe?»

Kirwill guardò la pioggia che infittiva, poi Arkady. Tolse le mani dalle tasche, strinse i pugni, poi distese le dita lentamente come per rassicurarsi. Guardò la dacia.

Cosa farebbe – si chiese Arkady – se la dacia non fosse così vicina?

«L'odiavo. Odiavo mio fratello» disse Kirwill. «La stupisce?»

«Se io odiassi un fratello, non andrei in capo al mondo a cercarlo... o a vendicarlo. Ma sono curioso. Lei ha una scheda segnaletica con le impronte digitali di suo fratello. L'ho vista, in quel garage. Dunque ha avuto a che fare con la Polizia. Forse fu lei stesso ad arrestarlo?»

Kirwill sorrise. Con uno sforzo, rimise le mani in tasca. «L'aspetto alla macchina, Renko.»

Scomparve, fra gli alberi, senza far rumore, nonostante la sua mole. Arkady si compiacque con se stesso, per aver eliminato il suo ultimo alleato a mezzo servizio.

Iamskoy! Ora tutto coincide, si disse. Iamskoy non aveva lasciato che nessun altro, a parte Renko, indagasse sul delitto di Gorky Park. Iamskoy aveva condotto Arkady da John Osborne. Non era stato Pribluda a far seguire Pasha e Golodkin fino a casa di quest'ultimo: non avrebbe avuto il tempo materiale, per improvvisare ogni cosa. No: Chuchin aveva detto a Iamskoy che Golodkin veniva interrogato e così Iamskoy aveva avuto tutto il tempo di mandare i suoi sicari a prelevare il cofano, a casa di Golodkin, e attenderlo là. E chi gliel'aveva detto, a Iamskoy, della testa di Valerya?

Arkady. Nessun altro e non c'era da stupirsi, sul conto di Iamskoy. Semmai la "scoperta" era lui, Arkady stesso: scoprire che razza di stupido, che era: un investigatore cieco, muto e cretino. Un idiota, come gli aveva detto Irina.

Il portone della dacia si aprì e ne uscirono Iamskoy e il Butterato. Iamskoy si era cambiato, indossando l'uniforme da magistrato e il solito cappotto marrone, più andante. Il Butterato si spazzolò della fuliggine di dosso, mentre Iamskoy chiudeva il portone a chiave. Avevano lasciato il fuoco acceso.

«Dunque...» Iamskoy respirò a pieni polmoni. «Ci sentiamo stasera.»

Il Butterato salutò, salì a bordo della Volga, e, a marcia indietro, si immise sulla strada. Iamskoy lo seguì, a bordo della Chaika. Slittando sulla fanghiglia e le foglie secche, la berlina sembrava sospirare.

Non appena le due auto si furono abbastanza allontanate, Arkady si mosse. Girò intorno alla dacia. Questa aveva quattro stanze arredate in stile rustico, finlandese. La porta anteriore e quella posteriore erano chiuse a duplice chiavistello. Eppoi c'era (questo Arkady lo sapeva) un sistema d'allarme che collegava ciascuna di quelle dacie alla più vicina sede di Polizia.

Scese per il sentiero sulla spiaggia. Trovò un guanto, sul ceppo da spaccalegna. C'erano anche rimasugli di plastilina e qualche capello, fra le fessure del legno. Altri rimasugli in terra, in mezzo agli escrementi delle anatre. Raschiò il ceppo. C'erano anche minutissime scagliuzze d'oro.

Dunque, il cofano di Golodkin era stato portato lì. Probabilmente – si disse Arkady – era dentro il capanno, quando lui era venuto alla dacia l'ultima volta. Ecco perché Iamskoy era così circospetto. Poi, l'avrà fatto a pezzi su quel ceppo. Perché? Forse era troppo grosso per poterlo bruciare intero nel caminetto.

Guardò la catasta di legna da ardere. Poi sparpagliò

i ciocchi, in terra, a calci. Ed ecco: in fondo alla catasta vide alcune schegge di legno d'altro genere: striscioline di legno dorato... che erano sfuggite a Iamskoy.

Udì dei passi alle sue spalle e disse: «Guardi qua, Kirwill. Il cofano di Golodkin... o quello che ne resta».

«Proprio così» disse una voce ignota.

Arkady si volse di scatto e si trovò di fronte il Butterato. Questi gli puntava contro la stessa pistola TK a canna corta, che aveva alla stazione del metrò.

«Avevo lasciato qui un guanto» disse, a mo' di spiegazione.

Stava per premere il grilletto. Una mano, da dietro, l'afferrò per il polso e gli fece cadere la pistola, mentre un braccio poderoso gli si stringeva attorno al collo.

Kirwill lo trascinò quasi di peso fino al più vicino albero, l'inchiodò, con una mano alla gola, contro il tronco, e con l'altra cominciò a tempestarlo di pugni. Il Butterato cercava di difendersi tirando calci. I pugni di Kirwill cadevano come mazzate.

«Basta. Voglio parlarci» disse Arkady.

Il Butterato strabuzzava gli occhi, il sangue gli sprizzava dalla bocca. Il ritmo dei pugni di Kirwill accelerò.

«Basta. Lo lasci!» Arkady cercò di fermarlo.

Kirwill lo gettò a terra con un manrovescio.

«Basta!» ripeté Arkady, e gli afferrò una gamba.

Kirwill lo respinse a calci. Arkady, colpito al torace già ammaccato si piegò su se stesso, col fiato mozzo.

Kirwill seguitò a picchiare l'uomo contro l'albero, selvaggiamente. Quello grondava sangue, e muoveva la testa qua e là. Non toccava più terra coi piedi e batteva i talloni contro il tronco. Ogni pugno era più duro del precedente e incontrava sempre meno resistenza, qualcosa di sempre più molle e inerte all'impatto. Doveva avergli spezzato il collo fin dall'inizio. Kirwill continuò a picchiare. La faccia del Butterato si era fatta ormai terrea.

«È morto» disse Arkady, rialzandosi in piedi. «Non vede che è già morto?»

Kirwill si scostò, barcollando. Il Butterato cadde prima in ginocchio, a bocca avanti, poi si rovesciò su un fianco. Kirwill aveva le mani piene di sangue.

«Ci serviva» disse Arkady. «Dovevamo fargli delle domande.»

Kirwill cercò di pulirsi le mani con la sabbia. Sembrava intontito. Arkady lo prese per il collo e lo condusse sul bordo del lago perché si lavasse. Tornò quindi presso il morto e gli perquisì le tasche. Trovò un portafogli ordinario con dentro pochi soldi, un borsellino, un coltello a serramanico e una tessera del KGB intestata a Ivan Ivanov. Se la tenne, e si tenne anche la pistola TK.

Quindi trascinò il morto nel capanno. C'era caldo e ronzare d'insetti. Numerose anatre erano appese per le zampe, con le teste ciondoloni. Era pieno di mosche e c'era puzzo di carne frolla. Ci gettò dentro il morto, e richiuse la porticina.

Tornarono a Mosca. Tirava un forte vento.

«Prima, voleva farsi prete» disse Kirwill «come uno di quei ragazzi pallidi, che gli piange il cuore a veder tagliare i fiori, che frequentano a Roma un Collegio pontificio, odiano gli italiani e si fanno infinocchiare dai gesuiti francesi. Sarebbe stato disgustoso, ma, tutto sommato, regolare. Magari poteva diventare un prete operaio, insomma un ordinario rompiballe. Poi, invece, alzò il tiro. Voleva essere un nuovo Messia. Ma non era furbo e non era forte, però voleva essere un Messia.»

«E in che modo?»

«Un cattolico infatti, in America, non può. Se ti travesti da guru orientale, puoi anche riuscirci. Se ti spacci per santone, mangi teste di pollo e suoni i cembali per strada, puoi anche attirare un sacco di discepoli. Ma come cattolico, no.»

«No?»

«Se sei cattolico, puoi sperare tutt'al più in una scomunica. Comunque, ci sono fin troppi Messia, in America. È un supermercato di Messia, da noi. Ma lei non capisce un accidenti, di quello che dico, vero?»

«No.»

Raggiunsero il Parco dell'Esposizione. Scendeva il crepuscolo.

«La Russia, invece» proseguì Kirwill «è terra vergine, per i Messia. Jimmy qui poteva avere spicco, primeggiare. In America, aveva fatto fiasco. Qui poteva fare qualcosa di grosso. Da Parigi mi scrisse che stava per partire per la Russia. Ci saremmo rivisti, mi disse, all'aeroporto Kennedy. Lui avrebbe compiuto – mi scrisse – un atto alla San Cristoforo. Capisce che vuol dire?»

Arkady scosse la testa.

«Che intendeva portar fuori qualcuno dalla Russia di nascosto, e poi tenere una conferenza stampa all'aeroporto Kennedy. Voleva essere un redentore, lui. O almeno diventare celebre. Lo so, com'è entrato qui in Russia. L'altra volta, dopo il suo primo soggiorno a Mosca, me lo spiegò. Bastava trovare uno studente polacco o ceko che gli somigliasse. Si sarebbero scambiati i passaporti fra loro e Jimmy sarebbe venuto qui sotto il nome dell'altro. Lui parlava polacco, ceko e tedesco, oltreché russo. Non sarebbe stato poi tanto difficile per lui. Il difficile era non essere scoperto, una volta entrato in Russia. Eppoi, uscirne.»

«Poco fa lei ha detto che Jimmy aveva fatto fiasco in America. In che modo?»

«Si era messo con certi ragazzi ebrei che davano fastidio ai russi a New York. Dapprincipio, si limitavano a imbrattargli le automobili. Poi, lettere esplosive. Poi, bombe contro le sedi dell'Aeroflot e fucilate alle finestre del Consolato sovietico. Da noi, c'è un nucleo della Polizia, chiamato *Red Squad*, la Squadra Rossa, che si occupa dei sovversivi – dei "radicali" come li chiamiamo noi – e compagnia bella. Ebbene, questo nucleo si mise a tener d'occhio quegli ebrei antisovietici. Anzi, fummo noi stessi a vendergli – naturalmente per vie traverse – certi detonatori, per i prossimi attentati. Nel frattempo, Jimmy era andato in Georgia a far incetta d'armi e munizioni, per quegli ebrei. Fece due viaggi. Un carico, lo riportò nascosto in un altare.»

«E quei detonatori... cos'avevano?» domandò Arkady.

«Eh?... Erano difettosi. Gli ho salvato io la vita. Lui, Jimmy, doveva aiutare i compagni a fabbricare le bombe. Senonché, quella mattina, mi recai a casa sua e gli dissi di non andarci. Non mi volle dare retta. Allora, lo stesi sul letto e gli ruppi una gamba sulla testiera. Così non poté andarci. Gli ebrei innescarono gli ordigni con i detonatori difettosi, e le bombe gli scoppiarono in mano. Tutti uccisi. Insomma, gli salvai la vita, a Jimmy.»

«E poi dopo?»

«Dopo cosa?»

«Gli ebrei superstiti, non pensarono che suo fratello fosse un informatore?»

«Sicuro. Lo mandai fuori città.»

«Non ebbe mai modo di spiegare ai suoi amici come erano andate realmente le cose?»

«Gli dissi che se ritornava gli avrei spezzato l'osso del collo.»

Pioveva a rovesci, quando giunsero nel Viale della Pace. I marciapiedi eran cosparsi di cartacce.

«Le racconterò un caso, avvenuto di recente a New York» disse Kirwill, accettando una sigaretta. «C'era un rapinatore, che aggrediva la gente per strada con un coltello e, dopo averli rapinati, così, per capriccio, gli lasciava il segno... o li sventrava. L'identificammo, era un negro. Bisognava levarlo di mezzo. Non potendo beccarlo sul fatto, gli tesi un tranello. Quando andai per prenderlo, quello stronzo tira fuori una pistola e mi spara. Non mi prende. Io invece lo stendo. Eravamo a Harlem... sa, il quartiere dei negri a New York. C'era gente, intorno. Qualcuno fece sparire la pistola del morto e scappò via. Di lui fecero un martire, un cittadino ucciso mentre stava andando in chiesa. Dimostrazioni, marce di protesta, cui presero parte, oltre ai negri, anche i bianchi pacifisti e i Testimoni Cristiani di Jimmy. Questi ultimi portavano un cartello che diceva: "Sergente Killwell: ricercato per omicidio". Killwell, capisce che vuol dire? Ammazzabene. Io scoprii chi l'aveva pensato, quel cartello e quel soprannome. Non me lo disse Jimmy, lo scoprii da me.»

Il fiume era in piena La corrente impetuosa trascinava gli ultimi lastroni di ghiaccio.

«Lo sa in che altro modo mi chiamava, Jimmy?» domandò Kirwill. «Mi chiamava Esaù. Suo fratello Esaù... sa, quello del piatto di lenticchie.»

Giunsero all'Istituto di Etnologia. Arkady salì da solo, per dire ad Andreev cosa ne era successo della testa. Dal laboratorio di Andreev, telefonò a Swann. Swann gli disse che aveva trovato la casa che era stata il covo di Kostia Borodin, Valerya Davidova e James Kirwill.

La donnetta che gli aveva indicato quella casa aveva anche detto a Swann che lei stessa, ogni giorno, procurava polli e pesci freschi.

Arkady si recò insieme a Kirwill nella casa indicatagli da Swann. Si trattava in realtà di una baracca, in una contrada fuori mano, più a sud del quartiere Lyublinsky, oltre una zona periferica di fabbriche e magazzini, quasi a ridosso della circonvallazione. Tutto, in quel covo, risultò familiare ad Arkady, appena vi entrò. Come fosse entrato in un luogo della sua immaginazione. Kirwill si guardava intorno, come in stato di trance.

Poi i due uomini andarono in una bettola nei paraggi. Kirwill ordinò una bottiglia di vodka e continuò a raccontare di suo fratello Jimmy. Ma in maniera diversa da prima, quasi si trattasse di una persona diversa.

Disse che aveva insegnato lui, a Jimmy, a pattinare, a guidare l'automobile, a dorare una cornice, a trattare con le monache... e tante altre cose. Ogni estate andavano in vacanza sul lago Allagash. Andavano insieme allo stadio, quando Jimmy era piccolo. Insieme erano andati al funerale della vecchia babushka russa che li aveva allevati... I racconti fluivano. Alcuni Arkady li capiva, altri no.

«Le dirò quando ho capito che lei fa sul serio» disse Kirwill. «Quando mi sparò, in quella stanza d'albergo. Spostò la mira, ma mica di tanto. Avrebbe potuto centrarmi lo stesso. Non gliene fregava niente, e nemmeno a me. Siamo uguali.»

«Spero che non resterà deluso, se invece non lo siamo» disse Arkady.

A mezzanotte, riaccompagnò Kirwill in macchina nei paraggi del Metropole. L'americano si allontanò, sulle gambe d'argilla come un ubriaco.

Irina lo stava aspettando. Fecero l'amore, con tenerezza, come se lei volesse dirgli: sì, puoi fidarti di me, puoi affidare la tua vita a me.

Prima di addormentarsi, Arkady ripensò a un'altra cosa che gli aveva raccontato Kirwill, alla bettola del quartiere operaio. Arkady gli aveva chiesto se lui e suo fratello Jimmy fossero mai andati a caccia di zibellini. Al che Kirwill gli aveva risposto: «No. Noi no. Non ci sono veri e propri zibellini, da noi. Ci sono delle martore molto pregiate, nel Maine e in Canada, le cui pelli sono chiamate impropriamente zibellini. Comunque, sono molto rare. Vengono catturate con trappole particolari. Si trivella un buco nel tronco d'un albero, profondo una ventina di centimetri.. così... e largo abbastanza perché la martora possa infilarci dentro la testa. In fondo al buco, si mette della carne fresca. E si sistemano dei chiodi, inclinati in modo tale che la bestia riesce a infilare il musetto ma, quando sta per ritirarlo, le s'infilzano nel collo – tipo nassa, capisce? Ma molto più crudele. Più la martora si dibatte per uscire, dopo aver mangiato l'esca, e più quelle punte le si conficcano dentro, finché muore dissanguata. Non ce ne sono rimaste molte, di quelle martore».

XVI

Alle quattro del mattino Arkady telefonò a Ust-Kut. Gli rispose l'agente Yakutsky.

«Sono l'Investigatore-capo Renko, da Mosca» disse Arkady. «Cosa mangiano gli zibellini, da voi?»

«E mi telefonate per questo? Basta guardare sull'enciclopedia...»

«Kostia Borodin comprava pesci e polli tutti i giorni.»

«Sì, gli zibellini mangiano pesci e polli. Ma anche le persone, li mangiano, no?»

«Ma non tutti i giorni» disse Arkady. «Ci sono stati furti di zibellini, ultimamente, nella zona?»

«No, niente.»

«E incidenti insoliti, negli allevamenti?»

«Niente d'insolito. A novembre, un incendio al kolkoz di Barguzin. Sei o sette zibellini morti tra le fiamme. Ma tutto qua.»

«Carbonizzati?»

«Mah, non so. Morti bruciati, comunque. Una perdita notevole. I *barguzin* sono fra i più pregiati. C'è stata un'inchiesta, ma non si è riscontrato alcun dolo, né negligenza.»

«Sono stati esaminati, quegli zibellini morti, per accertare che fossero davvero dei barguzin, e che fossero davvero morti tra le fiamme, o altrimenti in che maniera, e quando?»

«Investigatore, le assicuro che solo a uno di Mosca gli poteva venire in mente una cosa del genere.»

Arkady riappese. Poi si vestì in silenzio e uscì. Andò in piazza Taganskaya e, da un telefono pubblico, chiamò Misha a casa. Non gli rispose nessuno. Telefonò allora a Swann, poi a Andreev.

Quindi tornò in casa. Appoggiato alla parete, guardava Irina ancora addormentata.

E pensava: Posso forse presentarmi al Procuratore Generale e dirgli che il Procuratore di Mosca è un assassino? Senza aver alcuna prova, poi! Mi darebbero del pazzo, mi terrebbero in stato di fermo. Oppure andare al KGB? Osborne è un loro informatore. Eppoi, adesso – grazie a Kirwill – ho le mani sporche del sangue d'un agente del KGB!

L'alba spuntava. Irina era una pallida sagoma sul letto. Lui sentiva il languido calore del suo sonno. La guardava, come per imprimersi bene la sua immagine nella memoria. Al levarsi del sole, i suoi biondi capelli assunsero riflessi d'oro.

Il mondo era un granello di polvere agitato dal suo fiato. Il mondo era un vile che tramava per ucciderla. Lui poteva salvarle la vita. L'avrebbe perduta, ma le avrebbe salvato la vita.

Quando Irina si svegliò, lui le portò il caffè. E il vestito, che depose ai piedi del letto.

«Che c'è?» chiese lei. «Credevo ti piacesse, avermi qui.»

«Dimmi di Osborne.»

«Ne abbiamo già parlato, Arkady.» Irina si sollevò a sedere, nuda. «Anche se ci credessi, a quel che m'hai detto su Osborne... Già! e se poi non fosse vero? Se Valerya è ancora viva, al sicuro, da qualche parte... Denunciare l'uomo che l'ha aiutata a espatriare? Se invece è morta, amen. Non c'è niente da fare, in tal caso.»

«Vieni con me» disse Arkady, gettandole il vestito. «Parli di morte con troppa disinvoltura. Ora ti farò vedere io...»

Durante il tragitto, Irina non fece che lanciargli occhiate. Lui sentiva che cercava di spiegarsi come mai l'amante si fosse di nuovo trasformato in poliziotto.

Arrivarono al Laboratorio di Medicina Legale. Qui, nell'ufficio di Lyudin, Arkady prelevò una sacca sigillata, contenente corpi di reato; e un'altra sacca uguale, vuota.

Il Colonnello Lyudin guardò Irina con aria ammirata. Il foulard di seta nuovo le donava e perfino la logora giacca afgana, indosso a lei, sembrava elegante.

Uscirono. Risalirono in macchina. Irina guardava ostentatamente fuori del finestrino, per fargli capire la sua irritazione. Si comportava insomma come la tipica innamorata dopo un bisticcio.

Un certo odore si diffuse nell'abitacolo. Irina guardò la grossa sacca sigillata, accanto a lei. L'odore era vago, indefinito. Ma penetrante. Dopo un po', abbassò il finestrino.

Giunsero all'Istituto di Etnologia. Arkady salì, assieme a Irina. Lei guardò incuriosita le vetrinette contenenti la testa di Tamerlano, la testa di Ivan il Terribile... Arkady cercò l'antropologo, ma Andreev non c'era. Ci avrebbe giurato.

«È questo che m'hai portata a vedere?» Irina gli chiese indicando lo Zar sanguinario.

«No. Speravo di farti incontrare il Professor Andreev. Ma purtroppo non c'è. È un uomo affascinante. Ne avrai sentito parlare.»

«No.»

«Tengono lezioni su di lui, alla facoltà di Legge» disse Arkady. «Dovresti conoscerlo.»

Irina si strinse nelle spalle. Si avvicinò a lui, fra quelle vetrinette dalle quali teste di antropoidi e criminali la fissavano con occhi di vetro. L'opera di Andreev aveva un che di magico. La ragazza si soffermò ad ammirare divertita una testa di pitecantropo comicamente aggrottata... un'altra dal fiero cipiglio... Sul tavolo, c'era una testa in corso di ricostruzione: un teschio di Neandertal per metà ricoperto di striscioline di plastilina color carne.

Irina sfiorò quel teschio con le dita. «Dunque, Andreev ricostruisce una fisionomia...» Ritrasse subito la mano.

Arkady reggeva una scatola, che aveva raccolto nel frattempo da qualche parte. Era una cappelliera, di cartone, di quelle che si usavano cinquant'anni prima, con una fettuccia per manico. Gliela mostrò. «Qui c'è quello che cercavo. Me l'ha lasciata lui come d'accordo.»

«Sì, ne ho sentito parlare, di Andreev» disse Irina. Le dita le tremavano.

Arkady si avviò, la cappelliera dondolante in mano.

Tutti gli studenti della facoltà di Legge conoscevano Andreev e la sua opera di ricostruzione di teste di vittime di oscuri omicidi. Mentre l'auto costeggiava Gorky Park, l'ex studentessa di Giurisprudenza, Irina Asanova, riusciva a mala pena a respirare l'aria dell'abitacolo. C'era odore di morte...

«Dove andiamo, Arkasha?» chiese.

«Vedrai.» Preferiva essere sibillino, come si usa con un prigioniero. Non le offrì quindi alcuna spiegazione, né simpatia, né buone parole o una stretta di mano che valesse a consolarla. Un uomo – si disse – non diventa Investigatore-capo se non è capace di crudeltà.

Passò un convoglio di truppe. Ma Irina continuò a guardare innanzi a sé. Arkady ne arguì che temeva di spostare lo sguardo, per paura che poi si posasse su quella cappelliera. Questa sobbalzò su una cunetta. Come se cercasse di farsi guardare da Irina.

«Vedrai» lui ripeté, dopo un po'. «Aspetta e vedrai.»

La cappelliera sobbalzò di nuovo e Irina ritrasse la mano, di scatto.

Percorsero una strada fiancheggiata da opifici, sui

quali sventolavano bandiere rosse, per la festa del Primo Maggio. Una fabbrica di trattori, una di cuscinetti a sfere, una filanda... Le bandiere recavano profili, serti, slogan ricamati. Dalle ciminiere si levava fumo grigio, nero, giallognolo. A questo punto, pensò lui, Irina doveva aver capito dove la stava portando.

In silenzio, attraversarono il quartiere Lyublinsky, la zona industriale – con le sue fabbriche e le sue case operaie – e arrivarono in una contrada di campagna, dove già erano iniziati lavori di sterro per qualche nuovo comprensorio. Superarono il capolinea d'un autobus periferico e arrivarono a un agglomerato di casette, o meglio, baracche, con intorno orticelli, una capra qua e là impastoiata a un piolo, qualche mucca al pascolo, qualche catasta di legna da ardere... In fondo alla strada di fango battuto, c'era una casetta separata dalle altre, con intorno un giardino incolto. Alle finestre luride tendine. La vernice era tutta screpolata. C'era un'aria di abbandono. Dietro la casetta, una baracca più piccola e un capanno di lamiera.

Scesero dalla macchina. Lui prelevò la cappelliera e le due sacche dal sedile posteriore. Presso la porta estrasse, da una delle sacche, tre mazzetti di chiavi. Erano le chiavi trovate nella sacca di cuoio ripescata in fondo al fiume. Tre di esse erano identiche: una in ciascun mazzetto.

«Logico, no?» chiese quasi fra sé, ma ad alta voce. Infilò una delle tre chiavi uguali nella serratura. Vi girava perfettamente. Il battente però resistette. Per aprirlo Arkady gli diede una spallata. Dalla casa uscì odor di muffa. Prima di entrare, lui s'infilò un paio di guanti di gomma. Schiacciò un interruttore. La corrente c'era ancora. Si accese una lampadina, al centro, sopra un tavolo rotondo. C'era odor di selvaggina e faceva un freddo terribile. Irina era scossa da brividi.

L'unica stanza della baracca aveva quattro finestre chiuse e sprangate. C'erano due cubicoli, per dormire, con pagliericci di crine. C'era una stufa-cucina a carbone. Tre sedie scompagnate intorno al tavolo. Una credenza con avanzi di formaggio ammuffito e una bottiglia di latte. Alle pareti, una foto di Marlon Brando e varie riproduzioni di icone, ritagliate da rotocalchi o libri. In un angolo, barattoli di pittura, bottiglie di coppale e bolo armeno, straccetti, un tampone, pennelli, pennellini, punzoni. C'era un armadio. Arkady ne aprì lo sportello e vide che conteneva due vestiti da uomo, uno di grande taglia, l'altro di taglia media, tre vestiti da donna, della stessa misura; e varie paia di scarpe.

«È come visitare una tomba, sì, proprio così» disse Arkady, a cui parve di leggere quello stesso pensiero sulla fronte di Irina.

Presso il muro c'erano tre bauletti di ferro, di quelli che si usavano un tempo in marina. Arkady li aprì, mediante tre diverse chiavi dei tre mazzetti. Il primo conteneva biancheria, bibbie e altri oggetti religiosi di contrabbando. Il secondo, biancheria pure da uomo, una fiala di polvere d'oro, preservativi, una vecchia pistola Nagant con munizioni. Il terzo, biancheria femminile, monili da bigiotteria, una boccetta di profumo straniero, una *douche* (per lavaggi vaginali), forbicine, spazzole, forcine, rossetto, una bamboletta di porcellana e fotografie. Erano foto di Valerya Davidova, perlopiù assieme a Kostia Borodin; in una, con un vecchio barbuto.

«Suo padre, vero?» domandò Arkady, mostrandola a Irina.

La ragazza non rispose.

Lui richiuse i bauletti. «Kostia doveva averli proprio spaventati, i vicini... Tanto che nessuno è venuto a rubare, e nemmeno a curiosare, qui dentro, in tutto questo tempo.» Osservò quindi i cubicoli. «Kostia costretto a coabitare, qui, con un altro uomo... Doveva avere un gran brutto carattere, o mi sbaglio?... Irina, vuoi dirmelo cosa facevano, qui, per Osborne, quei tre?»

«Io credo che tu lo sappia» disse la ragazza, con un filo di voce.

«La mia è solo una congettura. Ho bisogno di conferma, da parte di qualche testimonio. Qualcuno deve dirmi...»

«Io non posso.»

«Invece me lo dirai.» Arkady depose la cappelliera sul tavolo. «Dobbiamo aiutarci a vicenda, io e te, a risolvere un paio di misteri. Io voglio sapere che cosa facessero, qui, in questa baracca, Valerya e Kostia Borodin per John Osborne. E tu, tu vuoi sapere dove si trova, adesso, Valerya. Ben presto sarà tutto chiaro.»

Spostò una sedia, lasciandone due sole presso il tavolo. Volse lo sguardo in giro. La stanza era disperatamente squallida... e lì dentro tre persone diverse fra loro, in coabitazione forzata, senza un minimo di privacy, avevano portato avanti una loro misteriosa impresa...

La nuda lampadina ingialliva il volto di Irina, le scavava le guance. Arkady stava là, magro, sparuto, con una luce febbrile negli occhi, accanto a quella cappelliera. Il fantoccio di Iamskoy, proprio come Irina l'aveva visto fin dall'inizio. Eppure, lui poteva ancora salvarla – da Iamskoy, da John Osborne – e persino da se stesso – se i nervi non gli cedevano.

«Dunque» – e Arkady batté insieme le mani – «siamo al Gorky Park, all'imbrunire. La bella Valerya, Kostia il bandito siberiano e il giovane americano Jimmy Kirwill stanno pattinando, assieme al ricco commerciante di pellicce Osborne. Lasciano la pista e raggiungono – senza togliersi i pattini dai piedi – una radura, distante una cinquantina di metri, per far merenda. Ricostruiamo la scena. Kostia sta qui» (Arkady indicò una delle due seggiole accanto al tavolo) «e il giovane Kirwill qui» (indicò la seconda sedia). «Valerya si trova in mezzo a loro.» (E posò una mano sulla cappelliera.) «Tu Irina...» (la condusse più vicino al tavolo) «... tu sei John Osborne.»

«No... ti prego!» disse la ragazza.

«Ma, dai, cosa ti prende! Dunque... cerca di figurarti la scena. Si beve, si sta allegri. Kostia, Valerya e Kirwill hanno di fronte a loro una nuova vita... così credono. Per i primi due l'agognata libertà, per il terzo la fama ugualmente agognata. Quindi, bisogna far festa. I tre inoltre si aspettano da te, probabilmente... cioè da Osborne... le ultime istruzioni per l'espatrio clandestino. Solo tu sai che fra pochi secondi moriranno.»

«Io...»

«A te non importa niente, di icone e cofani istoriati. Chiunque, potrebbe procurartene. Per esempio: Golodkin. Se fosse solo questo, quello che i tre hanno fatto per te – contrabbando di icone o di arredi sacri – tu li lasceresti vivere. Ma che vadano pure a denunciarti al KGB! che portino pure prove... I tuoi amici gli riderebbero in faccia e li sbatterebbero fuori. Senonché loro, per te, hanno fatto qualcos'altro. E di questo *qualcosa* non devono, assolutamente, parlare. Né a Mosca né altrove.»

«No... non puoi farmi questo...» mormorò Irina.

Ma Arkady continuò, implacabile. «Nevica. Le loro facce sono un po' rosse di vodka. Si fidano di te. Tu hai fatto entrare, clandestinamente, Jimmy Kirwill... no? Si scola la prima bottiglia di vodka. Adesso ti amano. Tu sei il loro salvatore, venuto dall'Ovest. Si beve ancora, si sorride... si ascolta la musica dagli altoparlanti... Tchaikovsky! Ah, stappiamo un'altra bottiglia. Mister Osborne, lei è molto generoso, ha portato da mangiare e da bere, una sacca piena di ogni bendidio, brandy, vodka. Tu sollevi la sacca, vi frughi dentro e ne estrai... un'altra bottiglia. La stappi, ti ci attacchi, fingi di dare una lunga sorsata. Poi la passi a Kostia... e lui beve sul serio. A Valerya già gira un po' la testa, tuttavia accetta ancora un altro sorso. Chissà – pensa – dove sarò fra una settimana... avrò bei vestiti... farà caldo... addio, Siberia, per sempre! Jimmy Kirwill si regge a malapena sulle gambe... ha quella gamba matta... ma anche lui pregusta il ritorno a New York... il trionfo, la rivalsa! Bevono... bevono ancora.»

«Basta...»

«Bevono, bevono... Un'altra bottiglia? Perché no? La neve cade più fitta, la musica è più forte. Tu sollevi la sacca, vi frughi dentro, afferri la pistola, togli la sicura... ti volti verso Kostia, gli sorridi...»

Arkady diede un calcio alla sedia, la fece ruzzolare in terra. Irina sussultò, sbatté gli occhi.

Arkady continuò. «Molto bene. Un'automatica fa meno rumore d'una rivoltella, eppoi lo sparo è attutito dalla sacca di cuoio, dalla neve e dalla musica. Lì per lì non si vede neanche il sangue. Valerya e Kirwill non capiscono perché Kostia sia stramazzato a terra. Si è fra amici... Tu sei lì per aiutarli, mica per fargli del male. Tu continui a sorridere. Il primo è sistemato. Poi tocca all'americano. Punti verso di lui la tua sacca...»

Una lacrima scendeva sulla guancia di Irina.

«Il tuo viso è privo di espressione, adesso» disse Arkady. E diede un calcio alla seconda sedia. «E due! Resta solo Valerya. Lei guarda Kostia a terra, poi l'americano anche lui morto... Ma non tenta neanche di scappare, di gridare, di protestare. Tu la capisci bene. Senza Kostia è perduta. Anzi, a ucciderla, le fai un favore, ormai.»

Arkady aprì la sacca contenente i corpi di reato e ne estrasse un vestito da donna. Era sporco di sangue e aveva un foro, in corrispondenza del cuore. Irina lo guardò: riconobbe quel vestito, che aveva certo visto addosso alla sua amica tante volte.

«Avvicinati a lei quanto ti pare» incalzò Arkady. «Valerya non aspetta altro che la tua pallottola. Che peccato – pensi tu – sprecare una ragazza così bella...» Arkady lasciò ricadere il vestito sul tavolo e ripeté: «Sprecare una ragazza così bella... E tre! Ora sono tutti e tre morti, ai tuoi piedi. Nessuno ha sentito niente, nessuno accorre, la musica continua a suonare, ben presto la neve ricoprirà i tre cadaveri».

Irina tremava.

«Però il tuo lavoro non è ancora finito» proseguì Arkady. «Devi raccogliere le bottiglie vuote, gli avanzi di cibo, e svuotare le loro tasche. Corri il rischio di sparare altri due colpi, poiché l'americano ha una protesi particolare, in bocca, e si capirebbe ch'è straniero. Quindi gli spari in bocca, poi spari in bocca anche a Kostia, così penseranno a due colpi di grazia. Però non basta ancora. Bisogna eliminare ogni possibilità di identificare i tre cadaveri. Con un paio di cesoie – di quelle che si usano per trinciare i polli – zac! zac! zac! – gli mozzi le dita: niente più impronte digitali. Non basta ancora. Occorre sfigurarli, poiché, sotto la neve, non si decomporrebbero. Il nostro amico ha pensato a tutto. È pratico, lui, a scuoiare animali da pelliccia. Quindi, scarnifica per bene i tre volti, e li riduce a tre maschere sanguinolente, irriconoscibili: prima Kostia, poi Kirwill e poi Valerya. È un momento speciale, per lui. Dato il tipo... chissà da quanto tempo pregustava una cosa del genere! Da ultimo, gli cava gli occhi. Ed è fatta. Infila tutti quei macabri avanzi nella sacca. Tre vite cancellate, doppiamente cancellate. È fatta. Ora puoi tornare al tuo albergo, e poi, in aereo, a casa tua, in quel mondo diverso da cui sei venuto. Tutto sembra perfetto.»

Arkady ripiegò il vestito sul tavolo, per riporlo nella sacca dei corpi di reato.

Quindi riprese a parlare. «C'è solo una persona che potrebbe collegare te, Osborne, ai tre morti di Gorky Park. Ma costei non parlerà, poiché è la migliore amica di Valerya e *vuole* che Valerya si trovi al sicuro a New York, o a Roma, o in California. Questa fantasia è la cosa più importante, per lei. Le giornate le sembreranno meno squallide, meno noiose, se solo potrà credere che Valerya è scappata, che la possibilità di scappare esiste! Tu, Osborne, potresti anche cercare di ucciderla... e lei lo stesso non parlerebbe, se anche sfuggisse al tuo tentativo. Non ti denuncerebbe. Ah, li conosci, tu, i russi!»

Irina vacillò.

Arkady temette che cadesse. Attese un istante, poi disse: «La questione ora è, dunque: dove si trova Valerya?».

«Come puoi...?» gemette Irina. «Come puoi...?»

Arkady cambiò tono di voce. «Siamo un popolo ignorante e retrogrado. Da secoli e secoli. Ma abbiamo anche delle strane capacità, Irina. Alla facoltà di Legge ti hanno parlato, ad esempio, dell'eccezionale capacità dell'antropologo Andreev. Lui è in grado, da un teschio, di risalire a un volto: ricostruirlo. Non un'approssimazione e non un vago identikit: bensì la vera faccia, tale e quale. In nessun altro Paese, ne sono capaci. È un lavoro delicato, per cui occorrono infinita pazienza e un grande talento – genialità, direi. Ma Andreev è un genio, e lo sai. E sai anche ch'è famoso per la sua onestà.» Arkady tolse il coperchio alla cappelliera. «Tu vuoi sapere dove si trova Valerya.»

«Ti conosco, Arkasha...» balbettò Irina. «Non puoi arrivare al punto di mostrarmi...»

«Eccola qua, Valerya!»

E Arkady cominciò a sollevare la testa che era dentro la vecchia cappelliera, lentamente, lentamente...

Irina gettò un grido e chiuse gli occhi, se li coprì con le mani.

«Su, guarda!» l'incitò Arkady.

Ma lei non si scoprì gli occhi. «Sì, Arkady... È qui... è qui che Valerya abitava. Oh, ti prego! Rimettila dentro!»

«Valerya, chi?»

«Valerya Davidova.»

«Abitava qui, dunque. Assieme...»

«Assieme a Kostia Borodin e a... a quel Kirwill.»

«Un americano a nome James Kirwill?»

«Sì.»

«E tu li hai visti, qui?»

«Kirwill si nascondeva qui. Io ci venivo... sì. A trovare Valerya.»

«Tu con Kostia non andavi d'accordo?»

«No.»

«Cos'è che facevano, quei tre, qui, in questa casa?»

«Costruivano un cofano... lo sai, di quel cofano.»

«Per chi?»

Irina esitò e lui trattenne il fiato.

«Per... per Osborne» disse lei.

«Osborne, chi?»

«John Osborne.»

«Un commerciante americano di pellicce a nome John Osborne?»

«Sì.»

«Te lo dissero loro che facevano quel cofano per Osborne?»

«Sì.»

«È tutto? Tutto quel che facevano, qui, i tre, per Osborne?»

«No.»

«Sei mai stata nel capanno che c'è qui, dietro casa?»

«Sì, una volta.»

«E vedesti ciò che essi portarono a Osborne, dalla Siberia?»

«Sì.»

«Ripeti, per favore. Vedesti quel che Kostia e Valerya portarono dalla Siberia, per Osborne?»

«Ti odio» rispose lei.

Arkady spense il registratore che era dentro la cappelliera. E lasciò ricadere la testa.

Irina si tolse le mani da davanti agli occhi. «E sì che credevo di amarti...»

In quella la porta si aprì, dall'esterno, ed entrò Swann. Che stava in attesa lì fuori.

«Adesso quest'uomo ti riporterà in città» disse Arkady. «Resta con lui. Non andare a casa mia, non staresti al sicuro, da me. Grazie per l'aiuto nelle indagini. È meglio che tu vada.»

Sperava che Irina insistesse, invece, per restare. In tal caso, l'avrebbe portata con sé.

Ma lei s'avviò.

Sulla soglia si volse. «Si racconta una storia, su tuo padre» disse. «Durante la guerra, mozzava le orecchie ai tedeschi uccisi, come trofei. Mica tutta la testa. Era un mostro da niente, in confronto a te!»

E uscì.

Arkady la vide salire sull'auto di Swann, una vecchia Zis berlina, che di lì a poco partì.

Uscì a sua volta e andò dietro la casa, fino al capanno di lamiera. Ne aprì l'uscio con una delle chiavi in suo possesso. Entrò. Qualcosa gli sfiorò la faccia: un cordone che pendeva dal soffitto. Lo tirò, e si accesero delle lampadine, molto forti, che illuminarono il capanno a giorno. Alla parete c'era un aggeggio molto particolare: era un segnatempo. Lo mise in funzione e udì un lieve ticchettio... Arguì che quel segnatempo serviva a regolare le luci, in modo da simulare, nell'arco di dodici ore, il sorgere e il tramontare del sole. Un altro cordone serviva ad accendere due lampade ultraviolette. Il capanno era privo di finestra.

I resti di una forgia gli fecero arguire molte cose. C'erano cataste di stampi e di rottami di ferro, ormai arrugginiti. Nel capanno c'erano due gabbie, alte fino al soffitto, che occupavano quasi tutto lo spazio disponibile. Ciascuna gabbia era ripartita in tre scomparti, mediante tramezzi di legno, e in ogni scomparto c'era una stia di legno. I vari scompartimenti erano protetti da reti metalliche così fitte e robuste che neppure il più accanito, industre e furbo degli animali avrebbe potuto scappare.

Fra le due gabbie c'era un banco, coperto di sangue e di scaglie di pesce. Sotto quel banchetto, Arkady trovò un libro di preghiere. Ecco – immaginò Arkady –

come collaboravano fra loro due individui tanto dissimili come James Kirwill e Konstantin Borodin, a tutela del loro comune segreto: l'uno pregava che nessuno lo scoprisse, l'altro teneva lontani i ficcanaso.

Entrò in una delle gabbie e raccolse alcuni peli rimasti impigliati nella rete metallica, nonché dello sterco in terra.

Quindi tornò in casa. Qui, mise nella sacca vuota alcuni indumenti e altri corpi di reato prelevati dai tre bauletti. Nel deporre la sacca sul tavolo, urtò la cappelliera, che si ribaltò. E la testa ne ruzzolò fuori. Era una testa di gesso, senza alcuna fisionomia particolare, coperta da una parrucca. Era un manichino che Andreev usava per fare lezione. Mentre la rimetteva dentro, la faccia di gesso si dischiuse, girando su una cerniera, e rivelò all'interno un teschio ghignante.

La testa di Valerya che Andreev aveva accuratamente ricostruita era stata altrettanto accuratamente distrutta da Iamskoy, nella sua dacia in riva al Lago d'Argento.

Andreev aveva detto ad Arkady per telefono che lo stesso Iamskoy gli aveva telefonato per avvertirlo che avrebbe mandato a ritirare la testa; e si era presentato da lui il Butterato.

In certo qual modo, la distruzione del capolavoro di Andreev aveva liberato Arkady da uno scrupolo. Infatti, non avrebbe mai osato – e neppure pensato – di mostrare a Irina la *vera* testa di Valerya. Non disponendone più, gli era venuta – per disperazione – la brillante idea di usare un manichino. Era certo che Irina non avrebbe avuto il coraggio di guardare. L'aveva dunque ingannata – l'aveva salvata – e l'aveva perduta.

Entrando nell'atrio dell'Ukraina, Arkady vide Hans Unmann uscire dall'ascensore. Allora andò a sedersi su una poltrona, e prese un giornale che era lì. Era la prima volta che gli capitava di vedere il complice di Osborne. Hans Unmann era uno spaventapasseri, ossuto, dalla bocca limata, dai capelli biondi a spazzola. D'acchito si vedeva ch'era un rozzo sicario, assai meno pericoloso quindi di Osborne o di Iamskoy. Arkady lo guardò uscire poi, gettato via il giornale, raggiunse l'ascensore.

Salì nella stanza dove aveva il suo ufficio improvvisato, convinto di trovarla vuota. Invece c'era Fet. Che gli puntò contro una pistola.

«Fet!» Arkady rise. «Scusa. M'ero completamente dimenticato di te.»

«Credevo fosse quello che tornava» disse Fet. Tremava tutto, tanto che doveva tener la pistola con tutte e due le mani. La posò giù. In faccia era bianco come un cencio, per la paura. «Era qui ad aspettarti. Poi ha ricevuto una telefonata, e allora se n'è andato. Mi ha perfino restituito la pistola. L'avrei usata.»

La stanza era sottosopra: cassetti spalancati, sedie rovesciate, carte e bobine sparse dappertutto. Quanto tempo è passato – si chiese Arkady – da quando Pasha e Fet stavano qui, beati come bambini in questo ambiente di lusso, a esaminare nastri e verbali? Fu Iamskoy a installarci qui. Ci saranno microspie, certamente. Qualcuno starà in ascolto, anche adesso. Ma non glien'importava. Non aveva intenzione di restare lì a lungo, in ogni caso. Un rapido sopralluogo gli permise di accertare che erano sparite le bobine e le trascrizioní contenenti i colloqui fra Unmann e Osborne. Gli restava quindi solo il nastro con la breve telefonata del 2 febbraio.

«Ha fatto irruzione, e s'è messo a frugare dappertutto» disse Fet. Aveva ripreso colore. «Non mi ha lasciato uscire. Temeva che ti avvertissi.»

«Ma tu non mi avresti avvertito.»

Lì in terra, fra le scartoffie sparse, Arkady trovò un orario degli aerei (appartenente ai precedenti inquilini di quella stanza). Lo consultò e poté così apprendere che, dall'aeroporto internazionale di Sheremetyevo, un unico aereo lasciava Mosca il 1° maggio: un volo Pan-American, nella tarda serata. John Osborne e William Kirwill avrebbero dunque preso entrambi quell'aereo.

Trovò anche un plico (aperto) con l'intestazione Ministero del Commercio Estero. Gliel'aveva mandato Yevgeny Mendel. Conteneva una fotocopia della motivazione per cui a suo padre era stata conferita una medaglia al valore, nonché un minuzioso rapporto sull'atto di eroismo compiuto da Mendel (il vigliacco) il 4 giugno 1943 a Leningrado. Non stupiva che Unmann, dopo aver aperto il plico e dato una scorsa alle carte, le avesse buttate là: avrebbe fatto lo stesso anche Arkady... senonché, in calce al rapporto, riconobbe, nonostante l'ingiuria del tempo e la cattiva qualità della fotocopia, la firma dell'ufficiale inquirente: Tenente A.O. Iamskoy. Ecco un Ordine di Lenin comprato e venduto in un ossario, nella capitale mondiale degli ossari ch'era Leningrado durante la guerra! Il giovane Tenente Andrei Iamskoy (che allora aveva una ventina d'anni) aveva dunque conosciuto Osborne (il diplomatico americano John Osborne) più di trent'anni prima e, già allora, l'aveva aiutato e protetto.

«Hai saputo...?» domandò Fet.

«Saputo cosa?»

«La Procura ha spiccato un mandato di cattura... un'ora fa... Sei ricercato.»

«Per cosa?»

«Per omicidio. Un uomo è stato assassinato in un museo di via Serafimov. Un avvocato, un certo Mikoyan. E sono state trovate le tue impronte.» Fet prese il telefono e cominciò a formare un numero. «Vuoi parlare con il Maggiore Pribluda?»

«No, non ancora.» Arkady gli tolse il ricevitore di mano e riappese. «Ora tu sei l'uomo dimenticato. Spesso è l'uomo dimenticato che diventa l'eroe. In ogni caso, è lui che sopravvive, per raccontare la storia.»

«Cosa vuoi dire?» Fet era confuso.

«Ho bisogno d'una testa di vantaggio.»

La stazione Savelovsky è frequentata, abitualmente, da pendolari: impiegati, brava gente. Quel treno, però, quella sera, era un treno speciale – e i pendolari se ne tenevano alla larga. I passeggeri che lo prendevano erano, ai loro occhi, dei veri e propri paria: operai legati a un contratto triennale che si recavano a lavorare nelle miniere del nord, alcune delle quali situate in zone artiche.

Avrebbero lavorato fra i ghiacci, nelle viscere della terra, spesso con attrezzi rudimentali; avrebbero portato a spalla il loro carico di minerale ferroso e spinto a mano i carrelli; sarebbero morti uccisi dal grisù, dallo scoppio d'una mina difettosa, dal crollo d'una galleria; avrebbero ucciso qualcuno a loro volta per un paio di guanti o di stivali. Una volta arrivati sul posto, il passaporto interno gli sarebbe stato tolto; nessuno avrebbe quindi potuto ripensarci, tornare indietro. Per tre anni sarebbero scomparsi dal mondo; e per alcuni di loro era quello che ci voleva.

Arkady si aggregò alla schiera di quei minatori. In una mano aveva la sacca contenente i corpi di reato, l'altra, in tasca, stringeva la pistola. Salì in uno scompartimento già gremito, puzzolente di sudore e di cipolla. Una dozzina di facce lo scrutarono. Erano le stesse facce, dure e nostrane, del Politburo, ma più rozze, segnate dagli stenti, da cicatrici. Avevano le mani sudicie, al pari della camicia, e portavano le loro robe in fagotti. Molti di loro erano criminali, ricercati da qualche parte (ma non in tutto il Paese) per furto o violenza. Pesci piccoli insomma, che pensavano di essere sfuggiti alla Giustizia sovietica attraverso uno strappo nella rete, ma li attendeva in realtà una vita da forzati, nelle miniere artiche. Erano dei duri, degli *urka*, degli emarginati, uomini senza scrupoli – con tatuaggi e coltelli. Per loro, un estraneo rappresentava solo un paio di scarpe, un cappotto, magari un orologio. Arkady rimediò un posto, in mezzo a quella marmaglia.

I poliziotti spingevano sul treno i ritardatari. L'aria nello scompartimento era irrespirabile. I ferrovieri correvano su e giù, sulla banchina, non vedendo l'ora che quel treno speciale partisse. Un mandato di cattura poteva precludere le strade, gli aeroporti e le ferrovie a un ricercato in fuga: quello lì, però, era un treno pieno di uomini in fuga.

Dal finestrino, Arkady vide Chuchin (suo collega, o ex collega, alla Procura: Investigatore-capo addetto ai Casi Speciali) il quale stava parlando con un capotreno. Gli stava mostrando una foto. Il capotreno scuoteva la testa. Chuchin fece cenno ad alcuni poliziotti di salire sul treno. Nello scompartimento accanto qualcuno si mise a cantare: «Addio, Mosca, addio, amore...».

La perlustrazione procedeva a rilento, ostacolata dal menefreghismo, punteggiata di minacce e imprecazioni. Nessuno si scansava, gli agenti ricevevano urtoni, insulti, sputi. Di solito, avrebbero risposto a manganellate; ma quei minatori lì erano gente da pigliarsi con le molle: dopotutto si erano offerti volontari per tre anni all'inferno. Non erano certo dei santi. Eppoi erano tanti. Insomma, i poliziotti rinunciarono a perlustrare il treno prima di essere arrivati allo scompartimento in cui si trovava Arkady.

Il capotreno spinse da parte Chuchin. Ferrovieri correvano su e giù sulla banchina. Gli sportelli sbattevano. Il treno si scrollò, si mosse. Chuchin scomparve.

Scomparvero le pensiline e comparvero le ciminiere delle fabbriche di materiale bellico che sorgono nella zona nord di Mosca. Il convoglio accelerò, raggiunse la prima stazione locale – piena anch'essa di pendolari – ma non rallentò neppure, emettendo il suo fischio lacerante. Arkady trasse un lungo sospiro di sollievo; l'aria si era fatta meno irrespirabile, ora.

Era un treno speciale di nome e di fatto: il più vecchio e più sporco di cui le Ferrovie Sovietiche disponessero. Le vetture erano tanto malridotte, vittime di tanti atti di vandalismo, che non c'era rimasto più niente da rovinare. E neanche c'era spazio per muoversi. Quindici o sedici uomini erano accatastati in ogni scompartimento, su dure panche e in terra. Il capotreno si era chiuso a chiave nella sua cabina e vi sarebbe rimasto fino alla fine del viaggio.

Su quella linea, tutt'altro che celere, un treno normalmente impiega una mezza giornata, da Mosca a Leningrado. La tradotta dei minatori ci avrebbe messo più di venti ore. Il capotreno aveva il suo bravo samovar, con pane e burro e marmellata. Nello scompartimento di Arkady, il fumo e la puzza di vodka si potevano tagliare col coltello. Un compagno di viaggio gli offrì un sorso di vodka, lui bevve e offrì in cambio una sigaretta.

Il suo vicino era un georgiano, come Stalin, e portava i baffi come lui. Era bruno e tarchiato, con occhi neri e lucidi – staliniani anche loro.

«Ci mettono delle spie, sai, su questo treno» disse costui ad Arkady. «Per beccarti, per riportarti indietro. Noi, alle spie, gli tagliamo la gola.»

«Non ce ne sono, di spie, qui» disse Arkady. «Nessuno ti rivuole indietro. Anzi, sono tutti contenti che vai a finire in miniera.»

Gli occhi del georgiano sfavillarono. «Vaffanculo. Hai ragione.»

Il monotono sferragliare delle ruote misurava il lento trascorrere delle ore. Passò il pomeriggio e venne la sera. Sfilavano stazioni e stazioncine: Iksa, Dmitrov, Verilki, Savelovo, Kalazin, Kasin, Sonkovo, Krasny Cholm, Pestovo... Si beveva, perché no? Avevano di fronte a loro tre anni di non-vita. In quello scompartimento si parlavano diverse lingue. C'era gente d'ogni risma, dagli occhi furbi e dalle mani leste. C'era un armeno ricercato per truffa, c'erano un paio di rapinatori del Turkestan, un ladruncolo uzbeko, un gigolò di Yalta, abbronzato e con occhiali da sole.

«Che cos'hai lì, che nascondi?» domandò il gigolò.

Arkady aveva con sé vari corpi di reato, gli indizi e le prove raccolte nella baracca di Kostia Borodin, più la pistola, la propria tessera e quella dell'uomo del KGB ucciso a pugni da Kirwill. Nessuno avrebbe osato fare a Kirwill una domanda del genere.

Lui comunque rispose paziente: «Una collezione di conchiglie del Mar Nero».

Bevve kifir, un tè concentrato. Nei campi di lavoro, poche tazze di kifir bastano a sostenerti per tre giorni di digiuno. Arkady doveva restar sveglio. Se si fosse addormentato, lo avrebbero derubato subito. Si sentiva la pelle sudaticcia, l'adrenalina gli saliva su, il cuore sembrava ingrossarglisi.

Ma doveva riflettere con calma. Misha era stato assassinato. Da chi? Da Unmann, lo spaventapasseri? Lui era sfuggito due volte, per un pelo, a Unmann. Ma perché, allora, dare l'allarme? Perché mettere di mezzo la Polizia? Era un rischio, per Iamskoy. A meno che non avesse già fatto sparire tutto dalla baracca dove Kostia, Valerya e Jimmy Kirwill abitavano. A meno che Iamskoy non sperasse che Arkady ci lasciasse la pelle, nel tentativo di sottrarsi alla cattura. O che potesse venire dichiarato pazzo seduta stante. Magari – si disse – lo sono già.

Il cuore gli pompava più sangue di quanto le vene ne potessero convogliare, quindi beveva, per dilatare i vasi. Qualcuno aveva una radiolina che parlava dei preparativi per la festa del Primo Maggio a Vladivostok.

«Le miniere di ferro non sono tanto male» disse uno che c'era già stato. «Peggio le miniere d'oro. Quando stacchi, ti infilano un aspirapolvere su per il culo.»

La radio ora parlava dei preparativi per il Primo Maggio a Tiflis.

«Il mio paese» disse il georgiano ad Arkady. «Ho

ammazzato uno, là. Ma è stata una disgrazia, più che altro.»

«Perché lo racconti a me?»

«Hai una faccia onesta.»

Preparativi per il Primo Maggio, in ogni parte del mondo. Intanto era calata la notte. Il treno procedeva a passo di lumaca. Arkady abbassò un po' il finestrino: sentì odore di campi appena arati.

Aveva nostalgia di Misha. Gli pareva di udire la voce dell'amico far commenti sui loschi compagni di viaggio: in che consiste, dico, il comunismo? Nel mettere insieme la gente – no? È un po' come le Nazioni Unite, solo che non ci si cambia il vestito tanto spesso. Prendi l'armeno. È bello grasso ma dimagrirà. O magari si dividerà in due, come un'ameba, e così sarà due armeni e tirerà una doppia paga. Un armeno è capace anche di questo. Prendi il gigolò. Così bello abbronzato, non lo sarà più in tutta la sua vita. Che tragedia, la vita! Arkady, l'ammetti, sì o no, che è roba da matti?

La vodka finì. Quando il treno fece sosta in una piccola stazione, per rifornirsi d'acqua, alcuni minatori scesero e andarono a saccheggiare lo spaccio del paese, sotto gli occhi d'un paio di militi impotenti. Dopo che tutti i saccheggiatori furono tornati a bordo, il convoglio ripartì.

Kaboza, Chvojnaja, Budogosc, Posadnikovo, Kolpino... e infine Leningrado. Era il primo mattino. L'alba si rispecchiava nel Golfo di Finlandia. Il treno entrò in città, una città solcata da canali, grigia e con occhi arrossati.

Prima che il treno fosse del tutto fermo, alla Stazione Finlandia, Arkady saltò a terra. Alle guardie mostrò la tessera del KGB sottratta all'agente ammazzato da Kirwill. Gli altoparlanti trasmettevano inni patriottici. Era la vigilia del Primo Maggio.

XVII

Cento chilometri a nord di Leningrado – su una pianura fra la città russa di Luzhaika e la città finlandese di Imatra – la ferrovia attraversa la frontiera. Non c'era una barriera. C'erano scali di smistamento, poiché i binari in Finlandia sono a scartamento più piccolo che in Russia, c'erano le dogane, e una ridotta per parte. La neve era sporca, dalla parte russa, dove i treni andavano a carbone, pulita invece dalla parte finlandese poiché là andavano a nafta.

Arkady stava parlando con il Comandante del Posto di Confine russo e guardava un Maggiore finlandese dirigersi verso il proprio corpo di guardia, distante una cinquantina di metri.

«Maledetti.» Il Comandante sputò. «Scoperebbero tutta la fuliggine qua dalla parte nostra, se ne avessero il coraggio.» Aveva il collo troppo grosso per il colletto, il naso obliquo, le sopracciglia che stonavano col resto. La Guardia Confinaria era un braccio del KGB, ma perlopiù composta da veterani dell'esercito. «Ogni mese viene qua e mi domanda che cosa deve farne, di quel dannato cofano. Che diavolo ne so, io?»

Arkady gli offrì una sigaretta, gliel'accese. Una guardia sovietica camminava su e giù lungo i binari, con un fucile appeso alla spalla che sembrava l'attrezzo d'un idraulico.

Il Comandante disse: «Lo sa, sì, che un Investigatore della Procura di Mosca, qui, non conta più di un cinese?».

«E lei» disse Arkady «lo sa com'è Mosca, sotto il Primo Maggio, no? Se avessi perso tempo a procurarmi un mandato regolare, stavo fresco. A quest'ora, come niente, mi ritrovavo con un morto in più.»

Di là dal confine, il Maggiore finlandese, seguito da due guardie, si stava dirigendo verso un capannone della dogana. All'orizzonte, sorgevano colline, ma lì il terreno era piatto, con pochi alberi qua e là – faggi, ontani e cespugli di mirtillo – facile da pattugliare.

«I contrabbandieri» disse il Comandante «portano dentro caffè, burro... e valuta pregiata, soprattutto. Fuori, non contrabbandano niente. Quasi quasi fa rabbia! E così, le indagini l'hanno condotto fin quassù? Non capita spesso, eh?»

«Bei posti, qui» disse Arkady.

«Posti tranquilli. Si sta in santa pace.» Tirò fuori una fiaschetta. «Le piace questa roba?»

«Può darsi.» Diede un sorso. Era acquavite, riscaldata a contatto col corpo.

«C'è chi non ci resiste, a star di guardia a un confine. Di guardia a una linea immaginaria, voglio dire. C'è anche chi esce pazzo. O si lasciano corrompere. Ogni tanto c'è qualcuno che sconfina, fra le guardie. Se li riprendiamo, più che il plotone, rischiano il manicomio. Sa che le dico, compagno Investigatore? Se uno venisse da Mosca, senza un mandato, a cercare di convincere la Confinaria, io, per me, gli farei visitare il cervello.»

«Francamente» (Arkady guardò il Comandante negli occhi) «io farei altrettanto.»

«Beh...» Sollevò le sopracciglia e gli diede una pacca sulla schiena. «Vediamo che si può fare, con questo finlandese. È un comunista... lo puoi friggere nel burro, ma un finlandese, resta sempre un finlandese.»

Dopo poco il Maggiore ritornò, dal capannone della dogana d'oltrefrontiera. Aveva in mano una busta.

«Aveva ragione, il nostro Investigatore?» gli domandò il Comandante.

Disgustato, il Maggiore mise quella busta in mano ad Arkady. «Stronzi. C'erano, infatti, escrementi d'animale, dentro quel cofano... nei sei scompartimenti in cui è suddiviso. Ma come lo sapeva?»

«Il cofano non era imballato?» domandò Arkady.

«L'abbiamo aperto noi, l'imballo» disse il Comandante russo. «È la prassi: tutti gli involucri vengono aperti, dalla parte sovietica.»

«E non avevate guardato dentro al cofano?» domandò Arkady.

«E perché?» disse il finlandese. «I rapporti fra Finlandia e Unione Sovietica sono ottimi.»

«E qual è la procedura, per svincolare un collo alla dogana?» domandò Arkady.

«Semplicissima. In primo luogo, qui da noi si scarica pochissima roba. Perlopiù, le merci proseguono in treno fino a Helsinki. Ma quelle in sosta qui, per ritirarle, occorre presentare la bolletta... insomma, tutte le carte in regola. Non c'è uno di guardia, al capannone, ma l'avremmo notato, se qualcuno avesse tentato di prelevare quel cofano e portarlo via. Cerchi di capire, qui teniamo poche guardie – d'accordo con l'Unione Sovietica – onde evitare provocazioni... mi spiego? Si tratta di Paesi amici. Ora mi voglia scusare. Il mio turno è finito e non vedo l'ora di tornare a casa per la festa.»

«Per il Primo Maggio» disse Arkady.

«Per la Notte di Valpurga» lo corresse il finlandese, prendendoci gusto. «Per il sabba delle streghe.»

Da Vyborg, presso la frontiera russo-finlandese, Arkady tornò in volo a Leningrado, e qui prese in serata un aereo per Mosca. I passeggeri eran perlopiù militari – in licenza speciale di due giorni – e bevevano allegramente.

Durante il viaggio Arkady scrisse un rapporto sulle indagini. Lo mise nella sacca dei corpi di reato, assieme alla dichiarazione rilasciatagli dal Comandante del Posto di Frontiera, alla busta contenente lo sterco d'animale prelevato all'interno del cofano, ai campioni di peli dalla gabbia di Kostia, agli effetti personali trovati nei bauletti delle tre vittime, al nastro con la testimonianza resa da Irina durante il sopralluogo nella baracca, nonché alla bobina contenente il colloquio del 2 febbraio fra Osborne e Unmann. Indirizzò quella sacca al Procuratore Generale.

Una hostess distribuì dei dolcetti.

Di lì a poche ore, sia Osborne sia Kirwill sarebbero saliti a bordo dello stesso aereo, per lasciare la Russia. Più che mai, ora Arkady notava con quanta precisione e con quanto tempismo John Osborne fissasse le sue entrate e uscite. Ci mancava *un ritardo*. Così Unmann si lagnava preoccupato, il giorno in cui il cofano – con dentro i sei zibellini siberiani di Kostia Borodin – era stato spedito da Mosca. Gli animaletti erano stati narcotizzati, ma quanto poteva durare l'effetto del narcotico? Tre ore? quattro? Abbastanza a lungo, comunque, per arrivare in aereo da Mosca a Leningrado. Qui giunti, Unmann poteva somministrare loro una nuova dose di droga, durante il tragitto dall'aeroporto alla stazione ferroviaria. Il cofano non si poteva spedire per aereo, fuori dalla Russia, poiché i pacchi venivano esaminati ai raggi X. Le automobili venivano praticamente smontate, ai posti di controllo confinari. Quindi la soluzione era: spedire il cofano all'estero per treno; usare un treno locale fino a uno scalo ferroviario di frontiera mal sorvegliato; Osborne intanto si recava a Helsinki in aereo; da Helsinki raggiungeva in auto la cittadina finlandese di confine (Imatra) dove sarebbe giunto prima ancora che il cofano venisse scaricato dal treno. Le guardie confinarie sovietiche aprirono—come previsto – l'involucro d'imballaggio, ma non guardarono *dentro* il cofano. I finlandesi fecero a Osborne il piacere – pure previsto – di lasciare il cofano in un capannone non sorvegliato. Evidentemente – ragionò Arkady – nessuno fece caso a Osborne, quando entrò nel capannone e quando ne uscì. Probabilmente, aveva un cappotto fatto apposta, con speciali tasche, per ficcarci dentro i sei zibellini narcotizzati. Se qualcuno l'avesse fermato, lui avrebbe potuto sempre dire: "No, la merce che aspettavo non è ancora arrivata, grazie tante". Forse Osborne aveva un complice, fra le guardie finlandesi di confine. In ogni caso, fece in modo di non dover mai esibire dei documenti: e non c'era assolutamente nessun nesso fra lui e quel cofano dall'inizio alla fine del suo viaggio.

Kostia Borodin, Valerya Davidova e James Kirwill erano morti al Gorky Park. John Osborne aveva ora da qualche parte – fuori dall'Unione Sovietica – sei zibellini *barguzin*, vivi.

L'aereo atterrò a Mosca dopo il tramonto.

Dall'aeroporto, Arkady spedì per posta la sacca al Procuratore Generale. Tenuto conto della festività, il suo rapporto sarebbe giunto al destinatario fra quattro giorni – qualunque cosa fosse successa a lui nel frattempo.

Il cortile era sorvegliato. Arkady s'infilò nella cantina, da un vicoletto laterale, e salì quatto quatto le scale. In casa sua, al buio, si cambiò: indossò la divisa da Investigatore-capo. Era di panno blu, con quattro stellette (da Capitano) sulle spalline, e una stella rossa sul berretto.

Mentre si radeva, sempre al buio, udì la televisione dei vicini: stava trasmettendo il *Lago dei cigni*, in diretta dal Palazzo dei Congressi. Il balletto veniva eseguito – secondo la tradizione della vigilia del Primo Maggio – dal corpo di ballo del Teatro Bolshoi, alla presenza di oltre seimila invitati "di riguardo". Un annunciatore stava litaniando i nomi di maggior spicco, ma Arkady non riuscì ad afferrarne nessuno. S'infilò la pistola automatica sotto la giubba e uscì.

Sul Viale Tagansky gli ci vollero venti minuti per trovare un taxi libero. Si fece portare al centro, splendente di luci e di addobbi. Per tutto l'inverno Mosca era stata una specie di crisalide per quelle bandiere rosse che, simili a farfalle, ora spiegavano le ali alla luce della notte di festa. Tutti gli edifici erano drappeggiati di rosso, le strade festonate. Slogan dappertutto: *Lenin vive e vivrà per sempre!... L'eroico popolo lavoratore...* Il taxi filava fra profluvi di propaganda.

Nessun veicolo privato poteva accedere alla Piazza Rossa e immediati paraggi. Arkady scese quindi in prossimità di Piazza Sverdlov e pagò l'autista, con gli ultimi rubli che gli rimanevano. S'avviò a piedi.

Davanti all'albergo Metropole vide William Kirwill uscire, con una valigetta in mano, e dirigersi verso un pullman dell'Intourist. Portava impermeabile marrone e cappello di tweed a tesa stretta: un turista americano come un altro... Ce n'erano una dozzina, lì intorno a quel pullman.

Kirwill vide Arkady al centro della piazza e gli rivolse un cenno con la testa. Arkady si fermò. Si guardò intorno. Vide agenti di Polizia a bordo di un'auto dietro il pullman, nel bar dell'albergo e agli angoli delle strade. Kirwill depose in terra la valigia. Un altro pullman sopraggiunse. La sventagliata dei fari l'investì. Kirwill indicò con lo sguardo i vari poliziotti nel caso che Arkady non se ne fosse accorto. I turisti cominciarono a salire sul pullman, che li avrebbe portati all'aeroporto.

Dal centro della piazza, Arkady formò con le labbra una parola: «Osborne».

Ma Kirwill non riuscì ad afferrarla. L'avrebbe desiderato più di qualsiasi altra cosa, disperatamente. Ma sapeva che – per averla – avrebbe dovuto uccidere tutti i poliziotti che lo stavano tenendo d'occhio... eppoi abbattere tutti gli edifici della piazza... tutti gli edifici della città... e neanche la sua forza poderosa era capace di tanto. Lanciò un'ultima occhiata ad Arkady prima di salire sul pullman.

Dalla radio si sentivano le note del *Lago dei cigni*. William Kirwill fu l'ultimo a salire a bordo. Ma Arkady era già scomparso.

Falci e martelli e astronavi disegnate con i fiori addobbavano Piazza Dzerzhinsky, per la parata dell'indomani. Arkady saltò a bordo di un camion carico di truppe, in transito per la Piazza Rossa, davanti alle tribune vuote. Le mura del Cremlino erano rese incombenti dalle luci dei riflettori, i merli sembravan vacillare.

In Via Manezhnaya, dall'altra parte del Cremlino, c'erano numerose limousine nere, lucenti, parcheggiate a ventaglio: non solo le solite Chaika, ma anche Zil del Praesidium, corazzate, irte di antenne. C'era un cordone di militi, al centro della via, e altri, in motocicletta, facevano la spola tra Piazza Manezhnaya e la Torre Kutafia del Cremlino. Qui Arkady balzò a terra dal camion. L'uniforme bastava a identificarlo. All'agente del KGB che gli si avvicinò, spiegò che aveva un messaggio per il Procuratore Generale.

Le mani gli tremavano appena, quando si accese una sigaretta. Attraversò quindi i giardinetti e il ponticello che collega la Torre Kutafia alla Porta Trinità del Cremlino. Qui attraversò la strada, portandosi sul lato del Manezh, la scuola di equitazione dello Zar. Di là, oltre il muraglione del Cremlino, si vedeva il profilo marmoreo del Palazzo dei Congressi.

Passò un'auto del KGB e lui, dalla radio, udì che il balletto era giunto a uno degli ultimi movimenti, un valzer. Lungo il muro del Maneggio, altre ombre si muovevano... occhi guardinghi lo osservavano.

Uno sciame di falene volteggiava intorno alla stella

rossa luminosa in cima alla Torre Trinità. Due soldati sbucarono dal portale e si diressero verso il ponticello, dove le luci dei riflettori parvero consumarli come fiammiferi. Passò un'altra macchina... applausi per radio... il balletto era dunque finito.

Per arrivare all'aeroporto in tempo, Osborne doveva rinunciare al ricevimento ufficiale dopo la rappresentazione. Ma c'erano pur sempre le chiamate alla ribalta, i fiori per le ballerine, l'inevitabile ressa in guardaroba. Gli autisti erano già pronti, al volante delle limousine.

Dopo un po', gli invitati cominciarono a uscire. Una lunga fila di cinesi... ufficiali di Marina in alta uniforme bianca... alcuni occidentali che ridevano sonoramente, alcuni africani che ridevano anche più forte... musicisti... un noto scrittore satirico, tutto solo. Le prime limousine con targa diplomatica già si muovevano, cariche. La folla della prima sfornata si stava diradando, il ponticello si svuotava. Arkady rimase lì dove si trovava, sul lato del Maneggio.

Ed ecco di lì a poco una figura elegante varcare a passi rapidi il ponticello. Era Osborne. Si stava infilando i guanti e guardava innanzi a sé. Indossava un sobrio cappotto nero e un colbacco – lo stesso che aveva offerto in dono ad Arkady. Il pelo nero contrastava coi capelli d'argento. Alle sue spalle sopraggiungevano altri invitati. Lui scomparve per un po' alla vista per poi riapparire sul marciapiede e dirigersi verso una limousine che lo aspettava.

A questo punto Arkady si fece avanti. L'americano lo riconobbe e restò sbalordito, ma solo per una frazione di secondo. Appena un battito del cuore in più. I due ora si fronteggiavano, uno di qua e uno di là dall'automobile.

Osborne ostentò un gran sorriso. «Non è più venuto a prendersi il colbacco, Investigatore.»

«No.»

«L'indagine...»

«È finita» disse Arkady.

John Osborne annuì.

Seguì una pausa, durante la quale Arkady ebbe modo di ammirare l'eleganza del suo interlocutore, la sua levigata abbronzatura, quella fisionomia così diversa, per cui spiccava in mezzo a una folla russa. Vide Osborne lanciare occhiate qua e là per rendersi conto se lui era venuto solo. Soddisfatto, tornò a posare lo sguardo su Arkady.

«Devo prendere un aereo, ora, caro Investigatore. Unmann le porterà diecimila dollari, fra una settimana. O una somma equivalente in altra valuta, a sua scelta. Ci pensa Hans. La cosa principale è che tutti siano contenti. Se Iamskoy venisse silurato, e lei mi tenesse alla larga da fastidi, considererei questo un favore che vale un compenso ancora più alto. Mi congratulo con lei. Non solo è sopravvissuto, ma ha sfruttato al massimo la sua opportunità.»

«Perché mi dice tutto questo?» domandò Arkady.

«Lei non è venuto ad arrestarmi. Non ha nessuna prova. Eppoi, lo so come operate, voialtri. Se mi si doveva arrestare, a quest'ora sarei già a bordo d'un auto del KGB diretta alla Lubyanka. Invece lei è solo, Investigatore – tutto solo. Si guardi intorno... Ci sono amici miei, non suoi.»

Finora i poliziotti in borghese non sembravano aver fatto caso all'indugio di Osborne. Erano impegnati a tener lontani gli ospiti comuni dalle auto delle persone importanti.

«Non oserebbe arrestare un occidentale, proprio qui, proprio stasera, lei, senza un ordine di cattura del KGB, all'insaputa del suo superiore diretto... insomma solo, tutto solo... no? Tanto più che lei stesso è ricercato per omicidio! No, se tentasse di arrestarmi, finirebbe lei in galera – o al manicomio. E io non perderei neppure l'aereo. Ritarderebbero la partenza apposta per me. Quindi, se lei è qui, il motivo può essere uno solo: danaro. Perché no? Sono disposto a pagarla.»

Allora Arkady estrasse la pistola. La posò sulla piega del braccio sinistro, puntata su Osborne. E disse: «No».

Osborne si guardò intorno. C'erano agenti in borghese dappertutto, ma erano occupati a smistare la folla che usciva dal Palazzo dei Congressi.

«Iamskoy m'aveva avvertito, che lei è fatto a modo suo. Non vuole soldi, dunque?» chiese Osborne.

«No.»

«Intende arrestarmi?»

«Fermarla» disse Arkady. «Impedirle di prendere quell'aereo, in primo luogo. Poi... no, non arrestarla... non qui, e non stasera. Ecco cosa: ora saliamo sulla sua macchina, facciamo una bella scorrazzata fuori Mosca e, domattina, ci presentiamo alla sede del KGB di qualche cittadina di provincia. Non sapranno che fare, quindi telefoneranno alla Lubyanka. In provincia si spaventano, all'idea di delitti contro lo Stato, di furti ai danni dello Stato, atti di sabotaggio industriali, contrabbando e compagnia bella, omicidi compresi. Quindi, guarderanno me con molto scetticismo e tratteranno lei educatamente. Ma lo sa, come operiamo noi. Ci saranno altre telefonate, ispezioni... un certo cofanetto verrà prelevato. Insomma, se lei perde l'aereo stasera, poi sarà troppo tardi. Comunque, io ci provo.»

«Dove è stato ieri?» domandò Osborne, dopo aver riflettuto un momento. «Non si è riusciti a trovarla da nessuna parte.»

Arkady non rispose.

«Credo che lei abbia fatto una scappata alla frontiera russo-finlandese, ieri» disse Osborne. «Mi sa tanto che è convinto di sapere ormai tutto.» Guardò l'ora. «Devo sbrigarmi, se voglio pigliare quell'aereo. Non intendo trattenermi.»

«Allora le sparo» disse Arkady.

«Sarebbe crivellato di colpi, subito dopo.»

«Lo so.»

Osborne portò una mano alla maniglia.

Arkady cominciò a tirare il grilletto, pian piano, pronto a far fuoco. Bastava appena un soffio e...

Osborne mollò la maniglia.

«Ma perché?» domandò. «Come può voler morire, solo per fare un favore alla Giustizia sovietica?»

Arkady non rispose.

«Tutti si vendono, qui da voi. Dalle alte sfere all'ultima ruota del carro. Si può comprare l'intero Paese, e comprarlo a buon mercato, per di più. A voi non importa se la legge viene infranta, non siete più stupidi a tal punto. E allora, in nome di cosa, lei è pronto a morire? O per chi? Per... per Irina Asanova, forse?»

Osborne indicò una tasca del cappotto. Poi, pian piano, ne estrasse una sciarpa di seta, rossa bianca e verde, decorata con uova di pasqua: il foulard che Arkady aveva regalato a Irina.

«La vita è sempre più complicata – e anche più semplice – di quanto non si creda» disse. «È così... le si legge in faccia.»

«Come l'ha avuta, quella sciarpa?»

«Le propongo un semplice baratto. Lei mi lascia andare e io, in cambio, le dico dove si trova Irina. Lei non ha neanche il tempo di star lì a domandarsi se mento oppure no... poiché là, dove si trova, non ci resterà a lungo. Dunque: accetta, sì o no?»

E depose il foulard sul tetto dell'auto.

Arkady l'afferrò, con la sinistra, lo portò alle narici. Sì, aveva l'odore di Irina.

Osborne disse, con calma: «Ciascuno di noi ha una passione dominante, alla quale è disposto a sacrificare tutto il resto. Lei rinuncerebbe alla carriera, alla ragione e alla vita stessa – per quella donna. Io, per me, sono pronto a tradire i miei complici pur di non perdere quell'aereo. Il tempo stringe, per tutt'e due».

Si era prodotto un ingorgo. Un poliziotto fece cenno a Osborne di affrettarsi a salire in macchina.

«Sì o no?» domandò l'americano.

Arkady si ficcò la sciarpa in tasca. «Lei adesso mi dice dov'è Irina. Se le credo, è libero. Se non le credo, l'ammazzo.»

«Mi pare giusto. Ebbene, si trova all'Università... nei giardini... vicino alla fontana.»

«Lo ripeta!» e Arkady si sporse, aumentando la pressione sul grilletto.

«Nei giardini dell'Università, vicino alla fontana.»

Si era come impettito, pronto a ricevere una pallottola nel cuore. La testa un po' reclinata fissava Arkady negli occhi. E, per la prima volta, gli permise di vederlo qual era realmente. Una belva guardava dagli occhi di Osborne: una bestia feroce che abitava dentro di lui. Ma non c'era ombra di paura, in quello sguardo.

«Prenderò la sua auto» disse Arkady. Rimise la pistola in tasca. «Quanto a lei, si arrangi. Può anche comprarne una!»

«Amo la Russia» disse Osborne, e fu quasi un bisbiglio, tra i denti.

«*Go home*, Mister Osborne!» E Arkady si infilò nella lussuosa limousine.

L'Università risplendeva di luci. Sulla facciata dell'edificio principale, alto una trentina di piani, una stella rossa campeggiava al centro di una ghirlanda di lampadine. Intorno al palazzo si estendevano vasti giardini. Per la sera di festa, questi erano leggermente illuminati. Nella penombra si intravvedevano aiole, siepi, sentieri, boschetti, qualche statua fra il verde, qua e là.

La fontana grande si trovava dalla parte del fiume e levava alti i suoi zampilli, al tremolio di luci multicolori, da lampade sommerse. Il cielo della città era sciabolato dai riflettori dell'antiaerea.

Osborne se l'era cavata a buon mercato.

Nessuna garanzia... Solo una sciarpa. Eppure Arkady era certo che Irina fosse là... E aveva il cuore in gola.

Non era una menzogna. Era una trappola.

Lo sfavillio di luci multicolori durò ancora una mezz'ora. Poi i riflettori si spensero, gli zampilli si chiusero e sulla superficie, tornata calma, della fontana si specchiò la stella rossa dell'Università.

Arkady attese, nascosto fra gli alberi. A quest'ora l'aereo di Osborne doveva essere già in volo. Gli alberi stormirono, a una folata di brezza. L'odore della resina era intenso. Dall'altra estremità della fontana, comparvero due ombre. E vennero avanti.

Presso il bordo della vasca si fermarono. Si udì un tonfo nell'acqua. Arkady balzò dal suo nascondiglio brandendo la pistola.

Vide e riconobbe Unmann che stava spingendo qualcuno sott'acqua, cavalcioni sul suo corpo, dentro la fontana. Poi vide la testa di Irina sollevarsi e Unmann ricacciarla giù, nell'acqua bassa. La teneva per i capelli attorcigliati nella mano. Quando Arkady gridò, sollevò la fronte.

Aveva gli occhi infossati e i denti sporgenti. Mollò la sua preda.

Irina riemerse, si appoggiò contro il bordo della vasca, respirando a sussulti. I capelli le grondavano.

«Mani in alto, e fuori di là» ordinò Arkady, al tedesco, ch'era rimasto dentro la fontana.

Unmann non si mosse, sogghignando.

Arkady sentì un oggetto di metallo premergli contro la nuca.

Poi udì la voce di Iamskoy alle sue spalle: «Getta via la pistola tu, invece».

Iamskoy gli posò una mano, come per consolarlo, su una spalla. La pistola che gli puntava contro era una Makarov, come quella di Arkady.

Questi disse: «Non lo faccia».

«E come, Arkady Vasilevich, – colombino mio – come posso evitarlo? Se tu avessi seguito le direttive che ti sono state impartite, a suo tempo, non saremmo qui a quest'ora, né tu né io. Si sarebbe evitata quest'incresciosa complicazione. Ma, vedi, ora sono costretto a saldar la partita non solo per il mio tornaconto, ma anche per il buon nome dell'Istituzione che entrambi rappresentiamo. Non è questione di ragione o torto, giusto o ingiusto. E neppure sono in discussione le tue capacità. Non ce n'è un altro, che abbia il tuo intuito, le tue risorse e la tua onestà, fra gli investigatori. Anzi, ci ho fatto gran assegnamento, su queste tue virtù.»

Hans Unmann uscì dalla vasca e venne avanti. «Mi sei sfuggito già un paio di volte...»

Mentre Iamskoy lo teneva stretto, Unmann gli vibrò un colpo in direzione del torace, ritirando poi la mano con uno svolazzo. Arkady non vide balenare la lama ma, quando abbassò gli occhi, vide il manico di un pugnale spuntargli dallo stomaco. Fu invaso da un senso di gelo e non riusciva più a respirare.

«Mi hai sempre stupito» continuò a dire Iamskoy. «E soprattutto mi stupisce che tu sia venuto qui per salvare una sgualdrina. Osborne, invece, non se ne stupì affatto.»

Gli occhi di Arkady si riempirono, disperatamente, di Irina.

«Sii onesto con te stesso» disse Iamskoy «e ammetti che ti faccio un favore. A parte un nome reso illustre da tuo padre, non hai niente da perdere: né moglie, né figli, né coscienza politica, né avvenire. È imminente una campagna contro il vronskismo... ricordi? Ebbene, il primo a saltare saresti stato tu. Questa è la fine di tutti gli individualisti. Da anni ti venivo ammonendo. Vedi cosa succede, a non dar retta ai buoni consigli? Credimi, è meglio così. Perché non ti metti seduto?»

Iamskoy e Unmann si ritrassero, per lasciarlo cadere. Ad Arkady si piegarono le ginocchia...

Con un supremo sforzo, si estrasse la lama dal ventre. Parve impiegare un'eternità: sottile, affilata, rossa. Roba tedesca, pensò. Sentì un fiotto di sangue sgorgargli dalla ferita.

Repentino, conficcò quella lama nel ventre di Unmann, più o meno nel punto dove Unmann aveva pugnalato lui. L'impeto del colpo li fece cadere entrambi nella vasca.

Si rialzarono insieme grondanti. Unmann tentò di staccarsi, ma Arkady afferrò l'impugnatura sporgente e, con tutta la forza che gli restava, spinse in alto la lama a doppio taglio, per aprirgli uno squarcio nel ventre.

Frattanto Iamskoy correva su e giù lungo il bordo della vasca, cercando di prendere la mira.

I due uomini si tenevano avvinghiati. Unmann l'attaccò a morsi e Arkady cadde indietro, nell'acqua, trascinando con sé l'avversario. Lui sotto, il tedesco sopra. Questi allora l'afferrò alla gola, per strangolarlo.

Arkady aveva la testa sott'acqua e vedeva l'immagine di Unmann ondulare, scomporsi, ricomporsi – come argento vivo – sempre più distorta. Una faccia che si scompone in tante lune, e le lune in tanti petali...

Poi una nube rossa oscurò Unmann, la sua stretta si allentò... lui scomparve alla vista.

Arkady si tirò su, ansante, accanto al corpo inerte, bocconi, del tedesco.

«Fermo là!» gridò Iamskoy.

Arkady non avrebbe comunque potuto muoversi.

Iamskoy, sul bordo della vasca, lo stava prendendo di mira.

Si udì uno sparo assordante. L'eco si ripercosse nei giardini.

Per quanto intontito e annebbiato, Arkady si stupì di non vedere la fiammata che attendeva. Vide invece volar via il colbacco di Iamskoy e il suo cranio pelato circondato d'una corona rossa, frastagliata.

Come distratto, Iamskoy portò una mano alla testa. Il sangue ora sgorgava violentemente.

C'era Irina alle sue spalle, con in mano una pistola. Sparò di nuovo, di nuovo colpì Iamskoy alla testa. Gli portò via un orecchio, di netto. Poi sparò ancora, questa volta al petto.

Iamskoy cercò di reggersi ancora in equilibrio, ma al quarto colpo piombò giù, dentro la vasca.

Irina si avvicinò, per tirar Arkady fuori dall'acqua, distenderlo in terra sul bordo.

Iamskoy trovò ancora la forza di raddrizzarsi sul busto, ma subito ricadde, con gli occhi sbarrati, esalando, insieme all'ultimo respiro, una specie di cupo muggito: «Osborne!».

Arkady udì quel nome echeggiare ancora a lungo dopo che Iamskoy fu scomparso di nuovo sott'acqua.

Shatura

XVIII

Era ridotto a una congerie di tubi. Dei tubicini d'alimentazione gli portavano dentro sangue e destrosio, altri tubi di drenaggio gli portavano fuori sangue e scorie. Ogni tanto – quando stava per riprendere penosamente conoscenza – un'infermiera gli iniettava morfina, e allora lui tornava a fluttuare immemore a mezz'aria, e a osservare, laggiù, la complessa opera idraulica che lo teneva in vita.

Non sapeva dove fosse, né perché. Ricordava vagamente di aver ucciso qualcuno... e in modo piuttosto selvaggio. Né gli era chiaro se fosse lui un carnefice o una vittima. La cosa lo turbava, ma non molto. Gli sembrava, perlopiù, di stare a guardare se stesso da un angolo della stanza.

Medici e infermiere si avvicendavano intorno al suo letto. Parlavano fra loro a bisbigli. Poi parlavano, sempre a bassa voce, con due uomini in abiti borghesi, ma muniti di maschere sterili, presso la porta. Questi a loro volta si rivolgevano ad altre persone in attesa nel corridoio.

Una volta arrivò un piccolo gruppo di visitatori, fra i quali Arkady riconobbe il Procuratore Generale. Si fermarono tutti ai piedi del letto, e lo scrutavano in faccia con la cupa intensità di turisti che cercano invano di decifrare un'epigrafe, in terra straniera. Infine scossero il capo, ordinarono ai medici di tener a ogni costo in vita il paziente, e se n'andarono.

Un'altra volta, fecero venire un Capitano delle Guardie di Confine, a identificarlo. Di lui Arkady non si curò molto perché era in quel momento troppo occupato da un'emorragia...

Più tardi, legatolo al letto, gli stesero sopra un telo di plastica, trasparente. Le cinghie non lo tenevano stretto – non avrebbe comunque mosso le braccia – ma la plastica in qualche modo gli impediva di fluttuare a mezz'aria come prima. Capì che i medici avevano ridotto le dosi di morfina. Di giorno era vagamente conscio dei colori che si muovevano intorno a lui; di notte provava un moto di paura, ogni volta che la porta si apriva. La paura era importante, se ne rendeva conto. Fra tante allucinazioni, la paura soltanto era reale.

Il tempo, misurato dalle fleboclisi, non passava mai: era solo un margine, fra il limbo e il dolore. Esisteva soltanto l'attesa, non solo la sua ma anche quella degli uomini sulla soglia, degli uomini nel corridoio. Sapeva che aspettavano lui.

«Irina!» chiamò ad alta voce.

Udì un trapestio e vide delle sagome attraverso la tenda a ossigeno. Chiuse gli occhi e si mise a dare strattoni alle cinghie che gli stringevano i polsi. Un tubicino si staccò, e gli uscì sangue da un braccio. Risuonarono dei passi, poi altri passi.

«Vi ho detto di non toccarlo» disse un'infermiera, tamponandogli la vena e reinserendo il tubicino.

«Non l'abbiamo mica toccato.»

«E com'ha fatto, a staccarselo da solo?» L'infermiera era arrabbiata. «È privo di sensi. Guardate che macello!»

A occhi chiusi, si figurò le lenzuola e il pavimento: schizzi di sangue dappertutto. L'infermiera era solo arrabbiata, ma i piantoni dovevano essere atterriti, addirittura. Neanche le risposero che, invece, era sveglio.

Dov'era Irina? Cosa aveva detto loro?

«Tanto, poi lo fucilano comunque» disse uno dei piantoni.

Sotto la tenda, lui tendeva le orecchie.

Da quel momento, aveva deciso di ascoltare bene ogni cosa.

Nei pochi minuti che aveva avuti a disposizione, prima che arrivasse la Polizia, nei giardini dell'Università, Arkady aveva detto a Irina tutto quello che doveva raccontare. Lei non aveva ucciso nessuno, era stato lui a uccidere sia Iamskoy sia Unmann. Irina sapeva che Kostia, James Kirwill e Valerya, a Mosca, avevano con sé alcuni zibellini siberiani – ciò del resto risultava dai nastri – però era all'oscuro di tutto ciò che concerneva espatrii clandestini e contrabbando. Era una vittima, lei, un'esca, un burattino... non una criminale.

Se quella versione non era tanto plausibile, va tenuto anche conto che l'aveva architettata mentre stava morendo dissanguato. Eppoi, solo insistendo su quella versione, lei poteva sperare di salvarsi.

Quando cominciarono a interrogarlo, come prima cosa gli lessero i capi d'accusa a suo carico: più o meno gli stessi da lui già formulati contro Osborne e Iamskoy. Erano in tre, seduti accanto al suo letto. Nonostante la maschera sterile, riconobbe la faccia massiccia di Pribluda; e sotto la garza, un sorriso.

«Lei sta morendo» gli disse uno dei tre, il più vicino. «Il minimo che può fare, ormai, è scagionare quelli che sono innocenti. Lei aveva ottime note caratteristiche, prima di... questa faccenda. Quindi potrebbe anche lasciare un buon ricordo. Scagioni, da ogni infamia, il buon nome del Procuratore Iamskoy... un uomo che l'ha sempre aiutata a far carriera. Suo padre è vecchio e in cattiva salute... lo lasci almeno morire in pace. Lavi quest'onta e affronti la morte con la coscienza tranquilla. Come dice?»

«Non sto morendo» disse Arkady.

«Si sta riprendendo proprio bene» disse il medico, al termine della visita.

Gli avevano tolto la tenda a ossigeno, e Arkady stava sollevato su due guanciali. «Quanto bene?»

«Molto bene, direi» rispose il medico, in tono pacato, sciogliendo evidentemente una prognosi rimasta incerta per settimane. «Il pugnale le ha trapassato il colon, lo stomaco e il diaframma, e le ha scalfito il fegato, per giunta. Anzi, l'unica cosa che il suo amico ha lasciato illesa è probabilmente proprio quella cui mirava: l'aorta addominale. Comunque, lei non aveva più pressione sanguigna, quando l'hanno portata qui; eppoi abbiamo dovuto combattere contro la setticemia, la peritonite... abbiamo dovuto imbottirla di antibiotici con una mano e drenarla con l'altra. La vasca in cui è caduto era sporca... Meno male che non mangiava da ventiquattr'ore, quando l'hanno accoltellata. Altrimenti, l'infezione si sarebbe diffusa all'intero apparato digestivo... e addio. Non avremmo potuto salvarla neanche noi. A pancia piena, insomma, sarebbe andato all'altro mondo. Lei è un uomo fortunato.»

«Ora lo so.»

La volta dopo vennero in cinque, sempre muniti di mascherine di garza. Seduti intorno al letto, gli rivolgevano domande a turno, per frastornarlo. Lui però rispondeva sempre a Pribluda, chiunque fosse a rivolgergli la domanda.

«La Asanova ci ha confessato tutto» disse uno dei cinque. «È stato lei a ordire tutta la trama, insieme all'americano Osborne, cui lei aveva concesso piena protezione, sviando le indagini all'insaputa del Procuratore Iamskoy.»

«Lei ha il rapporto da me inviato al Procuratore Generale» rispose Arkady, rivolto a Pribluda.

«È stato visto parlare con Osborne in varie occasioni, e anche alla vigilia del Primo Maggio. Non lo arrestò. Anzi, lei si recò all'Università, dove attirò il Procuratore Iamskoy in una trappola e, ivi, l'uccise con l'aiuto della Asanova.»

«Ha il mio rapporto.»

«Come li giustifica, i suoi contatti con Osborne? Il Procuratore era solito prendere appunti, dopo un colloquio con i suoi Investigatori. Ebbene, in tali appunti non figura nulla riguardo ai suoi presunti sospetti a carico dell'americano. Se lei li avesse menzionati, Iamskoy avrebbe immediatamente riferito tutto ai Servizi di Sicurezza.»

«Ha il mio rapporto.»

«Non c'interessa, il suo rapporto. Anzi, esso la condanna. Non sarebbe stato possibile a nessun Investigatore, infatti, accertare un furto di zibellini in Siberia – e l'espatrio degli stessi – sulla base di indizi inconsistenti, come quelli di cui lei disponeva.»

«Io invece ci sono riuscito.»

Fu l'unica volta che non rispose col solito ritornello.

Era accusato di complicità con Osborne a scopo di lucro; il suo divorzio veniva addotto a prova di disordine mentale; era noto ch'egli aveva sollecitato da Osborne il dono di un pregiato colbacco; la Asanova aveva denunciato le sue sconce profferte sessuali; lui (Renko) aveva incoraggiato il piano criminoso di Osborne, per poi eseguire un clamoroso arresto e far carriera; a prova della sua indole violenta si adduceva l'aggressione ai danni di un collega della sua ex moglie, segretario rionale del Partito; il suo collegamento con l'agente straniero James (Jimmy) Kirwill era reso manifesto dal fatto che aveva poi collaborato con il di lui fratello, l'agente William Kirwill; c'era poi l'accusa gravissima di aver ucciso a furia di percosse un funzionario del KGB, Ivan Ivanov, presso la dacia del Procuratore Iamskoy sul Lago d'Argento; stando alla Asanova, l'imputato aveva avuto anche rapporti sessuali con la pregiudicata Valerya Davidova; l'imputato era psicologicamente menomato dalla celebrità del proprio padre... Insomma, tutto era noto.

A ogni tentativo di confonderlo, atterrirlo e fargli saltare i nervi, Arkady rispondeva con il suo ritornello, rivolto a Pribluda: «Ha il mio rapporto».

Pribluda era l'unico, dei cinque, che non apriva mai bocca. Si appagava di star lì, a guardare, con aria minacciosa.

Arkady lo ricordava come gli era apparso quella gelida mattina, fra la neve, al Gorky Park. Finora non si era mai reso conto di aver occupato molto posto – lui – nella mente del Maggiore del KGB.

Nella loro concentrazione, gli occhi di Pribluda avevano un candore sorprendente. Non era vero che tutto fosse noto. Anzi, niente era noto.

Quando i piantoni vennero congedati, nella stanza fu installato un telefono. Siccome non chiamava mai nessuno, Arkady ne dedusse che conteneva una microspia per ascoltare ciò che diceva lui.

La prima volta che gli portarono da mangiare cibi solidi, il carrello arrivò dritto da lui, dall'ascensore. Arkady era l'unico degente di quel piano.

I cinque tornarono a interrogarlo, due volte al giorno, nei due giorni successivi. Arkady continuò a ripetere il suo ritornello. Finché non gli scaturì un'idea.

«Iamskoy era uno dei vostri. Un uomo del KGB, che voi riusciste a piazzare ai vertici della magistratura. Ed ecco che lui si rivela un indegno, un traditore. Ora voi dovete piantarmi una palla nel cervello per il semplice fatto che lui, Iamskoy, vi ha fatti fessi.»

Quattro dei cinque si scambiarono occhiate, di scatto. Solo Pribluda si mantenne impassibile.

«Come una volta mi disse Iamskoy: "Tutti quanti respiriamo aria, tutti pisciamo acqua".» E Arkady rise, dolorosamente.

«Chiuda il becco!»

I cinque si ritirarono a confabulare.

Arkady, rimasto solo, ripensò alle lezioni che Iamskoy impartiva sulla giurisdizione dei vari organi di Giustizia – assai più divertenti, ora, in retrospettiva.

I cinque non tornarono. Dopo un po' di tempo, comparvero delle guardie per la prima volta e sistemarono le cinque sedie contro un muro.

Non appena gli fu consentito di muoversi dal letto, con l'aiuto di grucce, Arkady andò a affacciarsi alla finestra. Si trovava al sesto piano, in prossimità di un'autostrada, a poca distanza da una fabbrica di caramelle e affini: la Bolshevik, sulla strada per Leningrado. Ma non gli constava, però, che vi fossero ospedali in quei paraggi. Tentò di aprire la finestra, ma era chiusa a chiave.

Un'infermiera, ch'era appena entrata, gli disse: «Non vogliamo che lei faccia del male a se stesso».

Comunque lui non aveva nessuna intenzione di buttarsi. Voleva solo sentire l'odore di cioccolata proveniente dalla Bolshevik Dolciumi. Ne aveva una voglia matta, di cioccolata.

A volte si sentiva pieno di energia, poi, subito dopo, si sarebbe sciolto in lacrime. In parte era dovuto allo stress degli interrogatori. Ne subiva da più inquirenti simultaneamente, i quali univano le loro forze, le loro astuzie, contro la volontà di un singolo imputato, accerchiandolo, frastornandolo con accuse fittizie, magari assurde, senza dargli tregua, per averlo alla loro mercé, per metterlo in ginocchio, finalmente. Ma era la normale procedura, e lui in fondo l'accettava.

A logorarlo ancora di più era l'isolamento. Non gli

eran concesse visite, né poteva conversare con le guardie, con le infermiere, né leggere libri o giornali, né ascoltare la radio. L'unico passatempo era stare alla finestra e guardare il traffico sull'autostrada. L'unica occupazione intelligente era riflettere sulle contraddittorie domande degli inquirenti, per cercare di prevedere il destino di Irina. Era viva; non aveva parlato e sapeva che neanche lui aveva detto tutto: altrimenti, gli interrogatori sarebbero stati più precisi e nocivi. Perché aveva tenuto celato di essere al corrente di certi contrabbandi? Quand'è che aveva portato la ragazza a casa sua? Che cosa era accaduto, là?

Dopo una giornata intera senza interrogatori, venne a trovarlo Nikitin, l'Investigatore-capo che curava i rapporti fra Procura e Governo.

Nikitin guardò l'ex collega e allievo e si lasciò sfuggire un sospiro di rammarico. «L'ultima volta che ci siamo visti, mi puntasti contro una pistola. È passato quasi un mese. Mi sembri un po' più calmo, adesso» gli disse.

«Non so, cosa sembro. Non ho uno specchio.»

«Come ti radi?»

«Con un rasoio elettrico, che poi si riportano via.» Non avendo nessuno con cui conversare, poteva anche mostrarsi espansivo con Nikitin. Eppoi, un tempo, erano stati molto vicini, quando Nikitin dirigeva la sezione "Omicidi", alla Procura.

«Non posso trattenermi molto» disse Nikitin. E tirò fuori una busta. «Alla Procura, come puoi figurarti, c'è stato un terremoto. Ecco, mi hanno dato questa... da farti firmare.»

Nella busta c'era, in triplice copia, una lettera di dimissioni: per motivi di salute. Arkady firmò. Quasi quasi, gli dispiaceva che Nikitin se n'andasse così presto.

«Ho l'impressione» disse Nikitin, sottovoce, «che gli stai dando del filo da torcere. Non è facile interrogare un inquirente, eh?»

«Direi di no.»

«Via, non essere modesto. Sei bravissimo. Avresti dovuto dar retta allo zio Ilya, a suo tempo. Ho cercato di metterti sulla strada giusta. Colpa mia... avrei dovuto insistere. Se posso fare qualcosa, non hai che chiedere.»

Arkady sedette. Si sentiva estremamente depresso, stanco, sfiduciato. Era grato a Nikitin, perché si tratteneva un po' a parlare.

Nikitin si sedette sul letto.

«Dimmi...» l'incoraggiò.

Arkady esitò. «Irina...»

«Ebbene?»

A Arkady era difficile concentrarsi. Avrebbe voluto confidare a Nikitin tutti i segreti accumulati... Non aveva visto anima viva, quel giorno, tranne un'infermiera che era venuta a fargli un'iniezione, poco prima dell'arrivo di Nikitin.

Questi disse: «Sono l'unico, io, che ti possa aiutare».

«Non sanno...»

«Ebbene? cos'è che non sanno?»

Arkady era in preda alla nausea, gli girava la testa.

Nikitin gli posò una mano, paffuta come quella d'un bambino, sulla sua. Gli occhi tondi e sagaci lo scrutavano. «Hai bisogno di un amico, più che mai» gli disse.

«L'infermiera...»

«Non è amica tua. Ti ha somministrato qualcosa per farti parlare.»

«Lo so.»

«Non dir loro niente, ragazzo, niente!»

Aminato di sodio – pensò Arkady – ecco cosa adoprano.

«E un bel po', pure» disse Nikitin.

Mi legge nei pensieri, indovinò Arkady.

«È un narcotico potente» disse l'altro, rassicurante. «È logico che tu non sia in grado di esercitare il solito controllo su te stesso.»

«Non occorreva che tu portassi quella lettera da firmare» disse Arkady, sforzandosi di pronunciare distintamente ogni parola. «Non serve a nessuno, una lettera del genere.»

«Non l'hai letta, a quanto pare.» E Nikitin tirò fuori di nuovo la busta, gliela diede. «Vedi...»

Battendo le palpebre, Arkady rilesse quei fogli: contenevano la piena confessione di tutti i crimini di cui era accusato. «Non è questa... la lettera... che ho firmato io» disse.

«Invece sì. C'è la tua firma in calce alle tre copie. Io ti ho visto firmarle. Ma... non importa.» E Nikitin strappò quei fogli, in quattro pezzi. «Non credo neppure a una parola.»

«Grazie» disse Arkady, riconoscente.

«Io sto dalla tua parte. Noi contro loro. Non scordarti, ero il più bravo inquirente, io, ai miei tempi. Non scordartelo.»

Arkady lo ricordava bene.

Nikitin si sporse e gli disse all'orecchio: «Sono venuto ad avvertirti. Ti vogliono uccidere».

Arkady guardò la porta chiusa. Chissà chi c'era, dall'altra parte di quella porta...

«Morto te, chi aiuterà Irina?» domandò Nikitin. «Chi saprà la verità?»

«Il mio rapporto...»

«Serve a far fessi *loro*, mica i tuoi amici. Non pensare a te stesso, pensa a Irina. Senza di me, resterebbe sola. Pensaci, quanto sola resterebbe.»

Magari non le diranno neanche che sono morto, pensò Arkady.

«L'unica maniera per farle capire che sono un amico, è che tu dica a me la verità» spiegò Nikitin.

Senza dubbio intendevano ucciderlo: Arkady non vedeva via di scampo. Una caduta dalla finestra... una dose eccessiva di morfina... un'iniezione d'aria... Chi si sarebbe preso cura di Irina, poi?

«Siamo vecchi amici» disse Nikitin. «Io voglio restare tuo amico. Credimi, ti sono amico.» Sorrideva come un budda.

La visione di Arkady era ingrigita, a causa del narcotico. Udiva il respiro della gente nella camera. Il pavimento era lontano. I suoi piedi erano bianchi, esangui... che aspetto avrà avuto il suo viso? Sentiva in bocca il sapore amaro della paura. Portò i pugni chiusi alle tempie. Non paura... pazzia. Pensare era impresa impossibile. Meglio dir tutto adesso, finché poteva. Ma serrò la bocca, ringhiottì le parole.

La fronte gli si era imperlata di sudore. Temeva che le parole gli uscissero dai pori della pelle. Sollevò le ginocchia, si raccolse in se stesso. Se avesse pensato a Irina, le parole sarebbero uscite come serpenti. Meglio dunque pensare a Nikitin. Non al Nikitin presente, ma a quello d'un tempo. Era un tipo elusivo, sfuggente, che prendeva in giro Arkady per le sue scarse capacità mentali. Ma, in preda alla paranoia del presente, non riusciva a pensare al passato. «L'unico di cui puoi fidarti son io» continuava a dire il Nikitin accanto a lui, sempre più insistente. Arkady tremava tutto. Cercò di tapparsi occhi e orecchi. Cercò di ricordare Nikitin com'era un tempo...

«Sono il tuo amico più vecchio, il più caro... anzi l'unico che hai» diceva Nikitin.

Arkady abbassò le mani. Aveva la faccia striata di lacrime. Ma c'era un barlume di sollievo, nel suo cervello. Sollevò una mano, come se impugnasse una pistola, e premette un grilletto immaginario.

«Che c'è?» chiese Nikitin.

Arkady non fiatò, poiché le parole riguardanti Irina erano pronte a uscirgli di bocca. Sorrise, però. Non avrebbe dovuto, Nikitin, ricordare l'episodio della pistola, appena entrato: ecco il nesso! Mirò al volto di Nikitin e finse di nuovo di premere il grilletto.

«Sono tuo amico» disse Nikitin, con meno convinzione.

Arkady sparò un intero caricatore di invisibili pallottole, ricaricò e sparò ancora. Qualcosa, della sua pazzia, penetrò Nikitin. Che tacque, finalmente, dopo tante proteste d'amicizia. Quindi prese a spostarsi, pian piano, lungo la sponda del letto. Poi si alzò e si diresse verso la porta, accelerando via via il passo, finché prese la fuga oltre la soglia.

XIX

All'inizio dell'estate, Arkady fu trasferito in una villa di campagna. In passato era appartenuta a qualche aristocratico, e aveva un portico a colonne, grandi portefinestre, una veranda e la cappella gentilizia, trasformata in rimessa. C'era un campo da tennis, dove le guardie giocavano a palla a volo tutto il tempo. Arkady era libero di vagare a suo piacimento, purché tornasse per l'ora di cena.

Era lì da qualche giorno quando un piccolo aereo atterrò, sulla pista dietro casa. C'erano a bordo due inquirenti e il Maggiore Pribluda, nonché alcune provviste sicuramente provenienti da Mosca.

Gli interrogatori avevano luogo due volte al giorno, in una serra (priva di piante, a parte alcuni alberi di caucciù, curvi e rinsecchiti). Arkady sedeva su una poltrona di vimini, in mezzo agli inquirenti.

Uno dei due era uno psichiatra. Le domande erano abili, poste con una certa qual aria di bonarietà.

Il terzo giorno, dopo pranzo, Arkady incontrò Pribluda da solo in giardino. Si era tolto la giacca e stava pulendo la sua rivoltella. Le rozze dita maneggiavano destramente molle, rondelle, perni. Alzò la fronte sorpreso, quando Arkady si accomodò sulla sedia dirimpetto.

«Che vuol dire?» chiese Arkady. «Come mai lei resta qui fuori?»

«Interrogarla non è compito mio» rispose Pribluda. (I suoi brutti occhi onesti erano un sollievo, per Arkady, dopo una mattinata trascorsa con gli altri due inviati del KGB.) «Eppoi, quelli sono specialisti. Sanno il loro mestiere.»

«Perché è venuto, allora?»

«Volontario.»

«Quanto resterà?»

«Fin che dureranno gli interrogatori.»

«Lei si è portato solo una camicia di ricambio. Quindi non sarà per molto» disse Arkady.

Pribluda annuì. Seguitò a pulire la pistola. Sudava sotto il sole. Non si era neanche rimboccato le maniche. Stava attento a non imbrattarsi la camicia col lubrificante.

«Se non è compito suo interrogarmi, qual è il suo compito?» domandò Arkady.

Pribluda continuò a smontare l'arma, pezzo per pezzo. E non rispose nulla.

Una pistola smontata ricordava ad Arkady, chissà perché, un invalido nudo. Disse: «Il suo compito, Maggiore, è... è quello di uccidermi. Vero?».

«Lei parla con troppa leggerezza della morte» disse Pribluda. Stava togliendo le pallottole dal caricatore, a una a una, come pastiglie.

«È forse una cosa seria? A me sembra piuttosto una farsa, tutto questo.»

Arkady non credeva, tuttavia, che Pribluda l'avrebbe ucciso. Sì, certo, si era offerto volontario; ed era disposto a farlo, in qualsiasi momento; ma Arkady non credeva che sarebbe finita così.

L'indomani mattina, i due inquirenti e Pribluda raggiunsero in auto la pista d'atterraggio. Arkady li seguì a piedi. Era distante un chilometro circa, dalla villa.

Arrivò in tempo per vedere Pribluda, a terra, che discuteva furiosamente con i due inquirenti, a bordo dell'aereo. Questo poi decollò e lui tornò verso la macchina.

Quando l'autista gli chiese se voleva un passaggio, Arkady rispose che preferiva passeggiare, perché era una gran bella giornata.

Il terreno all'intorno era pianeggiante. Al sole del mattino la sua ombra si allungava per una trentina di metri sulla strada; quella dei rari alberi, per un centinaio di metri. Non c'erano grandi boschi, nella zona. Fra l'erba crescevano ogni sorta di fiori selvatici. Saltavano qua e là cavallette, luminose come giada. Arkady si sdraiò all'ombra di un albero. Sapeva che qualcuno lo teneva d'occhio col binocolo dalla casa. Ma lui non pensava a scappare. Non ci aveva mai pensato.

Arkady e Pribluda mangiavano in sala da pranzo, all'unica tavola apparecchiata in mezzo agli altri mobili spettralmente ricoperti di fodere. Il Maggiore era di malumore. La seconda camicia era già sporca. Arkady lo guardava con interesse. Un uomo che sta per essere ucciso guarda con molto interesse l'uomo che l'ucciderà. Poiché il colpo fatale era rinviato a data da destinarsi, Arkady aveva tutto il tempo di studiare da vicino il suo carnefice.

«Come pensa di uccidermi? Da dietro? da davanti? Mi colpirà alla testa oppure al cuore?»

«In bocca» disse Pribluda.

«All'aperto? o dentro casa? Nella stanza da bagno, che è facile da pulire?»

Il Maggiore si riempì il bicchiere di limonata. La vodka era proibita, lì; e Arkady era l'unico a non sentirne la mancanza. Stanchi della palla a volo, gli agenti di custodia adesso giocavano a ping-pong fino a notte tarda.

«Cittadino Arkady Renko, lei non è più un pubblico ufficiale, non ha alcun rango, non è nessuno. Posso semplicemente dirle di stare zitto.»

«Ma vale anche l'inverso, Maggiore. Ora che non sono più nessuno, non sono tenuto ad ascoltarla.»

Quasi quello che disse a me Irina, pensò. Come si cambia facilmente di prospettiva!

«Mi dica un po', Maggiore» domandò, «nessuno ha mai tentato di ucciderla?»

«Solo lei.» Pribluda si alzò e se n'andò senza aver toccato cibo.

Per ingannare il tempo e la frustrazione, Pribluda si diede a lavorare nell'orto. In canottiera, coi calzoni rimboccati al ginocchio, estirpava erbacce.

«È troppo tardi per piantare altro che ravanelli, ma si fa quel che si può.»

«Qual è la sua quota?» gli domandò Arkady, alludendo per celia all'ordinamento agricolo sovietico, che concede una piccola parte di terra a uso privato dei coltivatori collettivi. Intanto, scrutava il cielo, per vedere se l'aereo tornava da Mosca.

«Questo è divertimento, non lavoro» borbottò il Maggiore. «Non le consento di sciuparmelo. Annusi qui.» E gli mise una manciata di terra sotto il naso. «Non c'è nessuna terra, da nessuna parte, che abbia lo stesso odore.»

Quel gesto rammentò ad Arkady qualcosa... Guardò ancora il cielo. Era vuoto. Ripensò a Pribluda che scava con le mani fra la neve, in quella radura di Gorky Park. Ripensò ai morti del fiume Kliazma, uccisi da Pribluda. Eppure eccoli là, adesso, tutt'e due, in una sorta di idillio campestre.

«Hanno trovato il denaro di Iamskoy. Ecco perché non si è ancora proceduto, nei suoi confronti» disse Pribluda, seguitando a zappettare. «Hanno smontato la sua dacia, pezzo per pezzo, hanno scavato dappertutto. Alla fine, hanno trovato il gruzzolo sotto un capanno, dove Iamskoy teneva le anatre a frollare. Un bel po' di soldi, accidenti. Ma per spenderli in cosa?»

«Chi sa...»

«Io sostengo che lei è innocente. Del resto, ne ero

convinto fin dall'inizio. D'intuito, lo dissi... Dato che quel Fet, come informatore, faceva schifo. D'intuito... e me ne vanto. Tutti a dire: ma no, non è possibile che un inquirente porti avanti un'indagine a quel modo, in senso contrario alle direttive del Procuratore. E io a dire che invece è possibile, dato il tipo. Lei è quello che cercò di rovinarmi... per quell'altra faccenda. Loro a dire, tutti quanti: se Iamskoy era corrotto, anche Renko doveva esser corrotto come lui, e si è trattato di una lite fra complici. E io: no, quello è capace di rovinare un uomo senza alcun buon motivo. Difatti la conosco: lei è un ipocrita della peggior sorta.»

«Come sarebbe?»

«Io eseguo degli ordini, e lei mi dà dell'assassino. Che me n'importava, a me, di quei detenuti del carcere di Vladimir? Niente di personale... Neanche li conoscevo! Per me, erano solo dei nemici dello Stato. E mi era stato dato l'incarico di eliminarli. Non si può mica far tutto, a questo mondo, nel pieno rispetto della legalità – ecco perché c'è una Polizia segreta. Lei, certo, arguì che io eseguivo semplicemente degli ordini. Eppure, per capriccio... per un senso di ipocrita superiorità... voleva incriminarmi. In altre parole: uccidermi, perché avevo compiuto il mio dovere. Lei è peggio di un assassino: è uno snob. Ma sì, rida pure! Ammetta però che c'è una differenza, fra dovere e... e egotismo assoluto.»

«Hm. La tesi è sostenibile» concesse Arkady.

«Ah! Dunque lo sapeva, che io eseguivo degli ordini...»

«Dei bisbigli» disse Arkady. «Lei eseguiva dei bisbigli.»

«E con questo? Se non avessi obbedito, cosa mi sarebbe successo?»

«Lo scenario è il seguente: si dimette dal KGB, gli amici le tolgono il saluto, in famiglia la guardano brutto, lei non può più andare a comprare la roba negli spacci speciali, le tocca traslocare in una casa più piccola, più periferica, i suoi figli vengono bocciati all'università, lei non dispone più di un'automobile, nessuno si fida di lei, nel nuovo impiego... eppoi, se non li avesse uccisi lei, li avrebbe uccisi un altro, in ogni caso. Io invece... per me era diverso: non avevo figli, ero felicemente sposato e, della macchina, non me n'importava.»

«Appunto. La mia stessa tesi!»

Arkady scrutò di nuovo il cielo.

Pribluda seguitò a zappettare.

Finché io sono vivo – pensò Arkady – anche Irina resta in vita. Poi disse: «Se sono innocente, forse non dovrà uccidermi».

«Nessuno è completamente innocente» rispose Pribluda, senza smetter di zappare.

L'aereo portò altri inquirenti, provviste e indumenti di ricambio per Pribluda. Talvolta gli inquirenti erano gli stessi, talvolta erano facce nuove. Alcuni usavano narcotici, altri ricorrevano all'ipnosi. Pernottavano lì, e l'indomani ripartivano, tutti quanti. Solo Pribluda restava fisso.

Seguitava a lavorare nell'orto: in canottiera, pantaloni rimboccati, fazzoletti a mo' di ginocchiere, un altro fazzoletto intorno alla fronte, scarpe scalcagnate. Grazie al suo accanimento, spuntarono cespi di lattuga, filari di ravanelli e di carote.

«Andiamo incontro a un'estate secca, lo sento» disse un giorno ad Arkady. «Devo seminare più in profondità.»

Quando Arkady andava a fare una delle sue lunghe passeggiate nei dintorni, Pribluda lo seguiva di malumore, imprecando.

«Mica scappo» gli diceva allora Arkady. «Le do la mia parola.»

«Ma ci sono le torbiere, qui intorno. È un terreno pericoloso.» Pribluda lo seguiva a dieci passi di distanza. «Non saprebbe dove mettere i piedi.»

«Mica sono un cavallo. Se m'azzoppo, non è certo costretto ad abbattermi.»

Per la prima volta, Arkady udì Pribluda ridere.

Però aveva ragione, il Maggiore. Certe volte, Arkady era tanto intontito dagli stupefacenti che poteva anche inciampare e farsi male. Camminava come uno che è smarrito, alla ricerca di se stesso.

Un interrogatorio è, per così dire, qualcosa di simile a un parto, in cui l'ostetrica tenti – maldestramente – di portare alla luce la stessa creatura una dozzina di volte, in una dozzina di modi diversi.

Arkady continuava a camminare finché il veleno quotidiano somministratogli non veniva completamente smaltito; poi si sedeva sotto un albero.

Pribluda dava sfogo al suo malumore, in tono di macabro scherzo. «Mi risulta che è l'ultimo interrogatorio, quello di oggi. Le resta soltanto una notte. Verrò mentre lei dorme.»

Arkady, a occhi chiusi, ascoltava il ronzio degli insetti. Di giorno in giorno l'aria si faceva più calda, gli insetti più numerosi.

«Vuole essere sepolto qui?... Su, via, torniamo a casa. Sto perdendo la pazienza.»

«Vada a coltivare il suo orto, vada pure.» Teneva gli occhi chiusi e sperava che il Maggiore se n'andasse.

«Lei deve proprio odiarmi» disse Pribluda, dopo un po'.

«Non ne ho il tempo.»

«Come sarebbe! Il tempo è l'unica cosa che non le manca.»

«Quando sono sveglio... e non tanto drogato da non poter pensare... non ho tempo di preoccuparmi di lei, ecco tutto.»

«E invece dovrebbe preoccuparsi di me. Io sto per ucciderla.»

«Non si sconvolga. Non sarà così.»

«Non sono affatto sconvolto.» Pribluda alzò la voce.

Poi, controllandosi meglio, soggiunse: «Non vedo l'ora, da un anno. Renko, lei è pazzo». Era disgustato. «Dimentica chi comanda, qui.»

Arkady non rispose. Nel cielo sopra i campi volavano uccelli, emettendo cinguettii trionfali. Sembravano ebbri di gioia. Dalla frequenza e dal tipo degli aerei che sorvolavano la zona (degli Antonov a breve raggio, in rotta per il sud) Arkady aveva dedotto che dovevano trovarsi a circa un'ora dall'aeroporto moscovita di Domodovo. Gli psichiatri che venivano a interrogarlo erano tutti della Clinica Serbsky, di Mosca. Quindi arguì che Irina si trovasse là.

«E allora... a che cosa pensa, tutto il tempo?» domandò Pribluda, esasperato.

«Penso che non so pensare. Mai imparato. Mi sembra proprio di inventare tutto, via via. Non lo so... Ma almeno, per la prima volta, non mi faccio inventare dagli altri.» Riaprì gli occhi e sorrise.

«Lei è pazzo» disse Pribluda, serio.

Arkady si alzò in piedi e si stiracchiò. «Vuole tornare alle sue sementi, Maggiore?»

«Ma certo. Che domanda!»

«Dica di essere umano.»

«Eh?»

«Torniamo» disse Arkady. «Basta solo che lei dica di essere umano.»

«Ma a che razza di gioco sta giocando? Io non sono tenuto... Lei è tanto pazzo, Renko, che mi dà il voltastomaco.»

«Non è poi tanto difficile da dire, che lei è umano.»

Pribluda si girò su se stesso, come per avvitarsi alla terra. «Lo sa che lo sono.»

«Lo dica, allora.»

«La ucciderò, per questo – soltanto per questo» promise Pribluda. «Ma per farla finita...» Senza alcuna inflessione soggiunse: «Sono umano».

«Bene. Possiamo andare.» E s'avviò verso casa.

Un giorno venne, a interrogare Arkady, lo stesso psichiatra, dai gesti svolazzanti, che aveva tenuto quella conferenza alla Procura.

Al termine della seduta, costui cominciò a dire: «Eccole la mia analisi. Per ogni verità che lei e la Asanova ci avete raccontato, c'è una bugia. Né lei né la ragazza eravate in combutta con Osborne e Iamskoy ma entrambi eravate, indirettamente, coinvolti nella trama e siete – tuttora – legati fra voi. Approfittando della vostra lunga esperienza (lei come inquirente, la ragazza come indiziata) sperate di confonderci, e batterci sulla distanza. Vana speranza. Le speranze dei criminali sono sempre vane. Sia lei sia la Asanova siete affetti dalla sindrome ch'io chiamo "pato-eterodossa". Siete malati insomma di pato-eterodossia. Cioè: sopravvalutate i vostri poteri personali; vi sentite isolati dalla società; oscillate di continuo dalla sovreccitazione alla malinconia; non vi fidate di chi vuole soltanto aiutarvi; odiate l'autorità anche quando la rappresentate; credete di fare eccezione a qualsiasi regola; sottovalutate l'intelligenza collettiva; quel ch'è giusto è sbagliato per voi, e viceversa. La Asanova presenta un caso classico, facile a capire, quindi facile a trattare. Il suo caso è invece più tortuoso, più pericoloso. Lei è nato con un nome famoso, quindi è partito avvantaggiato, nella vita. Nonostante il suo "egoismo politico", ha fatto carriera, nella Polizia giudiziaria. Dopo aver eroicamente combattuto contro un superiore, potente e corrotto, lei è entrato a sua volta in un complotto e, ora, assieme alla Asanova, ci tiene nascosti alcuni fatti importanti relativi all'indagine che le era stata affidata. Per esempio: quale rapporto intercorreva esattamente fra la Asanova e John Osborne? Quale accordo legava lei, Renko, all'agente segreto americano William Kirwill? Perché lasciò partire Osborne? A questi interrogativi ha dato risposte di comodo, false. Io ritengo che la sua parte sana *desideri* effettivamente rispondere la verità. Con adeguati mezzi terapeutici, riusciremmo ad averla, prima o poi. Ma a che pro? Conosciamo già la verità. Continuare a interrogarla lungo queste linee servirebbe solo ad alimentare le sue insane illusioni. Dobbiamo pensare al "bene maggiore". Quindi, io raccomando che le venga inflitta – e subito – una pena esemplare. Che serva di monito a tutti. Domattina, avrà luogo un ultimo interrogatorio. Dopodiché io ripartirò per Mosca. Per quanto mi riguarda non ho altre domande da porle. Ma se lei intende fornire ulteriori informazioni, domattina sarà la sua ultima opportunità. Altrimenti, addio».

Pribluda stava irrigando con cura il suo orto. Munito di un secchio, ne versava il contenuto in un fossatello e lasciava scorrer l'acqua lungo un filare di lattughe, poi, mediante un sistema di minuscole dighe di fango, nel filare successivo, finché tutto un settore non venne inondato. «Un vero piccolo Nilo» disse Arkady, che lo stava aiutando.

«Ah, la terra è troppo secca» disse Pribluda, scuotendo il capo. «Una dozzina di grandi secchi per un orto così piccolo. È la siccità.»

«Il settore agricolo privato del KGB non si seccherà mai, ne sono certo.»

«Rida, Renko, rida pure. Ma io vengo dalla campagna e lo so che la siccità è una cosa seria. Sento che avremo una grave siccità, quest'anno. Le confesso che andai sotto le armi per non fare il contadino ma...» Sollevò una spalla, con un gesto aggraziato per un uomo della sua corporatura. «Ma in cuor mio sono rimasto un campagnolo. Non occorre neanche pensarci: la si *sente* arrivare, la siccità.»

«In che modo?»

«Ti punge la gola. È perché la polvere non si posa. Eppoi ci sono altri indizi.»

«E cioè?»

«La terra... la terra è come un tamburo. Più la pelle d'un tamburo è secca, e tirata, più il suono rimbomba. Per la terra è lo stesso. Ascolti.» Pribluda batté un piede. «Un suono più cupo. La falda d'acqua s'è abbassata.» Seguitò a pestare i piedi, tutto contento di aver trovato una forma di intrattenimento, vedendo Arkady ridere. «Questa è sapienza contadina. Voialtri cittadini credete di sapere ogni cosa.» Eseguiva una specie di goffa danza, finché cadde seduto, con un ghignetto da pagliacci.

«Maggiore» disse Arkady, aiutandolo a rialzarsi, «è lei che dovrebbe sentire lo psichiatra, non io.»

Il sorriso di Pribluda si spense. «È ora, appunto, che lei vada» disse. «Oggi è l'ultima seduta.»

«Non ci vado.»

Pribluda distolse lo sguardo. «Allora devo andare io» disse. Si rimise la camicia, si srotolò giù i calzoni, si diede una rassettata, spolverò le scarpe e si rimise la giacca, cercando di rendersi presentabile. A questo punto si accorse che aveva lasciato la pistola, nella fondina, appesa a una pertica, nel bel mezzo dell'orto allagato.

Anche Arkady la vide e disse: «Gliela prendo io».

«Non occorre!»

«Via! non sia sciocco. Lei ha le scarpe, io invece sono scalzo.»

Senza badare alle invettive del Maggiore, si inoltrò nella fanghiglia e andò a prendere la pistola. Quando la consegnò a Pribluda, questi digrignò tra i denti: «Ma non si rende conto?». Era furioso. «Non sa come stanno le cose, qui? Non capisce proprio niente?»

Dopo un po' di tempo smisero di accudire insieme all'orto. Gli ortaggi avvizzivano, poiché l'acqua ormai era scarsa. Sotto il cielo infuocato, i campi ingiallivano. In casa si tenevano porte e finestre spalancate, sperando in un po' di brezza.

Un giorno arrivò Zoya. Era smagrita, con gli occhi cerchiati, tuttavia sorrideva. «Secondo il Giudice, dovremmo fare un altro tentativo» spiegò lei. «Si potrebbe ancora rimediare... se io cambiassi idea.»

«E hai cambiato idea?»

Sedeva presso la finestra e si faceva vento con un giornale. Persino i capelli, raccolti in una treccia da ragazzina, sembravano invecchiati, più radi. Come una parrucca, pensò lui.

Anziché rispondere, lei disse: «Ci sono stati dei malintesi, fra noi».

«Ah!»

«Magari per colpa mia.»

Arkady sorrise, al tono dell'ex moglie: come quello d'un burocrate che discutesse d'una svolta nella politica del suo Ministero.

«Ti trovo meglio di quanto m'aspettassi» disse Zoya.

«Beh, qui non c'è altro da fare che rimettersi in salute, capirai. Sono giorni e settimane, ormai, che non mi interrogano neanche più. Da quando è ripartito quel... quello psichiatra dell'Istituto Serbsky. Mi domando cosa succederà, adesso.»

«Fa molto caldo, a Mosca. Sei fortunato, a star qui...» Quindi gli disse che le avevano assicurato che, a lui, avrebbero dato un lavoro adeguato... non a Mosca, naturalmente... a Mosca non avrebbe più potuto abitare... ma in qualche bella città di provincia. Un posto da insegnante, forse. Quindi, se si fossero rimessi insieme, avrebbero insegnato nella stessa scuola. E potevano anche pensare a... ad avere dei bambini. «Anzi» soggiunse «potrei forse tornare qui per una visita più lunga... e coniugale.»

«No» disse Arkady. «La verità è che non ce n'importa nulla, l'uno dell'altra. Io, per me, non ti amo di certo. Non mi sento neanche in colpa, per come ora ti ritrovi.»

Zoya smise di sventagliarsi e fissò la parete dirimpetto, mani in grembo. Smagrita com'era, i suoi muscoli da ginnasta risaltavano di più. Aveva i polpacci a fiaschetta.

«C'è... un'altra donna?» chiese.

«Zoyushka, hai fatto benissimo a piantarmi e adesso ti conviene star più alla larga che puoi. Io non ti voglio male.»

«Non mi vuoi male?» Si inalberò. Ripeté, con sarcasmo: «Non mi vuoi male? Ma guarda» soggiunse «guarda come m'hai ridotta! Schmidt mi ha lasciata. Non solo, ha anche chiesto il mio trasferimento a un'altra scuola. Gli si può dar torto, forse? Mi hanno ritirato la tessera del Partito. Tutto per colpa tua. Mi hai rovinato la vita. Fin da quando ci siamo conosciuti, non hai avuto altro scopo. Credi forse che oggi sia venuta qui, di mia iniziativa?».

«No. A tuo modo, tu sei stata sempre sincera. Per questo mi sono stupito, a vederti.»

Zoya premette i pugni contro gli occhi e strinse tanto la bocca che le labbra le divennero esangui. Poi si riscosse, tentò di sorridere ancora, fra le lacrime. «Si è trattato solo d'un malinteso. Io non mi son mostrata abbastanza comprensiva. Cominceremo daccapo.»

«No, per favore.»

Zoya gli afferrò una mano. Lui aveva dimenticato come le sue dita fossero callose, a furia di esercizi alla sbarra. «È un pezzo che non dormiamo assieme. Senti...» bisbigliò «posso trattenermi stanotte.»

«No.» E tirò via la mano.

Lei gliela graffiò. «Bastardo!»

Ripartì prima di cena. Vedere la donna che era stata sua moglie umiliarsi così davanti a lui aveva depresso Arkady.

Quella notte si svegliò in preda a un desiderio opprimente di Irina. La stanza era buia, dalla finestra baluginavano le stelle. Andò, nudo, ad affacciarsi. Sarebbe bastato un tocco... un minimo strofinio col lenzuolo... per procurargli un brivido di piacere, uno sfogo... e non ne avrebbe provato vergogna. Ma alleggerendo il desiderio avrebbe allontanato un po' l'immagine di lei, l'avrebbe illanguidita. Più che un'immagine era una visione: Irina addormentata sul suo letto... la rivedeva in sogno, e anche ad occhi aperti... aleggiava intorno a lui... ne sentiva il calore, persino. Lei era il trauma della vita.

Non della vita comune. Questa è fatta di attese, di code interminabili, di fiati rancidi. Nella vita comune si va in ufficio tutte le mattine, si fanno cose noiose, si torna a casa, in uno squallido appartamento, si beve, si bestemmia, si fa l'amore, si fa la guerra per un po' di dignità e in qualche modo si sopravvive. Irina si elevava al di sopra della massa. Lei ostentava una bellezza straordinaria in abiti dimessi, aveva il marchio dell'onestà su uno zigomo, a lei non importava di sopravvivere miseramente. Per molti versi, non era affatto una persona. Arkady capiva bene gli altri: come investigatore, era il suo mestiere, capire. Ma Irina, no, non la capiva; e forse non sarebbe mai penetrato nella sua vasta zona ignota. Lei era come un pianeta diverso, e l'attirava nella propria orbita. Eppure, lui non la conosceva; ed era lui ad aver cambiato campo.

In quegli ultimi mesi si era comportato come un cadavere vivente, tanta era la sua impassibilità durante gli interrogatori. Era come un suicidio, il suo; una morte necessaria, ma pur sempre una morte.

Ora però l'immagine di lei era tornata e lui, per una notte almeno, si sentiva ancora vivo.

L'incendio della torbiera cominciò il mese seguente. Si propagò a poco a poco, finché tutto l'orizzonte settentrionale divenne una barriera di fiamme. Poi, anche l'orizzonte meridionale si coprì di fumo. L'aereo con le provvigioni non poteva più atterrare.

Arrivò un'autobotte, coi pompieri che sembravano guerrieri medievali. Ordinarono di evacuare la villa. Non si poteva tornare a Mosca, tuttavia: il fuoco sbarrava le strade. Eppoi, ogni persona valida andava mobilitata per la guerra all'incendio.

Una vera e propria guerra, combattuta da un esercito di pompieri, genieri e volontari, con autobotti, idranti, trattori, ruspe. Arkady, Pribluda e gli altri della villa costituirono un drappello a sé. Non appena essi entrarono in azione, però, il fronte si ruppe. La boscaglia ardeva a tutto spiano, il vento mutava direzione di continuo, il fumo accecava, asfissiava. I combattenti si dispersero, chi qua chi là, allontanandosi dagli automezzi. Il terreno era accidentato, franoso, c'erano buche improvvise, capaci di inghiottire un uomo, o anche un camion. Molti procedevano a caso, dietro questo o quel trattore, senza coordinamento fra i reparti. Ogni tanto qualcuno scappava per mettersi in salvo, con i vestiti bruciacchiati. Arditamente, si affrontavano le fiamme con i badili, nel tentativo di arrestarne l'avanzata scavando trincee, o gettando contro di esse palate di terra. A un certo punto, Arkady si trovò solo con Pribluda: isolati dagli altri del loro drappello.

Il fuoco era imprevedibile. Un tratto di boscaglia ardeva pian piano, un altro veniva divorato in un baleno. Il guaio era la torba.

Ormai, Arkady aveva capito che la zona in cui la villa si trovava era situata in prossimità di Shatura. Questa cittadina era famosa perché vi era stata costruita la prima centrale elettrica, dopo la Rivoluzione. E quella centrale era alimentata, appunto, dalla torba.

Ebbene, nella torbiera, il terreno stesso prendeva fuoco. Gli acquitrini erano pieni di combustibile, sotto la superficie, e le fiamme sbucavano dai crepacci... il fuoco avanzava per vie sotterranee... sbucava fuori da tutte le parti... S'udivano esplosioni di gas metano... il calore era atroce. Gli uomini tossivano sputando cenere e sangue. Elicotteri sorvolavano la zona del disastro: l'incendio veniva attaccato anche dal cielo ma non cera verso d'arrestare l'avanzata delle fiamme.

La torbiera era immensa. Gli uomini si ritiravano via via, ma alcuni restavano intrappolati. Arkady non sapeva più dove cercare scampo. Da ogni parte, fra il fumo, si sentivano grida, richiami, imprecazioni. Un trattore ardeva. Pribluda, con la faccia annerita, cadde esausto a terra. A voce debolissima, disse: «Scappi via di qua... È la sua occasione, per salvarsi la pelle. Quella che aspettava... Prenda i documenti a qualche morto... Tanto, la riacciufferanno... Ma può provare».

«E lei?» domandò Arkady.

Pribluda aveva la pistola in mano. «Non aspetterò di morire arrostito, io. Non sono un vigliacco.»

Sembrava un cinghiale sgarrettato.

Il fuoco li circondava ormai da ogni parte. Il vento si era fatto più forte.

Arkady l'aveva sempre saputo che Pribluda non l'avrebbe mai ucciso. Morire tra le fiamme... Comunque, era una morte naturale. O almeno, più naturale che con nove grammi di piombo nella nuca, piantatici da un altro essere umano.

«Scappi!» gridò Pribluda, tossendo.

Arkady invece lo sollevò, lo sostenne, passandosi un suo braccio intorno alle proprie spalle. Non vedeva più niente all'intorno: né gli alberi, né il sole, né il trattore... Si avviò per un sentiero, sulla sua sinistra.

Vacillando sotto il peso di Pribluda, inciampando sui detriti, ben presto non riuscì più a capire neanche da che parte stesse andando. Magari stava girando in circolo. Ma sapeva che, a fermarsi, sarebbe morto senz'altro. Non riusciva a respirare... doveva tenere la bocca chiusa, come imbavagliata... e ciò oltretutto gli procurava un senso di claustrofobia, che era la cosa peggiore, più imprevista.

I polmoni sembravano scoppiargli. Attraverso le fessure delle palpebre vedeva solo il rosso delle fiamme. Non ce la faceva più. Il fumo l'accecava. Seguitò tuttavia ad avanzare... ancora venti passi... ancora dieci... ancora cinque.

Inciampò, cadde in un fosso profondo più di un metro, con un po' d'acqua in fondo. Ma fra l'acqua e il fumo c'era un po' d'aria respirabile, per quanto acre. Pribluda aveva le labbra violacee. Arkady l'adagiò supino sull'acqua del fosso, cercando di praticargli una respirazione artificiale. Rinvenne. Ma ormai il calore si era fatto insopportabile.

Arkady avanzò lungo il fosso, trascinandosi dietro Pribluda. Cadevano braci ardenti su di loro, strinandogli i capelli, i vestiti. A un certo punto il fosso terminava. Parve, ad Arkady, di essere tornato al punto da cui erano partiti la mattina. Vide alcuni automezzi – un'autobotte, una ruspa – anneriti dal fuoco, contorti dall'esplosione del loro carburante. D'intorno, numerosi cadaveri.

Alcuni di loro avevano cercato rifugio in un ampio crepaccio della torbiera e – benché morti da poche ore – erano già ridotti a scheletri. Fatto sta che la torba è un composto anaerobico: putredine organica tanto antica che l'ossigeno è stato tutto consumato; tuttavia, qualche microbo è sopravvissuto, nella torba: venti o trenta, mettiamo, per metro cubo. Esposti all'aria e all'acqua, tali microbi, all'istante, si riproducono, si moltiplicano, divengono milioni e milioni: voracissimi, spolpano un corpo in men che non si dica.

Indosso a un paio di morti che giacevan sul terreno, Arkady trovò due borracce ancora piene. Si lacerò la camicia, confezionò delle specie di maschere per sé e per Pribluda. Le inzuppò d'acqua. Si rimisero a camminare, incalzati dal fumo.

Avanzavano, cercando di lasciarsi il fumo alle spalle. A un certo punto Arkady inciampò presso un crepaccio. Pribluda lo sorresse prima che vi cadesse dentro. Proseguirono, per la pianura in fiamme. Incontrarono altri morti: eroici caduti in una guerra di cui nessun giornale avrebbe parlato – a parte qualche trafiletto, per spiegare le ceneri portate dal vento fino a Mosca.

Finalmente raggiunsero un filare di alberi. «Non c'è via di scampo... il fumo... il fumo è dappertutto» disse Pribluda, volgendo intorno lo sguardo stralunato, nell'aria ormai completamente oscura. «Perché mi ha portato fin qui? Il fumo ci circonda... tutto brucia...»

«Non è fumo, è la notte» disse Arkady. «E non sono scintille, ma stelle, quelle là. Siamo in salvo.»

La casa era stata risparmiata dall'incendio. Di lì a pochi giorni cominciò a piovere: violenti temporali che annegarono le fiamme. Le guardie ripresero a giocare a palla a volo, l'aeroplano portò provviste fresche, persino gelati. Portò anche il Procuratore Generale. Questi non si tolse mai l'impermeabile e parlava a testa bassa, con le mani allacciate dietro la schiena.

«Vuole che l'intero sistema giudiziario si pieghi davanti a lei. Lei è soltanto un uomo, un Investigatore, e neppure importantissimo. Tuttavia non vuole sentir ragioni, non si lascia persuadere in alcun modo. Noi conosciamo tutta la portata del complotto fra la Asanova e l'agente straniero Osborne, in combutta con i traditori Borodin e Davidova. Sappiamo che lei è reticente per quanto riguarda la Asanova e i suoi rapporti con lei. Un investigatore che si comporta così sputa in faccia al Paese. La nostra pazienza ha un limite, e al limite di essa c'è la collera.»

La settimana successiva tornò lo psichiatra della Clinica Serbsky. Non perse tempo ad analizzare Arkady ma si recò con Pribluda in quello ch'era stato il suo orto. Arkady li guardava dalla finestra. Il dottore parlava animatamente e aveva tutta l'aria di insistere, ai dinieghi di Pribluda. A un certo punto aprì una valigetta e ne estrasse una siringa, delle fiale. Le consegnò al Maggiore e se ne tornò subito al campetto d'aviazione. Pribluda si allontanò, meditabondo.

Nel pomeriggio venne a bussare alla porta di Arkady e l'invitò ad andare per funghi. Nonostante il caldo portava la giacca. Aveva con sé due recipienti per i funghi.

A meno di mezz'ora di cammino c'era un boschetto – scampato per miracolo all'incendio – dove le recenti piogge avevano fatto spuntare già l'erba, punteggiata di fiori silvestri. Gli alberi erano querce centenarie, faggi e betulle. Il terreno era muscoso. Chi va in cerca di funghi deve avere la vista acuta, attenta all'inclinazione d'una foglia, alle macchie di colore, ai rigagnoli, al viavai degli insetti. I funghi stessi assumono l'aspetto di animali, si mimetizzano, sembrano trattenere il respiro. Te ne appare uno, là, poi d'un tratto è scomparso. Li vedi meglio con la coda dell'occhio, devi coglierli quasi di sorpresa. Eccone uno bruno, casareccio, fra cespugli di ortiche; un altro, là, crestato come un minuscolo dinosauro; un terzo, laggiù, che cerca di nascondere il capino scarlatto. Alcuni nomi sono familiari, altri meno, ma si distinguono meglio l'uno dall'altro a seconda di quella che è la loro morte migliore: arrosto, trifolati, alla panna acida... oppure a seconda del tipo di vodka che meglio li annaffia: all'anice, alla prugna, al pepe, al limone...

Pribluda era un appassionato cercatore e Arkady l'osservava, di tanto in tanto, soprappensiero: la fronte bassa, i capelli brizzolati, il naso camuso, il corpo massiccio, la giacca mal tagliata...

Calò l'ombra della sera, venne l'ora di cena, ma nessuno dei due aveva fame.

«Domani ci facciamo una scorpacciata di funghi» disse Pribluda. «Guardi. Guardi qua cos'ho trovato.»

Mostrò la sua raccolta, illustrò ad Arkady come andavano cotti i vari tipi di funghi. Poi: «Vediamo i suoi».

Arkady sollevò il fazzoletto che copriva il suo paniere: c'erano funghi verdastri, d'un lustro malaticcio.

Pribluda sussultò. «Ma sono velenosi, quelli lì! È pazzo?»

«Il dottore le ha dato istruzione di uccidermi» disse Arkady. «Che cosa aspetta? Che faccia buio? Una revolverata alla nuca, oppure un'iniezione? Tanto vale che m'avveleni coi funghi.»

«Basta!»

«Non ci sarà nessuna scorpacciata, domani, Maggiore. Io sarò bell'e morto.»

«Non me l'ha ordinato. Si è solo limitato a consigliarlo.»

«È anche lui del KGB?»

«Maggiore, mio pari grado.»

«Le ha dato una siringa.»

«L'ho gettata. Non è così che uccido un uomo, io.»

«Non importa in che modo. Un consiglio del genere è un ordine.»

«Per iscritto, lo voglio.»

«Lei!»

«Sì, io» disse Pribluda in tono di sfida. «Non mi crede?»

«Dunque domani arriverà un ordine scritto e lei mi ucciderà. Che differenza fa?»

«Ho la sensazione che ci sia conflitto, nelle alte sfere, riguardo alla sua sorte. Per questo ho chiesto istruzioni scritte. Non sono un mostro. Sono umano quanto lei.» Pribluda buttò in terra quei funghi velenosi e si mise a calpestarli. «Certo che lo sono!»

Tornando verso casa, Pribluda appariva più desolato di Arkady. Questi respirava profondamente, come per riempirsi i polmoni di tenebre notturne. Non appena arriverà l'ordine scritto mi ucciderà – pensò – ma intanto ha traccheggiato, ha guadagnato tempo, ha corso un rischio. Era ben poco, per un condannato; ma era una "nota negativa" sul curriculum di Pribluda.

«Venere» disse Arkady, indicando una stella all'orizzonte. «Lei che viene dalla campagna, Maggiore, deve intendersi di stelle.»

«Non è il momento...»

«Là, le Pleiadi» disse Arkady, indicando. «Quella è Sirio... quella è l'Orsa Maggiore... Che notte stupenda! Ecco là la costellazione del Toro...»

«Avrebbe dovuto fare l'astronomo.»

«Ovviamente.»

Proseguirono in silenzio. I loro passi risuonavano ritmicamente, i rametti scricchiolavano, l'erba frusciava. La casa apparve. Arkady vide uscire degli uomini di corsa, con torce e fucili. Si soffermò, di nuovo ammirò il firmamento.

Poi disse: «Stiamo tutti uscendo dalla nostra orbita, Maggiore. Qualcuno tira me... io tiro lei... e lei, chi tirerà?».

«C'è una cosa che desidero sapere» disse Pribluda. «Se un anno fa ci fossimo conosciuti come ci conosciamo adesso, mi avrebbe lo stesso inquisito?»

«Per i due uomini che lei ha ucciso sul fiume Kliazma?»

Pribluda lo fissò, intensamente. «Sì.»

Arkady non rispose. Si udivano delle grida, in lontananza, dei richiami. Il lungo silenzio si fece imbarazzante per lui, intollerabile per l'altro.

Alla fine Pribluda rispose da sé alla propria domanda. «Forse, se allora fossimo stati amici, lei si sarebbe comportato diversamente.»

Arkady distolse lo sguardo. «Tutto è possibile» disse.

Gli uomini armati stavano accorrendo, vociando e agitando le torce. Uno di loro, per forza d'abitudine, colpì Arkady con il calcio del fucile.

Un altro disse a Pribluda: «Su, venga. Ci sono novità».

XX

In ottobre, Arkady fu tradotto sotto scorta a Leningrado. Qui lo condussero al Palazzo delle Pellicce, che da fuori sembrava un enorme museo. In una specie di anfiteatro circondato da colonne l'attendevano, seduti a una cattedra, cinque ufficiali del KGB in uniforme: un Generale e quattro Colonnelli. Nel Palazzo c'era puzzo di carne morta.

Il Generale esordì in tono ironico: «Mi risulta che c'è, sotto, una storia d'amore». Sospirò. «Avrei preferito una semplice storia di interesse nazionale.

«Ogni anno, Arkady Vasilevich, convengono qui, da ogni parte del mondo, grossi mercanti che – seduti a quei banchi – trattano affari per milioni di dollari. L'Unione Sovietica è la principale esportatrice di pellicce del mondo. Da sempre. Grazie soprattutto ai nostri zibellini. Il visone russo è inferiore a quello americano, le linci sono rare, il karakul è, alla fin fine, pelle di pecora. Ma lo zibellino sovietico vale, a peso, più dell'oro. Che effetto crede che faccia, al Governo sovietico, la perdita di questo monopolio?»

«John Osborne possiede soltanto sei zibellini» disse Arkady.

«Mi stupisce la sua ignoranza, mi stupisce da mesi. Un gran numero di uomini ci hanno lasciato la pelle... lei stesso ha ucciso il Procuratore Iamskoy, per non parlare del tedesco Unmann... e si ostina a saperne così poco, al riguardo.» Aggrottò pensieroso le sopracciglia. «Sei zibellini? Cinque anni or sono, con la complicità dell'allora Viceministro del Commercio Estero Mendel, l'americano Osborne riuscì a trafugare altri sette zibellini. Si trattava, allora, di zibellini ordinari, provenienti da un allevamento dei dintorni di Mosca, e non già dei pregiati *barguzin* siberiani. I Mendel, padre e figlio, erano convinti che Osborne non potesse, con quelli, insidiare il nostro monopolio. D'altro canto, non avrebbero mai osato aiutare il loro amico americano a procurarsi dei veri *barguzin*. Così mi ha detto il giovane Mendel, e gli credo.»

«Che ne è di Yevgeny Mendel, ora?»

«Si è tolto la vita. Era un debole. Il punto, comunque, è che Osborne – cinque anni fa – si procacciò illegalmente sette zibellini di qualità ordinaria. Calcoliamo che la colonia si sia moltiplicata ad un ritmo del 50 per cento annuo, dimodoché lui disporrebbe, a quest'ora, di almeno cinquanta zibellini comuni. Poi, con la complicità del siberiano Kostia Borodin, è riuscito a procurarsene altri sei: sei maschi, sei veri *barguzin*. Di qui a cinque anni, John Osborne disporrà di oltre duecento zibellini di qualità pregiata. Fra dieci anni, saranno più di duemila. E, a questo punto, addio monopolio sovietico. Cittadino Renko, perché, secondo lei, è ancora vivo?»

«E Irina Asanova? È viva?» domandò Arkady.

«Sì.»

Arkady capì, allora, che non l'avrebbero rimandato in quella villa-prigione di campagna. Non l'avrebbero più ucciso. «Intendete servirvi di noi due?» disse.

«Sì. Adesso ci servite.»

«E lei dov'è?»

«Le piace viaggiare?» domandò il Generale, a sua volta – con delicatezza – come se temesse di fargli male. «Ha mai desiderato di vedere l'America?»

New York

XXI

La prima visione dell'America furono le luci di una petroliera, le lampare di alcuni pescherecci.

Wesley era alto, giovane, stempiato, dai tratti levigati come un ciottolo, dall'espressione affabile ma insignificante. Portava un completo con gilè, di stoffa blu né buona ne cattiva. Arkady si sentiva esposto, adesso, a una nuova e subdola forma di produzione in serie. Tutto in quell'uomo sapeva di menta e limone: alito, ascelle, faccia, fazzoletto. Durante il viaggio non aveva fatto altro che fumare la pipa e rispondere a grugniti alle domande di Arkady. Eppoi aveva un nonsoché di goffo, come un vitello appena svezzato.

I due uomini avevano un settore dell'aereo tutto per loro. Gli altri passeggeri erano, in gran parte, orchestrali in viaggio-premio per "meriti artistici". Non facevano che parlare dei profumi francesi che avevano comprato durante la sosta all'aeroporto di Parigi. Arkady invece non era sceso dall'aereo, a Orly.

Si accese la scritta plurilingue: ALLACCIARSI LE CINTURE.

Wesley domandò, in inglese: «Lei capisce la parola responsabilità?».

Arkady domandò a sua volta: «Questo vuol dire che lei mi aiuterà?».

«Vuol dire che questa è un'operazione FBI. Ecco cosa vuol dire» disse Wesley, con foga, come se cercasse di vendere qualcosa ad Arkady, «che siamo responsabili per lei.»

«E voi, verso chi siete responsabili?»

Una sorta di eccitazione infantile si diffuse a bordo dell'aereo non appena questo cominciò a sorvolare la prima comunità americana. Sembrava una comunità di automobili. Automobili che riempivano le strade e passavano vicino a case che sembravano troppo gigantesche per le persone.

«Sono contento che mi faccia questa domanda.» Wesley vuotò il fornelletto della pipa nel posacenere del bracciolo. «L'estradizione è una faccenda molto complicata, specie fra Stati Uniti e Unione Sovietica. Non vogliamo complicare le cose, non vogliamo più grattacapi di quelli che abbiamo già. Capisce cosa vuol dire "complicazioni", in questo caso?»

L'aereo aveva iniziato la manovra di atterraggio e dava l'illusione di aver acquistato più velocità. Sembrava impossibile che ci fossero tante autostrade: dove diavolo potevano condurre? Eppoi tutte quelle auto! Si sarebbe detto che l'intera popolazione stesse migrando da qualche altra parte. Un esodo di massa!

«Da noi, in Unione Sovietica, una complicazione è tutto ciò che non si vuole» rispose Arkady.

«Esatto.»

L'aereo sorvolò a bassa quota un sobborgo residenziale. Viali alberati, emporii, cartelloni pubblicitari, insegne al neon, campi di gioco, piscine. Il primo americano che riuscirono a vedere distintamente se ne stava in piedi sulla soglia di casa con lo sguardo rivolto all'insù.

«Soprattutto vogliamo evitare una certa complicazione, per quello che la riguarda» disse Wesley. «Non vogliamo, in parole povere, che lei scelga la libertà, come si suol dire. Mi spiego? Non può disertare, insomma. Se questa fosse un'operazione KGB, allora sì, che lei potrebbe disertare. Verrebbe da noi e ci direbbe: ho scelto la libertà. E noi saremmo felicissimi di concederle asilo politico. Chiunque, a bordo di questo aereo, potrebbe chiedere asilo, tranne lei.»

«Metta che loro non vogliano, e io sì?»

«Resta il fatto che gli altri possono, lei no.»

Si sentì lo scossone del carrello che veniva abbassato. Arkady guardò Wesley cercando di cogliere un barlume di ironia. «Lei scherza, naturalmente» disse poi.

«No, dico sul serio» ribatté Wesley. «La legge parla chiaro. La concessione, o meno, di asilo politico, negli Stati Uniti, a qualsiasi transfuga o disertore, spetta alla Polizia Federale, all'FBI. Siamo noi che decidiamo. E, nel suo caso, abbiamo già deciso. Non può esserle concesso asilo.»

Arkady non era sicuro di capire bene la lingua. «Non ho ancora tentato di scappare.»

«Quindi, l'FBI, il Bureau – come noi lo chiamiamo – sarà lieto di proteggerla» disse Wesley. «Finché lei non tenterà di scappare.»

Arkady tornò a studiare il suo interlocutore. Era un uomo d'un tipo a lui ignoto finora. La faccia era abbastanza umana ma forse – all'interno del cranio – c'era tutta una congerie di rotelle e spirali al posto del cervello.

Wesley ricominciò a dire, pignolo: «Se lei scappa, prima o poi la consegnano a noi. È la prassi. E noi, manco a dirlo, la rispediamo in Russia. Quindi per lei scappare da una parte vuol dire solo finire dalla parte opposta – chiaro?».

L'aereo stava adesso descrivendo un arco sulla baia, poi un'isola di luce si innalzò nel cielo. Un migliaio di torri di luci simili a stelle sorsero dall'acqua e un brusio di meraviglia e stupore si diffuse tra i passeggeri dinanzi a questa visione. Poi l'aereo puntò verso i grattacieli.

«Dunque lei non mi aiuterà» disse Arkady.

«Come no! In qualsiasi maniera» replicò Wesley.

L'aereo toccò terra, diede un sobbalzo, poi prese a rallentare sempre più

I passeggeri cominciarono ad accalcarsi verso le uscite. Molti avevano i loro strumenti, quasi tutti dei pacchetti infiocchettati. Già atteggiavano i volti a ostentata noia per la tecnologia americana. Passando accanto ad Arkady e Wesley evitavano di guardarli, quasi avessero paura d'un contagio.

Dopo che tutti furono scesi, Wesley e Arkady uscirono a loro volta, da una scala di servizio. I motori dell'Ilyushin sibilavano ancora e le luci di coda lampeggiavano. Forse torna subito a Mosca, si chiese Arkady?

Wesley gli batté su una spalla e gli indicò una macchina che stava venendo verso di loro, dalla pista d'atterraggio.

Dunque, non passarono attraverso la dogana. Quell'auto li portò direttamente a un cancello d'uscita secondario, donde imbucarono una superstrada.

«Siamo d'accordo con i suoi amici» disse Wesley sedendosi comodamente sui sedili posteriori con Arkady.

«I miei...?»

«Quelli del KGB.»

«Io non sono del KGB.»

«È appunto quello che dicono anche loro. Non ci aspettavamo che dicessero altrimenti.»

C'erano auto abbandonate, sul ciglio della strada. Abbandonate da un pezzo. Arrugginivano, come relitti d'una guerra. Sulla fiancata d'una di queste c'era scritto: PORTORICO LIBERO. Le auto che sfrecciavano nei due sensi erano di mille marche, mille colori diversi. E anche a bordo c'era gente d'ogni colore. All'orizzonte, si stagliavano i grattacieli.

«Che intesa avete con il KGB?» domandò Arkady.

«Siamo d'accordo che questa operazione è un'operazione dell'FBI. E possiamo stare tranquilli, dal momento che lei non può disertare» disse Wesley.

«Capisco. E pensate che io sia del KGB, dal momento che loro dicono il contrario.»

«Cos'altro potrebbero dire?»

«Ma se voi vi convinceste che *non* sono del KGB, cambierebbe tutto, no?»

«Assolutamente! Ma, allora, quello che dice il KGB sarebbe vero.»

«Cosa dice?»

«Che lei è accusato di omicidio.»

«Non c'è stato alcun processo.»

«Loro non hanno detto che ci sia stato. Lei ha ammazzato qualcuno?»

«Sì» disse Arkady.

«Eccola servito. È contro la legge americana sull'immigrazione ammettere un criminale. Lei potrebbe entrare solo illegalmente. La legge è molto severa, al riguardo. E il Bureau non può certo chiudere un occhio, se lei stesso dice di essere un omicida.»

Wesley sembrava attendere altre domande, ma Arkady restò zitto. L'auto imboccò un tunnel che sfociava a Manhattan. C'erano garitte della polizia, dai vetri sudici, nella luce verdognola del tunnel. Poi la macchina sbucò dall'altra parte, le strade erano più strette di quanto Arkady s'aspettasse; e avevano un nonsoché di sottomarino, al pallore occhieggiante dei lampioni.

«Volevo solo che lei si rendesse conto di come stanno le cose, esattamente» disse Wesley alla fine. «Lei non si trova qui legalmente. E neanche *illegalmente*, perché in tal caso dovremmo ignorare la cosa. Lei non è qui affatto, ecco, e non ha alcun modo di provare il contrario. È pazzesco ma questa è la legge. Ed è quello che vogliono anche i suoi amici. Se lei ha delle lagnanze, vada a reclamare con il KGB.»

«Posso mettermi in contatto con loro?»

«Preferirei di no.»

L'auto si fermò all'incrocio fra la 29ª e la Madison, davanti a un albergo – Il Barcelona – con finti lampioni a gas ai lati dell'ingresso.

Wesley tirò fuori una chiave cui era attaccata una

piastrina con il nome dell'albergo e la tenne stretta per un momento porgendola ad Arkady. «C'è scritto il numero della stanza» disse. «Lei è un uomo fortunato.»

Arkady avvertì uno strano capogiro, quando scese dalla macchina. Wesley rimase a bordo.

L'atrio dell'albergo era coperto da una moquette marrone, aveva colonne di marmo rosato e lampadari di ottone con candele elettriche. Un uomo dagli occhi pesti si alzò da una poltrona e, col giornale che stringeva in mano, fece cenno a Wesley, là fuori, quindi gettò un'occhiata a Arkady e tornò a sedersi.

Arkady salì al quinto piano; sulla porta dell'ascensore era incisa una scritta augurale: FUCK YOU, vaffanculo.

La stanza 518 era in fondo al corridoio. Arkady v'infilò la chiave. Si aprì uno spiraglio, nella porta accanto. Arkady si volse di scatto, imprecando tra i denti. Lo spiraglio si richiuse. Lui girò la chiave, entrò.

Lei sedeva sul letto, vestita, ma scalza. Nella penombra non si distingueva se avesse abiti russi o americani.

«Sono stata io a farti venir qui» disse Irina. «Collaborai, all'inizio, perché mi dissero che, sennò, ti avrebbero ucciso. Poi mi son resa conto che, se fossi rimasto là, in Russia, saresti morto comunque. Allora ho preteso che ti facessero venire qui. Mi rifiutai di uscire da questa stanza, finché tu non fossi arrivato.»

Sollevò il viso. Aveva gli occhi pieni di lacrime. Questo è alla fin fine – pensò Arkady – tutto quello che abbiamo da offrirci a vicenda. Le sfiorò le labbra. Lei pronunciò il suo nome, dolcemente. Lo sguardo di Arkady si posò sul telefono, accanto al letto. Iamskoy ci ascolta – pensò irrazionalmente. Si corresse: Wesley. E strappò il filo dal muro.

«Tu non gliel'hai detto...» bisbigliò lei. «Non l'hai detto chi è stato a uccidere Iamskoy.»

Il viso le si era smagrito, e gli occhi sembravano più grandi. Forse era anche più bella.

«Ma come mai si sono messi in testa che tu fossi d'accordo con loro?» chiese Irina, dopo un po'.

Lì, i pavimenti erano più morbidi, i letti più duri. Lei si rovesciò su un fianco, trascinandolo con sé. «E così... sei qua» disse in un bisbiglio. Lo baciò.

«Siamo qua» disse Arkady. E sentiva una forza pazzesca crescere dentro di lui.

«Quasi liberi» sussurrò lei.

«Vivi» lui rise.

XXII

Wesley e altri tre agenti dell'FBI, l'indomani mattina, gli portarono la colazione in camera: caffè e frittelle.

«Mi risulta che i collegamenti con la Polizia di New York sono curati da un certo Tenente Kirwill» disse uno degli agenti – un piccoletto, azzimato, oriundo messicano – ch'era l'unico a non posare i piedi sul tavolo. «C'è qualche problema?»

«Nessun problema» rispose Wesley. «Si conoscono già.»

«Un pazzo, a quanto mi risulta» disse un secondo agente, George: quello dagli occhi cerchiati che Arkady aveva visto nell'atrio la sera prima. Lo chiamavano "il Greco", i colleghi. Si stuzzicava i denti con un fiammifero e guardava Irina con più insistenza degli altri.

Il più anziano degli agenti, Al – dal viso lentigginoso e l'aria da maestro di scuola – guardò Wesley interrogativamente.

Wesley disse: «Bisogna conoscere la storia del radicalismo socialista di New York come pure la tradizione degli irlandesi nelle file della Polizia. Oppure, non occorre capire niente» soggiunse (il suo eloquio era sempre a doppia faccia: limpidissimo e insieme ambiguo), «perché quello che conta è soltanto una cosa: Kirwill vuole riportare la Squadra Rossa in auge».

«Cos'è la Squadra Rossa?» domandò Arkady.

Ci fu un momento di disagio generale, finché Wesley disse, gentilmente: «Il Dipartimento di Polizia di New York ha un suo nucleo speciale chiamato comunemente Squadra Rossa. Ufficialmente gli cambiano nome ogni dieci anni o giù di lì, ma è sempre la stessa cosa. Radical Bureau, Public Relations, Public Security... ne ha avuto diversi, di nomi ufficiali. Attualmente è denominata SID: Security Investigation Division. Questo Kirwill dirige l'ufficio russo, nell'ambito della Squadra Rossa e il russo è lei!».

«E voi chi siete?» chiese Arkady agli agenti. «Per qual motivo ci avete portati in America? Quanto staremo qui?»

Al ruppe il silenzio cambiando argomento: «È scoppiata una grana, a un certo punto, riguardante il fratello, e Kirwill allora fu estromesso dalla SID. Ora il fratello è morto – è morto a Mosca – e Kirwill è tornato al suo posto».

«Kirwill cercherà di farsi bello a nostre spese, adesso» disse Wesley. «I nostri rapporti con la Polizia sono ottimi... ma non esiterebbero a pugnalarci alla schiena, se appena gliene dessimo occasione. Questo vale anche per noi nei confronti loro.»

«Dieci anni fa, la Squadra Rossa era il fior fiore della Polizia» disse Al, finendo di masticare una frittella. «Indagavano su tutti. Ricorda quando gli ebrei compivano attentati contro i sovietici? Fu la Squadra Rossa a fermarli. E quei portoricani che volevano far saltare in aria la Statua della Libertà? Fu la Squadra Rossa a beccarli.»

«Hanno avuto un bel po' di successi, in passato, questo è vero» convenne Wesley. «Quando Malcolm X fu assassinato, la Squadra era là. Una guardia del corpo di Malcolm era uno dei loro, un infiltrato.»

«E poi che cosa gli è andato storto?» domandò Ray.

«Il Watergate» disse Wesley.

«Fregati, anche loro» borbottò George.

Osservarono un minuto di silenzio.

Poi Al, il veterano, spiegò: «Durante l'inchiesta per lo scandalo del Watergate, risultò che l'assistente speciale di Nixon per la Sicurezza dello Stato – quello che ingaggiava gli uomini per i lavori sporchi – era un certo John Caulfield e questo Caulfield apparteneva alla Squadra Rossa. Nixon lo conosceva da prima di diventare Presidente. Poi, quando fu chiamato alla Casa Bianca, Caulfield si portò appresso un collega, dalla Squadra Rossa, un tizio che si chiamava Tony Ulasewicz».

«Ulasewicz... il ciccione che spiava Edmund Muskie?» domandò George.

«Proprio lui» disse Wesley.

«Insomma» disse Al «il Watergate segnò la fine dei giorni di gloria della Squadra Rossa. Il clima politico è cambiato, nel dopo-Nixon.»

«Tanto il clima politico ti frega sempre» disse George «in un modo o nell'altro.»

«E adesso cosa fa la Squadra Rossa?» chiese Ray.

«Danno la caccia agli stranieri clandestini» disse Wesley, e guardò Arkady. «Giamaicani, haitiani... di tutte le razze, come capita capita.»

«Haitiani e giamaicani? Che patetici!» disse il Greco.

«Se pensi cos'era, una volta, la Squadra Rossa!» disse Wesley, e sospirò. «Se pensi che avevano schedari con milioni di nomi... e la sede in Park Avenue... e che erano legati a doppio filo con la CIA!»

«La CIA?» domandò George. «Altroché s'è illegale, adesso.»

Nicky e Rurik, i due funzionari del Consolato sovietico, vollero incontrarsi con Arkady a tutti i costi. Erano diversi da qualsiasi agente del KGB che Arkady avesse mai visto: vestivano bene – anche meglio di quelli dell'FBI, – avevano maniere eccellenti, parlavano in modo corretto, erano estremamente disinvolti. Più americani degli americani. Solo una cospicua pancia (per le patate della gioventù) li tradiva.

Nicky offrì una sigaretta a Arkady, gliel'accese. «Parleremo in inglese, così sarà tutto chiaro. Questa è per così dire la Distensione all'opera. Si collabora, sovietici e americani, per consegnare alla giustizia un odioso assassino. La giustizia trionferà... col suo aiuto, Renko.»

«Perché avete messo di mezzo anche lei?» domandò Arkady in russo. Irina non era presente e non poteva sentirlo.

«Parli in inglese, per favore» disse Rurik, che era più alto del collega e aveva i capelli rossicci tagliati all'ultima moda occidentale. «La Asanova è stata portata qui su richiesta dei nostri amici del Bureau. Essi hanno molte perplessità. Lei deve capire: non sono poi tanto familiari, agli americani, le vicende del nostro Paese – là dove si tratta di comunisti corrotti e banditi siberiani. L'estradizione è una faccenda molto delicata.»

«Specialmente poi l'estradizione di un uomo ricco, potente e ammanigliato» disse Nicky, guardando Wesley. «Dico bene, Wes?»

«Credo che abbia tanti amici, qui, quanti ne aveva in Russia» disse Wesley, provocando una risata generale di russi e americani.

«Partiamo dal presupposto che lei sia felice e contento» disse Rurik, rivolto ad Arkady. «La trattano bene, qui, no? Ha una bella stanza, in un ottimo albergo, in un quartiere elegante. Dalla finestra della sua camera si vede la cima dell'Empire State Building. Quindi si suppone che lei possa far felice la ragazza. Più calma, più serena, più trattabile... no? Dovrebbe essere un lavoro piacevole.»

«Lei è molto fortunato, a aver avuto questa seconda opportunità» disse Nicky. «Al suo rientro in patria sarà ben accolto, riavrà la casa, il lavoro... magari anche un posto migliore di prima. Sì, molto fortunato.»

«E come me la devo meritare, questa fortuna?» domandò Arkady.

«Come ho detto, rendendo felice la ragazza» rispose Rurik.

«E smettendo di fare domande» disse Wesley.

«Sì, bando alle domande» confermò Rurik.

«Le ricordo» disse Nicky «che lei non è più un Investigatore-capo. È solo un criminale, un assassino, e, se è ancora vivo, è solo grazie al nostro favore. Non ricorda neanche che noi siamo i suoi unici amici.»

«Dov'è Kirwill?» chiese Arkady.

La conversazione fu interrotta dall'ingresso di Irina. Si era cambiata d'abito e indossava una gonna nera di gabardine e una camicetta di seta, aperta davanti. Portava una collana d'ambra, un fermaglio d'oro fra i capelli e un braccialetto pure d'oro. Per Arkady fu un duplice colpo: vederla vestita così e constatare che il lusso le si addiceva perfettamente. Il segno sullo zigomo era scomparso (quello screzio azzurrastro di dolore) grazie a un abile trucco. Era perfetta.

«Okay, andiamo» disse Wesley.

Tutti quanti si rimisero il cappotto e il cappello che avevano gettati sul letto. Al tirò fuori una pelliccia nera, dall'armadio, e aiutò Irina a indossarla. Era una pelliccia di zibellino.

«Non aver paura» sussurrò Irina a Arkady, mentre la conducevano via.

«Manderemo qualcuno a ripararlo» disse George, il Greco, indicando il telefono. «E abbia rispetto, per le proprietà dell'albergo.»

«La proprietà privata» disse Nicky, prendendo Wesley sottobraccio, «è ciò che più amo, in un Paese libero.»

Rimasto solo, Arkady ispezionò la stanza. Questa era come un sogno, in cui tutto fosse un tantino di traverso. I piedi affondavano nella moquette. Il letto aveva la testiera imbottita. Il tavolinetto di plastica cedeva sotto la pressione delle dita.

Di lì a poco tornò Ray Ruiz, l'oriundo messicano, a riparare il telefono. Arkady constatò che l'apparecchio poteva solo ricevere telefonate. Più tardi scoprì un'altra microspia nella stanza da bagno. Il televisore era fissato su una mensola. La porta della camera era chiusa a chiave dall'esterno.

La porta si spalancò e George, il Greco, entrò di spalle. Stava protestando contro qualcuno che lo spingeva: «Quest'uomo è sotto la protezione della Polizia Federale!».

«E io rappresento la Polizia di New York, sono ufficiale di collegamento e...» Kirwill si inquadrò sulla soglia. «E devo controllare che abbiate beccato il russo giusto.»

«Salve» disse Arkady senza scomporsi.

«Tenente, questa è un'operazione del Bureau» disse George.

«Qui siamo a New York, stronzo.» E lo spinse da parte.

Kirwill era vestito esattamente come l'ultima volta che Arkady l'aveva visto, a Mosca, davanti all'albergo Metropole. Stesso impermeabile, stesso cappello dalla tesa stretta, gettato all'indietro sulla fronte rugosa e sui capelli brizzolati; cravatta allentata; qualche frittella in più, addosso. E il viso rubizzo di alcol e eccitazione. Batté insieme le mani, soddisfatto. Volse in giro lo sguardo. In confronto a quelli dell'FBI, era un pezzente e un maleducato.

Rivolse ad Arkady un ghignetto maligno: «Figlio di puttana, è proprio lei».

«Sì.»

Era comica, l'espressione di Kirwill: un misto di apprensione e allegria. «Lo ammetta, Renko, lei ha incasinato tutto. Bastava che me lo dicesse, che era

Osborne. Me la sarei sbrigata io, con lui, a Mosca. Un incidente... e chi s'è visto s'è visto. Lui sarebbe morto, a quest'ora io sarei soddisfatto, nessuno saprebbe niente e lei sarebbe ancora Investigatore-capo.»

«Lo ammetto.»

George il Greco stava parlando al telefono – senza aver formato un numero.

Kirwill l'indicò col pollice. «Loro pensano che lei sia molto pericoloso. Ha ucciso il suo superiore. Accoltellato Unmann. Credono anche che abbia ucciso quel tipo del KGB, sul lago. Quindi la ritengono un maniaco omicida. Stia attento, ché certa gente ha il grilletto facile.»

«Ma io sono protetto dell'FBI...»

«È ben dai suoi protettori che deve guardarsi. È un po' come mettersi insieme a quelli del Rotary, solo che questi ammazzano.»

«Il Rotary?»

«Lasciamo stare.» Kirwill seguitava a muoversi, a guardarsi intorno. «Cristo, come l'hanno sistemata. Questo è un nido di troie. Quelle bruciacchiature di sigaretta, là, guardi, sul tappeto accanto al letto. E osservi la tappezzeria, a fiorami. Mi sa tanto che le stiano inviando un messaggio, caro Renko.»

Arkady disse, in russo: «Lei è ufficiale di collegamento fra le due Polizie. Ha ottenuto quel che voleva, no? Può controllare la situazione».

«Sono ufficiale di collegamento affinché loro possano tenermi d'occhio» disse Kirwill, in inglese. «A me il nome di Osborne lei non lo ha mai rivelato, però a tutti ha dato il mio nome. Mi ha fottuto.» Scandì bene le parole. «Lei mi fotte. La ragazza fotte lei. E la ragazza, chi crede che la fotta?»

«Cosa intende dire?»

«Mi ha un po' deluso» disse Kirwill. «Non lo credevo, che ci sarebbe stato. Neanche per venire qui in America.»

«Che ci sarei stato... a cosa? Questa estradizione...»

«Estradizione? È questo che le hanno dato a intendere?» E Kirwill scoppiò a sghignazzare.

In quella irruppero tre agenti dell'FBI (che Arkady non aveva mai visto prima) e, insieme a George, trascinarono via Kirwill. Questi era troppo divertito per poter opporre resistenza.

Arkady tentò di nuovo la porta. Era sempre chiusa a chiave. E, stavolta, dal corridoio, due voci gli dissero di lasciar perdere.

Si mise a camminare per la stanza, come se la dovesse misurare – ripetutamente. Dalla porta d'ingresso a quella del bagno, un passo e mezzo – due passi dal bagno al comodino – nove passi intorno al letto – dal letto alla finestra, quattro passi – tre passi era lunga la finestra – da qui al telefono, un passo e mezzo – un passo dal telefono al divano.

Nella stanza c'erano due sedie, il tavolinetto da tè, una poltrona, il televisore, un cestino per la carta straccia, un secchiello per il ghiaccio. Nel bagno c'erano la tazza, il lavandino, la vasca. Gli accessori erano rosa, la moquette verde-oliva, la carta da parati celestina con fiori violastri, il copriletto rosa, le tendine verdognole. Arkady non sapeva cosa aspettarsi da Kirwill. A Mosca erano arrivati a qualcosa di simile a un'umana comprensione, ma adesso – nemici come prima. Ma comunque Kirwill era reale, anche così, mentre Welsey non lo era. Arkady aveva la sensazione che, da un momento all'altro, le pareti crollassero come quinte di teatro. Era furioso con Kirwill e voleva che ritornasse.

Si rimise a camminare per la stanza, in preda a un nervosismo in continuo aumento. Aprì l'armadio. C'erano solo due vestiti appesi. Una camicetta che aveva l'odore di Irina. Se la premette contro il viso.

Il sole inondava la stanza d'un fulgore dorato. Dalla

finestra riusciva a vedere da Madison Avenue fino a un cartello che diceva: L'ORA FELICE. Dirimpetto, un negozio vendeva ombrellini cinesi di carta. Sopra il negozio, tredici piani di uffici. Sulla sinistra, il sagrato di una chiesa. Lungo la via svolazzavano foglie morte. Attraverso le finestre degli uffici si scorgevano dattilografe curve sulla tastiera e uomini attaccati ai telefoni. Negli uffici c'erano piante d'edera e quadri. Un carrello d'acciaio distribuiva caffè nelle stanze. Due negri imbiancavano un soffitto, proprio dirimpetto a Arkady. Qualcosa di simile a una radio portatile, delle dimensioni di una valigia, era situato sulla loro finestra.

Il fiato finì per appannargli il vetro. *Eccomi qua*.

Al venne a portargli dei panini. Accese il televisore. «Le piacciono i telequiz?»

«No.»

«Questo qui è una cannonata, però» disse Al.

Così Arkady lo stette a guardare. Trovò gli indovinelli d'una banalità sconcertante. Non c'era gioco, non c'era gara, non occorreva né abilità né nozionismo, e neppure fortuna. Sembrava che i concorrenti non dovessero far altro che indovinare il valore dei premi: frullatori, frigoriferi, vacanze in Messico.

«È un vero comunista, vero, lei?» domandò Al.

All'imbrunire Irina ritornò. Ridendo, gettò dei pacchetti sul letto. Le ansie di Arkady si dileguarono. Lei ridava vita a quella stanza. Con la sua presenza, sembrava perfino graziosa. Le parole più banali assumevano nuova importanza.

«Ho sentito la tua mancanza, Arkady.»

Aveva portato pacchi di spaghetti, vongole in scatola, barattoli di salsa. Cenarono, alla luce del tramonto, con forchette di plastica. Lui si rese conto che, per la prima volta in vita sua, abitava in un posto che non sapeva di minestra di cavoli.

Irina gli mostrò le cose che gli aveva comprato: camicie, calzini, mutande, cravatte, una giacca sportiva, due paia di pantaloni, un cappotto, un cappello, un pigiama. Insieme esaminarono le cuciture, le fodere, le etichette francesi. Irina si raccolse i capelli in uno chignon e, con espressione molto seria, indossò per lui tutti i vestiti.

«E io dovrei essere questo?» domandò Arkady.

«No, no. Un Arkady americano» replicò lei assumendo un atteggiamento sbarazzino, col cappello abbassato su un occhio.

Mentre lei indossava il pigiama, Arkady spense le luci. «Ti amo» le disse.

«Saremo felici.»

Le sbottonò la giacca del pigiama, le baciò i seni, il collo, la bocca. Lei si sfilò i calzoni. Lui la penetrò all'impiedi, come la prima volta. Come allora ma più lentamente, più a fondo, con più dolcezza.

A letto, lui pian piano riprese possesso del corpo di Irina. Tornò a impararlo, come una poesia mandata a memoria e poi dimenticata. In confronto a tutte le donne che aveva viste, Irina era più bella, più slanciata, più sensuale. Non era più così penosamente magra come a Mosca; le sue unghie erano più lunghe e laccate. Eppure dalla tenera curva delle labbra all'incavo del collo, ai capezzoli scuri e tesi, dal ventre liscio e piatto fino all'umida peluria del pube il suo odore era sempre lo stesso. I suoi baci erano gli stessi e le stesse erano le tempie imperlate di sudore.

«Nella cella immaginavo le tue mani» disse lei, e gliene prese una, se la condusse nella parte più intima di sé. «Ne sentivo le carezze, e questo mi faceva sentire viva. Mi sembrava che tu fossi presente, ma invisibile. M'accarezzavi e io t'amavo tanto perché tu mi facevi sentire viva... Sai, da principio mi dissero che tu avevi raccontato tutto. Ha compiuto il suo dovere di Investigatore, mi dicevano. Senonché, più pensavo a te, più mi persuadevo che non potevi aver detto tutto. Mi chiedevano se tu fossi pazzo. No, è l'uomo più sano che conosca – rispondevo io. Mi chiedevano se eri un criminale. No – dicevo – è l'uomo più onesto che c'è. Credo che, alla fine, ti odiassero più di quanto non odiassero me. E io... io ti amavo sempre più.»

«Un criminale... sì.» Arkady si allungò su di lei. «Là ero un criminale e qui sono un prigioniero.»

«Piano piano...» Lo aiutò.

Lei aveva portato anche una radiolina a transistor, che ora riempiva la stanza di musica a percussione. Scatole e indumenti erano sparsi dappertutto, in terra. Sul tavolo, gli avanzi della cena.

«Ti prego non chiedermi da quanto sono qui, non chiedermi che cosa, esattamente, sta succedendo» disse Irina. «Tutto avviene a livelli diversi... su un piano assolutamente insolito per noi. No, non chiedermi niente, ti prego. Nessuna domanda. Siamo qui... Siamo qui e solo questo è ciò che conta. L'ho sempre sognata, l'America. Adesso ci sono. E tu sei qui con me. E io ti amo, Arkady. Ti amo tanto. Ma non mi devi domandare niente.»

«Ci rimanderanno in Russia. Fra un paio di giorni, mi dicono.»

Si strinse a lui, lo baciò e, ferocemente, gli sussurrò all'orecchio: «Fra un paio di giorni sarà tutto finito ma... sta' tranquillo... non ci rimanderanno in Russia. Mai!».

Gli accarezzò la faccia, lievemente, con la punta delle dita. «Già ti vedo... abbronzato, con le basette lunghe, vestito da cowboy, col cappellaccio. Viaggeremo, andremo in giro dappertutto. Qui hanno tutti la macchina.»

«Mi ci vuole un cavallo, se sono un cowboy.»

«Sì, certo. Vedrai...»

«Voglio andare nel Far West. E cavalcare nelle praterie. Voglio fare il bandito, come Kostia Borodin. Imparare tante cose dagli indiani.»

«Sì, certo. O sennò, possiamo andare in California. Andiamo a Hollywood. Ci prendiamo un bungalow vicino al mare, con un bel giardino: intorno palme, aranci. Non la voglio più vedere, la neve, per tutta la vita. Voglio vivere in costume da bagno.»

«O senza niente indosso...» Le posò la testa in grembo, carezzandole le gambe. Lei gli passava le dita fra i capelli.

Dovevano parlare in quel modo fantasioso e infantile, per via delle microspie. Non poteva certo chiederle – come avrebbe dovuto – perché fosse tanto sicura che non li avrebbero mai rispediti in Russia. Avrebbe voluto farle tante domande... da quanto tempo era lì... cosa faceva per loro... ma lei stessa l'aveva pregato, accoratamente, di non chiederle nulla. Non restava quindi che abbandonarsi a quelle fantasie sull'America.

«Noi due sulla veranda del nostro bungalow, io vestito da cowboy, e il cavallo in giardino, fra gli aranci.»

Lei gli passò le dita, dolcemente, sull'orrenda cicatrice ch'egli aveva sullo stomaco.

«In realtà» disse Irina più tardi accendendosi una sigaretta «non fu Osborne a tentare di farmi uccidere, a Mosca.»

«Cosa?»

«No, furono Iamskoy e Unmann. D'accordo fra loro. all'insaputa di Osborne.»

«Ma che dici! Osborne tentò di ucciderti due volte. Lo sai bene. Come puoi...» D'un tratto Arkady era furioso. «Chi te l'ha detto, che Osborne non c'entrava?»

«Wesley.»

«Wesley è un bugiardo.» Lo disse in russo e ripeté in inglese, a gran voce: «*Wesley is a liar!*».

«Sss! è tardi.» Irina gli portò un dito alle labbra. Quindi cambiò argomento. Era tranquilla e, nonostante quello scatto di lui, soddisfatta di sé.

Arkady invece era infastidito. «Perché ti sei coperta quello sfregio sullo zigomo?» le chiese.

«Così. Perché no? Ci sono cosmetici, qui.»

«Anche in Russia ci sono cosmetici, ma tu, là, non te lo coprivi mai.»

«Non faceva nessuna differenza, là da noi» disse Irina, stringendosi nelle spalle.

«E qui invece è diverso?»

«Mi pare ovvio!» Adesso era arrabbiata anche lei. «È uno sfregio sovietico. Non ci tenevo a nasconderlo con un trucco sovietico. Con un trucco americano, invece sì, mi sta bene. Voglio sbarazzarmi di tutto quello che è sovietico. Se potessi farmi operare il cervello, e togliere via tutto quello che c'è di sovietico... ogni ricordo... ebbene, lo farei.»

«Allora perché hai voluto che ti raggiungessi qui?»

«Perché ti amo, e tu mi ami. E...» Tremava tanto che non poté proseguire.

Lui la strinse fra le braccia, per calmarla, in silenzio. La coprì, come se avesse freddo. Non avrei dovuto farla arrabbiare, si disse. Qualunque cosa faccia, lo fa per noi due. Mi ha salvato la vita e mi ha fatto venir qui, in America... A quale prezzo? Non lo so, e non ho alcun diritto di stare tanto a discutere. Non sono più un investigatore – si disse – bensì un criminale. Tutt'e due, criminali! E ci teniamo in vita a vicenda. Siamo l'unico sostegno l'uno dell'altro.

Raccattò la sigaretta che le era caduta in terra e aveva fatto un nuovo buco sulla moquette. Gliela portò alle labbra, per farle dare qualche altra boccata. Potevano godersi, ora, il buon tabacco della Virginia...

Tuttavia non poté far a meno – con la crudeltà di chi ama – di tornar a stuzzicare la ferita segreta, quello sfregio nascosto di lei. Disse, di nuovo cupo: «Ma non venirmi a dire che Osborne non tentò di farti uccidere».

«Le cose» lei disse, stremata, «sono molto diverse, qui, ecco tutto.» Si rimise a tremare. «Non ti posso dire niente. Ti prego! Ti prego, non farmi nessuna domanda.»

Seduti sul letto, guardavano la televisione. Sullo schermo, un tipo dall'aspetto professorale stava leggendo un libro su una sdraio, accanto a una piscina. Dai cespugli sbucò un giovane, con una pistola a spruzzo.

«Mio dio! mi hai spaventato!» esclamò quello che leggeva, e sobbalzò, tanto che il libro gli cadde nell'acqua. L'indicò e disse: «Sono già abbastanza nervoso, e tu vieni a farmi certi scherzi cretini! Meno male che era un tascabile».

Arkady rise. «Ma è Chekhov! È la stessa scena che stavano girando alla Mosfilm quando ti vidi per la prima volta.»

«No.»

Appresso al giovane con la pistola a schizzo sopraggiunsero alcune ragazze in costume da bagno, un uomo che trascinava un paracadute, un'orchestrina.

«No, non è Chekhov» convenne Arkady.

«Che bello!» lei disse.

Lui pensò che scherzasse, invece poi s'accorse che era presa, affascinata. Non già dalla vicenda – arguì – ma da quello che vedeva sullo schermo: la piscina, la villa, il giardino. In fondo, erano quelle le cose importanti; non la storia. Il riverbero riempiva la stanza, col suo magico azzurro elettrico. Ecco una donna che singhiozza... ma Irina guarda com'è vestita, osserva l'anello che ha al dito, ammira i mobili che la circondano, la vista che si gode dalla veranda, sul Pacifico...

Poi lei si volse e lesse lo sgomento sul viso di Arkady. «Lo so che pensi che non è reale. Però ti sbagli, Arkady. Qui è davvero la realtà.»

«No, Irina, non lo è.»

«Invece sì. E le voglio, queste cose.»

Arkady si raddolcì. Le avrai, disse fra sé. Tornò a posare la testa sul suo grembo e chiuse gli occhi, mentre la televisione seguitava il suo brusio...

Irina aveva addosso un nuovo profumo. In Russia non c'era tanta scelta e, in genere, erano profumi grossolani. Quello che usava Zoya si chiamava Notti di Mosca. Niente di raffinato, naturalmente. Prima, quello stesso profumo si chiamava "Svetlana", come la figlia di Stalin. Finché non scappò in Occidente. Ora Notti di Mosca era un profumo riabilitato.

«Mi puoi perdonare, Arkady, se le desidero?»

Avvertì l'ansietà nella voce di lei. «Le desidero anch'io, per te.»

Più tardi, Irina spense la televisione e Arkady andò ad aprire la finestra. L'edificio dirimpetto era una grata di finestre vuote e buie.

Rise fra sé pensando ai sogni della sua ragazza, e accese la radiolina. Esplose una samba. L'invitò a ballare, e lei ritrovò a poco a poco il suo coraggio. Le loro ombre si agitavano, alle pareti. Lui la sollevò e la fece volteggiare, forte forte, come una bambina. Gli occhi le si riempirono di gioia. Anche l'occhio cieco, benché privo di vista, rispecchiava la sua anima. Ma lo sfregio era solo intonacato di belletto.

Lei gli stava sopra, e i suoi lunghi capelli li coprivano entrambi come una tenda. Poi si ribaltarono e lei, sotto di lui, era adesso una barca che li portava via, lontano...

«Siamo naufraghi... reietti...» disse Arkady. «Nessuna terra ci darà asilo.»

«Siamo noi la nostra terra» disse Irina.

«Con le nostre foreste e i nostri riti e la musica primitiva ma...» (alludendo ai microfoni nascosti) «... la giungla è piena di spie.»

XXIII

Un ragno si stava calando giù dal soffitto, appeso al suo filo.

Irina era uscita, di buon'ora, assieme a Wesley e a Nicky.

Quando entrò in un raggio di sole, il ragno da bruno divenne biancastro.

Wesley gli aveva detto: «Come fate voi russi a fumare a digiuno?».

Oscillando a mezz'aria, il ragnetto raggiunse la sua ragnatela, in un angolo in alto, vicino alla finestra. Arkady non l'aveva notata finora, ma il sole – obliquo – adesso ricavava un lucchichio da quella tenue magistrale insidia.

Prima di uscire Irina gli aveva ripetuto, in russo: «Ti amo».

Il ragnetto si stava dando da fare, a riparare alcuni piccoli guasti nella sua tela: nessuno gli dà fiducia, ma sono dei perfezionisti.

Al che Arkady aveva risposto: «Anch'io».

Che differenza c'è fra un ragno russo e un ragno americano?

«Andiamo, andiamo» aveva detto Nicky, dalla soglia, per metterle fretta. «Oggi è una giornata campale per voi!»

Le insidie che tessono sono le stesse. E Arkady provò un moto di paura.

Si affacciò alla finestra. Un viavai di persone ben vestite. Era gente che andava al lavoro, incalzata dal tempo.

Da quanto tempo, Irina, si trova qui a New York? tornò a chiedersi Arkady, per l'ennesima volta. Perché mai così pochi vestiti nell'armadio?

A quest'ora, a Mosca, starà nevicando. Se avessero un sole così sarebbero tutti in riva al fiume, i moscoviti, a torso nudo, a crogiolarsi come trichechi.

Gli imbianchini negri erano di nuovo al lavoro, nella casa dirimpetto.

Arkady accese il televisore, per non farsi sentire dall'esterno mentre, con una forcina, stuzzicava la serratura della porta. Niente da fare.

Tornò alla finestra. Nel giardino della chiesa, tre vecchi, seduti su una panchina, si passavano una bottiglia, dando a turno lunghi sorsi, lentamente.

Alla televisione, fra uno slogan pubblicitario e l'altro – perlopiù detersivi e deodoranti – qualche rapida intervista, qualche sketch.

A una cert'ora venne Al, a portargli un caffè e due panini. Arkady gli chiese quale fosse il suo scrittore americano preferito: Jack London? Mark Twain? John Steinbeck? John Reed? Nathaniel Hawthorne? Ray Bradbury? Eran gli unici che lui conosceva. Al, neanche quelli. Si strinse nelle spalle e se n'andò.

All'ora di pranzo, gli uffici dirimpetto si svuotarono. Alcuni mangiavano seduti sulle panchine del viale, al sole, pescando in sacchetti di carta. Poi quei sacchettini vuoti volavano alti, fin al terzo o al quarto piano. Arkady si sporse dal davanzale. L'aria fredda sapeva di fumo, di frittura e di monossido di carbonio.

Nel pomeriggio, vide la stessa donna entrare e uscire dall'albergo con tre uomini diversi.

Le auto erano enormi, molto spesso ammaccate, dai colori ridicoli: come se fosse stato consentito di dipingerle a un bambino.

I tre ubriaconi erano sempre là, nel giardinetto. A Mosca sarebbero dei "parassiti"...

London scrive di cercatori d'oro, Twain tocca il tema della schiavitù, Steinbeck quello delle lotte operaie, Hawthorne parla di isterismo religioso, Bradbury di colonialismo interplanetario, John Reed della Russia sovietica. È tutto quel che so, pensò Arkady.

Questa gente di qui, non solo hanno soldi, ma anche cose da comprare con i soldi.

Fece la doccia, si mise il vestito nuovo. Gli andava a pennello. Ma, ahimè, le vecchie scarpe divennero bruttissime. Gli venne in mente che Nicky e Rurik avevano dei Rolex.

Dentro l'armadio c'era una Bibbia. Assai più sorprendente, c'era anche l'elenco del telefono. Arkady strappò, dalle Pagine Gialle, quelle in cui erano elencate organizzazioni ebraiche e ukraine: ripiegate, se le nascose dentro i calzini.

Poliziotti negri in divisa kaki dirigevano il traffico. Poliziotti bianchi in divisa nera portavano pistole alla cintura.

Irina aveva dato aiuto e ricetto ai criminali Kostia Borodin e Valerya Davidova. Era implicata in gravi reati contro lo Stato: contrabbando, sabotaggio industriale. Lo sapeva, lei, che Iamskoy, il Procuratore di Mosca, era del KGB. Cosa poteva attenderla, in Unione Sovietica?

I taxi erano gialli. Gli uccelli grigi.

Venne Rurik e gli portò in regalo bottigliette mignon di vodka. «Abbiamo una nuova teoria» prese a dire. «Ma prima di esporgliela» (e alzò le mani) «tengo a farle sapere che non sono una persona insensibile. Ukraino, come lei. E romantico, anche. Le confesso un'altra cosa. Questi miei capelli rossi... sono ebraici. Mi vengono da parte di mia nonna – un'ebrea convertita. Quindi, posso identificarmi con ogni sorta di persone. Premesso questo, le dirò che, adesso, in certi ambienti, si ritiene che l'affare degli zibellini faccia parte di una grossa congiura sionista.»

«Osborne non è ebreo...»

«Ma Valerya Davidova era figlia di un rabbino» disse Kirwill. «James Kirwill era legato a terroristi ebrei che compirono attentati antisovietici qui a New York. L'industria delle pelli, negli Stati Uniti, è in mano agli ebrei. E a chi giova soprattutto il colpo degli zibellini? Ai sionisti. Il conto torna.»

«Io non sono ebreo. Irina non è ebrea.»

«Ci pensi su, un momentino» disse Rurik.

Le bottigliette se le fregò Al.

«Non sono del KGB» gli disse Arkady.

Quello si mostrò imbarazzato. «Forse lo è, forse non lo è.»

«Non lo sono.»

«Che differenza fa?»

Scese il crepuscolo, e Irina non tornava ancora. Nella vicina chiesa si stava celebrando una funzione vespertina. Nell'albergo, era un viavai di prostitute.

Le tenebre infittirono, interrotte da fiochi lampioni. Per la strada alberata, i rari passanti sembravano animali notturni. Una sirena lacerò il silenzio...

Perché Kirwill si era messo a sghignazzare?

La chiave girò nella serratura, la porta si aprì ed entrò un tale che Arkady, lì per lì, pensò fosse un agente. L'uomo indossava una divisa nera, con kepì. Gli disse, gentilmente, di seguirlo e Arkady obbedì subito, provando un senso di sollievo a lasciare quella stanza-prigione.

Scesero in ascensore, attraversarono l'atrio, fecero un tratto di strada a piedi e, sulla Quinta, raggiunsero una limousine blu. Solo quando fu a bordo Arkady si rese conto che l'uomo che era venuto a prelevarlo era semplicemente un autista. L'interno dell'auto era di velluto grigio-perla, e un cristallo separava i due scompartimenti.

Percorsero l'Avenue of the Americas – deserta a quell'ora ma con tutte le vetrine illuminate – poi la Settima, finché svoltarono per una traversa. La limousine si fermò in un piazzale di carico. L'autista scese e andò ad aprire la portiera ad Arkady. Questi lo seguì. Salirono in ascensore al quarto piano. Qui percorsero un corridoio ben illuminato, tenuto d'occhio da telecamere a circuito chiuso. L'autista era un uomo massiccio che si muoveva come se l'uniforme gli andasse stretta.

Aprì una porta in fondo al corridoio e si fece in disparte: «Vada solo».

Arkady entrò in uno stanzone in penombra. C'erano banconi da lavoro allineati su varie file e, appesi a tanti stenditoi, pellami e pellicce di vario tipo e formato: visoni, zibellini, linci, leopardi... Altre pelli erano accatastate. C'era un acre odore di tannino. Ogni bancone era sormontato da una lampada al fluoro. Una di queste lampade si accese, al centro del laboratorio.

John Osborne gli rivolse un breve cenno di saluto. Spostò una pelle ch'era sul bancone. Come se riprendesse un discorso interrotto disse: «Ora perfino i nordcoreani si sono messi a vendere pellicce. Pelli di gatto, pelli di cane. È incredibile, quello che la gente è capace di comprare!».

Arkady avanzò di qualche passo.

Osborne disse: «Questa pelle qui, vede, vale circa mille dollari. Zibellino *barguzin* – come avrà indovinato. A quest'ora lei sarà un esperto, in zibellini. Venga più vicino...».

Arkady fece ancora tre passi.

«Basta così» disse Osborne, puntandogli contro una rivoltella.

Arkady s'arrestò.

Osborne accarezzò la pelle. «Per fare una pelliccia ce ne vogliono un sei, di queste pelli. Alla fine verrà a costare sui 150 mila dollari. Che differenza c'è, realmente, fra questa e una pelle di gatto o di cane?»

«Lei lo sa meglio di me» disse Arkady.

«E allora, mi prenda in parola. Questo complesso di edifici è il più grande mercato di pellicce del mondo. La differenza che corre fra questa» (indicò la pelle di zibellino) «e una pelle di gatto è la stessa che corre fra Irina e una donna qualsiasi, o fra lei e un russo qualsiasi.»

Inclinò la lampada al fluoro e Arkady dovette chiudere gli occhi per non restare abbagliato.

Osborne disse: «La trovo bene, Investigatore. Un buon vestito poi le dona molto. Sono sinceramente contento di vederla vivo».

«È sinceramente stupito di vedermi vivo.»

«Anche – lo ammetto.» Osborne lasciò ricadere la lampada. «Una volta lei mi disse che avrebbe potuto andarsi a nascondere sottoterra e io l'avrei, comunque, scovata. Non le credevo allora; ora le credo.»

Arkady l'osservò in silenzio. Aveva quasi dimenticato la levigatezza di quella pelle bruna, l'eleganza dell'uomo, i capelli d'argento, le pagliuzze d'ambra negli occhi, il sorriso smagliante. Disse: «Lei è un assassino. Perché hanno combinato questo incontro, i poliziotti americani?».

Osborne depose la pistola per accendersi una sigaretta. «Anche i russi combinarono un incontro fra noi.»

«Appunto... perché mai?»

«Apra gli occhi» disse Osborne. «Cosa vede?»

«Pellicce.»

«Pellicce pregiate. Visoni azzurri, visoni bianchi, volpi argentate, volpi rosse, ermellini, linci, karakul... e zibellini *barguzin*. Solo in questa stanza, pellicce per un valore di due milioni di dollari. E ce ne sono altre cinquanta, in questo complesso di edifici.»

«Una ricchezza per cui si può uccidere a man bassa?»

«Vede, io non avrei voluto ucciderli, quei tre. Kostia, Valerya e il giovane Kirwill. Si erano dati tanto da fare per me. Sarei stato felicissimo, quindi, se avessero continuato a vivere, tranquilli, da qualche parte. Ma... cos'avrebbero fatto? Il giovane Kirwill avrebbe finito per spifferare tutto, allo scopo di farsi pubblicità. Sognava il trionfo, l'apoteosi. Era un fanatico e sperava che la celebrità, acquisita mediante l'Impresa degli Zibellini Siberiani, facesse di lui, che ne so, un capo carismatico, alla testa di una setta religiosa. Potevo correre, io, questo rischio? Io, che avevo lavorato per anni, al fine di spezzare quello ch'era il più antico monopolio del mondo? No, non potevo rischiare. Povero Kirwill! Le confesso però che non mi dispiacque far fuori il Siberiano. Un tipo antipatico, quel Kostia. Mi avrebbe ricattato, qui in America, estorto denaro. Invece per Valerya mi dispiace.»

«Esitò?»

«Sì. Esitai prima di ucciderla. Lei ha indovinato. Però dovevo uccidere anche lei, purtroppo. Bene...» Sembrava compiaciuto di se stesso. «Questa confessione mi ha messo appetito. Vogliamo andare a mangiare qualcosa?»

Scesero in ascensore. La limousine li attendeva, nel piazzale di carico.

Imboccarono l'Avenue of the Americas. Arkady notò che la vita, a New York, ferveva assai più che non a Mosca, a quell'ora di notte. La 48ª, tutta uffici, gli ricordò la Kalinin Prospekt.

Entrarono in un ristorante sulla 56ª. Il capocameriere salutò Osborne per nome e li accompagnò in un separé. C'erano fiori su ogni tavolo, quadri d'impressionisti francesi alle pareti, lampadari di cristallo. Gli avventori erano perlopiù signori anziani in doppiopetto e giovani donne molto truccate.

«Qualcosa da bere?»

Arkady declinò l'offerta.

Osborne ordinò per sé Corton-Charlemagne '76.

«Ha fame?»

Arkady, mentendo, rispose di no.

Osborne ordinò per sé filetto alla griglia con salsa di aneto e patate fritte.

L'argenteria era abbacinante, sulla tavola. Arkady pensò: dovrei conficcargli un coltello nel cuore.

«Di esuli russi qui a New York ne arrivano tanti» disse Osborne. «Chiedono di emigrare in Israele; poi, a Roma, svoltano a destra e vengono da noi. Io ne aiuto alcuni, specie quelli che s'intendono di pellicce. Ma per tanti non posso far nulla. È sicuro che non ne vuole?»

Arkady guardò il vino – aveva un bel colore dorato – e scosse il capo.

«Comunque» proseguì Osborne «di esuli russi ce ne sono anche troppi. E triste è la sorte di molti di loro. Candidati all'Accademia delle Scienze che qui fanno i bidelli o che si litigano, con le unghie e coi denti, per qualche lavoretto di traduzione. Abitano alla periferia, in piccole squallide case. Oh, sì, fanno del loro meglio. Ma mica tutti posson essere Solzhenitsyn. Io, per me, posso dire di aver fatto qualcosa in favore della cultura russa, nel nostro Paese. Ho patrocinato molti scambi culturali, promosso spettacoli di prosa e di danza...»

«... denunciato ballerini e attori al KGB...»

«Se non li avessi denunciati io, li avrebbero denunciati i loro stessi colleghi. Ecco cos'ha di affascinante l'Unione Sovietica: delatori si nasce, si comincia all'asilo infantile a far la spia. Tutti hanno le mani sporche. E chiamano la cosa "vigilanza proletaria". Comunque, questo era il prezzo: se volevo promuovere scambi culturali, il Ministero della Cultura chiedeva in cambio che denunciassi quegli artisti che intendevano "scegliere la libertà". Ma, in genere, cercavo di togliere di torno i cattivi ballerini. Ho gusti difficili, io. Credo, tutto sommato, di avere sortito un benefico effetto sul Balletto sovietico.»

«Lei non ha le mani sporche. Le ha lorde di sangue.»

«La prego! Siamo a tavola.»

«Mi dica allora come mai la Polizia Federale americana la lascia libero di muoversi come le pare... lei, un assassino... un informatore del KGB...»

«Rispetto molto la sua intelligenza, Investigatore. Quindi ci pensi su un attimo.»

Osborne attese che Arkady ci arrivasse. Passò, cigolando appena, il carrello dei dolci. Il brusio della sala era discreto, come pure il tintinnio delle stoviglie.

Arkady allora capì, dapprima vagamente poi d'un tratto con chiarezza, e restò sbigottito – di fronte alla logica e alla simmetria della rivelazione – come resterebbe un cervo che vedesse una tigre, dalla penombra delle fronde, balzare in pieno sole. Quel po' di speranza che aveva nutrito finora lo lasciò.

«Lei è un informatore dell'FBI, oltre che del KGB» disse, con la gola secca.

«Lo sapevo che ci sarebbe arrivato.» Osborne sorrise affettuosamente. «Sarei un bell'idiota, se facessi l'informatore del KGB, senza informare anche l'FBI. Non sia deluso, la prego. Non è detto, con questo, che l'America sia tanto malvagia quanto la Russia. Ma è così, semplicemente, che il Bureau opera. Di solito, anzi, si serve di criminali. Ma io non mi immischio con la malavita... quasi mai. Mi sono sempre limitato a riferire dei pettegolezzi. Lo sapevo che sarebbero stati apprezzati dal Bureau, perché gli stessi pettegolezzi erano tanto graditi a Mosca. Anzi, il Bureau ne aveva una voglia ancor più spasmodica. Hoover non sapeva più a che santo votarsi, per sorvegliare i russi, negli ultimi dieci anni della sua vita. Il KGB aveva una sua spia proprio al Casellario Centrale dell'FBI, ma Hoover non osava fare un repulisti, in quel reparto, perché aveva paura che la cosa si venisse a sapere. Io mi impegnai a collaborare soltanto con l'ufficio newyorkese dell'FBI. Come per ogni azienda nazionale, gli uomini migliori sono tutti a New York. E questi signori sono tanto borghesi da far tenerezza; e quanto gli piace, frequentarmi! Perché no? Io non ero mica un killer della mafia, non chiedevo neanche soldi. Anzi, sapevano di potersi rivolgere a me, per un aiuto, quando avevano difficoltà finanziarie. Eppoi gli vendevo pellicce a prezzi di favore, per le mogli.»

Arkady rammentò il cappotto di lince di Iamskoy e il colbacco di zibellino che Osborne gli aveva offerto.

«Io sono un patriota, non meno di chiunque altro» disse Osborne. «Anzi, più patriota di tanti. Per esempio» soggiunse, accennando verso il tavolo accanto, «miglior patriota di quel signor là, che ha impiantato una finta distilleria in Giappone, allo scopo di convogliare cereali in Russia aggirando così l'embargo.»

Fu servito a Osborne il filetto alla griglia con contorno di patate fritte. Arkady inghiottì saliva. Stava morendo di fame.

«Sul serio non vuole assaggiare?» chiese Osborne. «È un piatto squisito. Gradisce almeno del vino? No? Proprio no? Curioso» continuò a dire, mentre mangiava con gusto, «una volta, gli esuli russi, appena arrivati da noi, aprivano un ristorante. Servivano delle specialità favolose: manzo alla Stroganov, pollo alla Kiev, paskha, blinì e caviale, storione in gelatina... Questo accadeva cinquant'anni fa, però. I nuovi esuli non sanno cucinare affatto. Neanche sanno cosa vuol dire mangiar bene. Il comunismo ha spazzato via la cucina russa. È un altro dei suoi grandi delitti.»

Quindi Osborne si fece portare una fetta di torta e il caffè.

«Un po' di dolce, almeno? Il suo principale buonanima, Andrei Iamskoy, si sarebbe divorato l'intero carrello.»

«Era un uomo molto avido, lui» disse Arkady.

«Esatto. Tutta opera sua, sa. Tutta opera di Iamskoy. Della sua avidità. Io, da anni, gli passavo tangen-

428

ti in cambio di favori, indiscrezioni... fin dai tempi dell'Urtu. A un certo punto lui, sapendo che non avrei più rimesso piede in Russia, volle fare un colpo gobbo... salassarmi ben bene. Ecco perché combinò quell'incontro fra noi due ai bagni turchi. E poi, ogni qual volta io potevo pensare di averla seminata, lui la rimetteva sulla mia pista. Non che lei avesse bisogno di esser spronato, questo no. Iamskoy infatti diceva che lei era il più accanito dei segugi... e aveva ragione. Un uomo brillante, il nostro Iamskoy, ma... come lei giustamente diceva... troppo avido.

Uscirono dal ristorante e s'incamminarono lungo la 56ª. La limousine di Osborne li seguiva, proprio come un'altra auto li aveva seguiti sul lungofiume, a Mosca. A piedi raggiunsero l'ingresso di un parco, ai cui lati si impennavano due cavalli di pietra. Central Park, disse Arkady fra sé.

Varcarono il cancello. La limousine li seguì. Radi fiocchi di neve turbinavano nell'alone dei fari. Vorranno mica ammazzarmi, nel parco? si chiese Arkady. No, sarebbe stato più facile nel laboratorio di Osborne. Passò una carrozza dipinta a vivaci colori, come uscita dal tempo passato, e scomparve di buon trotto in fondo al viale. Gli alberi erano spogli, lì intorno, la terra nuda e grigia. Arkady fumava per attutire i morsi della fame.

«Che gran brutto vizio» disse Osborne, accendendosi a sua volta una sigaretta. «Ci porterà alla tomba. Lo sa per quale motivo la odiava a morte?»

«Chi?»

«Iamskoy.»

«Il Procuratore? E perché mi avrebbe odiato?»

«Per quella faccenda che gli valse la foto sulla "Pravda".»

«Il caso Viskov» disse Arkady.

«Appunto. Quel processo d'appello, che vinse brillantemente davanti alla Corte Suprema, fu in realtà la sua rovina. Il KGB non poteva certo gradire che uno dei suoi grossi calibri, infiltrato nella Magistratura, si mettesse a raddrizzare ingiustizie e a proclamare pubblicamente i diritti dei condannati. Dopotutto, il KGB non differisce da alcun altro apparato burocratico, per quanto riguarda le lotte intestine. E un uomo potente ha sempre nemici potenti. Lei fornì, ai nemici di Iamskoy, proprio l'arma che gli serviva. Lei costrinse il Procuratore a farsi paladino della giustizia. Gli avversari l'accusarono di vilipendio della stessa e di sfrenato culto della propria personalità. Dissero anche che era malato di mente. Si stava preparando addirittura una campagna; insomma, lo aveva messo nei guai, obbligandolo a difendere e far assolvere quel... quel Viskov.»

Ecco qua – pensò Arkady – un ex Investigatore apprende, passeggiando per Central Park, certi retroscena moscoviti e viene a sapere perché il suo capo, il Procuratore, l'odiava a morte. Ricordò quell'incontro ai bagni turchi, con Iamskoy e l'alto Magistrato e l'Accademico, allorché si era parlato dell'imminente campagna contro il vronskismo. Si intendeva colpire Iamskoy, dunque, non lui!

Udirono della musica rock e, in lontananza, intravidero fra i rami una pista di pattinaggio.

«Lo dovrebbe vedere con la neve, questo parco» disse Osborne.

«Sta nevicando ora.» A falde rare, come di malavoglia.

«Io amo molto la neve» gli confidò Osborne. «E le dirò anche perché.» Fece una pausa, poi: «Non l'ho mai raccontato a nessuno. L'amo molto perché nasconde i morti».

«Allude a Gorky Park?»

«Oh, no. Alludo a Leningrado.» Procedette per alcuni passi in silenzio, chiamando a raccolta i ricordi. «Ero un giovane idealista, quando andai per la prima volta in Unione Sovietica. Sì, come il giovane Kirwill, e forse anche peggio. Nessuno sgobbò più di me per far funzionare il *Lend Lease* e far filare tutto liscio nei rapporti fra i nostri Paesi, accomunati dalla guerra contro i tedeschi. Io ero l'inviato speciale dell'America e ci tenevo a far bella figura. Si dormiva quattro ore per notte, si tirava la cinghia per mesi. Mi cambiavo vestito e mi radevo solo quando dovevo andare a Mosca, al Cremlino, per pregare qualche alto burocrate, là, vicino a Stalin, di lasciarmi caricare più cibi e più medicine, sui camion che tentavamo di far arrivare a Leningrado assediata. Oh, sì, naturalmente, l'assedio di Leningrado fu una delle grandi svolte della Storia, senza dubbio. L'esercito di un assassino di massa respinge l'esercito di un altro assassino di massa. Il mio compito – il ruolo dell'America – era quello di farla durare più a lungo possibile, la carneficina. Seicentomila abitanti di Leningrado morirono, ma la città non cadde. Si combatteva casa per casa. La mattina perdevi una piazza, la sera la riconquistavi. O sennò la riconquistavi di lì a qualche mese e ci trovavi, intatti, i morti dell'inverno prima. Imparavi così ad apprezzare la neve alta. Quando cessavano i colpi, si parlavano fra loro coi megafoni. I russi invitavano i tedeschi a uccidere i loro ufficiali. I tedeschi suggerivano ai russi di uccidere i loro figli: "Meglio ammazzarli che vederli morire di fame. Consegnateci il vostro fucile e vi diamo, in cambio, una gallina" dicevano i tedeschi. O sennò: "Ivan Taldeitali, le tue due figlie sono state mangiate dai vostri vicini di casa, abbiamo trovato le ossa spolpate!". Questo mi rodeva, poiché l'approvvigionamento della città era affidato a me. Quando si catturava qualche ufficiale della Wehrmacht, Mendel e io lo portavamo a fare un picnic, gli offrivamo cioccolata e champagne. Qualcuno ne rilasciavamo, poi, a bella posta, perché raccontasse ai commilitoni che in città non mancava da mangiare. Quei tedeschi ridevano di noi.

E di me in particolare. Ne avevano trovati tanti, ma tanti, di quei morti spolpati! Ma davvero crede – mi chiedevano – che bastino quelle poche razioni che lei riesce a fargli arrivare con gli aerei o con le slitte, a sfamare un milione di abitanti? Si sbellicavano, dalle risate. Non pensa che quelli si arrangino in qualche altro modo? E non indovina in che modo? Su, da bravo, ci pensi un po' su. Ci pensai su... E fu allora che ammazzai quei tre tedeschi. Ma l'avevo capito.»

Usciti dal parco, si avviarono per la Quinta – che segnava il confine fra la massa e l'élite dei ricchissimi. Si vedevano scintillare lampadari, dalle finestre, e portieri gallonati sulle porte. Arkady e Osborne svoltarono per una via laterale, entrarono in un caseggiato di lusso e qui l'ascensore, manovrato da un *lift* in divisa, li portò al quindicesimo piano. C'era un solo portoncino, lassù. Osborne l'aprì e invitò Arkady a entrare.

Filtrava un po' di chiarore dalle finestre ma, quando Osborne premette un interruttore, non si accese alcuna luce. «Son venuti gli elettricisti, oggi» disse «e suppongo che non abbiano finito.»

Il vestibolo era ampio. Passarono in un salone dove c'era un'enorme tavola da pranzo, con un paio di sedie soltanto, poi in uno studio, dove c'era un televisore ancora imballato e lampadari da montare, poi attraversarono altre stanze, tutte spoglie, tranne per un tappeto o una poltrona qua e là, a mo' di caparra. Arkady annusò: un profumo che gli era familiare...

«Che gliene pare?» domandò Osborne.

«Un po' vuoto.»

«Beh, a New York, quel che conta più di tutto è la vista.» Osborne si accese un'altra sigaretta. «Ho venduto i miei negozi, in Europa, e dovevo investire quei soldi in qualche modo. Tanto valeva li investissi in immobili di lusso. A esser franco, non mi sentivo più tanto sicuro, in Europa. Questa è stata la parte più ardua del baratto... ottenere garanzie per la mia incolumità.»

«Quale baratto?»

«Per quegli zibellini. Glieli restituisco e loro, in cambio, danno un colpo di spugna su... su tutto il resto.»

«Dove si trovano, gli zibellini?»

«I principali allevamenti americani di animali da pelliccia sono situati nella zona dei Grandi Laghi. Ma può darsi ch'io gli abbia mentito. Forse sono al sicuro in Canada, gli zibellini. È un Paese molto grande, il Canada, il secondo del mondo, e ci vorrebbe un po' di tempo, per frugare dappertutto. Oppure può anche darsi che li tenga nel Maryland, o in Pennsylvania... anche là ci sono degli allevamenti. Il loro problema è che, a primavera, nasceranno i cuccioli, generati – tutti quanti – dai miei *barzugin* e, allora, ci saranno molti più zibellini di cui tener conto. Ecco perché i russi hanno fretta di concludere.»

«Perché mi dice questo?»

Osborne gli si avvicinò, alla finestra. «Posso salvarla» disse. «Posso salvare lei e Irina.»

«Ha tentato di ucciderla.»

«Non io. Iamskoy e Unmann.»

«Lei tentò due volte di farla uccidere» disse Arkady. «Io c'ero.»

«Lei si è comportato da eroe, caro Investigatore. Nessuno lo nega. Io la mandai all'Università per salvare Irina, dopotutto.»

«Mi ci mandò per farmi uccidere.»

«La salvammo, lei e io.»

«Lei uccise tre suoi amici, al Gorky Park.»

«E lei ha ucciso tre amici miei» ribatté Osborne.

Arkady sentì freddo, come se la finestra si fosse spalancata all'improvviso. Osborne non era sano di mente. Oppure non era un uomo. Se il denaro avesse potuto incarnarsi, avrebbe preso l'aspetto di Osborne, avrebbe indossato gli stessi vestiti, si sarebbe pettinato alla stessa maniera, avrebbe avuto sul viso la stessa espressione divertita e sprezzante. Potrei ucciderlo, pensò

Arkady. La casa è vuota. Siamo in alto, quassù. Perché starlo ad ascoltare ancora? Basterebbe...

Come gli avesse letto nel pensiero, Osborne estrasse di nuovo la pistola. «Dobbiamo perdonarci a vicenda. Siamo entrambi corrotti. La corruzione è innata, in lei e in me, come lo era in Iamskoy, né più né meno. Ma non le ho mostrato tutto l'appartamento. Venga.»

Lo condusse, in fondo al corridoio, nell'ultima stanza, che dava anch'essa sul parco. Era completamente arredata: armadio, una poltrona, i comodini, la toilette, uno specchio... e un letto a due piazze, disfatto. Quel profumo che Arkady aveva avvertito appena entrato, lì era più forte.

«Apra il secondo cassetto dell'armadio» disse Osborne.

Arkady obbedì. C'era della biancheria da uomo, nuova nuova.

Osborne indicò l'armadio, con la pistola: «Guardi anche là».

Arkady aprì uno sportello. C'erano appesi vestiti da uomo, anch'essi nuovi. E della sua taglia.

Il riverbero della luna, dei lampioni e delle insegne consentiva di vederci abbastanza bene, nonostante mancasse la luce elettrica.

Arkady aprì l'altro sportello: vestiti da donna, vestaglie, due pellicce...

«Lei verrà ad abitare qui» disse Osborne. «Insieme a Irina.» Sorrideva, con aria di superiorità. «Sarete alle mie dipendenze. E io vi pagherò. Più che bene. La casa è a mio nome, i mobili sono stati già ordinati. Inizierà per voi una nuova vita.»

No – pensò Arkady – no, non è possibile. Siamo in piena irrealtà. O mi prende in giro...

«Lei vuole che Irina viva, no?» domandò Osborne. «Ecco dunque il baratto: gli zibellini in cambio di Irina e lei. Irina perché io la voglio, e lei... lei perché la vuole Irina.»

«Non sono disposto a dividere Irina con lei.»

«La condividiamo già» gli buttò in faccia Osborne. «L'ha divisa con me a Mosca e, ora, qui. Ha dormito con lei la notte scorsa, con me questo pomeriggio.»

Arkady guardò il letto disfatto.

«Non mi crede?» disse Osborne. «Via, usi il suo acume di investigatore. Come avrei mai incontrato James Kirwill, senza Irina? O Valerya? O Borodin? E non le parve strano che Iamskoy e io non vi trovassimo, voi due, quando lei la nascondeva in casa sua? Via! non occorreva che la cercassimo. Lei stessa mi telefonò, dal suo appartamento. Come crede che la rintracciassi quando lei andò alla frontiera finlandese? Venne lei, da me. Non si è posto queste domande? Tanto, conosceva già le risposte. Ho confessato... adesso tocca a lei. Ma non le va. Alla fine d'una indagine lei vuole soltanto trovare il colpevole: un mostro. Dio non voglia che, invece, scopra se stesso! Ma imparerà a viverci, con questo se stesso, gliel'assicuro io. Quanto ai russi, saranno felicissimi di scaricarvi. Aggregheranno Irina e lei a un contingente di emigrati ebrei, e via. Si sbarazzeranno così d'un mucchio di fastidi.»

Arkady continuava a guardare fuori, in silenzio.

Osborne depose la pistola sul comodino. «Io non volevo certo lei, Renko, cosa crede. Ma Irina, senza di lei, non resterebbe. Roba da matti! Desiderava venire in America, sopra ogni cosa al mondo, e appena arrivata... minaccia di tornarsene in Russia. Son contento che anche lei sia qui. Ora siamo al completo. E tutto è a posto.» Andò a prendere una bottiglia di vodka Stolichnaya e due bicchieri. «Le dirò che trovo questa situazione seducente. C'è un rapporto assai profondo – assai intimo direi – fra l'omicida e l'investigatore che gli dà la caccia. Io presi già forma, nella sua fantasia, prima ancora che noi ci incontrassimo. E, a sua volta, lei mi ossessiona, anche mentre io scappo da lei. Siamo sempre stati complici, nel delitto.»

Riempì i due bicchieri fino all'orlo, e ne porse uno ad Arkady.

«E il rapporto si fa ancora più profondo, fra omicida e investigatore, se i due uomini dividono la stessa donna. Siamo complici anche in amore.» Osborne alzò il bicchiere. «A Irina.»

«Perché uccise quei tre a Gorky Park?»

«Lo sa, perché. L'ha risolto, il caso» disse Osborne, col bicchiere ancora levato.

«So che è stato lei, ma non perché.»

«Via! per gli zibellini, lo sa.»

«E perché li voleva, quei *barguzin*?»

«Per far soldi. Sa anche questo.»

«Ma se di soldi ne ha già tanti!»

«Che vuole! non bastano mai.»

«Soltanto per fare altri soldi?» chiese Arkady. E versò lentamente la sua vodka sul tappeto, disegnandovi una spirale. «Allora, Mister Osborne» continuò «mi dispiace ma lei non è un uomo dalle grandi passioni. Lei è solo un ragioniere del delitto. E anche idiota, Mister Osborne. A lei Irina si vende, a me si dà. Abiteremo qui a sue spese... rideremo di lei... e se poi un bel giorno prendessimo il volo? Non le resterebbe più niente, né Irina né gli zibellini. Niente.»

«Dunque» disse Osborne, come fosse la più logica delle deduzioni, «accetta la mia offerta e i miei patti. Bene, bene. Oggi è mercoledì. Di qui a due giorni, venerdì, i sovietici e io compiremo il baratto: lei e Irina in cambio dei *barguzin*. Insomma... consente che vi salvi?»

«Sì» disse Arkady. «Che altra scelta avrei?»

Sì – soggiunse fra sé – non ho altra scelta. Soltanto Osborne può salvare Irina. Una volta al sicuro, potremo scappare. Se Osborne tenterà di fermarci... l'ucciderò.

«Bevo alla sua, allora» disse Osborne. E ingollò la vodka in un sol fiato. Schioccò le labbra. «Mi ci è voluto un anno, a Leningrado, per scoprire a quali estremi sono capaci di giungere gli uomini, pur di sopravvivere. Anche a divorarsi fra loro! Lei, qui, in due giorni soltanto, è cambiato da così a così. Fra altri due, sarà un vero americano.»

Arkady lo guardava, senza alcuna espressione.

«Bene, bene» disse Osborne. «È bello aver trovato un nuovo amico.»

Arkady scese in ascensore, solo. Il peso della verità lo soffocava. Irina era una puttana. Era andata a letto con Osborne, e dio sa con chi altri, pur di espatriare dalla Russia. Aveva allargato le gambe... come fossero ali! per spiccare il folle volo! Aveva mentito ad Arkady, con le accuse e con i baci. Gli aveva dato dell'idiota, poi l'aveva reso tale. E quel ch'è peggio, lui sapeva tutto. Lo sapeva fin dall'inizio. Aveva ingannato se stesso, tradito se stesso. Più puttana lui di lei. Eccolo là, ben vestito, all'americana. Non più un investigatore, non più un criminale... cosa dunque? Quei tre morti di Gorky Park... Osborne poteva fregarsene. Ma lui? E di Pasha? Poteva scordarsi di Pasha? Si sentì vacillare. Aveva sempre barato, fin dall'inizio: prima, per costringere Pribluda ad assumersi le indagini, poi per avere Irina e poi... poi per regalarla a Osborne!

L'ascensore si aprì. Attraversò l'atrio. Siamo complici, io e Osborne, si disse. Uscì in strada. La limousine gli s'accostò. Vi salì a bordo, per tornare all'Hotel Barcelona.

Eppure... eppure l'amava ancora. Avrebbe voltato le spalle, per lei, ai tre morti del Gorky Park. Lei si era venduta per venire in America, lui si sarebbe venduto per farcela restare. Facevano proprio una gran bella coppia. Due puttane. E il Barcelona era una degna tana, per loro. Si appoggiò allo schienale. Rade falde di neve colpivano silenziosamente il cristallo. Non farmi nessuna domanda, ti prego – gli aveva detto lei. E lui, zitto. Aveva fatto, del proprio cervello, il vuoto assoluto. Da quanto tempo era lì a New York?

Seguitò a torturarsi pensando al passato. Non aveva mai parlato, lui, mai ceduto. Tuttavia al KGB e all'FBI sapevano tutto di Irina e di Osborne. Chi avrebbe potuto dirglielo, a parte Irina? Risalì ancora più indietro: da quanti anni Irina era l'amante di Osborne? E con quanti altri uomini era andata a letto, nel frattempo? No... Questo magari no. Osborne era troppo orgoglioso per tollerarlo.

Passando per Broadway, vide insegne di teatri porno. Una diceva: "L'atto dal vero!". Sotto l'arco d'un portone, come in vetrina, una negra con la parrucca bionda, una bianca coi capelli all'africana, un giovane col cappello da cowboy. In Times Square, poliziotti a ogni angolo, insegne sgargianti, e la neve che cadeva come cenere.

Eppure... eppure Irina l'amava. Sarebbe tornata in Russia, o sarebbe rimasta in America a seconda di quel che lui avrebbe deciso. Ricordò la prima volta che l'aveva vista, alla Mosfilm: con la logora giacca afgana e gli stivali sfondati. Andava a letto con Osborne, a Mosca, ma non accettava regali da lui. Né denaro, quantunque patisse la fame. L'America era il solo regalo che avrebbe accettato. Che poteva offrirle Arkady? Un foulard con gli ovetti di pasqua... Osborne invece poteva darle l'America. E, a lui, far dono della verità. Osborne era un magnifico uomo di potere.

L'America, la Russia... L'America era la migliore di tutte le illusioni. E tale restava, anche quando t'aggiravi fra le sue luci, fra le sue realtà... Non sarei mai venuto – si disse – se avessi saputo di Osborne e Irina. Non è vero – rispose a se stesso – lo sapevi, l'hai sempre saputo. Chi sei tu, per parlare di illusioni?

Irina, Osborne... Se li raffigurò a letto, loro due, torcersi come bisce. Loro tre.

Quando l'auto si fermò, fu per lui come svegliarsi di soprassalto, da quel sogno tormentoso a occhi aperti.

Le due portiere si spalancarono, inquadrando due negri, uno per parte, che gli puntavano contro una pistola, mostrandogli, al tempo stesso, con l'altra mano, il loro distintivo da poliziotti. Il tramezzo di cristallo si abbassò: c'era Kirwill, al volante.

Arkady arguì che dovevano trovarsi da tutt'altra parte che nei paraggi del Barcelona. «Che fine ha fatto l'autista?» chiese.

«Un uomo cattivo gli ha dato una botta in testa e gli ha rubato l'automobile.» Kirwill sorrise. «Che piacere, rivederla.»

Kirwill stava divorando panini al pollo e alla carne, annaffiandoli di birra e poi di whisky. I due poliziotti negri, Billy e Rodney, bevevano cocacola e rum, a un tavolo accanto. Arkady sedeva dirimpetto a Kirwill e il suo bicchiere era vuoto. Davanti agli occhi lui aveva ancora quel letto disfatto, nelle narici il tenue profumo di lei. Era assente, e la voce di Kirwill gli ronzava nelle orecchie.

Kirwill stava dicendo: «Osborne potrebbe anche confessare: "Ebbene sì, li ho uccisi io, quei tre al Gorky Park, alle tre del pomeriggio, il 1° febbraio" – e non verrebbe estradato. Un qualsiasi discreto avvocato tirerebbe per le lunghe il processo di primo grado per... diciamo per almeno cinque anni. Altri cinque, poi, per il processo d'appello. Dopodiché, può ricorrere alla Corte di Cassazione. O che perda o che vinca, sono sempre quindici anni guadagnati. E frattanto... Gli zibellini scopano. Non come i visoni, ma scopano. E nel giro di quindici anni, addio monopolio dei russi. Il che si traduce in una perdita secca di cinquanta milioni di dollari l'anno. Quindi, lasciamo perdere l'estradizione. Resta: o uccidere Osborne e rubargli gli zibellini, oppure trattare. Il Bureau protegge Osborne e i russi non sanno dove sono gli zibellini, quindi non gli resta che venire a patti. Bisogna dargli atto: Osborne ha fatto fesso il KGB. Quell'uomo è un eroe americano. E lei? un sovversivo russo? Ma io, Renko, intendo aiutarla.»

Kirwill e i suoi due scagnozzi negri somigliavano a ladri, più che a guardie. Non avevano forse rubato, un'ora prima, una limousine?

«Avrebbe dovuto aiutarmi a Mosca» disse Arkady. «Avrei potuto fermare Osborne, allora. Adesso non può far niente per me.»

«Posso salvarle la pelle.»

«Salvarmi?» Fino a ieri, magari, gli avrebbe potuto anche credere. Scosse la testa. «No. Non può salvarmi, senza quegli zibellini. Sa dove sono?»

«No.»

«E allora...»

«Molli la ragazza. Se la veda il KGB, con lei.»

Arkady si stropicciò gli occhi. Lui in America e Irina in Russia? Che assurda conclusione!

«No» disse.

«Me l'aspettavo.»

«Grazie comunque per il gentile pensiero». Arkady fece per alzarsi. «Mi riaccompagnerà in albergo...»

«Aspetti un momento.» Kirwill lo trattenne. «Beviamo qualcosa, in nome dei vecchi tempi.»

Riempì il bicchierino di Arkady, poi si frugò in tasca e ne trasse un paio di sacchettini di noccioline. Billy e Rodney guardavano Arkady con molta curiosità. Erano alti, nerissimi e portavano sgargianti camicie e collane.

Kirwill disse: «Se il Bureau può prestarla a un omicida confesso, può anche prestarla per altri cinque minuti alla Polizia di New York».

Arkady si strinse nelle spalle e mandò giù il whisky in un sorso. «Perché sono così piccoli, questi bicchieri?»

«È una forma di tortura, ideata dai preti» disse Kirwill, che a volte riusciva a dare anche risposte sceme, a domande stupide.

Poi Arkady domandò, ma non a vanvera questa volta: «Perché ce l'ha su così con l'FBI?».

Kirwill sorrise, un ghigno contorto. «Per una serie di motivi. Sul piano professionale, perché il Federal Bureau of Investigation non investiga affatto: si limita a pagare le soffiate. Se non avessero i loro informatori sarebbero a terra. E glieli raccomando, questi informatori! Perlopiù sono pazzi, squilibrati, delinquenti, picchiatori... Ogni volta che quelli del Bureau aprono un caso – di qualsiasi genere: mafia, spionaggio, delinquenza comune – ecco che il mondo pullula di balordi intorno a loro. Metti che hanno beccato un balordo e che costui decida di cantare. Ebbene, racconta al Bureau quel poco che sa, e il resto se l'inventa tranquillamente. La capisce qual è la differenza, fra loro e noi? Uno sbirro va in giro per le strade a cercarsele da solo, le informazioni. È disposto a sporcarsi perché la sua grande ambizione è di essere un investigatore. Invece, un agente del Bureau non è altro che un avvocato, o un ragioniere. Gli piace lavorare in ufficio e vestire bene, magari darsi alla politica. Quel figlio di puttana è disposto a comprarsi un balordo al giorno.»

«Ma mica tutti gli informatori sono dei balordi» borbottò Arkady, e ripensò a Misha in quella chiesa sconsacrata. Per cacciar via quell'immagine, mandò giù un altro cicchetto.

«Dopo che i balordi hanno testimoniato, loro li trasferiscono altrove, sotto falso nome. Se un balordo commette un delitto, il Bureau lo trasferisce un'altra volta. Ci sono psicopatici che sono stati trasferiti quattro o cinque volte... totale immunità! Io non posso arrestarli, perché hanno più santi di Nixon in paradiso. Ecco quello che succede, quando non lo fai da te, il tuo lavoro, mi capisce? Quando ti servi dei balordi.»

Arkady sgranocchiò qualche nocciolina.

Kirwill si rivolse a uno degli agenti negri. «Billy» gli disse «telefona un po' alla bottega e vedi se hanno già rilasciato il nostro amico Rats.»

«*Shee-it!*» disse Billy, però andò a telefonare.

Arkady domandò: «Cosa vuol dire *shee-it*?».

«Una doppia porzione di *shit*, merda» spiegò Kirwill. Poi guardò intenerito il suo scagnozzo e scosse il capo. «*Wonderful spade*» disse.

«*Spade*?» domandò Arkady.

«*Spade, nigger, blood, dude, coconut*... Sono tutte parole di gergo per indicare il negro. Ehi! se vuole diventare americano bisogna che impari la terminologia esatta.»

«Osborne dice di essere un informatore dell'FBI» disse Arkady.

«Sì, lo so.» Kirwill alzò gli occhi al cielo. «Me l'immagino, la scena, quando John Osborne va a trovarli, alla sede centrale. Sai i salamelecchi! Sai le leccate! Uno come lui, ch'è stato al Cremlino, ch'è stato alla Casa Bianca, che frequenta l'alta società... ammanigliato con uomini di potere d'ogni colore e d'ogni sfumatura... ecco il soffia ideale, per loro. Il balordo dei loro sogni!»

«Ma perché non s'è rivolto alla CIA?»

«Perché è furbo, ecco perché. La CIA ha migliaia di spie, spioni e affini, in Russia, tutta gente che va e viene. Invece l'FBI ha dovuto chiudere il suo ufficio di Mosca. Hanno solo Osborne.»

«Lui non gli passa che pettegolezzi.»

«Giusto quello che vogliono. A loro gli preme soltanto di farsi belli col Senatore tale o col Deputato talaltro, bisbigliargli all'orecchio che Brezhnev ha la sifilide. La stessa cosa che hanno detto sui Kennedy e su King. Queste sono le fregnacce che mandano in solluchero i nostri politici; è qui che finiscono i soldi del Governo Federale. Senonché, ora, Osborne ha presentato il conto e il Bureau deve pagare. Vuole che il Bureau lo protegga e non è disposto a cambiar nome e pelle. L'ha afferrato per le palle, il Bureau, e ha incominciato a strizzargliele pian piano.»

Arkady s'era mangiato tutte le noccioline, mentre l'altro parlava. «Però Osborne ha rubato gli zibellini e li deve restituire.»

«Ma davvero! Forse che la Russia li restituirebbe se li avesse rubati il KGB? Osborne è un eroe.»

«È un assassino.»

«Questo lo dice lei.»

«Io non sono il KGB.»

«Questo lo dico io. In un ambiente così noi siamo degli isolati.»

Tornò l'agente Billy e riferì: «No, non l'hanno rilasciato. Ora intendono trattenerlo per ubriachezza molesta. L'accusa verrà formalizzata fra un'ora».

La voce di Billy faceva pensare a un sassofono. Arkady lo guardò, poi guardò Rodney. «Ma questi due imbiancavano una casa dirimpetto al mio albergo, o mi sbaglio?»

«Che v'avevo detto, ragazzi?» commentò Kirwill rivolto ai suoi due scagnozzi. «In gamba, l'amico.»

Uscirono dal bar. Billy e Rodney se n'andarono, a bordo d'una macchina rossa. Kirwill e Arkady s'incamminarono per un dedalo di viuzze. Si trovavano al Greenwich Village, spiegò Kirwill. C'era proprio abbastanza neve per dar spicco ai lampioni e un buon sapore all'aria. In Barrow Street, si fermarono davanti a una casa di mattoni a tre piani, con scalini di marmo e rampicanti a lato del portone. Arkady arguì ch'era la casa di Kirwill.

«D'estate, quel glicine fa un sacco di fiori» disse l'americano. «C'era un russo, una volta, che abitava vicino ai miei genitori e, non sapendo bene l'inglese, faceva confusione fra *wistaria*[1] e *hysteria*. Sicché la chiamava "la casa dell'isteria". E non sbagliava di tanto.»

Arkady girò intorno lo sguardo. La casa sembrava sospesa nel buio.

«Avevamo un sacco di russi, per casa. Io avevo una babushka che mi faceva giocare» disse Kirwill. «Il Bu-

---

[1] *Wistaria* = glicine, in inglese.

reau ci teneva due agenti in pianta stabile, qui davanti, di guardia. Intercettavano le telefonate, interrogavano quelli che venivano a trovarci. Gli anarchici confezionavano bombe su in soffitta. C'era molta suspense, in questa casa. Poi ci si installò Jimmy, su in solaio. Lo tappezzò di crocefissi e icone, ci mise su persino un altarino. Cristo era la bomba di Jimmy. Il vecchio Jim e Edna saltarono in aria, Jimmy saltò in aria e io saltai giù fino a un russo.»

«Lei ci àbita ancora?»

«È una casa infestata dagli spettri, questa. Ma tutto il Paese è una casa di spettri, però. Venga con me, c'è qualcuno che le voglio far conoscere.»

Indicò un'automobile parcheggiata lì davanti: vecchia, blu, meticolosamente lustra. Vi salirono a bordo. Partirono.

A questo punto – pensò Arkady – Wesley si sarà accorto della mia mancanza, e chissà che casino c'è all'Hotel Barcelona. Avvertiranno le pattuglie? Sospetteranno di Kirwill?

«Anche se Osborne è un loro informatore, non capisco perché l'FBI gli abbia permesso di incontrarsi con me» disse Arkady. «Dopo tutto, è un criminale e loro sono un organo della giustizia.»

«In altre città ci si attiene ai regolamenti, qui a New York invece no. Se un diplomatico ti tampona, ti ammazza il cane o ti violenta la moglie, lo lasciano tranquillo. Qui da noi c'è un piccolo esercito israeliano, un piccolo esercito palestinese, ci sono i cubani di Castro e i cubani dell'FBI. A noi non rimane che pulire dove sporcano.»

Arkady guardava le strade della città notturna, sconosciuta, e ripensava alla sua Mosca... quasi con nostalgia.

Kirwill proseguì. «In questo caso, il Bureau si sta comportando in modo anomalo. Hanno luoghi sicuri e alberghi fidati, e perché allora hanno sistemato lei al

Barcelona? La sorveglianza è scarsa, tant'è vero che ho potuto piazzarle Billy e Rodney dirimpetto. Ma la cosa mi puzza, però, perché mi fa pensare che Wesley non voglia che risulti neppure allo stesso Bureau la sua presenza qui. Cosa le ha detto Osborne? Ha accennato a qualche accordo?».

«No. Abbiamo parlato d'altro» disse Arkady, e la bugia gli venne spontanea. Come dettata da un altro cervello e pronunciata da un'altra bocca.

«Avrà parlato di sé e della ragazza, oh, lo conosco. È uno che ci prende gusto a rigirare il coltello nella piaga. Lo lasci a me.»

Gli edifici pubblici di Manhattan erano di vario stile architettonico: coloniale, finto romano antico o ultramoderno. Ma uno spiccava fra gli altri: un enorme palazzone che per Arkady aveva qualcosa di familiare. Era infatti d'un gotico staliniano, pur senza i fronzoli cari a Stalin e senza una stella rossa in cima. Lì davanti si fermò l'auto di Kirwill.

«Che c'è qui?» domandò Arkady. L'edificio era tutto illuminato. «Ed è aperto, a quest'ora?»

«Queste sono Le Tombe» disse Kirwill. «Il tribunale tiene anche delle udienze notturne, da noi.»

Varcarono un portone di bronzo ed entrarono in un vestibolo pieno di mendicanti dagli abiti laceri, lo sguardo sospettoso di cani presi a calci. Anche a Mosca c'erano mendicanti, ma li si vedeva solo nelle stazioni, oppure in qualche retata. Forse – si disse Arkady – hanno fatto una retata anche qui. Ma no, l'atmosfera era diversa: l'intero vestibolo era loro, le guardie presenti li ignoravano. Avevano invaso anche il box delle informazioni, e alcuni dormivano per terra nonostante un cartello che vietava di sostare in quel luogo. Su una parete erano allineati telefoni di alluminio, un'altra era tappezzata di avvisi d'udienze e comunicazioni giudiziarie. Enormi lampadari diffondevano dall'alto una penombra da quaranta candele.

Due tizi, anzianotti, in impermeabile frusto e ciascuno con una valigetta in mano, adocchiarono Arkady.

«Avvocati» spiegò Kirwill. «Lei potrebbe essere un loro cliente.»

«Come? Non li conoscono, i loro clienti?»

«No. Li incontrano qui.»

«E non allo studio?»

«Loro ce l'hanno qui, lo studio.»

Kirwill lo guidò, attraverso la folla cenciosa e oltre una serie di porte, in una stanza che Arkady riconobbe subito per un'aula di tribunale. Era quasi mezzanotte. Come potevano esserci udienze a quell'ora?

Un Giudice in tocco e toga sedeva in cattedra. Alle sue spalle, un pannello di legno con incise le parole *In God We Trust*, e una bandiera americana in fodero di plastica. C'erano poi un usciere e uno stenografo, ai loro scranni, e, seduto a un tavolo, un tizio che spulciava certe carte. Alcuni avvocati vagavano dallo spulciacarte al Giudice, dal Giudice alla panca dove gli imputati attendevano. Questi erano d'ambo i sessi, d'ogni età e, perlopiù, negri. Gli avvocati erano tutti giovani, e bianchi.

Un cordone di velluto separava la corte dal pubblico. In prima fila sedevano degli uomini in giubbotto e jeans, col distintivo da poliziotti e l'aria sommamente annoiata. I parenti degli imputati sedevano in fondo, mescolati ai mendicanti ch'eran venuti lì a sonnecchiare o divagarsi. Tutti sembravano cascare dal sonno, oppressi da una stanchezza indicibile, da un tedio mortale che vinceva persino l'affettazione di cinismo. Giudice, galoppini, avvocati, guardie, rei, familiari e curiosi... tutti con la faccia fiacca.

Arkady sedette accanto a una giovane donna con in braccio un bambino, in pagliaccetto, che girava intorno gli occhi attoniti, tranquilli. Le luci del soffitto si specchiavano a riquadri nelle sue enormi pupille. Ogni tanto, una guardia bussava sulla spalla di qualcuno che si era messo a russare. A parte ciò, c'era silenzio in aula, virtualmente: poiché ogni qual volta un trasgressore veniva chiamato alla sbarra, gli avvocati parlottavano col Giudice a voce così bassa che non si udiva niente. Quindi il Giudice fissava un prezzo: mille dollari, tremila, diecimila... ad alta voce. Seguivano altri bisbigli, confabulazioni. Il Giudice ascoltava a capo chino. Stanno mercanteggiando, pensò Arkady. Una "causa" durava ora cinque minuti, ora solo un minuto, e alla fine il prezzo veniva fissato. A Mosca Arkady aveva visto cause risolversi altrettanto rapidamente: ma si trattava tutt'al più di ubriachezza molesta. Qui, le accuse erano di furto, rapina, aggressione. Avanti il prossimo... E intanto l'imputato precedente aveva già varcato il cordone confinario fra palcoscenico e platea.

«Cos'è una cauzione?» chiese Arkady.

«È la somma che si paga per uscire di prigione» disse Kirwill. «Una specie di tassa, se vogliamo.»

«È giustizia?»

«No, ma è la legge» disse Kirwill. «Non hanno ancora processato Rats, meno male.»

Alcuni poliziotti si avvicinarono a Kirwill, per salutarlo rispettosamente. Erano omoni dalla barba ispida, dal panzone voluminoso rincalzato da enormi cinture di cuoio con la patacca da agente investigativo: ben diverso dagli snelli agenti dell'FBI.

Uno di loro indicò l'imputato che in quel momento ciondolava davanti al Giudice, e disse: «Quello là ha rapinato a mano armata una donna ai giardini pubblici, quindi se n'occupava il Nucleo Antifurto. Poi pare che la donna sia stata pure violentata, sicché è roba per il Nucleo Antistupro. Poi pare che stia per morire... allora lo passano alla Squadra Omicidi. Senonché alla fine risulta che non muore e che neanche c'è stata violenza, quindi il caso ritorna all'Antifurto. Però nel frattempo il turno è cambiato e non si trovano più i verbali. Se non saltano fuori entro un minuto, quello esce da qui a piede libero».

«È uno psicopatico» disse un secondo agente. «Da minorenne è finito dentro per aver dato fuoco alla madre. Ora eccolo là. Che, dovremmo proteggere tutte quelle che gli ricordano sua madre?»

«Qual è il punto? A che serve, dico io?» domandò il primo poliziotto.

Arkady si strinse nelle spalle. Non lo sapeva.

Anche Kirwill si strinse nelle spalle. Poi, accettando l'omaggio degli altri due agenti, per i quali lui era il saggio, era il forte, era l'oracolo, sentenziò: «Non serve, ecco il punto».

Quindi fece cenno a Arkady di seguirlo e uscirono dall'aula.

«Dov'è che andiamo adesso?» domandò Arkady.

«A tirar fuori Rats dalla guardina» rispose Kirwill. «Forse lei ha qualcosa di meglio da fare?»

Suonò un campanello, a una porta blindata. Due occhi sbirciarono da uno spioncino. Poi la porta s'aprì e loro entrarono nel carcere annesso al Tribunale di Manhattan, ch'era detto The Pens, o qualcosa come "il porcile". Viste di traverso, le sbarre delle celle sembravano un muro di ferro, da cui sbucavano delle mani. Viste di fronte, le celle avevano pareti gialle. Una dozzina e più di carcerati attendevano, docilmente, il processo per direttissima. Al passaggio dei due uomini, mossero solo gli occhi.

Kirwill si fermò davanti alla cella occupata da un tipo bizzarramente vestito: cappottaccio con molte saccocce, scarponi infangati, mezzi guanti e un berretto di lana calato fin sugli occhi. Ne sfuggivano ciocche di capelli unti e appiccicati. Era un bianco, dalla faccia conciata per le intemperie e gli alcolici. Cercava di controllare il tremolio della gamba sinistra. Accanto alla porta di quella cella c'erano un poliziotto coi baffi e un giovane, dalla faccia affilata, in giacca e cravatta.

«Pronto, Rats, per tornare a casa?» domandò Kirwill all'uomo nella cella.

«Un momento, Tenente. Lei non porta il signor Ratke da nessuna parte» disse l'uomo incravattato.

«Questo signore è un Viceprocuratore distrettuale, crescerà e diverrà un avvocato difensore strapagato» spiegò Kirwill ad Arkady. «E questo è un poliziotto pecorone.»

Difatti, sembrava che l'agente avesse voglia di correre a nascondersi dietro i propri baffi.

Il Viceprocuratore disse: «Il signor Ratke verrà, fra breve, formalmente incriminato».

«Per ubriachezza molesta?» Kirwill rise. «È un beone, e con questo?»

«Desideriamo alcune informazioni dal signor Ratke.» Il giovane magistrato aveva il coraggio di un cagnolino. «Vorrei far notare al signor Tenente che, di recente, c'è stato un grosso furto, ai danni della Hudson Bay Company, a opera di ignoti. Abbiamo validi motivi per ritenere che il signor Ratke cercasse di vendere della merce proveniente da quel furto.»

«Non avete prove, non potete detenerlo» disse Kirwill.

«Io non ho rubato niente!» gridò Ratke detto Rats, o Pantegana.

«A ogni modo, sarà trattenuto per ubriachezza molesta» disse il Viceprocuratore. «So chi è lei, Tenente Kirwill, e sono pronto a tenerle testa.»

«Sei tu che l'hai arrestato, eh, per presunta ubriachezza molesta?» Kirwill lesse il nome dell'agente, sul suo distintivo. «Casey, ti chiami, eh? Conoscevo tuo padre. Quello sì, ch'era un agente!»

«No. Rats era già dentro. C'era bisogno d'uno che gli stesse appresso...» Casey non osava guardare Kirwill negli occhi.

«E ti sei prestato tu! Ma bravo. Che, hai bisogno di far straordinari? Hai l'acqua alla gola? Una cambiale che scade, o cos'altro?»

«L'agente Casey fa un favore a me» disse il Viceprocuratore.

Arkady, che non capiva niente di procedura penale americana, guardava ora l'uno ora l'altro.

«E va bene, te li presto io, quei soldi, più che altro per tuo padre» disse Kirwill. «Non bado a spese, se si tratta d'impedire che un bravo ragazzo irlandese lecchi il culo alla Magistratura. Non vorrei che poi si risapesse, in giro.»

«Tenente Kirwill, lei spreca il suo tempo e intralcia la giustizia» disse il Viceprocuratore. «L'agente Casey ha accettato di svolgere questo compito per l'incriminazione formale del signor Ratke. Non so quale sia il suo interesse personale in questa faccenda, ma noi intendiamo rinviare a giudizio il signor Ratke a ogni costo. Anzi, fra poco ci sarà il processo preliminare e...»

Ma Casey fece un gesto di saluto e girò sui tacchi. «Vaffanculo.»

«Ehi, dove va?» gli gridò dietro il magistrato.

E quello, senza voltarsi: «Me ne vado!».

«Aspetti...» Il Viceprocuratore gli corse dietro, cercò di trattenerlo, di sbarrargli il passo, ma Casey non volle sentire ragioni. Si sbatté dietro la porta.

Il Viceprocuratore tornò sui suoi passi. «Non ha mica vinto lei, Tenente. Anche se non possiamo incriminarlo, il signor Ratke non è in condizioni di tornarsene a casa da sé. E nessuno è venuto a reclamarlo.»

«Lo reclamo io.»

«Ma perché? Per quale motivo, Tenente, si comporta così? Lei intralcia la giustizia, intimidisce un collega, si oppone alla Procura... il tutto per un ubriacone. Se un poliziotto può fare questo, a cosa serve il Tribunale?»

«Non serve, ecco il punto.»

Kirwill e Arkady afferrarono il Pantegana e lo portarono via praticamente di peso. Nel vestibolo, Rats fu preso da un attacco di *delirium tremens* e si mise a urlare. I mendicanti si voltarono, con facce da sonnambuli svegliati. Kirwill gli tappò la bocca con una mano. Arkady se l'accollò. Era il primo americano che sentisse puzzare veramente.

Lo caricarono in macchina. In Mulberry Street c'era un bar ancora aperto. Kirwill andò a comprare mezzo litro di whisky, mezzo litro di porto e alcuni sacchetti di noccioline. «È contro la legge, comprar bumba per un deli» disse, tornando.

«Bumba? Deli?» chiese Arkady.

«Alcolici. Per uno affetto da *delirium tremens*» spiegò Kirwill. Poi soggiunse: «Per questo piace così tanto».

Il Pantegana scolò il porto d'un fiato, poi s'addormentò come un angioletto.

«Perché?» domandò Arkady. «Perché ci siamo dati tanta pena, per un beone? Wesley e compagni dell'FBI mi staranno cercando, a quest'ora... e magari anche quelli del KGB. Lei si è preso tutte queste rogne... perché?»

«Perché no?»

Arkady mangiò una manciata di noccioline che gli salarono la lingua e bevve una sorsata di whisky, che gli si diffuse per tutto il corpo. Vide che Kirwill era immensamente compiaciuto di sé. Per la prima volta scorse il lato umoristico della situazione. «Sul serio lei pensa che niente serva a niente?» domandò.

«Non in questo momento e in questo luogo. Ora le mostrerò qualcosa.»

«E se ci beccano prima che lei mi abbia riportato indietro?»

«Renko, lei non ha niente da perdere, e io idem. Ora portiamo il Pantegana a casa.»

Arkady guardò il barbone che dormiva, tutto lercio e beato, sul sedile posteriore. Aveva cenato con Osborne, si era fatto un'idea della giustizia americana e ancora non aveva voglia di affrontare Irina. Quindi disse: «Perché no?».

«Bravo, ragazzo!»

Percorsero Canal Street. Volteggiavano rari fiocchi di neve, c'erano insegne con dorati ideogrammi cinesi.

«Quello che non mi spiego» disse Kirwill «è come mai lei si sia messo a fare il poliziotto.»

«Vuol dire l'investigatore?»

«Lo sbirro, insomma.»

«Come le pare.» Arkady ebbe la vaga sensazione di aver ricevuto quasi un complimento. «Una volta, quand'ero ragazzo, ci fu un caso di morte violenta. Poteva trattarsi di suicidio, oppure di omicidio.» Tacque, stupito di se stesso: poiché non era quello che avrebbe voluto dire. Un investigatore è abituato – condizionato, addirittura – a rispondere a quella domanda in ben altro modo tirando in ballo motivi sociali, coscienza civile e la Grande Rivoluzione da proteggere. Ma quella sera s'agitavano strani demoni, dentro il suo cervello. Quindi proseguì. «Era subito dopo la guerra, un periodo molto travagliato, e quel caso mise in gioco la reputazione di molti. Mai sentito tanta gente, come allora, buttar fuori la verità. Poiché la vittima stessa era una "verità" cui nessuno poteva sfuggire, e poiché gli inquirenti avevano uno speciale permesso di cercar la verità... No, non riesco a spiegarmi con chiarezza.»

«Ci provi» disse Kirwill.

Arkady guardò fuori. Lesse insegne di negozi per lui misteriose: *Joyeria, Knights of Columbus, Head Shop...* Quindi riprese a dire: «Ecco, mettiamo... Una sera, un artista acclamato dal regime dice a sua moglie di scendere un momento dalla macchina per togliere dei vetri dalla strada – e poi l'investe. Una ragazza, una Giovane Comunista, in procinto di sposarsi, dopo aver messo a letto i vecchi nonni, rincalza loro le coperte, chiude ermeticamente le finestre e apre il gas – poi se ne esce tranquilla per andare a una festa. Un rispettabile agronomo di provincia uccide, a Mosca, una ragazza di facili costumi. Sono peggio che delitti, questi qui: sono cose-che-non-possono-accadere in un regime comunista. Sono la *verità* che viene a galla. La verità riguardo a un nuovo tipo di russi: un uomo che non può permettersi di avere la macchina e un'amante, una ragazza che non riesce a disporre di un appartamento per sé e per il marito, quando si sposa, un provinciale che non potrà mai lasciare il suo sperduto paesello per trasferirsi a Mosca. Questi fatti non vengono citati nei rapporti ufficiali; però ne siamo a conoscenza. Ecco perché occorre un "permesso speciale" per ricercare la verità. Le statistiche sono truccate, s'intende.»

«Cioè, si denunciano meno delitti?»

«Appunto.»

Kirwill bevve e si pulì la bocca con il dorso della mano. «Qual è il punto? Da noi, in America, muoiono più giovani ammazzati che non di qualsiasi malattia. Chi compie qualche impresa criminosa diventa un divo della tivù. Tutti possono avere il loro quarto d'ora di celebrità. Assistiamo alle guerre, in tivù, e a tante cose meglio della guerra. Tutto fa spettacolo, da noi: rapine, psicopatici, maniaci sessuali, poliziotti tarati, attentatori, gente che compie una strage per capriccio. Esci di casa e ti becchi una pallottola, se no sta' in casa a guardare la tivù. È una forma d'arte e industria messe insieme, la tivù. Un'industria più grossa di Detroit, meglio anche del sesso, qualcosa come il Rinascimento per l'Italia, il riso per i cinesi e l'*Amleto* senza le lungaggini, Arkady, caro ragazzo. Quelli che muoiono ammazzati sul serio, nella vita reale, non contano. Che te ne frega, quando puoi vederlo alla televisione, un bel delitto, al rallentatore, con tanto di effetti speciali, con un barattolo di birra in una mano e una tetta nell'altra? Molto meglio la finzione, della realtà. Tutti i veri poliziotti sono a Hollywood, noi siamo solo dei fasulli.»

Imboccarono il tunnel sotto il fiume Hudson. Arkady avrebbe dovuto essere angosciato poiché, a questo punto, certamente Wesley era sicuro della sua diserzione; e invece si sentiva in preda a una strana euforia, come se avesse scoperto di saper parlare una lingua che nessuno gli aveva mai insegnato.

«Invece da noi i delitti restano segreti» disse. «Siamo arretrati in fatto di pubblicità. Persino gli incidenti sono tenuti segreti. Gli assassini, da noi, si vantano delle loro imprese solo dopo che sono stati scoperti. I testimoni mentono. Certe volte, hanno più paura loro, degli investigatori, che non gli assassini.»

Oltre il tunnel cominciava il New Jersey. Arkady si voltò a guardare le luci di Manhattan. All'orizzonte si levavano due bianche torri, nella notte. Non l'avrebbe stupito vedere due lune. Disse: «Volevo fare l'astronomo, da ragazzo. Poi mi resi conto che l'astronomia è una noia. Le stelle c'interessano solo perché sono lontane. Lo sa cosa ci interesserebbe sul serio? Un delitto su un altro pianeta».

Era un susseguirsi di cartelli indicatori: di qua per Bayonne, di là per il Boulevard Kennedy...

Arkady aveva la gola secca. Bevve un lungo sorso di whisky. «Da noi, in Russia, non ci sono mica tanti cartelli stradali.» Rise. «Se non sai dove porta una strada, non dovresti percorrerla.»

«Qui invece ne abbiamo a bizzeffe. E consultiamo le carte di continuo. Non sai mai dove ti trovi, qui da noi.»

Il whisky era finito. Arkady depose la bottiglia vuota ai suoi piedi. Poi disse, d'un tratto, come se Kirwill ne avesse accennato poco prima: «Lei aveva una babushka in casa sua».

«Sì. Si chiamava Nina» disse Kirwill. «Non divenne mai americana, finché campò. Dell'America le piaceva soltanto John Garfield.»

«Chi?»

«John Garfield, un attore.»

«Non lo conosco.»

«Un tipo diverso da lei, molto più proletario.»

«Vuol essere un complimento?»

«Era un grande amatore. Fino al giorno in cui è morto.»

«E suo fratello, com'era?»

Kirwill continuò a guidare per un pezzo in silenzio, prima di rispondere. «Era vergine. Un tipo molto dolce. Era duro, per uno così, avere due genitori come i nostri. Specialmente da morti, lo angustiavano. I preti ci andavano a nozze, con lui. Gli misero in mano una pisside e, in tasca, un passaporto per il cielo; e un razzo su per il culo, per spedircelo più in fretta. Io, ogni volta che tornavo a casa, gli sfasciavo l'altare che aveva in soffitta. Gli menavo... Ma sì! Era come tirar frecce a San Sebastiano. Lo costringevo a leggere Voltaire... Fu anche per colpa mia se andò in Russia a cercare la gloria. E vi trovò la morte. Non riesco a perdonarmelo.»

A Bayonne, la raffineria – con i suoi serbatoi, le sue storte, i tralicci e le torri metalliche – sembrava un paesaggio lunare.

Kirwill riprese a dire: «Andavamo a pesca sul lago Allagash, Jimmy e io, su nel Maine. Sono posti selvaggi, lassù, boschi immensi... acque ricche... si pigliano trote, branzini, lucci... Ha mai pescato in canoa? Ci andavamo anche d'inverno. Quando il lago era ghiacciato. Si pratica un foro nel ghiaccio e si cala la lenza...».

«Sì, si usa anche da noi.»

«Bevi quanto basta per tenerti caldo. Sei bloccato dalla neve? Non importa. Nella capanna hai provviste per un mese, hai il caminetto, una stufa e tutta la legna che vuoi. Ci sono daini, alci, cervi, caprioli... e un guardiacaccia ogni mille chilometri quadrati. Nessuno, tranne qualche boscaiolo, intorno a te.»

Varcarono un ponte. Il fiume era chiamato Kill Van Kull. Una chiatta discendeva verso il mare, unica traccia il suo fanale rosso.

«Staten Island» annunciò Kirwill. «Di nuovo a New York.»

«Non a Manhattan, però.»

«No, certo, non siamo a Manhattan. Così vicina eppure così lontana.»

C'erano file di case basse ai lati della strada. Un santo di gesso benediceva un prato.

Kirwill domandò: «Poteva riuscirci, Jimmy, a far espatriare quei due là? Mi dica la verità, Arkady».

Arkady ricordò quei tre cadaveri sommersi dalla neve al Gorky Park, l'uno accanto all'altro, e ricordò la baracca alla periferia di Mosca, dove i tre si nascondevano, dove Jimmy leggeva la Bibbia mentre Kostia scopava Valerya. «Sicuro» rispose, mentendo. «Era un tipo abbastanza coraggioso. Perché non avrebbe dovuto riuscirci?»

«Lei è in gamba» disse Kirwill, dopo un po'.

Un altro ponte li riportò nel New Jersey, di là d'un canale chiamato Arthur Kill, lungo le cui rive c'erano altre raffinerie con i loro pennacchi fiammeggianti. Arkady aveva perso l'orientamento, ormai. Ma, siccome avevano la luna sulla sinistra, arguì che stessero procedendo verso sud. A New York mi staranno cercando, pensò. Cercheranno anche Kirwill. Che penserà, Irina?

«Quanta strada c'è ancora?»

«Siamo quasi arrivati.»

«Abita qui, il suo amico Rats? Non vedo case, intorno.»

«È una zona paludosa. Una volta qui c'erano aironi, procellarie, barbagianni. E un bel po' di molluschi. E ranocchie, anni fa. Di notte, le raganelle, t'assordavano.»

«Lei ci veniva?»

«Sì, in barca. Con uno dei nostri anarchici. Appassionato di caccia e pesca in palude. Si finiva incagliati, il più delle volte. Faceva molto paesaggio russo, però.»

Ora, si intravvedevano delle fabbriche, in lontananza. Tutt'intorno al riverbero dei fari la palude aveva sfumature rosse, verdi, gialle.

«Lei è preoccupato, lo vedo» disse Kirwill. «Ma stia tranquillo. Me ne occupo io, di Osborne.»

E allora – pensò subito Arkady – che ne sarà di Irina e me? È grottesco, dovere la salvezza a Osborne. Arrivi a sperare che viva!

«Giri qui» disse una voce chioccia, alle loro spalle. Il Pantegana si era svegliato.

Kirwill svoltò per un viottolo che scendeva verso l'argine del Kill.

«Non è mica una faccenda fra Osborne e lei soltanto» disse Arkady.

«C'è di mezzo anche il Bureau, vuol dire? Da ogni parte il Bureau può proteggere Osborne, tranne che a New York.»

«No, non alludevo all'FBI.»

«Al KGB, allora? Anche quelli vogliono la sua testa.»

«No, non...»

«Fermi qui!» esclamò Rats.

Scesero dall'auto. Da una parte, la palude s'estendeva fino alle luci, fioche e in movimento, d'un'autostrada; dall'altra il terreno digradava verso il canale. Seguirono Rats per un sentiero, che affondava spugnoso sotto i loro piedi.

«Vi faccio vedere io, vi faccio» disse Rats, voltandosi indietro. «Non sono mica un ladro.»

In riva al canale sorgeva un cantiere, con la sua darsena, battelli in costruzione su armature di legno. Un cane da guardia abbaiò, gli risposero i cani di altri cantieri più a valle. Una chiatta di immondizie risaliva il Kill. Là, verso Staten Island, si vedevano alcune luci fra gli alberi. Lungo il canale, antenne di barche, tetti di case, gru, confusamente.

I tre arrivarono a una baracca, davanti alla quale un impiantito di assi offriva una precaria sicurezza dall'acquitrino circostante. Fiocchi di neve vagavano fra le canne palustri. Rats aprì la porta, accese una lampada a petrolio e li invitò ad entrare. Accanto alla soglia affioravano ossicini, fra il fango, come denti della terra.

Arkady esitò. Per la prima volta, da quand'era in America, non era circondato da luci. Solo i fari di auto sfreccianti sull'autostrada lontana e i lontani lampioni di Staten Island, tutto il resto era tenebra incombente. Il vuoto gli diede sgomento.

«Perché siamo venuti qui?» domandò a Kirwill. «Cosa vuole da me?»

«Voglio salvarla» rispose il poliziotto. «Stia a sentire: il Barcelona è un covo di puttane, il Bureau non può controllarne il viavai, io domani ci piazzo Billy e Rodney nella camera sopra la sua, e, a una cert'ora di notte, caleranno una scala di corda. Per lei e la sua ragazza. Poi scendete con l'ascensore di servizio, giù nelle cantine. Un gioco da ragazzi... la *Red Squad* l'ha già fatto altre volte.»

«Cosa?»

«La Squadra Rossa. Le hanno detto, no, di noi?»

«Come lo sa, che mi hanno parlato della Squadra Rossa?» Arkady attese una risposta, poi la diede da sé: «Lei ha una microspia, nella nostra camera d'albergo. Ecco perché i suoi agenti, Billy e Rodney, fingono di imbiancare l'ufficio dirimpetto. Quella radiolina sul davanzale è la loro ricevente».

«Anche gli altri la spiano.»

«Sì, però non s'atteggiano a amici miei. Mi dica, è possibile ascoltare spassionatamente? In modo distaccato? Scusi la mia stupidità, devo chiederle ora cosa ci faceva nella casa dove Osborne mi ha portato stasera. Perché mancava la corrente, in quell'appartamento? Mi corregga se sbaglio: lei ha installato microspie, anche là, non è vero? Ah, Tenente! si è dato molto da fare. Non ha tralasciato certamente la stanza da letto. Una microspia anche lì?»

«Quelli la stanno incastrando, Arkady. Il Bureau e il KGB, tutt'e due assieme. Da nessuna parte risulta che lei si trova qui in America. Ho controllato. Non risulta da nessuna parte. Quello che faccio è per proteggerla.»

«Bugiardo! Lei spezzò una gamba a suo fratello, per proteggerlo. Sa tutto, su Osborne e Irina e me.»

«Però posso salvarvi. Posso portarvi fuori, tutt'e due, e Wesley non saprà niente fino all'indomani. Ci sarà un'auto, ad attendervi, a pochi passi dal Barcelona, con documenti falsi, soldi e un itinerario sulla carta. In nove ore sarete nel Maine. Ce l'ho ancora, quella baracca di cui le parlavo. L'ho rifornita di provviste, per voi. Ci sono sci, e un fucile. Troverete anche una jeep. Se le cose si mettono male, potete svignarvela in Canada. Non è lontano.»

«Le va di scherzare... è roba da pazzi. Lo sa bene che non può salvarci.»

«Invece sì. Capisce? Solo così Jimmy potrà ancora avere partita vinta. Facendo espatriare due russi. Altrimenti la sua vita e la sua morte sarebbero state sprecate. Così invece ha un senso, che Jimmy sia vissuto.»

«No, non ha nessun senso. Jimmy è morto.»

«Perché stiamo a litigare? Lasci che io l'aiuti. Siamo amici.»

«No, non lo siamo. Mi riporti all'albergo.»

«Aspetti.» L'afferrò per un braccio.

«Me ne vado!» Arkady si liberò con uno strattone e si diresse verso l'automobile.

«Lei farà quello che le dico io!» Kirwill l'afferrò di nuovo.

Arkady lo colpì con un pugno, spaccandogli il labbro. Ne sprizzò sangue. Kirwill parve più stupito che scosso. Non mollò la presa.

«Mi lasci!»

«No. Deve...»

Arkady lo colpì di nuovo, facendo sprizzare altro sangue. Ecco, adesso s'aspettava che reagisse da par suo, con quelle manacce potenti che incrinano costole e smorzano il cuore, con quelle zampate che ti azzoppano, con quella sua furia leggendaria. Ma lui aveva imparato qualcosa, dopo Gorky Park, e adesso era pronto a farne tesoro. L'idea di un combattimento all'ultimo sangue lo allettava. Così sì che poteva aiutarlo Kirwill... non per nulla chiamato *Killwell*, l'Ammazzabene, dal suo stesso fratello. Era in questo, che eccelleva.

«Combatta» incitò Arkady, perentorio. «È così che cominciò, fra noi, si ricorda? Si batta!»

«No» disse Kirwill, senza mollare.

«Si batta, le ho detto!» E lo mise in ginocchio con un pugno.

«La prego» disse Kirwill.

Grottesco: l'Ammazzabene in ginocchio nel fango, che implora!

«Kirwill!» gridò Arkady. Poi le braccia gli ricaddero. «Mi lasci andare. Non c'è via di scampo per me, e non c'è una baracca incantata fra i boschi, lei lo sa. Potremmo stare nascosti per dieci anni, ma alla fine il KGB ci troverà e ci ucciderà, se non recupera gli zibellini. Non ci lasceranno mai andare senza aver saldato il conto. Ci consegneranno a Osborne, per riavere gli zibellini. Quindi non mi venga a raccontare favole: lei non può salvare nessuno.»

«Guardi» disse Kirwill. «Su, guardi.»

Arkady guardò verso la baracca. Rats era rimasto sulla soglia, troppo spaurito per scappare.

«Guardi dentro» disse Kirwill.

Arkady sentì il sudore sprizzargli da tutti i pori. E un gelo alle tempie. Avanzò, sul terreno acquitrinoso.

Rats sollevò il lume a petrolio. Arkady si abbassò per entrare. Le pareti e il soffitto della baracca, di tavole e lastre di plastica, erano tappezzati con giornali e stracci. Il pavimento era di assi traballanti. In un canto, un giaciglio. Al centro, una stufa panciuta, con sopra una padella di fagioli rappresi. Non c'erano finestre e la puzza di carne putrefatta era ammorbante.

«Non l'ho rubato, no» disse Rats, indietreggiando, atterrito da Arkady. «Capisce l'inglese? *I trap* – io caccio con le trappole. Questo faccio, io, non rubo.»

Su una scansia erano allineati barattoli di grasso e di sego. C'era poi uno scaffale d'ingredienti vari: digitale, nitroglicerina, ampolle di nitrato di amile, altre erbe, altri medicinali.

«Il topo muschiato ha la carne molto buona, saporita. È un cibo genuino, è solo il nome che alla gente gli fa schifo. La gente è scema. Le pellicce che portano sono di topo muschiato, perlopiù. Io ne vado a vendere dieci o venti di queste pelli, in città, ogni settimana. I topi muschiati mi sfamano a me, e mi pagano pure. Sono a posto, non ho bisogno di rubare niente, e non rubo niente.»

Rats inciampò contro la stufa e la padella di fagioli cadde. I fagioli ruzzolarono dentro uno scatolone che conteneva utensili vari, barattoli di vaselina, di caffè solubile, di tannino... una cartolina con l'immagine dell'astronauta John Glenn... stivali da palude, una rete...

«L'ho preso in trappola» continuò a dire, farfugliando, Rats. «Mai visto niente di uguale. Mica una martora, mica un visone... no, una bestia mai vista. Per questo l'ho portata in città, per scoprire che bestia era.»

C'erano panni sporchi appesi a una cordicella. Dietro quella specie di cortina, appese a un fildiferro, c'erano alcune pelli di topo muschiato, rase e lucide, di color marrone scuro e castano, con la coda nuda (da ratto, appunto) e le zampette palmate.

«E quello, al mercato, m'ha detto che non è manco una bestia americana. Allora, sì, ch'è forse roba vostra in fin dei conti. Io dico solo che non l'ho rubata, l'ho acchiappata con la tagliola. Vi farò vedere dove: di là dal canale. Io sto bene come sto, e non vado a cercare rogne.»

A un gancio, alla parete, pendeva un grembiule. Rats lo tolse di là, dicendo: «Se è roba vostra, è vostra».

Sotto il grembiule apparve una pelle più lunga e più stretta di quelle di topo muschiato, dal pelame blu-nero con in cima il caratteristico "effetto brina", dalla coda a cespuglio, la pelle accuratamente conciata. Uno zampino era rimasto stritolato dalla tagliola. Era uno zibellino siberiano.

«Ce la porto» disse Rats, a Kirwill ch'era rimasto sulla soglia. «Ci andiamo appena fa giorno. All'alba, domattina, lei e io.» Ridacchiò. Il suo sguardo passò da Arkady a Kirwill. Adesso era disposto ad aprirsi con loro. «Vi rivelo un segreto. Dov'è che l'ho trovata, quella bestia... ce n'è altre uguali.»

Wesley premette il bottone d'arresto e l'ascensore si fermò fra il quarto e il quinto piano del Barcelona. Con lui, nella cabina, si trovavano Arkady e due suoi agenti, George e Ray. Erano le tre del mattino.

«Abbiamo diramato un comunicato, sì, certo, ma dopo un'ora è stato ritirato» disse Wesley. «Il Tenente Kirwill è completamente pazzo. Aggredire un autista civile e rubargli la macchina! Lei era in pericolo... Ma poi mi sono detto che non c'era di che preoccuparsi: lei non tenterà scherzi, fintanto che abbiamo la Asanova. Finché abbiamo in mano la ragazza, teniamo lei. Quindi ci siamo messi ad aspettare, ed eccola qua. Dov'è stato?» Rimise in moto l'ascensore. «E va bene, non importa.»

Arrivati al quinto piano, George e Ray presero a spingere Arkady fuori in malo modo. Lui se li scrollò di dosso.

«Con le buone maniere» disse Wesley, che era rimasto presso l'ascensore.

Arkady percorse da solo il resto del corridoio. Entrò in camera, dove trovò l'altro scagnozzo, Al, ad aspettarlo. Lo sbatté fuori. Mise una sedia contro la maniglia.

Irina sedeva sul letto, esausta e spaurita. Non l'aveva mai vista così terrorizzata. In camicia da notte verdina, con i capelli sciolti sulle spalle, aveva le braccia nude, gli occhi dilatati. Possibile che fosse ancora più bella? Ancora più eccitante? Il segno sullo zigomo era visibile, senza trucco. Non osava parlare, a malapena osava respirare.

Arkady sedette sulla sponda del letto, e cercava di impedire alle sue mani di tremare. Cominciò a dire: «Sei stata a letto con John Osborne, a Mosca. Vai a letto con lui, qui a New York. Mi ha mostrato lui stesso la stanza. Voglio che mi racconti tutto. Intendevi dirmi ogni cosa, prima o poi, no?».

«Arkady...» disse lei soltanto, con un filo di voce.

«Un uomo non ti basta? Oppure Osborne ti fa provare sensazioni che non provi con me? Qualcosa di speciale... una particolare posizione... Eh? Da davanti, da dietro... Eh? Informami, ti prego. Oppure possiede un magnetismo sessuale al quale tu non riesci a resistere? Ti attrae, dimmi, un uomo che ha le mani lorde di sangue? Guarda, anche le mie sono insanguinate, adesso. Non del sangue dei *tuoi* amici, però, temo... soltanto del sangue d'un *mio* amico.»

Le mostrò una mano, ancora macchiata del sangue di Kirwill. «Oh, no!» disse con feroce sarcasmo. «Non basta per eccitarti. Ci vuole altro, per te. Ma lo sai o non lo sai, che Osborne ha tentato di ucciderti...? Oh, sì! forse è proprio questo, a eccitarti così. Ma certo. Perché una donna andrebbe a letto con un assassino, se non per farsi maltrattare? Eh?» L'afferrò per i capelli e glieli torse, fino a rovesciarle la testa. «Va meglio, così?»

«Mi fai male...» bisbigliò Irina.

«No, non sembra farti piacere.» La mollò. «Allora, non è questo. È il denaro, a eccitarti, di'? Lo capisco, eccita tanta gente. Osborne mi ha mostrato il nostro nuovo appartamento. Che vita da signori, ci faremo! Bei regali, bei vestiti. Te li sei guadagnati, tu, Irina. Hai pagato con la vita dei tuoi migliori amici. Sfido che t'ha sommersa di regali.» Prese fra le dita il collo della camicia da notte. «Un regalo, anche questa?» Gliela lacerò denudandole il seno. Vide batterle il cuore, di paura, sopra il seno sinistro come glielo sentiva pulsare nell'atto d'amore. Le passò delicatamente una mano sul grembo: il suo guanciale, il guanciale di Osborne. Scandì bene: «Sei una puttana».

«Te l'ho detto... avrei fatto di tutto... per venire qui in America.»

«Anch'io sono qui, e anch'io sono una puttana» disse Arkady.

Il contatto con lei lo rendeva al tempo stesso furioso e debole. Si alzò in piedi a fatica, e distolse lo sguardo. Nel rigirarsi, come un vaso che – mosso – trabocca, sentì gli occhi riempirglisi di lacrime, che subito sgorgarono copiose, inondandogli il viso. Ne sentì il sapore amaro in bocca. Io l'ammazzo, pensò, o mi metto a piangere. Ma piangeva già.

«Te l'ho detto che avrei fatto di tutto pur di venire qui» disse Irina, alle sue spalle. «Tu non volevi credermi, quando te lo dissi. Come vedi era vero. Ma non sapevo di Valerya e degli altri. Avevo paura, ma non sapevo che fine avevano fatto. Quando avrei potuto dirti di Osborne? Quando ormai mi ero innamorata di te? Dopo che mi portasti a casa tua? Perdonami, Arkasha, se non ti ho detto ch'ero una puttana, dopo aver cominciato ad amarti.»

«Hai dormito con lui, a Mosca.»

«Una volta soltanto. Affinché mi facesse espatriare. Tu eri appena comparso, e temevo che volessi arrestarmi.»

Arkady sollevò una mano, che subito gli ricadde. Come un peso morto. «Hai dormito con lui, qui a New York.»

«Una volta soltanto. Affinché tu potessi raggiungermi.»

«Ma perché? Eri libera, ormai... potevi avere una bella casa, bei vestiti... perché farmi venir qui?»

«Ti avrebbero ucciso, in Russia.»

«Forse. Però ancora non m'avevano ucciso.»

«Perché, vuoi sapere? Perché ti amo.»

«Avresti dovuto lasciarmi là, invece. Io ci stavo molto meglio, in Russia.»

«Io no» disse Irina.

Arkady non l'aveva mai saputo, di avere tante lacrime. Ricordò quando aveva il coltello di Unmann infilzato nella pancia: l'unica altra volta in cui qualcosa era sgorgato da lui, così copiosamente. E il dolore non era poi tanto diverso.

«Non potevo più stare lontana da te» disse Irina. Si alzò, e la camicia da notte le scivolò via.

Staranno ascoltando, si disse Arkady. La stanza era piena di minuscole orecchie elettroniche. Nascoste nel letto, nel divano, nell'armadietto delle medicine. La serranda pendeva come una palpebra socchiusa. La tirò su, e spense le luci.

«Se tu vuoi tornare in Russia, io ci torno con te» disse Irina.

Accecato dalle lacrime – calde come il sangue – Arkady rivide i Viskov nella tavola calda vicino alla Stazione Paveletsky, il vecchio che sorride con i denti d'acciaio, la moglie muta, anche lei sorridente. «Ti ucciderebbero, quanto meno» disse.

«Qualunque cosa tu farai, la farò anch'io.»

Lui cadde in ginocchio accanto al letto. «Non occorreva che ti vendessi per me.»

«Che cos'altro avevo, da vendere?» domandò Irina. «Non è la stessa cosa che vendersi per un paio di stivali. Mi sono venduta per scappare, per diventare viva. Non me ne vergogno, Arkasha. Mi vergognerei se non l'avessi fatto. Non mi pentirò mai.»

«Con Osborne, però...»

«Ti voglio parlare di questo. Non mi sono sentita sporca, dopo, come si immagina che dovrebbero sentirsi le donne. Mi sentii bruciata, come se mi fosse stato tolto uno strato di pelle.»

Gli attrasse la testa sul seno. Lui le circondò la vita con un braccio. I vestiti erano fradici di sudore. Se li tolse. E si scrollò di dosso anche i brutti ricordi.

Perlomeno quel letto era loro. Forse nient'altro lo era, sulla terra, ma quel letto, sì, era loro per diritto. In un certo qual senso si amavano anche di più, adesso. Erano esausti, morti... e ora vivi di nuovo, in quel letto di puttana, nella notte straniera.

Arkady sentì il sonno profondo di Irina contro il proprio fianco.

Appena giorno, Rats porterà Kirwill dagli zibellini.

«Si trovano in prossimità del canale Arthur Kill» gli aveva detto Kirwill, sulla via del ritorno in città. «Le dirò, è molto furbo a tenerli lì, piuttosto che a mille miglia di distanza. Primo, tutti presumono, automaticamente, che Osborne li abbia sistemati nella zona dei grandi allevamenti di visoni. Secondo: in tal modo li può controllare da vicino, senza dover dipendere da telefonate interurbane. Terzo: intorno ai Grandi Laghi, gli allevatori formano una sorta di gigantesca cooperativa; gli zibellini divorano carne fresca; lassù, non tarderebbero ad avere sentore di queste spedizioni, mentre a New York lo smercio di carne fresca è tale che nessuno s'accorge di niente. Quarto: nella zona ovest di Staten Island sono tutte paludi e boscaglie, qualche raffineria, pochi abitanti, i quali badano ai fatti loro, e niente sbirri. L'unica cosa che può andargli storta è un buco nella gabbia... Uno zibellino scappa, qualcuno lo cattura, cerca di venderlo, un pellicciaio di Manhattan informa la polizia e io, fra mille, lo vengo a sapere... Era l'unica cosa che poteva andargli storta. Il destino è dalla sua parte, Arkady. Tutto le va per il verso giusto, adesso.»

Domani, nel pomeriggio, Billy e Rodney avrebbero preso una camera al sesto piano, sopra quella di Arkady e Irina. E loro, col favore delle tenebre, non avrebbero dovuto fare altro che arrampicarsi su per una scala di corda. Nel momento in cui non ci fosse nessuno per strada. Il palazzo dirimpetto era deserto, dopo la chiusura degli uffici. Nessuno dunque li avrebbe visti. Dal sesto piano, avrebbero preso l'ascensore di servizio e sarebbero scesi negli scantinati. Sarebbero usciti dalla porta posteriore dell'albergo. Una macchina sarebbe stata ad attenderli, nei pressi. Nel vano del cruscotto, oltre alle chiavi, ci sarebbe stato del denaro, mappe e carte geografiche, con segnato il loro itinerario. Una volta partiti, Kirwill si sarebbe messo in contatto con il KGB e avrebbe offerto a Nicky e Rurik lo stesso baratto proposto da Osborne: gli zibellini contro Arkady e Irina. Cosa avrebbero potuto fare, allora, Rurik e Nicky? I prigionieri erano già scappati. Non appena l'FBI avesse scoperto la fuga, il vecchio patto non sarebbe stato più valido. Osborne, allora, avrebbe fatto sparire gli zibellini, nascondendoli chissà dove. Si tornava sempre, insomma, agli zibellini. Il KGB avrebbe accettato subito lo scambio proposto da Kirwill, e sarebbero corsi a Staten Island. Dove intanto...

Si accese una sigaretta.

Irina dormiva, ignara del nuovo risvolto. Non aveva potuto metterla al corrente del piano di fuga, con la camera piena di microspie. Inoltre, lei aveva fiducia nel baratto di Osborne. Inutile spaventarla, prima che il nuovo piano scattasse. Allora, sarebbe bastato farle cenno di seguirlo. Una volta in macchina, le avrebbe detto tutto.

Tutto quanto però dipendeva da un alcolizzato. Metti che Rats si sia inventato ogni cosa? O metti che gli venga un altro attacco di *delirium tremens* e non possa guidare Kirwill dagli zibellini? Metti che Osborne si sia bell'e accorto della mancanza d'uno zibellino e abbia già portato altrove tutti gli altri?

In tal caso, lui e Irina non sarebbero potuti fuggire. Forse l'FBI sorvegliava notte e giorno le loro finestre. Eppoi, Arkady non aveva mai guidato un'auto americana. Non sapeva come funzionasse. Oppure, si sarebbero potuti perdere, nonostante le carte geografiche. Avrebbe potuto esserci un errore, nell'itinerario segnato. Poteva anche darsi che Irina e lui, dal loro aspetto russo, venissero subito riconosciuti come fuggiaschi. E, oltre a tutto, lui era uno straniero, ignaro di tutto.

Perlomeno, però, non era più tenuto a credere a John Osborne. Come Irina diceva, si crede solo a ciò cui si deve credere. Lei non aveva mai chiesto altro, a Osborne, che l'America. Un investigatore ha invece altre pretese, su un assassino... C'è qualcosa di più oscuro e sottile, nel loro rapporto. Ciò di cui Arkady aveva bisogno, Osborne poteva fornirlo.

Il fumo formava una nuvola, presso il soffitto.

Investigatore russo, assassino americano. Nessuno conosceva Osborne meglio di Arkady: neppure Irina, neppure Kirwill. Osborne aveva speso un patrimonio, per trafugare quegli zibellini e – Arkady lo sapeva – non li avrebbe mai restituiti. Tenendoli, diventava un eroe americano. È vero, aveva ucciso – al Gorky Park – ma la sola persona che poteva accusarlo di quel delitto era Irina. Lui aveva tentato di ucciderla, a Mosca. Nulla era cambiato, tranne che, ora, doveva uccidere anche Arkady Renko. Osborne avrebbe mandato Nicky e Rurik nella direzione sbagliata, quindi avrebbe ucciso Arkady e Irina, non appena non fossero più stati sotto custodia da parte dell'FBI. Era poco, ma sicuro. Tuttavia, Osborne sarebbe arrivato con un giorno di ritardo.

Nel sonno, Irina si strinse di più a lui, premendogli il viso contro il torace. Come per infondermi coraggio, pensò Arkady. Spense la sigaretta.

Prima di addormentarsi, cercò di immaginare la capanna di Kirwill fra i boschi del Maine. Sarà come nella tundra? Occorreranno indumenti pesanti. Una vasta provvista di tè. E di sigarette. Arkady sorrise, fra sé, nel dormiveglia. Cacciare no, ma andare a pesca gli piaceva molto. Su una canoa non c'era mai stato. Avrebbero avuto lunghe, interminabili giornate, tutte per loro due. Irina gli avrebbe raccontato la sua vita, dall'inizio, senza tralasciare niente. E lui, lo stesso. Chissà quanto tempo sarebbero dovuti restare lassù. Osborne avrebbe dovuto nascondersi da Kirwill, quindi non avrebbe potuto mettersi, per ora, alla loro ricerca. Si sarebbero procurati dei libri. Autori americani. Se ci fosse stato un generatore, avrebbero potuto avere anche la luce, un giradischi. Lui avrebbe ascoltato della musica, coltivando un orticello: Prokofiev, i blues di New Orleans, seminando carote, patate, ravanelli. Nella bella stagione sarebbero andati a nuotare nel lago. In agosto a raccogliere funghi.

Sognò di trovarsi sulla riva del fiume Kliazma, all'imbrunire. In lontananza, oscillavano lanterne cinesi. Una lunga scalinata conduceva a un porticciolo, fiorivano peonie entro tinozze, una zattera si dondolava all'attracco.

Tutti quanti si erano sparpagliati lungo il greto: ospiti, musicanti, *aides-de-camp*. Suo padre, insieme ad alcuni amici, si trovava a bordo di una barchetta, in mezzo al fiume. Ecco, prendeva un coltello e si tuffava.

Benché l'acqua fosse opaca, Arkady riusciva a vedere distintamente sua madre, perché indossava un abito bianco. Stava sospesa a testa in giù, con i piedi presso il pelo dell'acqua, e le braccia protese verso il fondo. Quando alfine la portavano a riva, lui vedeva che aveva una corda legata intorno a un polso. Suo padre aveva tentato di reciderla, senza riuscirci, con quel coltello. Era la prima volta che Arkady vedeva una persona morta. Sua madre era giovane. E anche suo padre, benché fosse un famoso Generale.

Con gran pena – come sempre in questo sogno – Arkady analizzava il delitto. Dapprima pensava che fosse stato suo padre a ucciderla. Lei aveva danzato, aveva riso tanto, più allegra che mai, poi si era allontanata, da sola. Era un'ottima nuotatrice, la più brava del gruppo, una vera sirena. Non aveva addosso alcun segno di violenza, neppure un livido. Pian piano, Arkady si era poi convinto che era stata lei stessa a legarsi, per un polso, a una tinozza piena di pietre, da lei stessa predisposta in fondo al fiume, con fune e nodo scorsoio. Giorno dopo giorno, aveva portato pietre nella tinozza, fino a riempirla. Poi, la sera della festa, ecco, si era allontanata lungo il greto, si era gettata in acqua più a monte, aveva nuotato fino alla tinozza, e lì si era inabissata...

Da bambino, lui non sapeva niente delle purghe staliniane. Purghe nell'Esercito, nel Partito, fra i letterati, fra gli ingegneri. E neppure sapeva niente del suicidio della moglie di Stalin. Ma, benché fosse un bambino, avvertiva qualcosa di strano: la paura che era nell'aria. Le lanterne cinesi erano spettri. Gli zii più affettuosi erano diventati dei traditori. Le donne piangevano senza motivo. Una foto veniva tagliata, un'altra bruciata. Era difficile accettare che lei avesse seguito la sorte di quanti erano scomparsi, perché non era scomparsa: era annegata, sotto gli occhi di tutti. Per questo suo padre aveva cercato, disperatamente, di eliminare la prova di quel pezzo di corda, e far passare il suicidio per una disgrazia – o magari (al pari di Stalin) per un uxoricidio. Nell'acqua opaca, lei sembrava un punto esclamativo – alla fine di un atto d'accusa – almeno in sogno.

XXIV

Quando Arkady si svegliò, la neve vorticava, alle finestre, sicché la stanza sembrava girare. Accanto al letto c'erano Wesley e i suoi scagnozzi, George e Ray. Indossavano pesanti cappotti. Ray aveva una valigia, George puntava una pistola. La sedia con cui Arkady aveva barricato la porta giaceva ora in terra. Anche Irina si svegliò, di soprassalto.

«Che volete?» domandò Arkady.

«Vestitevi» disse Wesley. «Si va.»

«Dove?»

«Oggi è il giorno» disse Wesley.

«Il giorno dello scambio? Ma non era per domani?» protestò Arkady.

«È stato anticipato. Avverrà oggi» disse Wesley.

«Doveva essere domani» ripeté Arkady.

«Il programma è cambiato.»

«Arkasha, che importa?» Irina si tirò su a sedere, proteggendosi con il lenzuolo. «Oggi siamo liberi.»

«Liberi, sì. Basta che facciate come dico io» disse Wesley.

«Ci portate da Osborne?» domandò Arkady.

«Non è quello che volete?» disse Wesley.

«Su, alzatevi» disse George.

«Lasciateci soli, mentre ci vestiamo» disse Arkady.

«No» replicò Wesley. «Dobbiamo accertarci che non nascondiate niente.»

«Lei non esce dal letto, con voi qui» disse Arkady.

«Io le sparo, se quella non si alza» disse George, pigliandolo di mira.

«Lascia perdere» disse Irina, prendendo Arkady per una mano, quando questi accennò a muoversi.

«È una precauzione» disse Wesley.

«Ho qui i vostri vestiti nuovi» disse Ray, aprendo la valigia che aveva frattanto posato in fondo al letto.

«Ce l'ha belli grossi i coglioni, un agente del KGB?» domandò George a Arkady.

«Io non sono del KGB» replicò lui.

«Spero che siano della misura giusta per lei» disse Ray, a Irina.

Irina era scesa dal letto, nuda, e, tenendo d'occhio Arkady, si avvicinò alla finestra, con le braccia allentate lungo i fianchi.

«Su, coraggio, compagno Renko» disse Wesley, facendo cenno a Arkady di alzarsi.

Arkady si alzò, gli occhi fissi su Irina. Il suo corpo si era fatto più asciutto e muscoloso, dopo la convalescenza in campagna, con Pribluda. La cicatrice gli scendeva dal costato fino ai peli pubici.

George lo teneva sempre sotto tiro.

«Vuole spararci subito, così non ci pensa più?» domandò Arkady.

«Vi abbiamo portato questi vestiti per non stare a preoccuparci, casomai aveste qualcosa nascosto, nei vostri indumenti» spiegò Wesley. «Così è più facile.»

Irina si vestì, senza preoccuparsi degli estranei.

«Sono nervoso anch'io» disse Wesley, ad Arkady.

Per Irina avevano portato mutandine, reggiseno, blusa, calzoni, maglione, calzini, scarpe e una giacca a vento. Per Arkady mutande, camicia, calzoni, maglione, calzini, scarpe e una giacca a vento.

«La nostra prima neve americana» disse Irina.

Tutti gli indumenti erano della misura giusta, come Ray si era augurato. Quando Arkady fece per prendere il suo orologio, Wesley gliene porse uno nuovo.

«Sono esattamente le 6 e 45» disse, infilandoglielo al polso. «Ora di andare.»

«Vorrei spazzolarmi i capelli» disse Irina.

«Usi questo.» E Ray le porse un pettinino.

«Dove andiamo?» domandò Arkady.

«Ci saremo fra non molto e lo vedrete» rispose Wesley.

Chissà se Kirwill, a quest'ora, aveva trovato gli zibellini. Ma con tutta questa neve...

«Avrei qualcosa da comunicare al Tenente Kirwill» disse Arkady.

«Gli scriva un biglietto e lo consegni a me, ci penso io» disse Wesley.

«No, vorrei telefonargli.»

«Hm... credo che ciò complicherebbe un po' le cose. Soprattutto dopo i fatti di ieri sera» disse Wesley. «Meglio non complicarle, non le pare?»

«Che cosa importa, Arkasha?» disse Irina. «Siamo liberi.»

«La signora ha ragione» disse George, e mise via la pistola, per dimostrarlo.

Ray aiutò Arkady a infilarsi la giacca a vento.

«E i guanti?» disse Arkady, dopo essersi frugate le tasche. «Avete dimenticato i guanti.»

Gli agenti rimasero interdetti.

«Li comprerete dopo» disse Wesley «i guanti.»

«Dopo cosa?» domandò Arkady.

«Sul serio, è ora di andare» disse Wesley.

Dopo il nevischio della sera prima, adesso nevicava a larghe falde. Fiocchi pesanti, umidi, pastosi. A Mosca, vi sarebbero stati battaglioni di donne a spazzare la neve. Salirono a bordo di un'auto a due porte: Arkady e Irina dietro, assieme a George; Ray al volante e Wesley accanto a lui.

Lungo le strade del centro la neve, già a quell'ora, creava intralci al traffico. I vigili agitavano palette gialle, i lampioni occhieggiavano spettrali in mezzo al turbinio, i veicoli procedevano a rilento, fra un continuo stridore di freni, i pedoni camminavano incurvati. I cristalli dell'auto si appannavano. I pesanti cappotti impacciavano ancor più i movimenti. Arkady non avrebbe potuto saltare fuori se non scavalcando Wesley, cosa impossibile. Eppoi, c'era George il Greco con la pistola, accanto a Irina.

«Sigarette?» Wesley ne porse un pacchetto ad Arkady. Era eccitato come una ragazza.

«Credevo che lei non fumasse» disse Arkady.

«Infatti. Le ho prese per lei» replicò Wesley.

«No, grazie.»

«È un peccato...» Wesley ci rimase male.

George gliele tolse di mano rabbiosamente.

L'auto adesso procedeva sotto una via soprelevata, al riparo dalla neve. D'un tratto apparvero sagome di navi, attrezzature portuali.

Wesley chiese: «Dove è stato, ieri sera, con Kirwill?».

E Arkady: «È per questo che lo scambio avviene oggi, anziché domani?».

«Kirwill è tanto pericoloso da farmi stupire che lei sia ancora in vita» disse Wesley. E ad Irina ripeté: «Mi stupisce che sia ancora vivo».

Irina stringeva una mano ad Arkady. La neve era infittita. Lei si appoggiava a lui e, socchiudendo gli occhi, le sembrava di star viaggiando in slitta.

Arkady sentiva il rigido della camicia nuova sulla pelle. Come quelle babbucce che infilano ai piedi dei morti, pensò, bizzarramente. Ai condannati a morte si offrono sigarette, pensò ancora, ma si dimenticano i guanti.

Dirlo a Irina? si chiese. Ricordò quello che lei gli aveva raccontato, del padre di Kostia Borodin: fingeva di aiutare i fuggitivi, in Siberia, offriva loro da mangiare, della vodka, e poi, mentre dormivano, facendo sogni beati, li scannava. Irina – rammentò Arkady – riteneva che fosse meglio morire con l'illusione della libertà, piuttosto che disperati. Cosa c'è di più crudele che portar via anche l'ultima speranza?

E se si fosse sbagliato? Se Osborne, sul serio, intendesse barattare lui e Irina contro gli zibellini? Ecco... riusciva ancora a illudere se stesso. Sia pure per un attimo.

Sarebbe stato Osborne a sparare, ragionò. Più pulito, più onesto, in tal modo. E questi agenti erano persone pulite, persino oneste. Li avrebbero fatti passare, dopo morti, per spie? Per ladri? Per ricattatori? Che importava! Osborne era un grande esperto, in questo genere di cose. In confronto, Wesley era solo un passacarte.

La neve era ancora infittita e, quando uscirono da un cavalcavia, Irina gli strinse più forte la mano. Era tutta eccitata. E tanto bella che lui se ne sentì stupidamente fiero.

Forse accadrà qualcosa. Forse questa corsa in auto non finirà mai, pensò Arkady. Poi rammentò la microspia di Kirwill nella loro camera, al Barcelona. Forse i due negri, Billy e Rodney, avevano udito ogni cosa e li stavano seguendo. Forse erano a bordo della macchina appresso. Ricordò quindi che Kirwill e Rats intendevano attraversare il canale Kill a bordo di una piccola barca. Forse non ce l'avevano fatta, con quel tempo. In tal caso, se aveva dovuto rinunciare, forse Kirwill si trovava coi due negri nella macchina dietro di loro.

«Perché sorridi?» gli domandò Irina.

«Ho scoperto di essere affetto da un male incurabile» rispose Arkady.

«E quale?» chiese Wesley.

«La speranza.»

«Lo supponevo» borbottò Wesley.

L'auto si fermò. Ray discese e andò a comprare i biglietti per il traghetto. Si vedeva, di là da un'arcata, l'acqua nera del porto. Lì finiva Manhattan. Accanto alla nuova, c'era ancora la vecchia stazione marittima, in disuso: un grazioso edificio liberty, con putrelle di ghisa, bordate ora di neve. Un'auto si mise in coda dietro di loro. Al volante c'era una donna, che s'immerse nella lettura d'un giornale, tenendolo sollevato davanti al viso. Nell'altra mano stringeva una sigaretta.

«E se il traghetto non partisse?» domandò Arkady.

«A volte succede, sia pure di rado, se la marea è eccezionalmente alta o troppo bassa. Ma a causa della neve, mai» rispose Wesley. «Partiremo in perfetto orario.»

Di lì a poco, un traghetto attraccò. La manovra fu più rapida di quanto Arkady s'aspettasse. I cancelli si aprirono e una folta massa di pendolari si precipitò a bordo, sotto la neve, schivando quelli che scendevano dalle rampe. Poi toccò alle auto, su tre file. La loro era in testa e percorse il battello da cima a fondo, per andare a posteggiarsi all'altro estremo. I motori pulsavano, premendo il traghetto contro l'imbarcadero. Dal ponte-auto delle scale portavano di sopra, nel salone passeggeri. Perlopiù, gli automobilisti vi salivano. Allo squillo di una campana, un marinaio sollevò il cilindro che bloccava il timone. Tacquero i motori d'attracco e s'accesero quelli d'uscita. Di lì a poco il traghetto si staccò dalla banchina e prese il largo.

La visibilità era molto scarsa. La neve attutiva i rumori, come una cortina di bambagia. Certo, si disse Arkady, il traghetto è munito di radar, non c'è pericolo di collisione. Nell'acqua calma, un'onda si gonfiò – sulla scia di qualche nave invisibile – e il battello rollò appena. Dove sarà Kirwill? si chiese Arkady. Lo ricordò che correva sul fiume Moscova ghiacciato.

Ray aprì il finestrino e annusò l'aria. «Ostriche» disse.

«Cosa?» domandò George.

«Quest'odore mi ricorda le ostriche» disse Ray.

«Hai fame o sei eccitato?» domandò George. E guardò Irina. «Io lo so, di cos'ho voglia.»

L'interno del battello era dipinto in arancione. C'erano un'ancora nera, un argano, salvagente e scialuppe di salvataggio. Un cartello diceva, a lettere rosse: SPEGNERE I MOTORI, INNESTARE IL FRENO A MANO. SPEGNERE LE LUCI E NON SUONARE IL CLACSON. Non c'era un parapetto, ma soltanto un cavo allentato, lungo il bordo.

«Le dispiace se scendo?» domandò Arkady a Wesley.

«Perché vuole andare a prendersi del freddo?»

«Per godermi la vista.»

Wesley inclinò la testa leggermente di lato. La sua fronte era liscia come un ciottolo. «Oh, la vista è magnifica. Specie in una giornata come oggi, quando non si vede niente. Mah! bisogna rassegnarsi. Non può essere sempre bel tempo. Io sono un fatalista. E un pessimista, anche. Lo sapeva che questo traghetto è uno dei luoghi preferiti da aspiranti suicidi, a New York? Dico sul serio. Eppoi, potrebbe anche scivolare, accidentalmente. Le eliche la farebbero a fette. O sennò morirebbe assiderato. No, devo preoccuparmi come prima cosa della sua incolumità.»

«Allora mi fumo una sigaretta» disse Arkady.

Era una neve russa, di bambagia. Ora cadeva fitta e uniforme, ora invece la nevicata sembrava dividersi in tante bufere, vorticanti come trottole sull'acqua nerastra. Gocce d'acqua gelata imperlavano il cavo poppiero.

Valerya, Kostia il Bandito e James Kirwill non sapevano quello che li attendeva, al Gorky Park. Ignari, erano andati alla morte, pattinando. Se anche avesse avvertito Irina cosa avrebbero potuto fare? Sopraffare tre uomini armati? Cercar di richiamare l'attenzione di qualcuno? No, nessuno si sarebbe accorto di niente. Eppoi, forse che Irina gli avrebbe creduto? Avrebbero forse creduto, quei tre – Jimmy, Valerya e Kostia – a qualcuno che li avesse avvertiti?

Il cielo schiarì, verso est. Ora stavano passando accanto a un colosso color verderame che, in cima a un piedistallo di pietra, con la testa coronata di raggi, levava alta una torcia. Una statua stranamente familiare, persino ad Arkady. Poi di nuovo la neve infittì.

«L'hai vista?» chiese Irina.

«Per un attimo, sì» rispose Arkady.

«Non muovetevi, voi» disse Wesley. Scese dall'auto, si allontanò e disparve.

La superficie dell'acqua, nella baia, si alzava e abbassava, come un respiro affannoso. Passò una chiatta, trainata da un rimorchiatore. Volavano lenti i gabbiani, in caccia di avanzi.

Arkady notò che Ray stava fissando, con aria ansiosa, il retrovisore. Dunque, qualcuno li aveva seguiti, dopotutto. Arkady baciò Irina sulla guancia e guardò la fila di auto, alle loro spalle. Distinse a malapena due figure, all'altra estremità del traghetto. Una raffica gliele nascose. Quando guardò di nuovo, non c'erano più. Però li aveva riconosciuti: uno era Wesley, l'altro era l'agente del KGB dai capelli rossi, a nome Rurik.

La neve fioccava, l'acqua nera filava via, una boa rossa oscillava, facendo rintoccare una campana. Poi apparve una costa collinosa. Si distinsero le case d'una piccola città, o d'un sobborgo.

Wesley tornò.

«Dove siamo?» gli chiese Irina, quando fu risalito a bordo.

Wesley rispose: «Questa località si chiama Saint George».

«È Staten Island» disse Arkady.

«Beh, sì, però fa parte di New York City» disse Wesley «checché se ne dica.»

Arkady vide che, agli occhi di Irina, quello squallido porticciolo sotto la neve era come se fosse una stupenda isola tropicale, coi suoi palmizi e le sue orchidee. Era giunta alla meta di un magnifico viaggio.

Il traghetto attraccò, i marinai l'ormeggiarono. I

portelli si spalancarono e le auto cominciarono a sbarcare.

Saint George assomigliava a un paesetto russo. Le strade erano coperte di neve, il traffico era molto lento. C'erano vecchie auto arrugginite e la gente portava cappucci e stivaloni. Le case erano piccole e, da veri comignoli, si levava vero fumo. C'era una statua, con spalline di neve. I negozi però erano ben forniti: carne fresca, polli, frutti di mare.

Un viale portava dal paesetto a un quartiere moderno, di case prefabbricate. Qui, una chiesa somigliava a un'astronave. Una banca sembrava una stazione di servizio.

Si immisero sull'autostrada. La stessa che Arkady aveva percorso con Kirwill la sera avanti. Il traffico era scarso. Alle loro spalle, soltanto tre auto. In una di esse, Arkady riconobbe Nicky e Rurik. Ma non vide i due negri di Kirwill.

Lievemente asincroni, i tergicristallo colpivano i fiocchi di neve. Era la neve che cadeva o l'auto che si sollevava? Ad Arkady girava un po' la testa, un residuo di whisky gli ballava nello stomaco, il sudore gli sgocciolava dalle ascelle.

Ray svoltò poco prima del ponte sul canale Arthur Kill. Un'auto – una sola – li seguì. Percorrevano ora una strada stretta, che costeggiava il canale, bordata di canne palustri.

Arkady sentì che la vita si era fatta più semplice, ora. Non esistevano più elementi estranei come Billy e Rodney. I cartelli indicatori parlavano una lingua straniera ma quella strada era, per lui, inevitabile.

Ora capiva tutto. Osborne avrebbe ucciso lui e Irina. Era convinto di aver spedito il KGB mille miglia lontano dai suoi zibellini. Invece, Nicky e Rurik erano lì, alle loro calcagna. Tutto era chiaro, ora, agli occhi di Arkady. Chi fa il doppio gioco può venire doppiamente sacrificato. Meglio disfarsi di un uomo che fa troppi favori a entrambe le parti e, poi, chiede una ricompensa troppo alta. Quale altra scelta avrebbe Wesley? si chiese Arkady. Osborne rifiutava di darsi alla latitanza. Quindi, il Bureau si sarebbe visto costretto a proteggere a tempo indeterminato non solo lui, ma anche i suoi zibellini. No: molto più semplice eliminarlo. Arkady vide la simmetria: come si hanno due occhi, due mani, così si dava un perfetto equilibrio fra due forze contrapposte. Fra poco, Osborne avrebbe ucciso Irina e lui. Dopodiché la coalizione Wesley-George-Ray-Nicky-Rurik avrebbe ucciso Osborne.

Passarono accanto a un *corral* dove un cavallo nero, ritto in mezzo alla neve, si volse a guardarli.

Irina intrecciò le dita con quelle di Arkady. Lui ripensò a quella corda legata intorno al polso di sua madre.

Davanti a un granaio arrugginivano i ruderi di un camion.

Anche l'assassino più pazzo (Osborne) non è che un individuo: imprevedibile, vulnerabile alla fin fine. Ormai non restavano che scelte essenziali, definitive. Anche la neve riduce il mondo all'essenziale. Ecco là una macchina agricola semisepolta: lame ricurve trasformate in scarabocchi.

Rami carichi di neve s'incurvavano come cortigiani.

L'auto che li seguiva era rimasta adesso molto indietro. Ma Arkady la sentiva, come un rivolo di sudore lungo la schiena.

Una cornacchia svolazzò, sbilenca.

C'è conforto – si chiese – nel vedere i contorni della vita?

Il sudore era freddo come la neve.

Ray svoltò, varcò l'ingresso d'un cantiere. Tutt'intorno si vedevano navi e locomotive, camion e trattori, ogni sorta di macchine in demolizione, le cui lamiere contorte, i cui telai, le cui sagome più o meno smembrate affioravano da quel mare di neve come relitti di un naufragio. Da tutte le parti spiccavano scritte dipinte: VIETATO L'INGRESSO A CHIUNQUE e ATTENTI AI CANI! C'era una baracca adibita a ufficio, piastrellata di vecchie targhe d'auto, ma nessuno ne uscì per fermarli.

Arkady vide che seguivano la traccia di altri pneumatici. Qualcuno era passato di là (a occhio e croce) tre o quattro ore prima. Ray guidava come se, senza quella pista da seguire, si sarebbe smarrito. Procedettero ancora, fra montagne di ferrovecchio, atolli di vagoni ferroviari, foreste di gru, isolotti di turbine ammucchiate l'una sull'altra, piramidi di rotaie, termitai di bulloni... La traccia li guidò, oltre il cantiere, dentro un bosco di sicomori e tigli. Anche in mezzo agli alberi c'erano, come piovuti dal cielo, chassis d'automobili e scheletri di camionette.

Poi, la rete metallica parve balzar loro addosso. Era sormontata da una triplice treccia di filo spinato. Tutti gli alberi, entro una fascia larga venti metri, eran stati abbattuti. Senza dubbio, il recinto posava su una base di cemento (arguì Arkady) che adesso era coperta dalla neve. C'erano isolatori, in cima ai pali: quindi la rete era elettrificata. Arkady notò un uccellino che era andato a posarvisi, e ne dedusse che la corrente era staccata. C'era un citofono e, accanto, un cartello diceva: ALLEVAMENTO CANI DA DIFESA. PERICOLO. I FORNITORI SONO PREGATI DI CITOFONARE.

Il cancello era spalancato, come per invitarli a entrare. La strada, oltre il cancello, seguiva un percorso tortuoso fra gli alberi. A un certo punto la pista che stavano seguendo si divise in due: una carraia proseguiva lungo la strada e l'altra – più recente – si addentrava nel sottobosco. Una seconda auto si era aperta un varco fra i cespugli. Essi seguirono il percorso della prima.

Alla svolta successiva, apparve Kirwill. Stava in attesa con un braccio alzato, addossato a un olmo. Ray frenò secco. Kirwill non si mosse. Il suo sguardo era fisso nel vuoto. La neve gli copriva la testa e le spalle. Ai suoi piedi, giacevano morti due grossi cani grigi. La faccia di Kirwill era bianca come la neve. Aveva due fori sul petto. Dal ventre squarciato gli sgorgavano le viscere.

Solo adesso Arkàdy si accorse delle corde che lo tenevano legato all'albero, cingendolo intorno alla vita e a un polso, in quella strana posizione, come facesse segno con la mano. Scesi dalla macchina, videro il sangue sparso tutt'intorno. I cani erano simili a *huskies* siberiani, ma più snelli, dalle zampe più lunghe, più simili a lupi. Uno aveva il cranio sfondato. Sul viso di Kirwill era dipinta un'espressione di stanchezza: come se fosse stato condannato a portarsi sulla schiena quel tronco d'albero, in eterno.

«Cristo!» esclamò Ray. «Questo non era in programma.»

«Non lo tocchi» ammonì George.

Ma Arkady non gli diede retta. Abbassò le palpebre al morto, gli abbottonò il cappotto sullo spaventoso squarcio, lo baciò su una guancia di marmo.

«Via di là, per favore» disse Wesley.

Arkady indietreggiò. Irina era pallida in volto, quasi quanto Kirwill, e il segno sullo zigomo spiccava netto e scuro. Avrà capito, ora, finalmente? si chiese Arkady, fra sé. Ci vedrà Kostia, in Kirwill? Si sarà resa conto quanto poco lontani siamo, qui, dal Gorky Park?

In quella, sbucò Osborne dagli alberi, il fucile imbracciato e un terzo cane grigio al fianco. La bestia aveva striature nere intorno agli occhi e le fauci lorde di sangue rappreso.

«Ha ucciso i miei cani» disse Osborne, rivolto ad Arkady, e accennando col fucile a Kirwill. «Per questo l'ho sventrato. Perché ha ucciso i miei cani.»

Si rivolgeva ad Arkady come se gli altri non fossero presenti. Era vestito da cacciatore, con stivali allacciati, berretto verde alla tirolese, guanti di cinghiale. Il fucile aveva un mirino di precisione e il calcio elegantemente inciso. La neve aveva smesso di cadere. La scena aveva un nitore estremo, da ceramica.

«Bene... ecco qua i suoi amici» disse Wesley.

Osborne guardò il morto, poi Wesley. «Era inteso» gli disse «che avreste tenuto Kirwill lontano da me. Dovevate proteggermi da lui. E invece, non fosse per i cani, mi avrebbe ammazzato.»

«Però non c'è riuscito» disse Wesley «e adesso è stato tolto di mezzo.»

«Non grazie a voi, però» disse John Osborne.

«La cosa più importante» disse Wesley «è che le abbiamo portato i suoi amici. Sono tutti per lei.»

«Si sono portati anche il KGB» disse Arkady.

Wesley trasalì. Gli altri due FBI, che già stavano per allontanarsi, si fermarono.

«Lui ci prova...» disse Wesley, tornando padrone di sé. Poi, rivolto a Osborne: «Lei aveva ragione, il russo è in gamba. Però adesso è spaventato, quindi mente».

«Perché hai detto così, Arkasha?» chiese Irina. «Rovinerai tutto.»

No – pensò Arkady – non ha ancora capito.

Anche Osborne gli chiese: «Perché dice questo?».

«Wesley s'è incontrato con uno di loro poco fa, sul traghetto. È sceso dall'auto ed è andato a parlare con lui» disse Arkady.

«Nevicava fitto durante la traversata» disse Wesley, in tono pacato. «Non poteva vedere niente dalla macchina, men che meno un incontro segreto.»

«Lo ha riconosciuto, quel tale?» domandò Osborne, ad Arkady.

«Ci si vedeva poco...» ammise questi.

«Non vale la pena nemmeno di perdere del tempo!» disse Wesley.

«... però lo riconosco, uno del KGB, antisemita pelorosso, se lo vedo» disse Arkady «anche in mezzo a una tormenta.»

«Mi dispiace» disse Wesley, ad Arkady, «ma nessuno le crederà.»

Arkady non badava affatto a Wesley. E neppure

483

Osborne. Come fossero soli, a quattr'occhi. E, difatti, chi più di loro due lo meritava, di trovarsi a tu per tu? L'assassino e il suo investigatore. Due uomini, l'uno di qua, l'altro di là da un morto; ma non solo: due uomini sulla sponda opposta dello stesso letto. C'era una doppia intimità fra loro, che neppure Irina poteva condividere. Chi, meglio di loro due, poteva sentire la profonda analogia fra quel luogo e il Gorky Park, avvertire tutto il peso di quel cielo ancora gravido di neve e quasi sentire Tchaikovsky nell'aria? Arkady lasciò Osborne penetrare dentro di lui, attraverso le pupille. Pesa le mie parole – gli disse – annusale, assaporale... e decidi. Io ti sento dentro di me, come un lupo che va a caccia fra la neve. L'odio, lo senti? Fruga. È alloggiato dietro il cuore. Nel profondo di me, l'inevitabile. È quello che mancava a Kirwill. Io invece ce l'ho. Lo sai, ora?

Wesley sgranava gli occhi sui due uomini, poi, all'ultimo istante, rivolse un cenno a Ray.

Senza aver l'aria di prender la mira, Osborne fece fuoco. La testa di Wesley si spaccò, come un guscio d'uovo. Cadde in ginocchio e poi a faccia in giù. Mentre Ray cercava di estrarre la pistola da sotto l'ascella, impacciato da giacca e cappotto, Osborne espulse il bossolo, mise un altro colpo in canna e sparò ancora. Ray cadde seduto, e si guardò la mano insanguinata. La sollevò, lentamente, e guardò il buco che gli trapassava il petto. Poi s'accasciò su un fianco. Intanto, il cane di Osborne si era avventato su George. Era a mezz'aria, quando George gli sparò. Cadde morto stecchito. Però Osborne, ora, sanguinava da una spalla. Arkady si rese conto che un altro colpo era stato sparato, da lontano. George si mise al riparo d'un tronco. Arkady trasse Irina giù con sé lunga distesa sulla neve. E Osborne scomparve fra gli alberi.

Faccia a terra fra la neve, udirono George che spiccava una corsa. E poi altri passi che correvano. Udirono gridare, invettive e richiami concitati. Arkady riconobbe le voci dei due del KGB, Nicky e Rurik. Strisciò fino a Ray e gli sfilò la pistola. Prese anche le chiavi dell'auto.

«Scappiamo» disse Irina. «Con la macchina.»

Lui le diede le chiavi. «Scappa tu.»

Quindi, pistola in pugno, corse dietro agli altri uomini. Tolse la sicura. Era facile seguire le orme, sulla neve. Quelle di George... quelle di Osborne... e poi altre due, provenienti da opposte direzioni. Li udì, tutti e quattro, più avanti, gridare, udì rami schiantarsi, poi un colpo di fucile, seguito da pistolettate.

Arkady s'arrestò, riprese fiato. Poi ricominciò ad avanzare, cautamente. Vide il corpo di Nicky, pancia all'aria, fra la neve. Era morto. Con le gambe buffamente incrociate, come avesse fatto una piroetta, cadendo. Più oltre, vide le orme di Osborne e il punto dove aveva deviato, per tendere l'imboscata. S'udirono altri colpi, più lontani.

Poi la sparatoria cessò. Fu silenzio. Arkady avanzò ancora, di albero in albero. Aveva il respiro affannoso. Di tanto in tanto il vento scuoteva un malloppo di neve da un ramo e il tonfo, ovattato, lo faceva sussultare. Udì altri rumori – forse versi d'uccelli ora striduli, ora rauchi – portati dal vento. Al limitare del bosco sorgeva un'altra rete metallica, con schermi di tela. Incastrata entro uno squarcio della rete c'era l'auto di Kirwill. Nel lunotto posteriore c'era il foro d'un proiettile, il cristallo ragnato tutt'intorno. C'era Rats, sul sedile davanti. Stava ritto, ma era morto. Il sangue che gli era colato dal berretto di lana gli striava la nuca, raggrumato.

Arkady arrivò a un altro cancello. Era spalancato. Vide solchi di ruote – ormai quasi colmi di neve – e orme fresche d'uomini appiedati. Là dentro c'erano gli zibellini di Osborne.

La zona recintata era rettangolare, cento metri per sessanta, più o meno, e dalla pianta piuttosto semplice. A un'estremità, c'erano un ricettacolo d'acciaio, per i rifiuti, e il canile: tre catene pendevano da un anello. All'estremità opposta, c'era un bunker di cemento, accanto al quale era parcheggiata la limousine di Osborne. Il bunker era abbastanza grande per contenere celle frigorifere e locali di servizio, per preparare il cibo, eccetera. Eppoi c'erano vari capannoni. Le orme di Osborne, George e Rurik si dirigevano là.

I capannoni erano in tutto dieci. Ognuno era lungo una ventina di metri. Erano aperti e avevano un tetto di legno. Al riparo di ogni tettoia c'erano otto gabbie, soprelevate, disposte su due file di quattro gabbie ciascuna, con un corridoio in mezzo. In tutto, dunque, c'erano ottanta gabbie.

Quei Generali, al Palazzo delle Pellicce di Leningrado, non avevano fatto bene i conti: a New York si trovavano già ben ottanta zibellini siberiani. Gli animali, all'interno delle gabbie, erano spaventati e si agitavano.

Arkady non riusciva a vedere nessuno dei tre uomini, quantunque i nascondigli, in un posto così, fossero pochi, soltanto bidoni di plastica all'estremità di ciascun capannone, e truogoli di cemento (per lo scolo) sotto ciascuna fila di gabbiotti.

La rivoltella presa a Ray, a canna corta, non era certo l'ideale per il tirassegno. Eppoi lui non era certo un asso, alla pistola. Non avrebbe colpito nessuno, se si fosse andato ad appostare dietro il bunker, o dietro il canile. Quindi, spiccò una corsa verso il capannone più vicino.

Udì prima il colpo, poi sentì sibilare il proiettile. Dovrebbe avvenire l'inverso, pensò. Inciampò, ma non perse l'equilibrio. Raggiunse il capannone e si tuffò, sotto le gabbie. Il costato gli doleva, sordamente.

Sopra di lui, gli zibellini strillavano, risentiti. Saltavano qua e là, s'arrampicavano sulle pareti delle gabbie, di rete zincata, non stavano fermi un momento. Sembravano ora gatti, ora faine, drizzavano le orecchie, rigonfiavano la coda, soffiavano, si muovevano con furia e agilità incredibili. Sagome nere inquiete, animali selvaggi, smaniosi di vita. Ferocemente vivi, saettanti.

Sdraiato sulla schiena, Arkady guardò lungo il filare di tettoie, e vide un paio di gambe umane. Poi comparve una faccia capovolta, dagli occhi cupi. Quindi una pistola. Era George. Fece fuoco e uno spruzzo di escrementi animali cadde dal truogolo colpito su Arkady. Questi prese la mira... Ma era troppo distante. Allora scavalcò il truogolo per raggiungere il capannone successivo, e portarsi più vicino al bersaglio. Stava prendendo di nuovo la mira, quando echeggiò un colpo di fucile.

Arkady vide George indietreggiare verso il bidone di plastica all'estremità della tettoia. Vi urtò contro, lo ribaltò. Una zuppa rossiccia – teste di pesce e carne di cavallo a pezzetti – si rovesciò sulla neve. George vi cadde riverso.

Una voce chiamò: «Arkady Vasilevich!».

Era Rurik. Stava ritto accanto a lui, con in mano una Makarov automatica. Ora – Arkady pensò – daremo insieme la caccia a Osborne. Senonché quello del KGB la sapeva più lunga, in fatto di nemici e di alleanze. Ed era addestrato a non esitare.

Con un sorrisetto sarcastico, non privo di simpatia, da arbitro inappellabile (siamo tutti umani, no? specialmente noi ukraini) Rurik puntò l'arma contro Arkady, tenendola a due mani. Ma, prima che potesse premere il grilletto, il cranio gli si scoperchiò, ne schizzò materia grigia fra i capelli rossi, poi lui cadde bocconi sulla neve. Questa volta lo sparo si udì dopo l'arrivo del colpo.

Steso al suolo, Arkady tornò a perlustrare la zona con lo sguardo: e vide le gambe di Osborne a sei o sette capannoni di distanza. Constatò che l'altro, col mirino telescopico, poteva inquadrarlo più facilmente, se fosse rimasto sdraiato. Si alzò dunque in piedi.

Avanzò, avvicinandosi a Osborne di due capannoni. Passò accanto a George, riverso nel mangime. Avanzò ancora di un altro capannone...

Osborne si mostrò e spianò il fucile, prendendo la mira. Arkady si mise al riparo nel corridoio fra le gabbie. Alcuni zibellini stavano nascosti all'interno, altri invece correvano su e giù, s'avventavano contro la rete. Ogni gabbia era munita di lucchetto e aveva una tramoggia per il cibo. Fintanto che gli zibellini s'agitavano così, c'era speranza. Osborne non avrebbe rischiato di colpire un prezioso animaletto. Se Arkady fosse riuscito a portarsi abbastanza vicino, avrebbe avuto sei colpi di pistola contro uno di fucile.

Avanzò ancora, battendo con la mano sulle gabbie per spaventare gli zibellini, farli muovere. Gli pareva di sentirla, la frustrazione di Osborne, costretto a spostare di continuo la mira.

In due salti superò l'intervallo fra due capannoni e imbucò il corridoio successivo, continuando a gridare e a picchiare sulle gabbie. Gli zibellini si scagliavano contro le pareti, contro il soffitto, folli di rabbia, col pelo irto. Ad Arkady sanguinava una mano: gliel'aveva morsicata una bestiola, attraverso le maglie della rete.

D'un tratto si trovò lungo disteso sul piancito di assi. Era stato colpito. A una coscia. La pallottola era passata da parte a parte. Si rialzò. Vide che una delle ultime gabbie era vuota: per questo Osborne gli aveva sparato, senza rischiare; senonché il colpo era stato evidentemente deviato, altrimenti l'avrebbe fatto secco. Doveva essere la gabbia dalla quale era scappato lo zibellino preso in trappola da Rats. Infatti – notò di sfuggita – era stata riparata da poco. C'era, lì accanto, una cassetta d'attrezzi.

Continuò ad avanzare, zoppicando. Vide Osborne spiccare una corsa, per coglierlo al varco, non appena fosse giunto alla fine di quel capannone. Ma Arkady si sarebbe tuffato sotto le gabbie, nel truogolo di scolo, e avrebbe sparato per primo.

La gamba gli diede una fitta. Inciampò. Perse l'equilibrio. Si sentì invadere dallo sgomento.

In quella udì Irina gridare.

Era accanto al cancello, e lo stava chiamando. Non poteva vederlo, di là.

Osborne le gridò di non muoversi. Restasse dov'era.

Arkady riprese il controllo di sé.

Osborne gridò: «Venga fuori, Investigatore! Vi lascio andare, tutt'e due. Tenga pure la pistola. Venga fuori, sennò sparo alla ragazza».

«Scappa, Irina!» gridò Arkady.

«Vi lascio andare sani e salvi, Irina» disse Osborne. «Prendete l'auto e andatevene via. Renko è ferito...»

«Scappa» ripeté Arkady.

«Non me ne vado via senza di te» gli gridò la ragazza.

«Potete andarvene insieme, Arkady» disse Osborne. «Ve ne do la mia parola. Però adesso lei esca di là, sennò sparo a Irina. Conto fino a tre!»

Arkady ritornò alla gabbia vuota. Dalla cassetta d'attrezzi prese un piede-di-porco. E se ne servì per forzare lo sportello della gabbia accanto. Lo zibellino se ne stava fermo, guardingo. Il chiavistello saltò. Non appena la porta s'aprì, la bestiola balzò fuori. Corse via. Arkady non aveva mai visto niente sfrecciare così rapido, sulla neve. Passò alla gabbia successiva, inserì la sbarra e fece forza.

«No!» gridò Osborne.

Arkady afferrò lo zibellino, prima che sgusciasse via, e se ne fece scudo. Osborne era apparso all'estremità del corridoio, col fucile spianato. Arkady gli scagliò contro la bestiola. Osborne si scansò, puntò di nuovo l'arma e fece fuoco. Arkady si era già gettato a terra, e sparò a sua volta. Ripetutamente.

I primi due colpi raggiunsero Osborne al ventre, Il terzo lo mancò per un pelo.

Osborne espulse il bossolo e mise un'altra cartuccia in canna.

Arkady sparò ancora, e colpì l'avversario in pieno petto. Il quinto colpo gli forò la gola, mentre già stava crollando. Il sesto andò a vuoto.

Arkady si trascinò fuori dal capannone. Osborne giaceva supino. Non aveva affatto l'aria di uno con quattro pallottole in corpo. Stringeva ancora in mano il fucile. Non sembrava neanche morto. Non aveva perso niente della sua innata eleganza. Stava composto, con gli occhi chiusi. Tranquillo.

Arkady si sedette accanto a lui. Gli pareva di sentirlo irrigidirsi, di sentire il calore abbandonarlo. Stancamente, gli sfilò la cintura e se la strinse intorno alla coscia. Poi s'accorse di Irina, sopraggiunta già da un po'.

Lei aveva gli occhi sgranati. Osborne sembrava sorridere, come se avesse vinto lui.

«Una volta mi disse che amava la neve...» ricordò Arkady, quasi con nostalgia.

«E adesso dove andiamo?» fece Irina.

«Vai tu, sola.»

«Sono tornata per te» disse Irina. «Possiamo cavarcela, adesso. Possiamo restare in America.»

«Io non voglio restarci.» Arkady alzò la testa. «Mai voluto restare in America. Ci sono venuto solo perché sapevo che, altrimenti, Osborne ti avrebbe uccisa.»

«Allora, torniamo in Russia insieme.»

«No. Questa è la tua patria. Tu sei americana, Irina, ormai. Sei quello che hai sempre sognato di essere.» Le sorrise. «Non sei più russa. Siamo sempre stati diversi, tu e io. E adesso lo so, in cosa consiste questa differenza.»

«Cambierai anche tu.»

«Io sono russo.» Si picchiò un dito sul petto. «Più resto qui, più me ne rendo conto.»

«No!» Scosse la testa, con rabbia.

«Guardami.» Si alzò in piedi a fatica. La gamba era intorpidita. «Guardami» ripeté. «Non piangere e cerca di vedermi come sono: Arkady Vasilevich Renko, ex Investigatore, ex membro del Partito. Se mi ami, dimmi sinceramente quanto americano potrei mai essere. Dimmelo!» gridò. «Dimmelo» ripeté più dolcemente. «Sii sincera: non vedi in me un russo?»

«Abbiamo fatto tutta questa strada. Non ti lascio tornare a casa solo, Arkady.»

«Non capisci.» Le prese il viso fra le mani. «Non sono coraggioso come te. Coraggioso abbastanza per restare. Ti prego, lasciami tornare a casa. Tu sarai quel che già sei, io sarò quello che sono stato sempre. Non posso cambiare; quindi, t'amerò sempre.» La baciò, con rabbia. «Va', scappa via di corsa.»

«Gli zibellini...»

«Ci penso io. Tu va'.» La spinse via. «La ritrovi la strada, da sola. Sta' tranquilla. Non rivolgerti all'FBI. Rivolgiti alla Polizia, al Dipartimento di Stato... a chiunque ma non all'FBI.»

«Ti amo.» Gli restava aggrappata.

«Devo prenderti a sassate?» chiese lui.

Irina lo mollò. «Allora vado» disse.

«Buona fortuna.»

«Buona fortuna, Arkasha.»

Smise di piangere, si scostò i capelli dagli occhi, si guardò intorno e sospirò. «Con questa neve, ci vorrebbero stivaletti felpati, sai» disse.

«Sì, lo so» disse lui.

«Sono brava a guidare. Ora è schiarito, pare.»

«Sì. Addio.»

Lei s'allontanò di qualche passo. S'arrestò, si volse. Aveva gli occhi lucidi. «Avrò mai tue notizie?»

«Senz'altro. Sta' tranquilla. I tempi cambiano.»

Presso il cancello, lei si fermò ancora. «Come posso lasciarti?»

«Sono io che ti lascio.»

Irina oltrepassò il cancello. Arkady frugò nelle tasche di Osborne. Trovò il portasigarette. Se n'accese una. Fumando, ascoltava le fronde stormire. Finché

491

udì, in lontananza, un motore avviarsi. L'udirono anche gli zibellini. Hanno orecchie finissime.

E così – si disse Arkady – ci sono stati tre baratti. Prima quello di Osborne, poi quello di Kirwill e infine il mio. Infatti: lui sarebbe tornato in Unione Sovietica affinché il KGB permettesse a Irina di restare in America.

Guardò Osborne. Chiedo scusa – pensò – ma che cosa potrei barattare, a parte me stesso? Oh, sì, gli zibellini, certamente. Bisogna sistemare anche loro.

Tolse il fucile di mano al morto e tornò, zoppicando, ai capannoni. Quanti colpi aveva ancora? si domandò. La giornata si andava facendo serena, limpida. Gli zibellini si erano quietati.

«Chiedo scusa» disse Arkady ad alta voce. «Non so che farebbero di voi, gli americani. Ma è dimostrato che non ci si può fidare di nessuno.»

Le bestiole, aggrappate alle reti, lo guardavano – il pelo nero come l'antracite – gli occhietti fissi, attenti.

«Mi hanno nominato giustiziere» disse Arkady. «E da me avranno la verità, fratellini. Non sono tipi che accettano bugie, quelli, o favole o storie fantasiose. Mi dispiace.»

Udiva i loro cuoricini battere forte forte, come il suo.

«Quindi...»

Depose il fucile e afferrò il piede-di-porco. A fatica, su una sola gamba, schiantò un chiavistello. Lo zibellino balzò fuori, libero, e scappò via veloce. Arkady continuò a scassinare le gabbie, una dopo l'altra, mettendoci via via sempre meno tempo. Le sigarette l'aiutavano a sopportare il dolore alla gamba. Ed era ogni volta un'emozione, quando una gabbia si spalancava e un altro zibellino selvaggio sfrecciava via, verso la neve e la libertà – nero su bianco, nero su bianco – finché spariva.

Indice

Oscar Mondadori
Periodico bisettimanale:
N. 3133 del 28/12/1998
Direttore responsabile: Massimo Turchetta
Registr. Trib. di Milano n. 49 del 28/2/1965
Spedizione abbonamento postale TR edit.
Aut. n. 55715/2 del 4/3/1965 - Direz. PT Verona

ISSN 1123-8356

43207
1998